D1541977

Tylko martwi nie kłamią

KATARZYNA BONDA

Tylko martwi nie kłamią

MUZA

WARSZAWSKIE WYDAWNICTWO LITERACKIE

Projekt okładki: *Paweł Panczakiewicz/PANCZAKIEWICZ ART.DESIGN*
Redaktor prowadzący: *Ewa Orzeszek-Szmytko*
Redakcja: *Irma Iwaszko*
Redakcja techniczna: *Sylwia Rogowska-Kusz*
Korekta: *Katarzyna Szajowska*

Zdjęcie wykorzystane na okładce
© Irene Suchocki/Trevillion Images

© for the Polish text by Katarzyna Bonda
© for this edition by MUZA SA, Warszawa 2015, 2021

ISBN 978-83-287-0169-4

Warszawskie Wydawnictwo Literackie
MUZA SA
Wydanie II
Warszawa 2021

Entliczek pentliczek
Czerwony stoliczek,
Na kogo wypadnie,
Na tego bęc.
(wyliczanka dziecięca)

Czym w końcu jest kłamstwo?
Prawdą w masce.
George Byron

Mojej córeczce Niusi

Większość informacji dotyczących historii i architektury Górnego Śląska odpowiada prawdzie. Kamienica przy Stawowej 13 w Katowicach zachowała ślady swojej dawnej świetności. Dzieje ulicy Stawowej oraz hotelu Kaiserhof są fabularyzowane. Postacie, zdarzenia i sytuacje – fikcyjne. Jakiekolwiek podobieństwo do rzeczywistych jest przypadkowe.

Prolog

Katowice, ulica Stawowa 13, lok. 6
Noc z 31 grudnia 1990 roku na 1 stycznia 1991 roku

Poczuł ciepło na udach. Potem chłód, kiedy mokre kalesony przylepiły się do ciała. To strach rozluźnił chory pęcherz. Może poczułby wstyd, że jak dzieciak zsikał się ze strachu, gdyby nie to regularne kłucie w piersi, które tak dobrze znał. Wiedział, że jeśli zaraz nie weźmie leku, za chwilę pojedyncze szpile wbijające się w klatkę piersiową przemienią się w ciasną obręcz wokół szyi. Wtedy zacznie się prawdziwy ból – jakby lawa wulkaniczna zalewała gorącem przełyk. Znacznie silniejszy niż ten, który czuł do tej pory. Ból skrępowanych dłoni i stóp osłabł jakiś czas temu, bo krew przestała do nich dochodzić, i stał się całkiem do zniesienia. Jeszcze tylko przeguby pulsują. Jego własny pasek od płaszcza wpija się w nie i rani tysiącem igiełek.

Kłucie stało się coraz rzadsze. Zastąpiły je ulga i radość, że jeszcze żyje. Próbuje wyswobodzić się z więzów. Zdrętwiałe członki nie ułatwiają zadania, jednak stara się pokonać ich opór. Rzuca się całym ciałem po niewielkiej przestrzeni. Nieudaczne ruchy tylko wzmagają ból. Wie, że ma niewiele czasu – kłucie w piersi znów może się pojawić. Szamocze się rozpaczliwie. Wpada na stos wieszaków wybebeszonych z szafy. Próbuje oswobodzić się z pajęczyny metalowych prętów.

Bezskutecznie. Tylko poranił się w wielu miejscach. Wieszaki utworzyły teraz kolczastą klatkę, która zmusza go do leżenia bez ruchu. Oddycha ciężko, z piersi wydobywa się tępy świst. Czuje nieprzyjemne łaskotanie, jakby bezczelny owad wybrał się na spacer po jego ciele i wędrował od czubka głowy do karku. Chciałby go zgonić z siebie ze wstrętem, ale nie może. Łaskotanie zmienia się w pieczenie i pulsujący ból z tyłu głowy. Pojmuje, że to nie owad, lecz strużka krwi z otwartej rany na głowie. Zaczyna mu brakować tlenu. Zbliża się kolejny, o wiele silniejszy atak. Taśma ściąga kąciki ust. Powietrza wciąganego nosem jest zbyt mało. Tylko go dławi.

Syk wystrzelonej petardy. I kolejnych. Brzęk tłuczonego szkła. Śpiewy, dzwony, syrena strażacka. Głosy rozradowanych ludzi. Wszystko dzieje się tak blisko, na wyciągnięcie ręki. Nagle eksplozja. Potężny odgłos wybuchu, który w innych okolicznościach natychmiast przyciągnąłby tłum. Dziś został zagłuszony przez wielobarwny hałas sylwestrowej nocy za oknem.

Przez ciężkie drzwi klitki dla gosposi, w której właściwie nigdy nie mieszkała, a w której jest teraz uwięziony, słyszy rumor przesuwanych mebli w sąsiednim pokoju. I wysoki ton dzwonka aparatu telefonicznego, który zaraz cichnie. Zbyt gwałtownie. Domyśla się, że ktoś wyrwał kabel z gniazdka.

Nagle otwierają się drzwi. Słyszy odgłos włączanej zapalniczki i wrzask wściekłego mężczyzny.

– Kaj to masz?

Intruz chwyta go za ubranie i unosi do góry. Strach niemal zatrzymuje bicie serca. Czarne mroczki przed oczami, jak nocne motyle. Mężczyzna jednym ruchem zrywa mu taśmę z ust. Nieznośny ból wydzierania włosów z zarostu. Wszystko wiruje, kręci się jak na karuzeli. Mężczyzna szarpie go, krzyczy, ale on nie rozróżnia już słów. Zamieniły się w jednostajny hałas, który rozsadza mu skronie. Nie jest w stanie zrozumieć ich sensu. Zwieracz zawiódł ponownie. Tym razem w nogawkach ma nie tylko mocz. Chciałby skrócić ten koszmar. Wyznać, że tu nic nie ma, że to pomyłka. Żeby szukali gdzie indziej, czego innego. Nagle agresor rzuca go na podłogę, odchodzi. On już nie czuje bólu, choć upadając, prawdopodobnie zwichnął sobie rękę. Mija chwila, zanim uświadamia sobie, że tortury zostały jedynie odwleczone.

Rozlega się uparte pukanie do drzwi. Jest coraz głośniejsze, wreszcie zmienia się w gwałtowne uderzenia pięścią. Słyszy swoje imię wykrzykiwane zza drzwi. Karina, myśli. Odejdź, dziecko. Odejdź, ratuj się. Wystarczy, że ja zginę. Słyszy zaniepokojenie w głosie kobiety. Wtedy dopiero ją rozpoznaje. Oddycha z ulgą. To nie Karina, lecz córka sąsiadki z dołu. W pomieszczeniu panuje idealna, złowroga cisza. Prosi opatrzność, by dziewczyna odeszła, by oprawca nic jej nie zrobił. A jednak obecność kogoś, kto może go uratować, budzi resztkę nadzici. Chce krzyczeć, lecz nie jest w stanie wydać z siebie głosu. Chce wybiec, ale nie ma sił, by poruszyć nawet palcem u stopy. Wreszcie słyszy kroki rozlegające się w pustej klatce schodowej. Dziewczyna odeszła. Iskierka nadziei gaśnie bezpowrotnie. Nozdrza rozszerzają się coraz łapczywiej. Dźwięki słyszalne są coraz słabiej. Wystrzały petard i śmiechy wydają się zniekształcone. Wydłużają się jak nagranie na taśmie wciągniętej w magnetofon. Nagle wszystko się urywa. Znów kłucie w piersi i zaraz, zdecydowanie za szybko, pojawia się obręcz. Nawet gdyby mógł, nie zdążyłby zażyć leku. Jaka idiotyczna śmierć, myśli, kiedy obręcz na przełyku się zaciska.

„Trybuna Śląska", 2 stycznia 1991 roku, środa
6 stron, cena 500 zł

Pociągi stanęły na dwie godziny

Na obszarze Śląskiej Dyrekcji Okręgowej Kolei Państwowych we wtorek 1 stycznia między godziną 4.00 a 6.00 nastąpiło całkowite zatrzymanie ruchu pociągów. Przez blisko dwie godziny zablokowano ruch 141 pociągów pasażerskich i 40 towarowych. Spośród 216 stacji Śląskiej DOKP akcję strajkową przeprowadziło 186, z 13 lokomotywowni do strajku przyłączyło się 12.

– Nie podstawialiśmy pociągów rozpoczynających bieg w Katowicach – informuje naczelnik stacji PKP Katowice Osobowa. – A pociągi, które wjeżdżały na stację kilka minut przed godziną 4.00, były zatrzymywane.

W ciągu blisko dwóch godzin akcji strajkowej kolejarzy na torach wzdłuż peronów stacji Katowice Osobowa stało 5 pociągów pośpiesznych i osobowych, w tym 2 ekspresy międzynarodowe „Górnik" i „Jantar" oraz 4 pociągi towarowe.

Naczelnik stacji Katowice Towarowa poinformował, że w czasie akcji protestacyjnej nie wyprawiono ani jednego pociągu, a pracownicy opuścili swoje miejsca pracy.

Katowice, bufet miejskiego szpitala, 24 kwietnia 2008 roku, czwartek

W sobotę zabiorę swoje rzeczy – oświadczył zwalisty mężczyzna o włosach jak mleko i czarnych krzaczastych brwiach. Mimo upału miał na sobie świetnie skrojony szary garnitur z jasnoróżowym krawatem ciasno zawiązanym pod kołnierzykiem białej koszuli. Odwrócił głowę w kierunku dawno niemytych szklanych szyb oddzielających taras od szpitalnego bufetu, do którego nieustannie wchodzili ludzie. Wielu nie siadało przy stolikach. Przechodzili na taras i stawali przy barierce, by chciwie zaciągnąć się papierosem, bo tylko tutaj w całym szpitalu nie obowiązywał zakaz palenia.

– Po meble i obrazy przyjadę w niedzielę firmowym transportem – kontynuował władczo. – Wojtek, mój kierowca, zajmie się wszystkim. Tylko nie rób scen. Dom jest twój, toyota jest twoja, polisa też. Jutro będę widział się z Józkiem. Potwierdzi to notarialnie. Dodatkowo na twoje konto wpłacę pięćdziesiąt tysięcy. Wyjdziesz na tym lepiej, niż kiedykolwiek mogłaś się spodziewać. W końcu dostaniesz to, czego chciałaś. Będziesz bogata.

Powoli przesunął w jej kierunku kilka zadrukowanych kartek. Położył przed nią wieczne pióro, które przed chwilą wyjął z ozdobnego etui. Z głośników popłynęły pierwsze takty popularnej piosenki. Skoczna muzyka wydawała się w tym miejscu zupełnie niestosowna. Nie przychodzi się do szpitalnego bufetu dla przyjemności. Obecność tutaj oznacza jakiś osobisty dramat. Wszyscy pośpiesznie i w milczeniu pochłaniali kęsy odgrzewanej garmażerki. W trakcie ich rozmowy ludzie przy stolikach zmieniali się kilkakrotnie.

Zadudnił refren. Mężczyzna wyglądał tak, jakby za chwilę miał wybuchnąć śmiechem. Ta muzyka potęgowała groteskowość całej sytuacji. By zabić czas oczekiwania na podpis, zaczął z zapamiętaniem mieszać zimną już herbatę.

Jego towarzyszka – tleniona blondynka około czterdziestki – nawet nie spojrzała na kartki. Była ubrana we fioletową bluzeczkę z dekoltem zdobionym sztucznym futerkiem i cekinami oraz czerwoną dzianinową spódnicę. Jej zmęczona twarz nabrzmiała od płaczu. Worki pod oczami i ziemista cera dodatkowo ją postarzały. Prawdopodobnie budziła współczucie we wszystkich tu obecnych, tylko nie w swoim rozmówcy.

– To wszystko, co masz mi do powiedzenia? Po tylu latach? – zapytała, starając się, by zabrzmiało to jak wyrzut. Mężczyzna uderzył kilkakrotnie łyżeczką o brzeg szklanki, po czym z brzękiem odłożył ją na spodek. Gwałtownie wyciągnął rękę w kierunku blondynki. Wzdrygnęła się, sądząc, że chce ją uderzyć. On jednak tylko sięgnął po serwetkę i podał kobiecie.

– Rozmazałam się?

Przytaknął. Kobieta chciała powiedzieć coś jeszcze. Parę razy otwierała usta, lecz w końcu tylko głośno pociągnęła nosem i pochyliła głowę. Wydmuchała nos i zakryła ręką oczy z groteskowo rozmazanym tuszem na powiekach. Kiedy rozcierała do czerwoności twarz, on nerwowo strzepywał niewidzialne okruszki z garnituru.

– Ale ja wcale tego nie chcę. Nie odchodź. – Podniosła wzrok. W jej oczach nie było ani śladu agresji, nawet udawanej.

Jakby jej nie słyszał. Wpatrywał się teraz w ogromny parking rozciągający się za barierką szpitalnego tarasu. Jego uwagę przyciągnęła kobieta za kierownicą terenowej toyoty, która usiłowała zaparkować tyłem pomiędzy ściśniętymi autami. Im dłużej próbowała zrobić egzaminacyjną „kopertę", tym większą miał pewność, że za chwilę uderzy z impetem w sąsiednie auto, a przynajmniej zarysuje karoserię własnego samochodu, wjeżdżając w czerwony słup z napisem „Tylko dla pojazdów szpitala". Widział swojego saaba 95 dwie linie aut dalej i cieszył się, że obok niego nie ma nawet odrobiny miejsca. W końcu usłyszał brzdęk tłuczonego szkła i chrzęst metalu ocierającego się o metal. Po wielu próbach toyota staranowała znak i wgniotła drzwi stojącego obok passata. Nie zdziwił się, było to tak przewidywalne. Zwykła konsekwencja zdarzeń. Jak w ich życiu.

Kiedy więc ponownie spojrzał na swoją towarzyszkę, jego twarz wyrażała już tylko obojętność. Wyjął z paczki kolejnego papierosa, sięgnął po zapałki, ale w pudełku nie znalazł ani jednej. Kobieta pośpiesznie złapała swoją zapalniczkę i podała mu ogień. Na widok jej spojrzenia wiernego psa, który raz po raz kopany wciąż uznaje władzę swojego pana, poczuł irytację. Z trudem powstrzymał się, by nie uderzyć kobiety. Wciągnął dym głęboko w płuca, wypuścił z namaszczeniem i w skupieniu patrzył, jak kłęby rozpływają się nad ich głowami. Po chwili jego partnerka również sięgnęła po papierosa. Nie podał jej ognia.

– To mój ostatni, zostaw mi na drogę – odezwał się nieprzyjemnym tonem. Wpatrywał się w jej wąskie usta poznaczone harmonijką mimicznych zmarszczek. Nie mógł sobie odmówić sarkastycznego uśmiechu, który zawsze pojawiał się na jego twarzy jako wyraz głębokiej pogardy. Kobieta karnie włożyła papierosa do pudełka.

– Podpisz – rozkazał.

Rozejrzała się wokół, ale nie dostrzegła nikogo, kto mógłby okazać się pomocny w przeciwstawieniu się temu mężczyźnie. Wzięła do ręki pióro, które przed nią położył. Przycisnęła mocno stalówkę do kartki. Na papierze odcisnęła się czarna kropla atramentu. Kropla powiększała się, a ona wciąż nie składała podpisu.

– Co robisz! To przecież dokument. Jedyny egzemplarz – zbeształ ją.

Natychmiast nagryzmoliła nieczytelnie swoje nazwisko tuż obok wielkiego kleksa. Mężczyzna tylko na to czekał. Wyrwał jej z ręki dokument i troskliwie schował do etui pióro, jakby było wykonane z czystego złota. Jego twarz rozjaśnił triumfalny uśmiech, choć oczy pozostały zimne. Przez moment napawał się swoim zwycięstwem. Nic go nie obchodziło, że ona cierpi, że to dla niej cios, że przegrała. Kiedy stąd wyjdzie, nawet przez chwilę o niej nie pomyśli. Sprawa została załatwiona pozytywnie, tak jak lubił najbardziej. Znów był skuteczny, bezwzględny, pozbawiony uczuć. Mistrz manipulacji.

Młoda kobieta przy stoliku obok, ukryta za sztuczną palmą, ze złości zacisnęła dłonie w pięści. Nie mogła na to wszystko spokojnie patrzeć. Chciała wstać i wziąć sprawy w swoje ręce. Rzucić mężczyźnie w twarz, co o tym myśli, i zagrać jego kartami – nie fair. Powstrzymała się jednak. Wiedziała, że zdziała więcej, jeśli dalej będzie śledzić tych dwoje i przystąpi do ofensywy, dopiero gdy opracuje plan doskonały.

Gwar i muzyka zagłuszały rozmowę, dlatego od niemal czterdziestu minut nasłuchiwała w najwyższym skupieniu. Ramiona aż jej zdrętwiały od niewygodnej pozycji, którą przyjęła, by nie uronić ani słowa. Mimo to wciąż uparcie trzymała rozłożoną gazetę z dziurą na środku, wierząc, że dzięki kamuflażowi nikt jej nie zauważy. Kwadrans temu zorientowała się, że rozbawione towarzystwo małolatów dwa stoliki przed nią też przysłuchuje się rozmowie zapłakanej blondynki i agresywnego faceta, który przez swoją przedwczesną siwiznę oraz gigantyczny wzrost i tuszę wydawał się dużo starszy od rozmówczyni. Jeden z młodzieńców, wyraźnie lider grupy, bez skrępowania wskazywał parę palcem i śmiał się hałaśliwie, choć miał zabandażowaną niemal całą twarz. Przez chwilę zaniepokoiła się, czy to nie ona jest obiektem ich zainteresowania. Ale ani młodzieńcy, ani małżonkowie, których podsłuchiwała, nie zwracali na nią najmniejszej uwagi. Choć siwy chyba wyczuwał jej obecność, bo odwracał się w stronę sztucznego drzewka kilka razy. Na szczęście plastikowe liście i gazeta skutecznie ją osłaniały. Piorunował więc zimnym spojrzeniem grupę wesołków naprzeciwko siebie. Denerwowało go, że musi odgrywać ten teatr w miejscu publicznym. Wyglądał jednak na bardzo zdeterminowanego.

Kobieta ukryta za sztucznym drzewkiem nie mogła zrozumieć, dlaczego blondynka zdecydowała się podpisać podsunię te jej dokumenty – przecież w ten sposób pozbywa się prawa do połowy wspólnego majątku. Poczuła irytację, że żona jest wobec niego tak uległa. Dlaczego nie wykaże choć odrobiny sprytu? Dlaczego nie weźmie prawnika? Może za bardzo go kocha? Miłość. Chyba to jest jedyne wyjaśnienie tak irracjonalnego zachowania. A on o tym doskonale wie i sprytnie to wykorzystuje.

– Jestem zmęczony. – Siwy wreszcie przerwał ciszę. Jednym haustem dopił zimną herbatę i dokładnie wytarł usta serwetką. Zapiął zamek aktówki, w której schował podpisany dokument. Był pedantem. Lubił, kiedy sprawy szły po jego myśli. Ludzi traktował instrumentalnie, jak użyteczne przedmioty. Najchętniej poprzydzielałby im role jak aktorom w teatrze, każdy grałby tylko swoją kwestię. Im był starszy, tym więcej miał cech tyrana. Być może dlatego osiągnął taki sukces. Na kompromisy godził się jedynie w ostateczności.

– Chyba już wszystko omówiliśmy. – Wstał gwałtownie, potrącając stolik. Metalowe nóżki zadźwięczały nieprzyjemnie na posadzce.

Blondynka rozpaczliwie chwyciła się jego rękawa. Odepchnął ją, jakby odganiał natrętną muchę.

– Nie rób sceny – syknął.

– Powiedz mi chociaż, dlaczego teraz. Poświęciłam ci najlepsze lata. Byłam z tobą, kiedy te wszystkie kobiety... Kiedy byłeś chory... Kiedy omal nie straciłeś firmy przez swoje ekscesy. Tyle upokorzeń, bólu, strachu... Tyle razem przeszliśmy.

– Zamknij się!

Ale ona nie miała zamiaru kończyć. Była jak w transie.

– Chodziłam z tobą na terapię... Wierzyłam w ciebie. Pamiętasz, co mówiłeś? Co obiecywałeś Magdzie?

– Jej w to nie mieszaj! – podniósł głos.

Ludzie wokół zamilkli. Teraz już niemal wszyscy goście na tarasie zwrócili oczy w ich kierunku.

Słysząc jego słowa, kobieta obserwująca wszystko zza palmy aż podskoczyła z wrażenia i niechcący strąciła ze stolika solniczkę, która z głośnym brzękiem spadła, potoczyła się obok śledzonej pary i zatrzymała przy stoliku młodzieży. Kobieta zamarła. Teraz zostanie zdemaskowana! Ale dla wszystkich – także dla pary zajętej własną sprzeczką – wciąż była niewidzialna.

– Proszę, nie rozstawajmy się teraz, kiedy wszystko jest już dobrze... – Blondynka upadła przed siwym na kolana.

– Wstawaj! – Podniósł ją i siłą posadził na krześle. – Nic, kurwa, nie jest dobrze i doskonale o tym wiesz! – Przestał się kontrolować i krzyczał: – Nie weźmiesz mnie już na te krokodyle łzy!

Dziewczyna zza palmy nie miała wątpliwości, że siwy myśli tylko o tym, by znaleźć się daleko stąd. Ale się pomyliła. Mężczyzna widać zorientował się, że przedwcześnie ujawnił swoją wściekłość, bo przecież samo podpisanie dokumentów nie załatwiało spraw do końca. Rozejrzał się wokół i jak drapieżnik przygarbił, wciąż gotów do ataku. Przeczesał dłonią czuprynę, zmarszczył brwi, które nadawały mu groźny wygląd, po czym opadł na krzesło. Rozległ się odgłos głuchego tąpnięcia wielkiego cielska.

– Nigdy cię nie kochałem – oświadczył, teatralnie zniżając głos. Mówił spokojnie, lecz jego słowa raziły jak śmiercionośne pociski. – Wiedziałaś o tym, kiedy się pobieraliśmy. Przyzwyczaiłem się do ciebie, a ty do mnie. Układ przemienił się w związek. To ty chciałaś tego ślubu. To była twoja decyzja. I masz teraz, czego chciałaś. Nie zasługujesz nawet na to. Nie robię tego dla ciebie, tylko dla Magdy. Bo jedyne, czego mi żal, to jej. Ty nie budzisz nawet mojej litości. Tylko ona jest... – przerwał, bo na wysokości jego wzroku przy stoliku pojawił się nagle

20

biały fartuszek z haftem. Spojrzał na niezłe nogi w nylonowych pończochach, i niżej – na znoszone, niemodne już szpilki z czubkami w szpic.

– Przepraszam, Johann, może to nie najlepszy moment...
– Kelnerka odchrząknęła, po czym mimochodem, jak to tylko one potrafią, położyła na stole paragon z kasy fiskalnej. I konspiracyjnym szeptem zwróciła się do kobiety: – Bisaga tu jest. Chce, żebyś wróciła do pracy, Klaudia. Mają na oddziale straszny młyn.

– Marto, jeszcze chwilę. – Klaudia znów zaczęła wycierać nabrzmiałą twarz. Napuchnięte od płaczu oczy zmieniły się w szparki. Mężczyzna ze wstrętem przyjrzał się jej obwisłym policzkom, ciemnym odrostom na blond włosach, sztucznemu futerku przy pomarszczonym dekolcie i pomyślał, że powinien był odejść dawno temu.

– Spróbuj ją zagadać – poprosiła Klaudia kelnerkę. – Wymyśl coś... Odwdzięczę ci się...

– Widziała cię, wie, gdzie siedzicie. Nic nie zrobię. – Marta dyskretnie wskazała kobietę w białym kitlu, z czepkiem na głowie, z zapałem pałaszującą obiad w części dla niepalących. – Pośpieszcie się. Wiesz, jaka ona jest. Chyba nie chcesz stracić roboty?

Odeszła, kołysząc biodrami. Siwy odprowadził ją lubieżnym spojrzeniem ponad głową swojej towarzyszki, która nie zdawała sobie z tego sprawy, bo ponownie ukryła twarz w dłoniach. Marta zaś podeszła do lady, przechyliła się przez kontuar, a jej pośladki wypięły się w kierunku sali. Johann nie spuszczał z niej wzroku. Przecież niewiele brakowało, a to z nią siedziałby tu teraz. Gdyby wszystko potoczyło się inaczej... Właściwie obecna sytuacja jest jedynie dziełem przypadku. Klaudia była od Marty kilka lat młodsza i kiedyś zdecydowanie ładniejsza, lecz roztyła się i zaniedbała.

To w tym szpitalu się poznali, kiedy cztery lata temu Johann trafił na oddział intensywnej opieki medycznej po brutalnym pobiciu. Omal nie stracił życia, przez kilka dni leżał nieprzytomny, podłączony do aparatury. I niewiele było osób, które

21

cieszyłyby się wtedy z jego ozdrowienia. Kiedy po kilku opera-
cjach otworzył oczy, to Klaudię zobaczył jako pierwszą. Tylko
ona zdecydowała się nim wtedy zaopiekować, bo po tym, jak
brutalnie zgwałcił hostessę, we wszystkich kobietach wzbudzał
jedynie odrazę. To dzięki niej żyje, jest teraz tym, kim jest. Winien być jej wdzięczny, ale nie umiał nawet pokochać. Miłość
tylko osłabia, mawiał. Dziś jednak czuł inaczej. Uwierzył, że dostał od losu nową szansę. Pierwszy raz w życiu. I zamierzał z niej
skorzystać, choć się bał. Bo to nowe i nieznane. To dlatego prowadzi tę jałową rozmowę: by uciszyć poczucie winy i odwlec
moment konfrontacji z własnymi marzeniami, które mogą okazać się złudzeniem. A jednak nie widzi innego wyjścia, chciałby
zaryzykować. Już zdecydował i postawił wszystko na jedną kartę. Jest tak skupiony na własnych myślach, że praktycznie nie
słyszy słów żony, która znów zaczyna się przed nim płaszczyć:

– Przeczekajmy. To tylko kolejna fascynacja. Nawrót choroby. Ta lekarka nic o tobie nie wie, ja cię dobrze znam. Wybaczę
ci, zrozumiem. Nigdy ci tego nie wypomnę. Obiecuję, że nie
będziemy o tym rozmawiać.

– Oczywiście, że nie będziemy – przerywa jej ze spokojem
i pewnością, najokrutniej, jak to tylko możliwe. – Nie będzie ku
temu żadnej okazji.

Chwyta skórzaną teczkę, owija jedwabny szalik wokół szyi
i kieruje się do wyjścia.

– Johann! – Klaudia woła za nim rozpaczliwie. Akurat skończyła się piosenka. Kobieta zza sztucznej palmy, ludzie przy
stolikach na tarasie i w sali bufetu, młodzież, kelnerka, Bisaga,
jej przełożona – wszyscy patrzą teraz na niego. Ale on się nie
odwraca. Uciekł. Klaudia otępiała jeszcze chwilę siedzi sama
przy stoliku. Z głośników znów dobywa się rytmiczne „umc,
umc”... Jej wzrok pada na rachunek na metalowej tacce. Bierze
go, wyjmuje portfel, odlicza kwotę co do grosza. Nie zostawił
pieniędzy. Nawet teraz. Podchodzi do bufetu, kładzie na nim
tackę i dostrzega kelnerkę, która na zapleczu pali papierosa.
Podchodzi do niej.

– I co? – pyta Marta i wyciąga paczkę w kierunku Klaudii.

– To już naprawdę koniec – odpowiada przez łzy kobieta.

– Nie wiem, jak ja to przeżyję.

Nagle obok nich wyrasta przełożona i spogląda na Klaudię groźnie. Kobieta nieruchomieje, w myślach szuka jakiegoś wykrętu, którym mogłaby usprawiedliwić swoje wyjście na tak długo, ale w głowie ma pustkę. Bisaga podaje jej fartuch i pielęgniarski czepek, który ostentacyjnie otrzepuje z brudu. Klaudia uświadamia sobie, że musiały jej upaść na tarasie i z emocji o nich zapomniała. Nigdy, przez całe lata, nie zaniedbała pracy. Była wzorową pielęgniarką: oddaną, opiekuńczą, jakby stworzoną, by służyć innym. Teraz jej twarz znów staje się czerwona, tym razem ze wstydu. Ręce drżą. Nie wie, jak ma się bronić, jest całkowicie bezwolna. Wie, że za chwilę usłyszy najostrzejsze słowa przełożonej, liczy się nawet ze zwolnieniem. Ale pierwszy raz w życiu czuje w sobie bunt. Jeżeli teraz Bisaga spróbuje ją wyrzucić, to po prostu powie jej wszystko, co o niej myśli. Klaudia gotowa jest nawet zaszantażować szefową, że wie o jej popijaniu w pracy.

– Oni już tacy są, skurwysyny. – Przełożona mówi spokojnie i niezbyt głośno. Klaudia jest zaskoczona. Czuje, jak napięcie z niej odpływa, a w to miejsce pojawia się ulga. – Idź się umyć. Wyglądasz jak ulicznica.

Choć słowa są szorstkie, to jednak wypowiedziane z troską. Klaudii wydają się wręcz pieszczotliwe. Bisaga wyciąga rękę i dotyka jej mokrego od łez policzka. Kobieta czuje chropowatą skórę chłodnych opuszek palców.

– Dziękuję – szepcze z wdzięcznością i pochyla głowę. Przytula się do ramienia szefowej. Stoją tak chwilę, nie wypowiadając ani słowa. Wreszcie Bisaga odsuwa ją, prostuje plecy, zaciska usta i wraca do roli służbistki.

– Jest szósta, twój dyżur zaczął się o czwartej. Jeśli za dziesięć minut nie wrócisz do pracy, możesz nie wracać w ogóle.

Nie czekając na odpowiedź, odchodzi. Klaudii brakuje powietrza. Jej ciałem wstrząsa spazm, wybucha głośnym płaczem. Marta wnikliwie obserwuje ruchy przełożonej pielęgniarek. Jej szeroko rozstawione nogi w ortopedycznych butach, plecy godne ciężarowca, wrośnięte w perfekcyjnie wykrochmalony, śnieżnobiały uniform. W odruchu solidarności z Klaudią kelnerka wykrzywia twarz, po czym pokazuje Bisadze środkowy palec. Ten gest mogą podziwiać wszyscy goście przy stolikach. Kelnerka odwraca się do Klaudii, ostentacyjnie gasi w połowie spalonego papierosa, poprawia fartuszek i przykleja do twarzy sztuczny uśmiech.

– Na twoim miejscu – szepcze do Klaudii, gdy mijają się w wąskim przejściu – zabiłabym ją.

Zszokowana pielęgniarka otwiera szeroko usta.

– Nie Bisagę – śmieje się Marta. – Tylko tę kurwę, dla której cię zostawił.

5 maja – poniedziałek

Strumień światła przenikał przez szparę między aksamitnymi kotarami, niczym cienka wskazówka, której koniec dotykał blatu stołu i topił się w filiżance. Barczysty mężczyzna siedział w dziwnej pozie na krześle, tyłem do drzwi. Jakby zasnął, wpatrując się w okno. Głowę miał przekrzywioną na lewy bok. Na stole stały filiżanki na spodkach. Wyglądało, jakby najpierw wypił kawę, a potem niechlujnie rozchlapał fusy na obrus. Może przed zaśnięciem zamyślił się i czegoś oczekiwał? Ale przecież nie mógł wpatrywać się w drobinki kurzu, wirujące w blasku majowego poranka, i widzieć, że w tym jedynym momencie do złudzenia przypominają drogocenny pył.

Kiedy podinspektor Waldemar Szerszeń rozsunął kotary, spostrzegł, że mężczyzna zachowuje prostą pozycję, ponieważ jest przytwierdzony do krzesła taśmą pakową. Twarz siedzącego była sina od uderzeń. Usta miał zakneblowane. Szyję denata rozdzierała rozległa rana. Podinspektor był prawie pewien, że to poderżnięcie gardła było przyczyną zgonu i głównym powodem wykrwawienia się. Jajecznica na boczku i parówki po wiedeńsku, które policjant zjadł rano, podeszły mu do gardła. Pracował w tej branży od dwudziestu trzech lat, mimo to odwrócił wzrok od ciała mężczyzny i próbował opanować odruch wymiotny. Było to trudne, zważywszy, że powodował go nie widok

25

zwłok, lecz unoszący się w pokoju zapach rozkładającego się ludzkiego ciała.

Promienie słońca, które po odsłonięciu aksamitnych zasłon zalały pomieszczenie światłem, zdemaskowały też fusy z kawy. Okazało się, że to zakrzepła krew. Była nie tylko na obrusie, ale również na podłodze, ścianach, dywanie, książkach i papierach, które walały się wszędzie. Sprawca zabójstwa nie próbował zacierać śladów walki.

Podinspektor Szerszeń poprawił lateksowe rękawiczki, zerknął na ciało zwalistego mężczyzny, który siedział wyprostowany na stylowym krześle z wysokim oparciem, i pomyślał, że tak kończą ci, którzy zadali się z nieodpowiednimi ludźmi. Przeszedł się po pokoju urządzonym w stylu kolonialnym, po czym dał znak technikowi, że może zaczynać. Kiedy ten w skupieniu nakładał preparaty i zbierał ślady, Szerszeń jeszcze raz podszedł do łukowatego okna. Obok stała zabytkowa lampa z abażurem, mimo poranka wciąż zapalona. Podinspektor przez duże balkonowe okno przyjrzał się ludziom śpieszącym do pracy po majowym weekendzie.

– Można już otworzyć – powiedział Jacek, specjalista zabezpieczający linie papilarne. – Nic tam nie znalazłem.

Szerszeń szybko przekręcił klamkę, rozłożył podwójne łukowate skrzydła i głęboko zaczerpnął świeżego powietrza. Wiedział, że jeszcze przez wiele godzin będzie czuł ten trupi smród. Przy wejściu do mieszkania, już zabezpieczonym, jeden z policjantów przesłuchiwał właśnie Elfrydę Hasiukową, jedyną lokatorkę kamienicy, która nie zdecydowała się na przeprowadzkę do bloku, choć miasto oferowało jej większe mieszkanie. Kobieta wciąż zajmowała dawną kwaterę na pierwszym piętrze. Miała grubo po sześćdziesiątce, wyglądała na gadatliwą, wścibską i chętnie współpracującą z organami ścigania. Szerszeń widział ją tylko przez chwilę, lecz był pewien, że opowie więcej, niż naprawdę wie, włącznie ze swoimi domysłami, garścią plotek, a potem jeszcze będzie to powtarzać przed kamerami telewizyjnymi i pozować fotoreporterom codziennych gazet, którzy za niespełna godzinę się tu pojawią.

– Jest prokurator – powiadomił go Marek, policyjny fotograf, po czym wrócił do składania sprzętu. Jedną ręką wkładał aparat fotograficzny do torby, a w drugiej trzymał chustkę, którą zasłaniał sobie usta i nos, chroniąc się w ten sposób przed upiornym smrodem. To był czwarty miesiąc pracy Marka. Chłopak jeszcze nie zdecydował, czy przenieść się do drogówki, czy zostać na wikcie pionu kryminalnego. Bardziej skłaniał się ku drogówce – tam też potrzebują zdjęć. I choć roboty jest zdecydowanie więcej, łatwo dorobić, zawiadamiając „hieny", czyli telewizję i tabloidy. A jeśli nie zdążą przyjechać, zawsze jakieś fotki można im sprzedać. Tych tutaj nie – zaraz by stracił robotę. Poza tym współpraca z takimi typami jak Szerszeń nie była prosta ani przyjemna. Hardy młodzieniec czuł się jak popychadło, czego po latach szkoły nie miał ochoty znosić.

– A nagranie? – huknął na niego Szerszeń, po czym wyciągnął z kieszeni kolejną wykałaczkę i wsadził między zęby. Miesiąc temu, pod naciskiem żony i zaprzyjaźnionego kardiologa, przestał palić. Odtąd chodził podenerwowany, wciąż musiał trzymać coś w rękach lub cokolwiek przeżuwać.

– Bateria się wyczerpała. – Fotograf rozłożył bezradnie ręce i wykrzywił twarz w odruchu obrzydzenia, bo fetor wbijał mu się w nozdrza. Liczył, że Szerszeń pozwoli mu odejść.

– To idź do kiosku. Albo weź, kurwa, z tego pilota, bo chyba się już nie przyda. – Podinspektor wskazał na wrak telewizora leżący na podłodze. – Chcę mieć z tego film, jasne? Dokumentacja to twoja działka. Jak to zrobisz, twoja rzecz.

Marek wzniósł oczy do sufitu. Mrucząc pod nosem przekleństwa, wyszedł szukać sklepu elektronicznego. Kiedy był już pewien, że Szerszeń go nie usłyszy, dodał na głos:

– Takie paluszki to możesz sobie wkręcić w dupę, staruszku. Albo do kolejki swojego wnuka – zaśmiał się na głos. – Na pewno nie do mojego sprzętu...

– Ja ci dam w dupę, szczeniaku! – huknął mu za uchem Szerszeń i po ojcowsku wytargał go za ucho. – Aż ci bańka nosem
pójdzie...

Marek zbiegł po schodach jak pershing.

– Miętusa? – Dźwięk damskiego głosu nieco zaskoczył podinspektora. Odwrócił głowę i uśmiechnął się szeroko na widok
kobiety, która pojawiła się obok niego bezgłośnie, niczym złodziej. Towarzyszył jej delikatny zapach mięty. Miedziane włosy
miała ściągnięte gładko do tyłu. Szylkretowe okulary godne
przemądrzałej nauczycielki i wyprostowana jak struna sylwet-
ka sprawiały, że mimo atrakcyjności fizycznej wydawała się
dość wredna.

– Cześć, Wera, znowu się spóźniłaś – odpowiedział Szerszeń
z wyrzutem.

– Jakie znowu? Ostatnio ty się spóźniłeś – odburknęła prokurator Weronika Rudy. – Byłam rano w Załężu. Spróbuj przebić się Gliwicką do centrum. Korek jak na Manhattanie. Czy
wszyscy po weekendzie przypomnieli sobie, że mają samochody? Musiałam jeszcze wziąć dokumenty z prokuratury. – Podniosła do góry nowiutką teczkę z tektury. – Trochę się zeszło.
A zresztą ten tutaj raczej nie ucieknie...

– A co tam trafiłaś?

– Eee, ubój gospodarczy.

Szerszeń pokiwał głową ze zrozumieniem. Ta kolokwialna
nazwa określała najczęściej spotykane zabójstwo, z jakim policjanci i prokuratorzy mieli do czynienia. Wynik przemocy domowej, kiedy to maltretowana żona zabija swojego wieloletnie-
go oprawcę nożem do chleba, lub jatkę w melinie. Wykrycie
winnego takiej zbrodni nie było trudne, ale według polskiego
prawa prokurator musi uczestniczyć w każdych oględzinach
zwłok, jeśli istnieje podejrzenie, że śmierć nastąpiła przy udzia-
le osób trzecich.

– Ofiara miała półtora promila we krwi – dodała mimochodem. – A domniemany sprawca niewiele mniej...

– Dobra, wybaczam ci. – Podinspektor uśmiechnął się pobłażliwie. Już rozumiał, dlaczego Werka ma podkrążone oczy, a na twarzy ani śladu makijażu. Wstała dziś bardzo wcześnie. Jak zwykle oszacował jej sylwetkę. Była w dopasowanych dżinsach, czarnych czółenkach na słupku i zamszowej marynarce, szytej po męsku i zdecydowanie za ciepłej, bo znów zapowiadał się prawdziwy upał. W tym roku właściwie nie było wiosny, niemal z dnia na dzień nadeszło lato.

Dlaczego w dzisiejszych czasach takie urocze dziewczęta trafiają do tej branży?, zastanawiał się za każdym razem, kiedy się spotykali na miejscu zdarzenia. Trzydziestopięcioletnia Weronika Rudy była młodym narybkiem śląskiej prokuratury, ale już zyskała opinię jednej z najbardziej obiecujących oskarżycielek. W ciągu niespełna dwóch lat pracy awansowała do okręgówki[1] i teraz zajmowała się śledztwami najcięższego kalibru. Choć podinspektor Szerszeń był starszy od Werki o szesnaście lat, założyciel pierwszej w Polsce sekcji Archiwum X[2] i jeden z najlepszych psów gończych katowickich organów ścigania w jej obecności wcale nie czuł się jak kandydat na emeryta. Przeciwnie. Zdecydowanie wolałby mieć z młodą prokuratorką relacje trochę inne niż ojcowskie. Tym bardziej że Werka nigdy nie dała po sobie poznać, że dzieciństwo spędzali w zupełnie innych czasach, i bez skrupułów prowadziła z nim potyczki słowne, flirtowała, a kiedy trzeba było – potrafiła porządnie opieprzyć.

– Po co wyżywasz się na tym biednym Marku? – rzuciła. Było to bardziej stwierdzenie niż pytanie. Chyba rzeczywiście nie liczyła na odpowiedź, bo zaraz odeszła w kierunku denata i z zainteresowaniem godnym anatomopatologa[3] przyjrzała się jego ranie na szyi. – Nie jego wina, że śmierdzi tu jak w trupiarni – dodała, odruchowo zasłaniając twarz.

---

[1] Okręgówka – Prokuratura Okręgowa.
[2] Archiwum X – wydział policji zajmujący się niewyjaśnionymi zbrodniami sprzed lat.
[3] Anatomopatolog – medyk sądowy, lekarz zajmujący się analizą obrażeń po śmierci i ustalający sposób oraz przyczynę zgonu denata.

– Teraz to nic. Ale jak tu wszedłem po ósmej, aż mi się cofnęło śniadanie mistrzów... – mruknął Szerszeń.

– Co? – Rudy nie załapała. Dopiero po chwili skrzywiła się.

– Aha, rozumiem.

Podinspektor jednak bardzo chciał ten wątek kontynuować.

– Śniadanie mistrzów. Kiełbasa z całego województwa. Najlepsze żydowskie lekarstwo na kaca: żarcie – wyjaśnił. – Ale leczenie dzisiaj na marne, wszystko na nic – zasmucił się.

– Czyli dręczysz chłopaka, bo masz kaca i musiałeś przyjechać rano do roboty? – Weronika pokręciła głową z niedowierzaniem. – Rozumiem, że wy w policji macie falowe podejście do sprawy? – dodała z niesmakiem.

– O nie – pokiwał palcem Szerszeń. – Co to, to nie! Ja mściwy nie jestem, moja panno. Tylko nie lubię pracować z idiotami.

Weronika milczała, lecz wyraz jej twarzy mówił: „Dobrze, dobrze, ja i tak wiem swoje". Wreszcie roześmiała się, ukazując białe, równe zęby z przerwą między jedynkami. Jej twarz natychmiast nabrała innego wyrazu. Była tak urocza, że Szerszeń aż pokraśniał z zadowolenia.

– A jednak wolałam, jak paliłeś – westchnęła prokuratorka i wyciągnęła w jego kierunku pudełko z cukierkami.

Szerszeń wygrzebał kilka miętusów i natychmiast załadował je do ust.

– Nie przeszadżaj sz tym szmrodem. I czak krótko leżał.

– Siedział – poprawiła go Werka.

– Sziedżał – powtórzył Szerszeń i głośno rozchrupał cukierki. Po chwili dodał: – Ze dwa dni. Tylko ten upał...

Rozejrzał się po pokoju. Większość ekipy kręciła się przed wejściem do mieszkania.

– Co to jest? Święto policji? – krzyknął do nich podinspektor. W pomieszczeniu natychmiast zaroiło się od policjantów.

– Ale bajzel! – Weronika się rozejrzała. Tylko poczekalnia dla pacjentów, kuchnia i osobisty gabinet lekarki nie nosiły śladów walki. Salon i odgrodzony od niego ścianą z karton-gipsu przedpokój były niemal doszczętnie zdemolowane. Na ścianach brakowało obrazów, szuflady komód wraz z zawartością leżały na podłodze odwrócone dnem do góry, książki pozrzucane z półek, z niewielkiej sofy w salonie wyciągnięto pościel. Kiedy Werka podeszła do inkrustowanej gabloty z wiśniowego drewna, pod stopami usłyszała chrzęst. Spojrzała na dół i już wiedziała, co znajdowało się w gablocie. Na podłodze wokół mebla utworzył się dywanik z porcelanowych skorupek. Zerknęła na szklane drzwiczki szafki, które nie nosiły żadnych śladów uszkodzeń, i pomyślała, że intruz pewnie stał w tym samym miejscu co ona teraz i po prostu tłukł kolejne filiżanki, dzbanuszki, talerzyki. Dla samego faktu zniszczenia, tylko po to, by przestały istnieć. W tej kupce porcelanowej drobnicy dostrzegła ocalałą filiżankę Rosenthala w różany wzór. Zerknęła na denko – 1896 rok. Obejrzała ją pod słońce. Porcelana była cienka niczym papier. Poczuła złość na prymitywów, którzy bezceremonialnie wytłukli takie cacka.

– Masz fajki? – spytała Marka, który właśnie pojawił się obok niej. Fotograf, głośno sapiąc, odpakowywał z folii baterie, które udało mu się kupić dopiero w centrum handlowym, kilka przecznic od kamienicy.

Nie śpieszył się. Spokojnie odstał swoje w kolejce do kasy, potem cierpliwie poczekał na wystawienie faktury. W tym czasie skoczył na hamburgera i frytki, a wreszcie spacerkiem, paląc papierosa, wrócił do kamienicy. Schody pokonywał jednak biegiem, by nie zmiażdżył go gniew podinspektora, gdyby ten zorientował się, że chłopak zrobił sobie samowolną przerwę.

– Poczęstujesz mnie? – zapytała Weronika, a kiedy nie reagował, dodała: – Widziałam, że paliłeś na ulicy.

Stanęła tak blisko niego, że fotograf ledwie łapał oddech. Speszony – widziała przecież, że tak naprawdę wcale się nie śpieszył – drżącymi dłońmi sprawdzał zawartość kieszeni. W końcu stwierdził, że zgubił całą paczkę papierosów i złotą zapalniczkę Zippo. Wtedy poczuł, jak kobieta powoli wyciąga mu je z górnej kieszeni dżinsowej kurtki.

– Mogę? – Trzymając paczkę w ręku, przeciągnęła języczkiem po wydatnych wargach.

Fotograf oblał się sztubackim rumieńcem i skinął głową. Spojrzał przepraszająco na Szerszenia, który, ubawiony sytuacją, nawet nie zbeształ go, że zbyt długo szukał tych baterii. Na widok marki Cristal Weronika się skrzywiła, lecz wyjęła dwa papierosy – jednego zapaliła, a drugiego schowała do futerału na okulary. Nie wysiliła się na uprzejme „dziękuję", kiwnęła tylko młodzieńcowi i podeszła do reszty ekipy. Zamieniła z policjantami kilka zdań, lakonicznie skwitowała kilka faktów i zmarszczyła brwi, kiedy podawali jej wyniki swoich działań. Szerszeń obserwował, jak wskazuje odbarwione prostokąty na ścianach, które jeszcze kilka dni temu niewątpliwie zdobiły obrazy. Lekarz sądowy podsunął jej do podpisania protokół. Weronika zamaszyście złożyła swój autograf, po czym wróciła do podinspektora. Teoretycznie powinna czuwać nad odpowiednim zabezpieczeniem wszelkich śladów i decydować, jakie czynności należy wykonać na miejscu zdarzenia, lecz znała Szerszenia i wiedziała, że tak doświadczony śledczy jak on wie lepiej, co robić. Nietaktem byłoby wymądrzać się na jego terenie. Spokojna o stronę formalną mogła zająć się tym, co lubiła najbardziej – analizą.

– Myślisz o tym samym co ja? – zapytała, wskazując puste miejsca po obrazach. Niedbałym gestem zdjęła marynarkę. Pod spodem miała białą bluzkę ze stójką, zapiętą po ostatni guzik. W trakcie rozmowy lewe ramiączko biustonosza uparcie opadało i Weronika wciąż je poprawiała. Na dodatek materiał bluzki był tak cienki, że prześwitywała przezeń koronka stanika. Szerszeń z łatwością wyobraził sobie objętość jej biustu.

– Teraz prawdopodobnie o czymś zupełnie innym... – Odchrząknął. – No, ale powiedzmy, że myślę o tym czymś, co tli ci się w ręku.

– Palenie zabija, a ponieważ cię lubię, to cię nie poczęstuję. Poza tym nie mogę ryzykować gniewu twojej małżonki. – Uśmiechnęła się szeroko.

Szerszeń przeniósł wzrok z jej biustu na twarz, przyjrzał się złotej mapie piegów na policzkach, półprzezroczystym zielonym oczom i powiedział:

– Widzę, że wredne rude koty łażą w tej okolicy nie tylko nocą. No cóż, mały kotek też drapie.

– Ja natomiast myślałam o tym – ciągnęła Weronika – jak to się stało, że Johann Schmidt, potentat recyklingu, Niemiec polskiego pochodzenia, pojawił się niezauważony w kamienicy należącej do znawczyni seksualnych dewiacji Elwiry Marii Poniatowskiej-Douglas. – Wszystkie imiona i nazwiska pieczołowicie odczytała z protokołu, jakby była w sali sądowej i zamiast półprzezroczystej bluzki miała na sobie togę oskarżyciela. – I to akurat w momencie, kiedy ktoś postanowił obrobić gabinet lekarki ze wszystkich cennych rzeczy – dokończyła.

– Mnie bardziej interesują te niedopałki, paluchy, które ma Jacek, i czy z tej juchy da się wycisnąć DNA klienta, który załatwił naszego szacownego śpiocha – odburknął Szerszeń. – Myślówkę zostawiam sobie na potem. Ale znajdziemy odpowiedzi na twoje pytania. Wszystko w swoim czasie. Zresztą rozwiązanie tej zagadki może być zaskakująco oczywiste. Może byli kochankami? To się przecież zdarza. Nie było między nimi tak dużej różnicy wieku… – zawiesił głos.

Prokurator Rudy jakby nie dosłyszała.

– Ślady to jedno – kontynuowała. – Jacek na pewno coś ci wyłuska. Ja cię pytam teraz o hipotezy śledcze, a ty mi jak zwykle o seksie.

– Skoro mowa o seksie, to właścicielka tej hacjendy świetnie się na tym znała. – Podszedł do gabloty stojącej pomiędzy dużymi, stylowymi oknami. Wyciągnął dłoń, by chwycić jeden z ustawionych tam eksponatów, lecz zaraz ją cofnął.

– Czy to jest potrzebne do leczenia? – skrzywił się. Regał składał się z małych półeczek, na których umieszczono imponującą kolekcję różnej wielkości i kształtu penisów oraz figurek indyjskich, przedstawiających rozmaite pozycje z *Kamasutry*. Eksponaty były wykonane z różnych materiałów: drewna, alabastru, metalu, plastiku. Niektóre wyglądały na rzeźby bądź figurki o antykwarycznej wartości, ale większość prawdopodobnie pochodziła z sex shopu.

– Może to jest sztuka, Waldek...? – Prokuratorka wzruszyła ramionami. – A zresztą, kim są pacjenci seksuologa? Ludźmi, którzy mają problemy z tą sferą.

– A kto z nas ich nie ma – żachnął się podinspektor i zdecydował się wziąć do ręki jeden z kolosalnych członków wyrzeźbiony z drewna. Podniósł, obejrzał dokładnie i wymierzając go w Werkę, dodał: – Na mój gust ktoś, kto zbiera takie rzeczy, sam ma nierówno pod sufitem. Znasz ten dowcip o facecie, który poszedł po masło? – zapytał z szerokim uśmiechem.

– Nie teraz, Waldek... – ziewnęła Weronika, przeczuwając, że podinspektor znów chce opowiedzieć jej jakiś pieprzny dowcip. Zawsze to robił, kiedy się spotykali na miejscu zdarzenia. Gdyby zaczęła je spisywać, wyszedłby z tego mały tomik. Teraz zupełnie nie miała nastroju na słuchanie kawałów. – I odłóż to... – jęknęła, widząc, że Szerszeń za pomocą drewnianego penisa podnosi do góry orientalną kapę, którą sprawcy zabójstwa zrzucili z sofy podczas plądrowania mieszkania. – Na przykład myślałam jeszcze o tym – nie dawała się zbić z tropu – dlaczego przedwczoraj i wczoraj był tu mąż Poniatowskiej. Nie wszedł na górę, za to dziś rano pojawił się zapłakany na policji, by zgłosić, że żona mu zniknęła.

– A był tu? – zainteresował się Szerszeń. Wreszcie odłożył eksponat na miejsce. – Podobno odwoził dziecko na obóz do Ochab, został tam całą noc i wrócił dopiero dziś rano. Tak, to on zawiadomił nas, że świeci się w jednym z pokoi. A potem zgarnęła go drogówka, bo jeździł bez prawa jazdy. Dzięki temu możemy go przyskrzynić na czterdzieści osiem godzin.

Weronika wskazała palcem podłogę.

– Elfryda Hasiukowa mieszkająca piętro niżej ponoć widziała jego auto pod kamienicą. Trzy razy.

– Trzy razy podziel przez dziesięć. Wiesz dobrze, o czym mówię. – Podinspektor włożył między zęby kolejną wykałaczkę, jakby miała mu pomóc w rozważeniu stopnia wiarygodności tej informacji, po czym skrzywił się z dezaprobatą. – Nie cierpię takich świadków. Więcej zawracania głowy niż realnych danych. Ale niech ci będzie. Sprawdzę to. Mnie bardziej ciekawi, gdzie jest teraz gwiazda seksuologii. Długi weekend skończył się wczoraj, za chwilę zastanie nas tu południe. Kilku pacjentów odesłałem już z kwitkiem.

– Czyżbyśmy mieli podejrzaną?

– Formalnie to wciąż zaginiona.

– Jak sądzisz, dlaczego tak go zostawili? – Wskazała na ciało Schmidta przytwierdzone do krzesła. – Nie wystarczyło, że zginął? A co z narzędziem zbrodni?

– Pewnie zabrali ze sobą. Zadajesz za dużo pytań. Jak zwykle zresztą... Pogadaj z tamtym gościem. – Zerknął na mężczyznę w drugim pokoju, oddzielonym od salonu i miejsca przyjęć pacjentów rozsuwanymi drzwiami z mlecznej szyby. – On wie wszystko o układaniu trupów. I o motywach działania wszelkiej maści dewiantów. Zobacz, wszyscy spierdolili na korytarz, a ten pracuje.

Weronika dopiero teraz go dostrzegła. Wysoki, żylasty brunet o rzymskim profilu i brwiach łączących się niemal w jedną kreskę stał obok blatu zajmującego całą szerokość ściany z oknami. To niekonwencjonalne biurko było załadowane dokumentami. W pomieszczeniu – prywatnym gabinecie lekarki – praktycznie nie było śladów walki. Wazon ze zwiędłymi białymi liliami stał nienaruszony. Za plecami mężczyzna miał bibliotekę wykonaną na wymiar i w całości wypełnioną książkami. Przemieścił się w kierunku małego stolika kawowego, obok którego stał fotel obity amarantową tkaniną w złote esy-floresy, w stylu Ludwika XVI. Prokuratorka na chwilę straciła bruneta z oczu. Kiedy znów się pojawił, trzymał w ręku ramkę ze zdjęciem i wpatrywał się w nią niczym hipnotyzer. Czarne polo opinało jego szerokie plecy i było wpuszczone w eleganckie grafitowe spodnie od garnituru. Marynarkę od kompletu miał przewieszoną przez ramię, z jej kieszeni zwisał krawat w szaroczarne pasy – dość rzadko spotykana część garderoby u policjantów z wydziału zabójstw, z którymi prokurator Rudy miała do czynienia na co dzień. Krawat wyglądał na drogi, niemniej właściciel traktował go dość nonszalancko, przydeptując co chwila lakierkiem. Napięta żyła na skroni wskazywała, że mężczyzna intensywnie się nad czymś zastanawia.

– Kto to? – szepnęła zaintrygowana.

– Nie znasz? To nadkomisarz Hubert Meyer, najbardziej uparty gliniarz, jakiego znam. Mój ulubiony psycholog policyjny i profiler[1] – padła odpowiedź.

– To on? – Weronika aż otworzyła usta ze zdziwienia. – Myślałam, że on nie istnieje, że to wymysł scenarzystów... To jest prawdziwy bohater *Sprawy Niny Frank*?

Mężczyzna ze zdjęciem w ręku nie mógł usłyszeć tego pytania, stał zbyt daleko. Ale wyczuł jej spojrzenie i na moment oderwał wzrok od fotografii. Poczuła się nieswojo, kiedy skierował na nią stalowe tęczówki głęboko osadzonych oczu. Wydało jej się, że na chwilę się zwęziły niczym u skupionego wilka. Przemknęło jej przez głowę, że Meyer ma twarz upadłego anioła, który zgubił gdzieś swoją duszę. Chciała skomentować jego niestosowny strój – w końcu to miejsce zbrodni, a nie filharmonia – ale z wrażenia nie mogła wydobyć z siebie głosu.

– Poznam was! – Zadowolony Szerszeń złapał Werkę za łokieć. Po drodze huknął jej jeszcze do ucha: – On ma więcej rozumu w pięcie niż kto inny w głowie. A do tego jeszcze utalentowany didżej.

– Nie jestem głucha! – Weronika odruchowo zasłoniła ucho, chroniąc się przed kolejnym podobnym żartem podinspektora.

Szerszeń znów się pochylił i tym razem szepnął ostrzegawczo:

– Tylko ani słowa o tej szmirze, bo cię pożre zamiast śniadania. Nienawidzi tego filmu. A zwłaszcza jego zakończenia.

---

[1] Profiler sporządza portret psychologiczny nieznanego sprawcy – krótką charakterystykę przygotowaną na podstawie zostawionych przez zabójcę śladów jego zachowania przed zbrodnią, w jej trakcie i potem. Są one inne niż ślady typu odciski palców czy włosy zostawione na miejscu zdarzenia. Profil ułatwia policjantom czynności operacyjne. Ogranicza liczbę podejrzanych do kilku osób, eliminuje pozorowane motywy zbrodni, pomaga zlokalizować miejsce zamieszkania lub miejsce pracy poszukiwanego. W charakterystyce policjanci otrzymują informacje o przedziale wiekowym sprawcy, jego wykształceniu, wyglądzie zewnętrznym itd.

Meyer obserwował ją, odkąd się pojawiła. Widział, jak flirtuje z Szerszeniem i jak stary wyga mięknie przy niej i pozwala stroić z siebie żarty. To rzadki widok, więc przykuł uwagę profilera. Nie trzeba było głębokiej wiedzy psychologicznej, by dostrzec, że podinspektor ma do tej kobiety słabość. Kiedy zobaczył, że Szerszeń prowadzi ją w jego kierunku, na chwilę przerwał analizę miejsca zbrodni i śladów zachowania sprawcy. Poczuł się jak przebieraniec w tym wieczorowym garniturze i lakierkach.

Czy to jest właśnie prokurator Rudy? – myślał gorączkowo. Był trochę zaskoczony. Szerszeń uprzedził go, że prokurator dojedzie na miejsce zdarzenia trochę później, bo poranek obfitował w znajdowanie zwłok. Z niezrozumiałych jednak powodów był przekonany, że jest nim mężczyzna. A już na pewno nie spodziewał się, że będzie to ktoś tak ładny i perfekcyjnie zbudowany.

Szerszeń zerwał go po zaledwie kilku godzinach snu. Przyjaźnili się od lat. Odkąd pamięta, umawiali się na wspólny wypad na ryby. Wciąż jednak nie mogli zgrać się w czasie. Albo Hubert tropił jakiegoś seryjnego zabójcę czy desperata podkładającego bomby, albo Szerszeń miał owocny dyżur w swoim wydziale. Wczoraj Meyera zaprosili do Warszawy na premierę filmu sensacyjnego o rosyjskiej mafii, przy którym był konsultantem. Reżyser z ekipą nalegali, by został na bankiecie. Nudził się tam jednak jak mops i nie czuł zbyt pewnie. Dlatego już po dwudziestej pruł sto czterdzieści na godzinę po gierkówce. GPS ostrzegał go przed stadem fotoradarów. Ale Meyer chciał jak najszybciej dotrzeć do swojego domu w Katowicach-Ligocie. Liczył, że przed północą znajdzie się w łóżku i choć raz wyśpi jak człowiek, bo następnego dnia wyjątkowo miał wolne. W okolicy Siewierza usłyszał stukanie w lewym przednim kole. Zwolnił do siedemdziesięciu, szukając jakiegoś miejsca do zaparkowania, gdzie mógłby sprawdzić oponę. Jechał tak kilka kilometrów, aż nagle rozległ się huk, auto wypadło z drogi ekspresowej i prawym bokiem zatrzymało się na parkanie fabryki wafli. Tylko poduszce powietrznej, zapiętym pasom i stosunkowo nieddużej prędkości zawdzięczał życie. Wydostał się z wraku, zerknął na zmiażdżoną plątaninę blachy, która jeszcze niedawno była jego passatem, i nie mógł uwierzyć, że nic mu się nie stało. Obdzwaniał właśnie wszystkie służby, by zawiadomić o wypadku, kiedy zatelefonował Szerszeń.

– Śpisz, chłopie? – Podinspektor spytał radośnie, jakby to był ranek, a nie grubo po dwudziestej drugiej. I nie czekając na odpowiedź, zaczął Meyerowi wyłuszczać swój genialny pomysł dotyczący sprawy internetowego pedofila, nad którą pracowali z psychologiem niecałe dwa tygodnie temu. – Siedzę tu sobie przy piwku i nagle, słuchaj, eureka. On je wyłapuje w sieci, ale wybiera tylko dziewczynki z okolicy Będzina. Zorka z kadr tam mieszka. Jej córka chodzi do tej samej klasy co jedna z tych biednych ośmiolatek, więc podszyje się pod małolatę, nada temat, że jest uczennicą tej szkółki, i chwycimy go na gorącym... Cały budynek będzie otoczony. Nie będzie miał szans!

– Tak, Waldek, świetnie... Jutro pogadamy – próbował zbyć go Hubert i jednocześnie wydobyć z bagażnika trójkąt ostrzegawczy, który powinien ustawić za wrakiem passata.

– No przyznaj. Sam byś lepiej nie wymyślił! – Szerszeń wydawał się lekko obrażony.

– Tak, świetnie to obmyśliłeś, przyznaję. Jutro wszystko omówimy. Pomogę ci. Ale teraz, wiesz... – psycholog zawiesił głos i starannie zasłonił głośnik telefonu ręką, tak by nie przedostawały się przeze odgłosy dobiegające z trasy szybkiego ruchu – ...jestem w takim biurze... Wiesz, w takim miejscu... Mam tu trochę słaby zasięg. Halo, halo... – Meyer wstydził się przyznać, że w idiotyczny sposób rozbił swój ukochany wóz. W tym momencie obok niego przejechała ciężarówka, głośno trąbiąc klaksonem i całkowicie zagłuszając rozmowę.

– W biurze? W jakim biurze? – natychmiast zreflektował się podinspektor. – Co ty mi tu za farmazony napieprzasz? Ty myślisz, że ja głuchy jestem? Co ty, autostopem jedziesz, że ciężarówki słyszę?

– No... właściwie to jestem na ulicy... – jąkał się Meyer.

– Miałeś wypadek? Co ci się stało? Gadaj!

– Rozwaliłem się jak baba – skapitulował Hubert. – Opona mi pękła. Już miesiąc temu mnie ostrzegali, że są na niej jakieś burchle i powinienem wymienić. Ale czasu nie było... Kurwa mać, żeby tak własne auto mnie zawiodło!

– Gdzie jesteś? – Szerszeń natychmiast spoważniał. – Ile wypiłeś?

No co ty, Waldck. Nie wsiadłbym za kółko, za kogo mnie masz – żachnął się Meyer.

– Słabość ludzka rzecz. Lepiej powiedz prawdę.

– Jestem trzeźwy – powtórzył Meyer z naciskiem. – Jak niemowlę.

– Dobra, kurwa. Gdzie jesteś?

– Pod Siewierzem.

Zerknął na parkan z napisem.

– Darex. Fabryka wafli – odczytał.

– Dobra, wiem. Siedź tam i czekaj. Ale to potrwa. Jestem po piwku, muszę zorganizować radiowóz. – Szerszeń odłożył słuchawkę.

Godzinę później auto Meyera trafiło na policyjny parking w Siewierzu, a profiler do domu podinspektora, bo Szerszeń nie chciał nawet słyszeć tłumaczeń Huberta, że weźmie taksówkę do Ligoty albo zanocuje w komendzie. Oczywiście Meyer poskąpił na autocasco, więc będzie musiał wyłożyć trochę grosza na naprawę wozu, a raczej jego złomowanie. Szerszeń całą drogę suszył więc profilerowi głowę.

– Bęcwał jesteś, ot co – powtarzał.

– Wiem, stary. Odpuść już sobie.

– Nie struga mi tu bohatera! Zachowałeś się jak cipa!

– I tak miałem fart.

– I to jaki. Tylko passacika szkoda. Ale nic to. Nie ma co płakać nad rozlanym mlekiem. Dobrze, że Zofijka pojechała akurat do wód. Dopiero byś usłyszał lament.

Meyer tylko westchnął i cierpliwie wysłuchiwał perory podinspektora o stanie polskich dróg, jakości ogumienia, szczęściu

39

i, rzecz jasna, sytuacji w polskiej policji. Szerszeń wreszcie znalazł słuchacza, który nie miał dokąd uciec, i opowiedział Meyerowi kolejne dziesiątki dowcipów, które zresztą profiler słyszał już wiele razy. Po przyjeździe do domu podinspektor wręczył Meyerowi drinka.

– Odpręż się. Znasz to? Pesymista widzi ciemny tunel.

– Chyba nie... – Meyer uśmiechnął się i upił łyk podrzędnej whisky. Czuł, jak alkohol rozgrzewa mu gardło. Im mniej miał alkoholu w szklance, tym bardziej śmieszyły go dowcipy Szerszenia.

– No to słuchaj! – Waldek z impetem uderzył rękoma o uda. – Bo to o mnie i o tobie.

– Tak? – zaciekawił się profiler. – A ja to niby pesymista jestem?

– Zaraz się dowiesz! Coś ty taki w gorącej wodzie kąpany? – uciszył go Szerszeń. – Więc pesymista widzi ciemny tunel. Optymista widzi światełko w tunelu. Realista widzi światło pociągu. A maszynista?

Meyer się zamyślił.

– Semafor?

– Trzech debili na torach widzi! – Szerszeń aż zatrząsł się ze śmiechu. Dostrzegłszy jednak zmarszczone czoło psychologa i jego marsową minę, dodał: – Czyli ciebie, Hubercie. No i mnie. Ja też jestem z tobą na tych torach. Jak zawsze. No już, uśmiechnij się. Humor to najlepsze koło ratunkowe na oceanie życia.

– Zmęczony jestem. – Profilerowi nie drgnął nawet kącik ust. Przymknął oczy i się przeciągnął. Szerszeń usłyszał strzelanie kości.

– To jeszcze po jednym i do wyrka – zarządził.

– A ten trzeci? Kim jest ten trzeci debil? – zainteresował się wreszcie Meyer.

– Czekaj, niech pomyślę. – Podinspektor udał, że się zastanawia. – Może wielki debil z czerwonym godłem za plecami. Nasz stary! Jakby wiedział, że jest na torach razem z nami...

Tym razem Szerszeniowi naprawdę udało się rozśmieszyć psychologa. Akurat przełykał ostatni łyk whisky, kiedy porwał go gromki śmiech. Zakrztusił się i zaczął dusić. Szerszeń ze spokojem wstał z fotela i z impetem walnął go kilka razy w plecy.

– Co ty, fabryka wafli cię nie załatwiła, a chcesz mi tu wykorkować? Wstydu nie masz... – Meyer kasłał jeszcze chwilę, a podinspektor wciąż mówił, nie przerywając ani na chwilę: – Co by zresztą Zośka powiedziała na widok trupa na nowiutkim dywanie. Cipa z ciebie jak nic, Meyer.

Zanim się położyli, było grubo po drugiej w nocy.

Dziś Hubert cieszył się, że skończyło się na kilku szklaneczkach, w przeciwnym razie nie dałby rady przyczołgać się na miejsce zdarzenia, a co dopiero zbierać śladów i je analizować. Wpół do ósmej obudził ich telefon z komendy. Szerszeń został wezwany na Stawową. Meyer nie miał wyjścia, wyszli z domu razem. Zaproponował swoją pomoc.

– Tylko rzucisz okiem i pójdziesz do swoich spraw – z wdzięcznością zgodził się podinspektor.

I tak profiler znalazł się na miejscu zbrodni. Rzucanie okiem ciągnęło się już czwartą godzinę i psycholog ledwie trzymał się na nogach ze zmęczenia.

– Weronika Rudy – przedstawiła się prokuratorka. – Miło w końcu pana poznać.

– Meyer. – Ściągnął gumową rękawiczkę i poczuł nazbyt silny uścisk jak na kobietę, choć dłoń pani prokurator była szczupła i całkowicie mieściła się w jego dłoni.

– W ubiegłym roku omal nie dotarłam na pana wykłady. – Uśmiechnęła się.

– Wobec tego bardzo żałuję – odrzekł niskim głosem o ciepłej barwie.

– Mamy szczęście, że Hubert był akurat w okolicy. Niełatwo go zwerbować do sprawy. – Podinspektor Szerszeń natychmiast włączył się do rozmowy, pozwalając Hubertowi i prokuratorce na wzajemne oglądanie się. – Nasz kochany komendant trzyma go jak słowika w złotej klatce i nie chce nawet słyszeć o wycieczkach poza okręg Katowic. Wie, jaki jest skuteczny. Dzięki temu na Śląsku od lat wzrasta wykrywalność, a szef tylko odbiera medale.

Skonfundowany tymi komplementami Meyer odwrócił głowę do okna. Źle się czuł w roli gwiazdy.

– Możesz teraz zadać mu wszystkie swoje pytania, Werko. Liczę, że Hubert zbada naszą sprawę i dzięki jego profilowi szybko złapiemy klienta – dokończył przemówienie Szerszeń.

Meyer nerwowo drapał się po policzku. W domu Szerszenia zmienił zapoconą koszulę na czarne polo. Nie zdążył się już jednak ogolić. Na twarzy czuł szczecinę, swędziały go policzki. Nie wyglądał jednak niechlujnie. Należał do tego typu mężczyzn, którym niewielki zarost jedynie przydaje uroku.

– Chyba mnie przeceniasz, Waldek. Jak wiesz, cudotwórcą nie jestem. Zrobię co w mojej mocy. – Promienny uśmiech rozjaśnił mu twarz. Prokurator Rudy poczuła sympatię do tego mężczyzny. Kiedy jednak podniósł dłoń do swędzącej brody, zauważyła, że na serdecznym palcu nosi obrączkę z wygrawerowanymi tajemniczymi znakami.

– No i co pan tutaj znalazł, czego nie widzą zwykli policjanci? – zapytała nagle tonem oskarżyciela.

– Zobaczymy, muszę zebrać dane. – Szare tęczówki profilera pociemniały. Zarejestrował, że w mgnieniu oka jej nastawienie się zmieniło. Usztywniła się i przybrała wojowniczą pozę. Nie rozumiał jednak przyczyny. – Muszę to wszystko poukładać i przeanalizować. Jak mówiłem, nie jestem wróżką.

– Śladów jest dużo. Chyba mamy odciski i krew sprawców. Przy szybkim zatrzymaniu będzie materiał porównawczy i sprawca znajdzie się w areszcie w ciągu czterdziestu ośmiu godzin. Podinspektor Szerszeń to najlepszy policjant w tutejszym wydziale zabójstw. Jestem gotowa wydać postanowienie o postawieniu zarzutów – wyrecytowała Weronika, jakby składała raport zwierzchnikom.

Wtedy już obaj – Szerszeń i Meyer – spojrzeli na nią zdziwieni.

– Werka, dziecko, chyba trochę przedwcześnie – jęknął Szerszeń z politowaniem.

– Pani prokurator, ja nie wchodzę w paradę detektywom. Taką mam zasadę – zaczął cicho, lecz stanowczo Meyer. – Zbieram ślady behawioralne, czyli ślady zachowania. Analizuję hipotezy. Badam sposób ułożenia zwłok, sposób zadania ciosów, analizuję liczbę ran. Ale nie po to, by ustalić przyczynę zgonu. Nie jestem medykiem sądowym. Szukam motywów. I nie w rozumieniu prawnym, lecz psychologicznym. To jest o wiele bardziej skomplikowane niż dostosowanie paragrafu do sprawy.

– Sugeruje pan, że prokurator nie potrafi ocenić, jaki jest motyw zbrodni? – zapytała wyzywająco.

– Niczego nie sugeruję. Tłumaczę tylko, na czym polega moja praca.

– Słyszałam o panu i znam to słowo. Profilowanie. Choć może to pana dziwi. – Najwyraźniej dążyła do kłótni.

– Daj spokój, Werko. Co cię ugryzło? – Szerszeń próbował załagodzić sytuację. Ona jednak nie odpuszczała. Nakręcała się w złości.

Meyer zrobił ruch, jakby chciał odejść. Skrzywił się i wpatrywał w kobietę spode łba, co tylko jeszcze bardziej motywowało ją do konfrontacji.

– Co więc może pan zrobić w tej sprawie, czego nie potrafi podinspektor Szerszeń?

– O, teraz już przesadziłaś… – gwizdnął Szerszeń.

– Proszę pani… – Meyer zrobił krok w przód i zbliżył się do niej. Świadomie przekroczył granicę intymności, by poczuła się zagrożona. Zbladła, i choć starała się tego nie zdradzić, z jej oczu wyczytał, że przez moment poczuła lęk. Uśmiechnął się, kiedy się cofnęła. Wtedy pochylił się w jej kierunku, jakby chciał ją zatrzymać w miejscu, i dokończył: – Mogę pomóc określić, jakimi cechami jest obdarzony sprawca, ile ma lat, jakie ma wykształcenie i wreszcie czy był sam, czy przyszedł z pomocnikiem. A może to była kobieta? To wymaga czasu i analizy całego materiału dowodowego. Pani wybaczy, ale teraz nie będę wysnuwał żadnych wniosków. Tym bardziej pod presją tak młodej prokuratorki… – dodał, a Weronika Rudy z trudem przełknęła obelgę.

– Sprawa wydaje się dość prosta. – Odsunęła się na bezpieczną odległość i dalej atakowała. – Klasyczna zbrodnia na tle rabunkowym.

– Małe garnuszki prędko kipią, Werko – wtrącił Szerszeń, ale prokuratorka go zignorowała.

– Widziałam rany ofiary, ten bałagan… – wypaliła, ale w tym samym momencie poczuła, jak mało warte są jej uwagi, i straciła pewność siebie.

– Wobec tego jaki jest, pani zdaniem, motyw? – zapytał Meyer. Miał ochotę wybuchnąć gromkim śmiechem, słysząc te chybione wnioski. Ale nie przestawał się w nią wpatrywać z zaciśniętymi ustami. Zastanawiał się, gdzie kończyła prawo.

– Rabunkowy, już mówiłam.

– Tak? – Uśmiechnął się ironicznie.

– Tak.

– Jest pani tego pewna? – zawiesił głos.

Weronika milczała.

Szerszeń się zaśmiał.

– Dobry jest, co?

Prokuratorka spiorunowała go wzrokiem.

– Zabójcy chcieli, by tak właśnie pani myślała – podjął wątek Meyer. Chwycił ją pod ramię i zaprowadził do pokoju, w którym w dalszym ciągu znajdowały się zwłoki. Zdziwił się, że nie odskoczyła, usztywniła się tylko i pozwoliła zaprowadzić pod jeden z regałów. – Upozorowali rabunek, by nas zmylić.

– Werka, dałaś się zwieść na lewe sanki, wstyd! – Szerszeń cieszył się jak dziecko.

– Motywem na pewno nie jest rabunek. Ponadto można sądzić, że to zbrodnia na zlecenie. Być może nagrana przez osobę bliską dla ofiary. Dlaczego tak uważam? Co pani widzi?

Rudy zacisnęła usta i milczała. Szerszeń zaś z pobłażliwym uśmiechem przysłuchiwał się ich potyczce słownej.

– Proszę się rozejrzeć. Co pani widzi? – powtórzył Meyer i obrócił się wokół własnej osi, wskazując ręką bałagan w pomieszczeniu.

Werka wpatrywała się w porozrzucane przedmioty, wybebeszo-
ne łóżko, telewizor leżący na podłodze. W głowie miała pustkę.

– Wielki bajzel.

– Zgadza się. – Meyer kiwnął głową i wskazał na szafki
w wielkiej bibliotece oraz regał obok okna w salonie. – A tutaj?
Przedmioty pozostawały na swoich miejscach, jakby były
poza zasięgiem rąk zabójców. Były równo poukładane, prawdopodobnie nikt ich nie dotykał. Profiler włożył rękawiczkę i wyciągnął kilka książek, materiałową teczkę pełną dokumentów
oraz szkatułkę z biżuterią. Ostrożnie zdjął ją z półki i zdmuch-
nął kurz.

– Bałagan jest zaplanowany – stwierdził stanowczo. – Sprawcy nie wspinali się na górę, by gruntownie zbadać zawartość
regałów powyżej ich wzrostu. Czy zabójcy rabunkowi nie zajrze-
liby do czegoś takiego? – Wskazał szkatułkę. Była pełna błyskotek. Meyer wnikliwie przejrzał jej zawartość. – Nie wiem, czy
jest tu jakiś drogocenny drobiazg, ale czy sprawcy dokonujący
zbrodni na tle ekonomicznym zostawiają coś takiego w stanie
nienaruszonym? – powtórzył pytanie. Nie oczekiwał odpowiedzi. Był zły na prokuratorkę i nie zamierzał tego ukrywać. – To
może też oznaczać, że nie działali po omacku, ale szukali czegoś
konkretnego i kiedy to znaleźli, upozorowali bezład.

– To dlatego wytłukli całą porcelanę – powiedziała do siebie.

– Co? – fuknął pogardliwie Szerszeń, a Meyer uśmiechnął
się i pokiwał głową. – Otóż to. Między innymi... Szybko się pani
uczy, pani Rudy. – Jej nazwisko wypowiedział z naciskiem.

– Dlaczego mówi pan o sprawcach, a nie o sprawcy? – odważyła się zapytać Weronika.

– Kluczem jest ofiara – odrzekł. – Dla profilera to książka,
którą trzeba umieć czytać. Ale tak pokrótce: ten człowiek był
bardzo wysoki i silny. Na razie nic nie wiem o jego osobowości,
zwyczajach, trybie życia. Mogę wnioskować jedynie na podstawie fizycznych elementów układanki. Prościej mówiąc, na podstawie obrażeń. Mimo otyłości i swojego wieku nie był łatwym
przeciwnikiem dla jednej, nawet tak samo silnej jak on osoby.
Proszę obejrzeć zadane ciosy. Jak są rozległe, jak jest ich wiele.

Sprawcy nie byli w stanie nad nim zapanować, bo walczył o życie jak lew, a w obliczu zagrożenia jego siła była znacznie większa niż w normalnych warunkach.

– Czyli było ich dwóch?

– Za wcześnie na tak precyzyjną odpowiedź. Moja hipoteza jest taka, że było ich kilku. Może dwóch, a może i trzech. Może ktoś stał na czatach, może współpracował z nimi kierowca, który umożliwił im błyskawiczne zniknięcie z miejsca zdarzenia. No i jest jeszcze zleceniodawca, którego tu nie było, ale mógł pomagać w zorganizowaniu zbrodni.

– Skąd pan to wie? – zdziwiła się Weronika.

– Brak śladów włamania. Poza tym to Stawowa, centrum Katowic, jedna z najczęściej uczęszczanych okolic. Skrzyżowanie ulic pełnych sklepów i restauracji, obok dworzec. Słowem wyjątkowo łatwe warunki do dokonania zabójstwa i zniknięcia bez śladu.

Prokuratorka stała jak słup soli. Czuła się jak idiotka. Nie przypuszczała, że na miejscu zbrodni można znaleźć tyle ważnych tropów. Pomyślała, że w kilku sprawach, które nie zakończyły się znalezieniem sprawcy, być może zabrakło profilera. Tak dobrego jak Meyer. Nie śmiała się więcej odzywać.

– To wszystko jednak tylko moje domysły, pierwsze spostrzeżenia. – Meyer ciągnął już łagodniej. – Muszę to dogłębnie sprawdzić i wszystko opiszę w ekspertyzie. Na szczęście Waldek, znaczy podinspektor Szerszeń, doskonale o tym wie. Wie także, że opinię dostanie ode mnie jak najszybciej, ale dopiero po zbadaniu całej sprawy, nie tylko analizy miejsca zdarzenia. Muszę jeszcze porozmawiać ze wszystkimi bohaterami tej tragedii. Chyba naprawdę szkoda, że nie dojechała pani na moje wykłady – dokończył.

Werka spojrzała na podinspektora Szerszenia, szukając u niego ratunku, ten jednak odwrócił głowę. Odrzuciła więc plan, by zakończyć rozmowę z Meyerem uszczypliwym komplementem, iż cieszy się, że polski profiler naprawdę istnieje, choć musi przyznać, że wyobrażała go sobie nieco inaczej: sądziła, że ma wąsy, nadwagę i jest mniej przystojny niż filmowy bohater

Sprawy Niny Frank. Zamierzała się oddalić, bo trudno jej było przełknąć upokorzenie. Psycholog zrugał ją na oczach całej ekipy. Była przekonana, że ich rozmowie przysłuchiwali się wszyscy, włącznie z młodym aspirantem, który pilnował czerwono- -białej taśmy, by nikt niepowołany nie wszedł do pomieszczenia. Meyer jednak uśmiechnął się do niej i dodał pojednawczo:

– A jeśli chodzi o twarde dowody, pani prokurator, znalazłem to. – Odstawił na komodę ramkę ze zdjęciem synka lekarki, którą podczas rozmowy trzymał w ręku, po czym podszedł do biurka. Lewą ręką, wciąż w lateksowej rękawiczce, delikatnie i powoli, jakby rozbrajał bombę zegarową, wysunął półkę, na której powinna stać klawiatura komputera. Była pusta. Leżał tam tylko pęk kluczy na sporym kółku. Z gąszczu metalu wyraźnie wyróżniały się dwa: jeden solidny, stary, z kutym wykończeniem i skomplikowanymi ząbkami oraz drugi, do auta z firmowym logo Saab i egzotycznym breloczkiem ze skóry. – Ten większy prawdopodobnie pasuje do tego zamka – Meyer wskazał na ściankę, za którą były drzwi wejściowe do lokalu. – A ten do samochodu może należeć do denata.

– To wykaże ekspertyza. Co z tymi kluczami? Nie rozumiem. – Weronika wydęła usta z dezaprobatą.

– Jeśli faktycznie należały do ofiary, jak zakładam, to oznaczałoby, że sam otworzył sobie drzwi. Może czekał na gospodynię. Nie było śladów włamania. Domofon jest nienaruszony. W tym zestawie musi więc być też klucz do drzwi wejściowych do kamienicy. To dlatego sąsiadka nic nie zauważyła. Nie dlatego, że akurat oglądała serial. Denat musiał mieć klucze, by tu wejść, albo... – Profiler zawiesił głos.

Wszyscy zamilkli, czekając na dalszy ciąg wywodu.

– Znał zabójcę. – Rudy i Meyer powiedzieli jednocześnie.

– Lub zabójczynię – wtrącił Szerszeń.

– Słusznie. – Hubert kiwnął głową. – I dlatego wpuścił ją do mieszkania, bo nie spodziewał się napaści. Ślady na miejscu zbrodni wskazują zresztą, że zaatakowano go z zaskoczenia. A po zabójstwie drzwi zostały zamknięte. Rano policjanci musieli je wyważyć, by dostać się do środka, kiedy Michał Douglas zgłosił na komendę zaginięcie żony. Z całą pewnością musiał istnieć dodatkowy komplet – zakończył swój wywód i podniósł do góry pęk kluczy z brelokiem. – Prawdopodobnie posiadał go zabójca i to dzięki niemu dostał się do środka.

– Na pewno już się ich pozbył. – Weronika wzruszyła ramionami. Prawdę mówiąc, już dawno zgubiła się w jego wywodach.

– Może tak być – zgodził się Meyer – ale z mojego punktu widzenia ważne jest ustalenie, kto je miał w piątek. Jeśli ten ktoś nie jest zleceniodawcą zbrodni, to z pewnością ma z nią ścisły związek. Według mnie to obecnie najważniejsza nitka, która może doprowadzić nas do kłębka.

Ich rozmowę przerwało zamieszanie przy wejściu.

– Co się tu dzieje? – usłyszeli damski głos. Nie mogli zobaczyć osoby, która wypowiadała te słowa, gdyż wejście skutecznie zasłaniała ściana z karton-gipsu. Prokurator Rudy, podinspektor Szerszeń i Hubert Meyer szybko przemieścili się w tamtym kierunku. W korytarzu stała elegancka blondynka w beżowej sukience safari, złotych sandałkach i apaszce w kratkę Burberry. Z gracją postawiła u swych stóp skórzaną torbę kolonialną, wartą więcej niż miesięczna pensja podinspektora Szerszenia. Kobieta była dyskretnie umalowana, w uszach miała brylantowe kolczyki, a na ręku cienką jak nitka złotą bransoletkę.

– Co to za okropny zapach? – Zatrzymała się, nie była w stanie zrobić ani kroku dalej i zwróciła się do prokuratorki. – Czy ktoś może mi wyjaśnić, co tu się stało?

Jej blond włosy obcięte do ramion, na wzorowego boba, były correct, jakby dopiero co wyszła od fryzjera. Filigranowa, o regularnych rysach twarzy, orzechowych oczach i ładnie wykrojonych ustach wydawała się uosobieniem klasy. Meyer ocenił, że mimo dojrzałego wieku wciąż miała bardzo zgrabną sylwetkę. Twarz bez zmarszczek, nienaturalnie napięta, ujawniała talent chirurgów plastycznych. Być może dlatego nie okazywała teraz prawdziwych emocji, a może nie była do nich zdolna.

– Co się tutaj dzieje? – powtórzyła cicho, lecz stanowczo. Była skupiona i nieprawdopodobnie spokojna.

Podinspektor Szerszeń pomyślał o niej jedno: zakonserwowana, zimna ryba.

Podszedł bliżej i bez słowa wyciągnął legitymację policyjną.

– Rozumiem, że pani doktor Elwira Poniatowska?

Niepozorna blaszka umieszczona w skórzanym etui zadziałała w mgnieniu oka. Kobieta zacisnęła usta i wpatrywała się w niego w oczekiwaniu.

– Zgadza się.

– Podinspektor Szerszeń. Proszę za mną.

Poniatowska zasłoniła apaszką połowę twarzy. Teraz już zupełnie nie widzieli, jak reaguje na zadawane pytania. Kiedy Szerszeń zachęcił ją do wejścia głębiej, wyprostowała się i ruszyła naprzód, niby od niechcenia rozglądając się po pomieszczeniu. Jakby to mieszkanie nie było jej, jakby tylko je zwiedzała. Jedynie wprawne oko mogło dostrzec, że tak naprawdę rejestruje wszystko z dokładnością aparatu fotograficznego. Zmieszała się dopiero, gdy dostrzegła ciało na masywnym krześle pod oknem.

– Kto to jest? – Wskazała postać siedzącą plecami do drzwi. Meyer zauważył, że zadrżała jej ręka, a niski alt zamienił się w delikatny sopran z zaśpiewem. – Kim jest ten nieszczęśnik? – Poniatowska powtórzyła kluczowe pytanie łamiącym się głosem.

– To Johann Schmidt. Został zamordowany kilka dni temu – odparł Szerszeń.

Kobieta nie zdążyła nic odpowiedzieć. Meyer złapał ją w ostatniej chwili, zanim upadła na podłogę. Weronika poszła do kuchni po szklankę wody. Policjanci doświadczeni w tego typu zachowaniach zaczęli ją cucić. Kiedy po chwili lekarka odzyskała przytomność, w jej oczach były już tylko przerażenie i rozpacz.

– Czy chciałaby pani nam coś powiedzieć? – zapytał podinspektor Szerszeń. – Czy pani go znała?

Elwira długo milczała. W końcu pochyliła głowę, wygładziła sukienkę i odrzekła już spokojniej:

– Johann był moim pacjentem. On... my... Pisaliśmy razem książkę. – Kobieta przenosiła wzrok to na Meyera, to na Weronikę. – Co tu się stało?

– Pojedzie pani z nami na komendę – stwierdził Szerszeń.

– Co z moim dzieckiem? – Elwira wychrypiała rozpaczliwie.

– Czy Tymkowi nic się nie stało? Gdzie jest Michał? Mój mąż... Gdzie on jest? – szeptała bez składu. Na jej twarz wystąpiły niezdrowe rumieńce.

Weronika wyjrzała przez okno.

– Chyba zaraz się przekonamy – odpowiedziała.

Po kilku minutach w drzwiach stanął szczupły, wysoki mężczyzna o południowej urodzie. Kruczoczarne krótkie włosy i smagła twarz kontrastowały z bielą modnej koszulki z nadrukiem, na którą miał narzuconą jasną marynarkę w tenisowe prążki. Był zdecydowanie młodszy od żony. Z jego czarnych jak smoła oczu nie dało się wyczytać żadnych emocji. Za nim szedł policjant, który go nie odstępował. Dopiero kiedy zbliżyli się na odległość kilku kroków, dostrzegli, że mężczyzna ma na przegubach kajdanki.

– Michał? – szepnęła zaskoczona lekarka. – Co ty...? – przerwała i spojrzała pytająco na profilera i prokuratorkę.

Mężczyzna nie odpowiedział. Kiedy funkcjonariusz otwierał metalowe obrączki niewielkim kluczykiem przytwierdzonym do pasa, mąż lekarki pochylił się do przodu i gwałtownie zwymiotował wprost na wypolerowane buty podinspektora Szerszenia.

* * *

Zanim Klaudia Schmidt otworzyła oczy, poczuła zapach wanilii i karmelu. Pierwszy raz od kilku dni znalazła w sobie siłę, by pomyśleć o wstaniu z łóżka. Usłyszała przytłumione piknięcie i głośny rumor, jakby ktoś rzucił kawałkiem blachy. To pewnie znów odpadła klapa od piekarnika. Kilka miesięcy temu zepsuł się zawias, nie miała jednak czasu wezwać kogoś, by go naprawił. Na Johanna nie miała co liczyć, sprawy domowe zawsze były na jej głowie. Odkładała to na potem, bo piekarnik działał, a wciąż było do zrobienia coś ważniejszego. Z dołu dochodziło coraz więcej odgłosów. Radio, gwizd czajnika i jakieś ocieranie metalu o metal. Domyśliła się, że to Magda wyjmuje z piekarnika słodkie kruche ciasteczka, które zawsze piecze w sytuacjach stresowych. Jakby miały osłodzić ból i smutek. Poczuła nieprzepartą ochotę, by przytulić córkę. Nie od razu jednak wstała, jeszcze chwilę leżała w skotłowanej, nieświeżej pościeli. Przez myśl jej przeszło, że już zawsze będzie w tym wielkim łóżku spała sama. Wstydziła się, że po raz kolejny dała mu się tak upokorzyć.

Była mokra od potu. Okna w pokoju były zamknięte, na zewnątrz panował niemiłosierny upał. Rozejrzała się po sypialni, ale nie znalazła ani jednej z kilku butelek po ginie lubuskim opróżnionych samotnie w ciągu długiego weekendu ani niezliczonych niedopałków w popielniczkach, których widok zapamiętała z wczorajszego, a może przedwczorajszego wieczoru. Jakby w ogóle ich tu nie było. Rozczuliło ją, że córka zadbała i o to. Podeszła do toaletki i z niepokojem spojrzała w swoją twarz. Szybko odwróciła wzrok, bo odbicie nie prezentowało się zbyt dobrze. Włosy sterczały na wszystkie strony, oczy były podkrążone i zaczerwienione od płaczu i przepicia. Na twarzy miała kilka zadrapań, a rozbity łuk brwiowy był zaklejony przybrudzonym plastrem. Spuchnięte usta pulsowały i piekły, choć były tylko draśnięte w kąciku. W gardle czuła suchość i gorzki smak kaca. Ze zgrozą spostrzegła, że spała w ubraniu. Ściągnęła ze wstrętem brudne ciuchy i weszła pod prysznic.

Łazienkę oddzielała od sypialni jedynie szyba. Dopiero teraz, kiedy stała, poczuła, jak bardzo trzęsą się jej ręce, a w głowie wszystko wiruje. Była jeszcze pijana. Odkręciła zimną wodę i z zapamiętaniem szorowała całe ciało. Jakby chciała zedrzeć z siebie skórę. Włosy myła pięciokrotnie. Aż oczy zaczęły ją piec od spływającego szamponu, którego wylała sobie na głowę prawie pół butelki. Niesiona impulsem, cała ociekająca wodą wyszła z kabiny prysznicowej, by umyć zęby. Jej mokre stopy odznaczyły się na białym łazienkowym chodniczku frotté. Z otwartej kabiny prysznicowej woda lała się wprost na kamienną posadzkę, ona jednak nie zwróciła na to uwagi. Szorowała zapamiętale usta i dopiero kiedy zauważyła, że stoi w wodzie, weszła z powrotem pod prysznic i zasunęła szklane drzwi. Dłuższą chwilę stała pod lodowatym strumieniem, gdy zorientowała się, że ma w ręku szczotkę Johanna, a nie własną. To ją kompletnie wyprowadziło z równowagi. Cisnęła tą szczotką i rozpłakała się.

Zdrętwiała z zimna wyszła wreszcie spod prysznica, wciągnęła na siebie szlafrok i ruszyła w kierunku kuchni. Wydawało jej się, że zejście po schodach trwa wieczność. Kurczowo trzymała się barierki i skupiała głównie na tym, by zachować równowagę i nie zjechać po schodach jak po zjeżdżalni. Prawdopodobnie dlatego dopiero kiedy była na dole, usłyszała męskie głosy. Magda ma gości?, zdziwiła się. Kiedy ich dostrzegła, poczuła ucisk w piersi. Jeden z mężczyzn miał na sobie mundur policyjny. Drugi był ubrany w szary garnitur i lakierki.

Odcinek od schodów do kuchni wydał się Klaudii niezwykle długim dystansem. Choć wszystko wirowało, starała się iść prosto.

– Dzień dobry – wydukała. W tym momencie uświadomiła sobie niestosowność swojego wyglądu i poczuła silny zapach nieprzetrawionego alkoholu, który wydobył się jej z ust. Przeraziła się, co pomyślą sobie policjanci. Spojrzała na kuchenny zegar nad lodówką. Pół godziny temu minęło południe. Zerknęła na córkę. Magda stała oparta o blat kuchenny, w ręku miała rękawicę i ścierkę. Złociste ciasteczka były wszędzie: na blacie, na paterach. Na ścierkach leżało jeszcze mnóstwo tych czekających na upieczenie. Wyglądało na to, że dziewczyna piekła je całą noc. Prawdopodobnie odkąd Klaudia leżała na górze półprzytomna z rozpaczy po tym, jak porzucił ją Johann. Widząc dużą ich część także na podłodze, zrozumiała, że hałas, który słyszała po przebudzeniu, to nie była klapa od piekarnika. Córka upuściła na podłogę gorącą blachę. A przybycie nieoczekiwanych gości uniemożliwiło pozbieranie rozsypanych ciasteczek. Córka była blada i milcząca. Jej nieładna twarz zastygła

52

w oczekiwaniu, jeszcze bardziej wyostrzając rysy. Oczy zmieniły się w szparki.

– Pani Klaudia Schmidt? – Policjant w mundurze przerwał krępującą ciszę. – Starszy sierżant Mirosław Sokołowski, jestem pani dzielnicowym.

Kobieta skinęła głową.

– Proszę usiąść. – Wskazał najbliższe krzesło u szczytu stołu. Starała się przybrać obojętny wyraz twarzy, choć drżała z niepokoju. Na dodatek czuła, że zaczyna ją mdlić. Postanowiła udać nonszalancką i nieprzyjemną. Liczyła, że wtedy szybciej sobie pójdą.

– Wszystko, co miałyśmy do powiedzenia w sprawie tego włamania, już powiedziałyśmy. Panowie wybaczą, ale dziś chyba nie jest najlepsza pora... A może już złapaliście sprawców?

– Jakiego włamania? – zdziwił się ten w garniturze.

– Szesnastego kwietnia w nocy splądrowano gabinet pana Schmidta – wyjaśnił mu dzielnicowy. – Sprawcy ukradli komputer, kasetkę z pieniędzmi i trochę dokumentów firmowych. Odjechali jednym z aut. Zniszczyli też system wideokontroli. Wszystko odbyło się pod nieobecność państwa.

– Rozumiem, że nadal nie wiecie, kto to zrobił? – fuknęła Klaudia.

Znów zapadła cisza.

– Może pani także usiądzie? – Mężczyzna w garniturze nie spuszczał wzroku z Klaudii, lecz pytanie skierował wyraźnie do Magdy. Dziewczyna chyba nie czuła się najlepiej. Nerwowo miętosiła kwiecistą spódnicę z falbanami, która przydawała jej lat i tuszy. Mimo zachęty pozostała w tym samym miejscu. – Nazywam się Hubert Meyer. Jestem psychologiem policyjnym. Mamy dla pań taką informację... – zaczął w końcu profiler. Obie kobiety wpatrywały się w niego tępo. Znał ten wzrok. Tak patrzą ludzie, którzy przeczuwają, że za chwilę ujawni im coś strasznego, lecz jeszcze nie chcą w to uwierzyć.

– Czy coś się stało Johannowi? – Klaudia była chyba bardziej zaskoczona swoim pytaniem niż policjanci.

– Tak, jesteśmy tu w związku z pani mężem. Przykro mi, że to ja muszę panią powiadomić. – Głos Meyera był spokojny. Za spokojny, pomyślała Klaudia. – Został odnaleziony dziś rano. Nie żyje.

Rozległ się rozpaczliwy krzyk Magdy, który stopniowo zamienił się w lament. Klaudia nie odezwała się ani słowem. Poczuła falę gorąca, która uderzyła jej do głowy. Strużka potu pociekła jej wzdłuż kręgosłupa. Nie zadała ani jednego pytania. Uśmiechnęła się, na ile pozwalały jej obolałe usta.

– To się musiało tak skończyć. Mądrego można oszukać tylko raz... – nie dosłyszeli końca zdania, bo Klaudia nagle wstała, jakby zamierzała opuścić kuchnię.

– Bylibyśmy wdzięczni, gdyby chciała pani zidentyfikować ciało. Jeśli oczywiście czuje się pani na siłach – dodał profiler.

– Oczywiście. – Klaudia natychmiast skinęła głową i odwróciła się na pięcie.

Dzielnicowy siedział nieruchomo. Meyer zaś wpatrywał się w kręcone schody, którymi żona Schmidta – pijana jeszcze, jak sądził po jej zachowaniu i wyglądzie – z trudem wspinała się na górę. Zastanawiał się, czy kiedykolwiek zetknął się z taką reakcją na wieść o śmierci bliskiej osoby. „Czarnym aniołem", jak w policji nazywano tych, którzy muszą powiadomić rodzinę o dokonanej zbrodni, bywał dość często. Uważał to za część swojej pracy. Ktoś musi to robić, a czasem lepiej, by zawiadamiał o tym doświadczony psycholog niż surowy dzielnicowy. Meyer stwierdził, że nie przypomina sobie osoby, która, będąc w głębokim szoku, zachowałaby się tak chłodno jak żona Schmidta. Niepokoił go zwłaszcza stan trzeźwości wdowy i rany na jej twarzy.

* * *

Elwira trzymała twarz ukrytą w dłoniach. Od godziny czekała na korytarzu komendy na jakiegoś psychologa. Minęła czternasta, a ten wciąż nie nadchodził. Już raz ją przesłuchiwano. Pytali o Johanna: jak długo się znają, o co się pokłócili, gdzie była przez te wszystkie dni, i wreszcie próbowano jej wmówić, że to ona go zabiła.

– To chyba jakiś żart – zgromiła spojrzeniem wąsatego policjanta, który wyglądał jak działkowiec albo wędkarz, po czym zerwała się z krzesła i ruszyła do drzwi.

Ten drugi gliniarz wstał. Miał nie więcej niż trzydzieści pięć lat i gdyby go zobaczyła na ulicy, pomyślałaby raczej, że jest członkiem półświatka niż przedstawicielem organów ścigania. Niski, krępy, krótko przystrzyżony, w sportowej bluzie ciasno opinającej bicepsy. Chwycił ją za ramiona i siłą posadził z powrotem na krzesło.

– Możemy od razu zafundować ci dołek – wysyczał.

Jego zachowanie, agresja oraz forma „ty" poraziły ją. Dawno już nikt jej tak nie potraktował. Była przyzwyczajona do szacunku, jakim darzono ją ze względu na pozycję zawodową i tytuł doktora nauk medycznych.

– Spokojnie, Rysiu! – Waldemar Szerszeń podniósł rękę.

– Pani chyba przemyślała sprawę.

Wtedy, choć takie sceny znała jedynie z amerykańskich filmów kryminalnych, Elwira powiedziała:

– Chcę się porozumieć ze swoim adwokatem.

To był odruch. Tak naprawdę nie znała żadnego, który specjalizowałby się w podobnych sprawach. Mecenas Kozłowski, który czasem konsultował procedury dotyczące praw autorskich czy umów z telewizją, raczej się do tego nie nadawał.

– Na razie jest pani przesłuchiwana w charakterze świadka, nie podejrzanej – odpowiedział Szerszeń, zapamiętale dłubiąc w zębie wykałaczką. – A świadek ma obowiązek powiedzieć wszystko, co wie. Do tego zobowiązuje artykuł dwieście trzydziesty trzeci paragraf pierwszy i drugi kodeksu karnego. Za składanie fałszywych zeznań grozi kara więzienia do lat trzech. Może pani zadzwonić do swoich mecenasów zaraz po opuszczeniu tego pokoju. Zwłaszcza jeśli chciałaby się pani do czegoś przyznać... Czy jest coś, co chciałaby pani dodać?

Podinspektor mówił cicho i flegmatycznie. Sprawiał wrażenie znudzonego. Tak naprawdę jednak bacznie obserwował przesłuchiwaną kobietę.

– Nie mam nic więcej do dodania – odpowiedziała mu karnie Elwira i zamilkła.

– Czyli wasza znajomość miała charakter zawodowy. Leczyła go pani przed laty. Półtora roku temu odnowiliście kontakt i pisaliście razem powieść, tak?

– Poradnik, a właściwie pamiętnik uzależnionego od seksu. Johann opisywał swoje wychodzenie z problemów seksualnych, a ja obudowywałam to teoretycznie. Wkrótce mieliśmy złożyć książkę u wydawcy.

– Nie mieliście romansu, nie spaliście ze sobą? To jak to się stało, że Schmidt znalazł się w pani domu? – zapytał ten młodszy, drapiąc się po wygolonej głowie.

– To była relacja zawodowa. Każde z nas ma rodzinę. Nie zdradzaliśmy swoich partnerów. – Elwira dumnie podniosła głowę. – W trakcie pisania nawiązała się między nami nić sympatii, ale nic poza tym. Darzyłam Johanna wielkim szacunkiem i on mnie chyba też. Nie posunęliśmy się nawet o krok dalej. Nie wiem już, co pana przekona, że mówię prawdę. Czy mam przysiąc na Biblię? A zresztą to wszystko... Ja nie mam związku z jego śmiercią! Jeśli tak sądzicie, to jesteście beznadziejnie głupi! – podniosła głos.

– Przestań krzyczeć, bo cię uciszę – syknął młodszy.

Elwira przestraszyła się. Z pomocą przyszedł jej starszy policjant.

– Owszem, może pani mieć związek. Musimy zbadać wszystkie okoliczności. Radzę spokojniej odpowiadać na pytania, bo będę musiał postawić pani zarzut znieważenia policjanta.

Elwira chciała krzyknąć, że to ją się znieważa, ale się powstrzymała. Postanowiła ignorować młodego i rozmawiać tylko ze starszym. Wydawało jej się, że jest milszy i może liczyć na jego zrozumienie. Dała się złapać na najstarszą technikę „dobrego i złego policjanta".

– Ja naprawdę... Nie wiem, jak to się mogło stać. To dla mnie straszny cios. Nie jestem w stanie tego zrozumieć. Kto mógł to zrobić? I dlaczego mnie w to wplątał! Kto śmiał wejść i zrobić coś tak strasznego w moim domu?! – wyrzuciła z siebie z wściekłością. – Czy pan nie rozumie, że mnie to wszystko boli?

– Tak – bąknął Szerszeń. I dodał, rozkładając ręce: – Czas i śmierć nigdy uprosić się nie dają. – Zastanawiał się, co boli ją bardziej: śmierć Schmidta czy to, że znaleziono go w jej mieszkaniu, lecz nie powiedział tego głośno. – Mam nadzieję, że i pani nas rozumie. Musimy znaleźć sprawcę tej zbrodni. Zna pani przysłowie: „Sędzia, który puszcza winnego, winien grzechu jego"?

– Ale ja jestem niewinna.

– Ja nie twierdzę, że to pani. Między nami mówiąc, wolałbym, żeby to nie była pani. Szkoda tak pięknej kobiety do więzienia.

Elwira wpatrywała się w starszego policjanta szeroko otwartymi oczami.

– Czy pani wie, jak wygląda więzienny chrzest? Powiem szczerze, że damskie pudła są o wiele gorsze niż męskie, co, Rysiu?

Wygolony gliniarz łypnął na nią okiem i skinął głową.

– Jo! – mruknął.

– Nie chcę o tym słyszeć, bo się tam nie wybieram!

– To się okaże zarechotał Rysio.

Elwira przerażona spojrzała na Szerszenia. Ten obdarzył ją dobrotliwym uśmiechem, przeznaczonym właśnie na taką okoliczność, i dokończył:

– Jeśli chce nam pani pomóc, proszę wykazać odrobinę dobrej woli. Muszę zadać jeszcze kilka pytań.

Elwira z rezygnacją pokiwała głową. Była już w takim stanie, że zgodziłaby się na wszystko, byle tylko opuścić to straszne miejsce.

– Proszę pytać.

– Gdzie pani była w piątek od południa do dzisiejszego poranka? Proszę godzina po godzinie opowiedzieć przebieg tych trzech dni.

– O Boże, przecież już mówiłam. – Opadła zrezygnowana na krzesło.

– Dobry Boże tu nie pomoże – syknął młody, irytująco stukając długopisem o blat biurka.

Spiorunowała go wzrokiem i odpowiedziała, patrząc na Szerszenia:

– Tak jak mówiłam. Wyjechałam na działkę do Śmiłowic nad Jamną. To niedaleko Mikołowa. Byłam w nie najlepszej formie i pojechałam odpocząć, przemyśleć wszystko. Spałam, pisałam artykuł do prasy medycznej, jadłam, chodziłam nad wodę, byłam w lesie. Nie potrafię odtworzyć tego co do minuty. Po prostu weekend majowy.

– Pojechała pani bez męża i syna?

– Pojechałam sama, to był impuls. Syn wyjechał na obóz konny do Ochab, wraca dopiero za tydzień. Mąż go odwiózł i obiecał, że zostanie z nim przez pierwsze dni.

– Ktoś może to potwierdzić?

– Tak, trzydziestu dwóch uczniów, wychowawca i z sześciu nauczycieli, którzy tam są z dziećmi.

– Chyba się nie zrozumieliśmy. Czy ktoś może potwierdzić, gdzie pani spędziła te kilka dni?

Elwira się zawahała.

– Nie wiem. Może ktoś z sąsiadów mnie widział. Robiłam też zakupy w sklepie. Choć nie sądzę, by ekspedientka mnie zapamiętała. Nie zrobiłam nic, co mogłoby przykuć jej uwagę.

– Co pani kupowała?

– Masło, chleb, serek. Nie pamiętam. Butelkę wina, dwie butelki... I piwo, kilka piw. Mam jeszcze ze dwie puszki w samochodzie.

– Wcześniej pani tego nie mówiła. Wróciła pamięć? – kąśliwie spytał młodszy.

Elwira spojrzała błagalnie na podinspektora Szerszenia.

– Nie wiedziałam, że będę musiała mówić policji o tym, co kupiłam. Picie alkoholu, jeśli siedzi się nad wodą, nie jest chyba zabronione. Nie sądzi pan, że gdybym była winna, przygotowałabym sobie wszystko ze szczegółami i zeznawała teraz jak z nut? Nie jestem idiotką... – wychrypiała.

– Idiotką z pewnością nie – wszedł jej w słowo podinspektor.

– Ale na głupotę nie ma zarzutów. Sprawca tego zabójstwa zaś był wyjątkowo inteligentny – zawiesił głos.

Elwira czuła, jak oblewa ją zimny pot.

– Proszę więc powiedzieć, bo to interesujące – ciągnął ojcowskim tonem Szerszeń. – Dlaczego kupowała pani takie ilości alkoholu? Nie wygląda pani na osobę, która nadużywa...

Dałbym stówę, że raczej abstynentka. I bym przegrał, co, Rysiu...? – Podinspektor zaśmiał się jak z dobrego kawału. Zaraz jednak zmrużył oczy, pochylił głowę i dodał zimnym już tonem:
– Czy przed wyjazdem zdarzyło się coś, co wyprowadziło panią z równowagi?
Elwira zawahała się, zanim udzieliła odpowiedzi.
– Tak, ale to moje prywatne sprawy. Niezwiązane z Johannem. Dotyczą tylko mnie i Michała. Nasze małżeństwo...
Szerszeń wpatrywał się w nią i miał wrażenie, że kobieta nieudolnie kłamie.
– Nie chce pani powiedzieć?
– To nie ma znaczenia w tej sprawie – upierała się.
– Jeśli coś pani ukrywa... Wrócimy do tego – nieoczekiwanie odpuścił. – Czy zgodzi się pani porozmawiać z psychologiem policyjnym?
– Z kim? – Zmarszczyła brwi. – Po co?
– Z psychologiem. Tego wymaga dobro śledztwa. To jednak pani decyzja. Jeśli tak, będzie tutaj lada chwila. Jeśli nie, będzie pani wolna, ale wolelibyśmy, żeby się pani zgodziła dobrowolnie. Po postawieniu zarzutów i tak by się z panią spotkał.
– Doprowadzimy cię wtedy... – zarechotał Rysio – w obrączkach...
– Czy ja już jestem podejrzana...? – Elwira głośno przełknęła ślinę. – O co?
– O zabójstwo Johanna Schmidta. – Młody oparł się o blat stołu, przy którym siedziała, i zbliżył swoją nalaną twarz do jej twarzy, aż poczuła jego nieświeży oddech. – Byłaby to zbrodnia z jedynką, czyli z wyjątkowym okrucieństwem. Artykuł sto czterdzieści osiem paragraf jeden kodeksu karnego. Za łeb grozi dożywocie.
– Jeszcze nie jest pani podejrzana... – przyszedł jej z pomocą podinspektor Szerszeń, lecz po chwili zawiesił głos. – Ale kto wie, co przyniesie jutro lub dzisiejszy wieczór?
– Dobrze – odparła zrezygnowana. – I tak już dzisiaj nic nie załatwię. Poczekam na tego pana.
– Proszę więc przeczytać protokół i złożyć autograf.

Elwira wzięła długopis do ręki i podpisała dokument bez czytania.

– Wierzę panu – oświadczyła. Na Szerszeniu ten dowód zaufania nie zrobił wielkiego wrażenia. Poskubał wąsa i dodał, zniżając głos:

– A do adwokata radziłbym zadzwonić jak najszybciej.

– To się chłopina obłowi, jak zacznie bronić was oboje. – Młody policjant śmiał się do rozpuku. – Ciebie i tego twojego mężusia.

Hubert Meyer rozmyślał nad zachowaniem żony Schmidta całą drogę do komendy. Nie miał wystarczających danych na temat tej sprawy, więc nie pokusił się o żadne wnioski, nie dokonywał oceny. Niepokoiło go to włamanie. Tę nową informację należało uwzględnić w analizie. Planował bliżej rozpytać o to Szerszenia.

Ciszę w radiowozie przerywały jedynie meldunki dochodzące przez policyjne radio. Dzielnicowy prowadził auto z przepisową prędkością, był skupiony na drodze i nie próbował nawiązywać kontaktu. Klaudia tępo wpatrywała się w okno. Czekali ponad kwadrans, aż się ubierze. W końcu zeszła na dół ubrana w całkiem niedopasowane rzeczy – albo wyjęła je z szafy na chybił trafił, albo miała tak straszny gust. Meyer nie starał się tego analizować. Cieszył się, że nie robiła problemów i zgodziła się dobrowolnie pojechać na komendę. Poprosiła tylko, by poczekali, aż znajoma mieszkająca kilka domów dalej przyjdzie, by zaopiekować się jej córką. Chciał powiedzieć, że to nie dziecko, lecz dojrzała kobieta, ale ugryzł się w język.

Sąsiadka okazała się rówieśnicą córki śmieciowego barona. Pojawiła się z kryształami Swarovskiego w uszach i w białym bolerku z futra, choć temperatura sięgała trzydziestu stopni Celsjusza. Jaka okolica, tacy sąsiedzi, westchnął profiler, kiedy mierzyła go wzrokiem, jakby to on wraz z dzielnicowym byli winni tragedii, która dotknęła rodzinę Schmidtów. Podeszła do Magdy i zaczęła głaskać ją po głowie jak małe dziecko. Zaraz też zresztą córka Schmidta przestała lamentować. Kiedy wychodzili, leżała już w salonie zwinięta w kłębek, z głową na kolanach sąsiadki. Meyer z ulgą wyszedł na podjazd budynku i rozejrzał się po okolicy.

Dom Johanna i Klaudii Schmidtów znajdował się przy ulicy Kilińskiego. Dzielnica była nadzwyczaj elegancka. Większość budynków projektował słynny architekt Tadeusz Michejda, żołnierz legionów i powstaniec śląski. Co roku studenci architektury ze Stanów Zjednoczonych przyjeżdżali tu na warsztaty z modernizmu, bo było to największe osiedle minimalistyczne z lat trzydziestych ubiegłego wieku w Europie. Willa Schmidtów wyróżniała się z daleka. Była imponująca – czterokondygnacyjna, z białą elewacją, niemal bez ozdób, zbudowana na wzór transatlantyku. Całe ściany przeszklone, kilka mniejszych okien było okrągłych, w kształcie bulajów. Barierki balkonów udawały żeglarskie relingi. Wejście także nosiło ślady inspiracji statkiem. Stopnie były szerokie i niskie; wchodząc, miało się wrażenie, że to raczej pomost, którym z lądu wspinamy się na statek zacumowany w porcie. Wokół wystrzyżona trawa, rabatki wyłącznie z białymi kwiatami, a wzdłuż płotu stare drzewa, które uniemożliwiały ciekawskim zaglądanie na posesję. Ogrodzenie od wewnątrz porastało dzikie wino, co przydawało temu miejscu przyjemnej intymności. Meyer zerknął na budynek. Nie był w stanie wyobrazić sobie, ile kosztuje taki dom. Policzył kondygnacje i zastanowił się, ile jest w nim pokoi. A potem pomyślał, jak sprawcy włamania zdołali dostać się do takiej fortecy.

Coś dziwnego było w rodzinie Schmidtów. Dlaczego żona tak zamożnego człowieka wciąż pracuje jako szeregowa pielęgniarka? Czy włamanie miało związek z zabójstwem śmieciowego barona? I dlaczego zabójcy dokonali morderstwa na Stawowej? O wiele łatwiej byłoby zwabić Schmidta do jego biura czy choćby na jedno z należących do firmy wysypisk śmieci i tam go zaatakować. Wtedy jednak na zwłoki natrafiono by dużo później. Niewykluczone zatem, że zabójcom zależało na szybkim odnalezieniu ciała ofiary. Chcieli pokazać, że baron zadarł nie z tymi, co trzeba. Lekcja dla innych? A może w zbrodnię jest zamieszana bliska ofierze osoba?

W aucie Klaudia odezwała się tylko raz. Zapytała, czy mogłaby zapalić. Naburmuszony dzielnicowy stanowczo odmówił, zaczęła więc jednostajnie pstrykać zapalniczką. Meyer był pewien, że nie robi tego specjalnie, klasyczny nerwowy odruch. Zaciśnięte usta dzielnicowego wskazywały, że jest innego zdania. Chyba nie polubił Klaudii. Nic dziwnego, kiedy tylko ruszyli, odór nieprzetrawionego alkoholu wypełnił wnętrze samochodu i zmieszał się z zapachem benzyny wydzielanym z nieszczelnych przewodów paliwowych. Dzielnicowy natychmiast otworzył wszystkie okna. Jechali w przeciągu. Hałas zagłuszał rozmowę siedzących z przodu Meyera i dzielnicowego.

– Śmierdzi jak zapijaczona lafirynda – mruknął pod nosem Sokołowski.

Meyer odwrócił twarz w kierunku Klaudii, by upewnić się, że kobieta nie usłyszała słów policjanta, i zapytał najłagodniejszym tonem, na jaki potrafił się zdobyć:

– Nieprzetrawiona wóda?

– Chyba całe morze najtańszego spirytu, nadkomisarzu – odburknął dzielnicowy i spojrzał na Meyera, jakby ten spadł z księżyca. – To babsko nie trzeźwiało od kilku dni. Nawet mój szwagier nie doprowadza się do takiego stanu, a on potrafi się upodlić. Boże drogi, i to kobieta, w dodatku pielęgniarka, wstydu nie ma – kwękał.

Profiler uśmiechnął się zagadkowo. Nie zamierzał kontynuować tematu. Skąd niby dzielnicowy miał wiedzieć, że Meyer od lat nie czuje żadnych zapachów. Natura zadbała o jego komfort pracy i pięć lat temu po przebytym zapaleniu zatok po prostu wyłączyła mu zmysł powonienia, by na miejscach zbrodni mógł po prostu myśleć. Potrafił więc całymi godzinami przebywać w mieszkaniach, gdzie odkrywano zalarwione, przegniłe ciała. Niestraszny był mu zapach prosektorium, który rozpoznawał jedynie po łzawieniu z oczu.

Kiedy dotarli do komendy, profiler wskazał wdowie krzesełko przy oknie w holu komendy, podziękował serdecznie dzielnicowemu, a sam podszedł do telefonu i wykręcił numer wewnętrzny podinspektora Szerszenia. Telefon odebrał jeden z jego ludzi.

– Masz wdowę? – padło po drugiej stronie.

– A kto pyta?

– Jacek. Co ty, Hubert, nie poznajesz mnie? – żachnął się starszy sierżant Wesołowski, młody narybek wydziału kryminalnego. Profiler bardzo go lubił. W ubiegłym roku przeszli na „ty", na co Meyer nieczęsto decydował się wobec tak młodych policjantów. Jacek był wyjątkiem. Rzetelny, z wrodzonym talentem psa gończego. A przy tym nie zadzierał nosa, choć pochodził z rodziny policyjnej i gdyby chciał, mógłby wykorzystać jej wpływy do zrobienia błyskotliwej kariery. On jednak chciał na swój sukces zapracować sam, bez pomocy wuja i tatusia. Tą postawą zaimponował psychologowi.

– Nie poznałem, będziesz bogaty – zaśmiał się Hubert. – Tak, mam ją. Spytaj Waldka, co robić. Ona nie będzie teraz słuchana, jest potrzebna do identyfikacji zwłok. Bez sensu, żeby wchodziła na górę.

– Szerszeń mówił, że sam chce z nią jechać. Ale jeszcze przesłuchuje i nie zapowiada się, że szybko skończy. Poczekaj, pójdę wybadać sprawę.

– Niech się pośpieszy. Nie będę tu stał jak ten baran w przejściu. – Meyer spojrzał na zegarek. Zbliżała się piętnasta. – Późno jest. Jeszcze muszę załatwić jedną sprawę w Siewierzu.

– Chcesz, to jedź. Chętnie popilnuję wdówki – zaoferował się Jacek i zachichotał.

– Dzięki, stary – odparł psycholog. – Lepiej kopnij się do Szerszenia i dowiedz się, kiedy zamierza skończyć.

– Okay, bankowo. Pamiętaj, wystarczy jeden telefon i złażę.

Meyer odłożył słuchawkę i zerknął na Klaudię. Siedziała, wpatrując się tępo w szklane drzwi, którymi non stop kursowali funkcjonariusze. Chciał do niej zagaić, lecz usłyszał dzwonek swojej komórki. Zerknął na wyświetlacz: Anka. To dzwoniła jego była żona, z którą po rozwodzie utrzymywał znacznie lepsze stosunki niż przez ostatnie trzy lata małżeństwa. Może dlatego, że po rozstaniu z Meyerem błyskawicznie poukładała sobie życie i znalazła idealnego dla siebie mężczyznę. Starszego od niej o piętnaście lat dentystę, który utrzymuje higienę w życiu i pracy. Lubi porządek i może być w domu każdego dnia na kolacji. Odkąd Anka związała się z dentystą i zamieniła niewykończony dom w Ligocie na segment w ciągu domków jednorodzinnych w Sosnowcu, z kominkiem i sauną, a pracę nauczycielki wykonuje tylko po to, by się stroić, ich relacje stały się poniekąd przyjacielskie. Do tego stopnia nawet, że przymknęła oko na ten cholerny film *Sprawa Niny Frank*, w którym ujawniono wszystkie szczegóły ich pożycia, włącznie z jej zdradą. Teraz pozwalała dzieciakom u niego pomieszkiwać, choć na początku krzywo patrzyła nawet na kilkugodzinne widzenia.

– Co się z tobą dzieje? Miałeś być na występie Michała! Wszyscy ojcowie byli – usłyszał w słuchawce jej poirytowany głos. Meyer poczuł, że nogi ma jak z waty. Zupełnie zapomniał o szkolnej akademii i czuł się teraz potwornie. Nie był w stanie wymyślić na usprawiedliwienie ani jednego kłamstwa. – Czy ty wiesz, jak on się czuł? Pamiętasz jeszcze, że masz dzieci? – pogrążała go w poczuciu winy Anka.

Meyer w dalszym ciągu milczał.

– Halo, słyszysz mnie? Dzwoniłam chyba z dziesięć razy. Jak mam cię poważnie traktować? Jesteś psychologiem, a nie potrafisz sobie wyobrazić, jakie znaczenie ma dla dziecka obecność ojca na występie. Naprawdę nie spodziewałam się tego po tobie.

– Jestem w pracy – westchnął. – I nie wiem, kiedy stąd wyjdę.

– Znów jesteś w robocie? Przecież miałeś wziąć wolne. Tyle nadgodzin, kiedy ty to odbierzesz? – narzekała. Miał nadzieję, że się nagada i szybciej minie jej złość. Ale się przeliczył. Anka jedynie nakręcała się we wściekłości. – Jeśli sądzisz, że wolno ci tak sobie ze mną pogrywać, to się grubo mylisz. Nie jestem idiotką. Mogę...

– Słuchaj, miałem w nocy wypadek – przerwał jej. – Passat jest kompletnie rozbity.

Zamilkła.

– A ty? Co z tobą? – W jej głosie usłyszał niepokój.

– Jestem cały. Choć niewiele brakowało.

– Dzięki Bogu – odetchnęła z ulgą. – Co się stało? Jak do tego doszło? – zarzuciła go pytaniami Anka, a potem zrobiła mu wykład na temat odpowiedzialności i obowiązków wobec dzieci. – Nie wolno ci narażać swojego życia! – jęczała.

Hubert słuchał jej wymówek w milczeniu. Znał ją doskonale i wiedział, że będzie musiał wysłuchiwać tego wszystkiego jeszcze długo, lecz ciepło mu się na sercu zrobiło, kiedy okazała współczucie na wiadomość o wypadku. Odruchowo zerknął na Klaudię Schmidt, która zatopiona w myślach siedziała na krzesełku pod oknem i zdawała się nie zwracać na nikogo uwagi. I pomyślał, że ta kobieta nie uroniła po zamordowanym mężu ani jednej łzy. W takim razie jaka była między nimi relacja? Na pewno nie jest to normalne, myślał. Wyciągnął papierosa z paczki, podszedł do dyżurki i nie odrywając telefonu od ucha, oczami wskazał oficerowi w okienku wdowę po Schmidcie. Dyżurny zrozumiał Meyera bez słów. Skinął głową, że jej przypilnuje, i podał nadkomisarzowi zapalniczkę. Meyer zapalił papierosa, zwrócił policjantowi zapalniczkę, wyszedł na zewnątrz i stanął przy popielniczce przed wejściem do komendy. Dopiero wtedy streścił Ance pokrótce przebieg wczorajszego wypadku, koloryzując nieco, by wzbudzić w niej współczucie. Poskutkowało.

– Mogę ci jakoś pomóc? – spytała.

– W zasadzie tak... – Zaciągnął się papierosem i przerwał, czekając, jak Anka zareaguje.

– No to mów – pośpieszyła go i dodała: – Tylko nie myśl, że to usprawiedliwia twoją nieobecność. Pomogę ci, bo jesteś ojcem moich dzieci. Gdyby nie to... już dawno bym...

Nie truj już, proszę. Głowa mi pęka. Wiem to wszystko. Zawsze mówisz to samo..., chciał powiedzieć, lecz zamiast tego zdobył się na proszący ton.

– Nie miałem czasu się przebrać. Wciąż chodzę w tych śmiesznych lakierkach – szeptał, choć w pobliżu nie było nikogo, kto mógłby go usłyszeć. Zerknął na Klaudię. Siedziała spokojnie na krześle i uparcie obskubywała skórki wokół paznokci. To zajęcie bardzo ją absorbowało, chyba nawet nie zauważyła, że zostawił ją samą.

– Co mam zrobić? – Anka przez lata była ćwiczona w podobnych sytuacjach. Ile Wigilii, sylwestrów, imienin czy ważnych tylko dla nich wieczorów spędziła z sąsiadkami lub sama przed telewizorem, kiedy byli jeszcze razem? Jej nie trzeba było wiele tłumaczyć. Będąc jego żoną, wściekała się. Dziś, kiedy nie dotyczyło jej to bezpośrednio i miała w domu swojego dentystę, potrafiła zdobyć się na wielkoduszność. Zachowała się wzorowo, proponując pomoc.

– Mogłabyś pojechać do mnie, przywieźć jakieś ciuchy i buty na zmianę. No i znaleźć kartę pojazdu?

– Możesz mi powiedzieć, gdzie to wszystko masz?

– Karta chyba jest w szufladzie, razem z resztą dokumentów.

– Mam nadzieję… A ciuchy?

– Dawno nie prałem… Ale na suszarce coś tam wylosujesz. Mokasyny są w szafce w przedpokoju. Takie zamszowe.

– Wiem. Sama ci je kupiłam. Coś jeszcze?

– No tak… Muszę pojechać do Siewierza, załatwić formalności.

– No i? – W jej głosie wyczuł napięcie.

– No mówiłem… Miałem wypadek… Passat jest do kasacji, nie wiem, czy w ogóle…

– Chcesz moje auto? – weszła mu w słowo. – Po tym wszystkim masz jeszcze czelność prosić mnie o wóz?

Meyer milczał. Prawie słyszał, jak mówi: „Nie ma mowy". A przecież tego starego strucla sam jej przywiózł z Niemiec wiele lat temu. Początkowo sądził, że samochód nada się jedynie na części, ale po gruntownym remoncie okazał się świetnym samochodem szkoleniowym dla Anki, która od lat miała prawo jazdy, ale nigdy nie nauczyła się dobrze prowadzić ani parkować. Szary nissan sunny, który przed dwoma laty osiągnął pełnoletność, wciąż dzielnie znosił wszelkie idiotyczne stłuczki, zarysowania i kolizje, do których dochodziło z winy Anki. Hubert czuł, jak narasta w nim irytacja. Jak ona śmie żałować mu tego grata, za którego sam zapłacił! Czekał teraz na jej odpowiedź jak na wyrok, ale nie zamierzał prosić czy się korzyć. Jeśli będzie trzeba, przesiądę się na tramwaj, postanowił. Ale Anka powiedziała:

– Tylko obiecaj, że nie będziesz palił w moim aucie.

– No, dobrze – odparł na odczepnego. Kiedy mu pożyczała tego starego kanciaka, czuł się jak porucznik Colombo, więc zawsze w nim palił. Tym idiotycznym i niemożliwym do dotrzymania warunkiem w ogóle się nie przejął.

– Ale obiecaj – powtórzyła.

Zdziwił się, że tak naciska, lecz zależało mu na tym wozie. Zdobył się na ton najbardziej przekonujący z możliwych:

– Tak. Znaczy... nie będę.

W porządku. Ale jutro musisz mi go oddać.

– Tak, tak... Jasne, chociaż... – Chciał dodać, że zrobi tak, o ile nie zdarzą się jakieś nagłe czynności, lecz ugryzł się w język.

– Przyjadę najwcześniej za godzinę – zastrzegła. – Dopiero wstawiłam ziemniaki, muszę poczekać, aż się ugotują, i przygotować kolację Felicjanowi. Chyba mam w domu nasze, znaczy twoje klucze. Jeśli nie, będę musiała podjechać do pracy. Urządza cię to?

– Oczywiście, nigdzie się nie ruszam – przytaknął zadowolony. – Zostaw wszystko na portierni.

– Nie ma sprawy. Tylko zwróć go w stanie, w jakim go dostaniesz, tak?

– Jasne. – Meyer odpowiedział automatycznie, zajęty odpalaniem kolejnego papierosa od tego, którego właśnie skończył.

– Szczęście, że dzieci mają jeszcze ojca – dodała Anka z troską, jakiej się po niej nie spodziewał. Kiedy zaczęła mówić o kluczach do ich domu w Ligocie, Meyer poczuł dziwne ukłucie.

– Dlaczego trzymasz je w pracy? – zdecydował się zapytać.

– Co? – Anka nie rozumiała, o co mu chodzi.

– Klucze, mówiłaś o kluczach.

– Nie wiem, może mam w domu. Sprawdzę.

– Ale skąd pomysł, żeby w szkole trzymać klucze do naszego domu? Przecież mogą być potrzebne.

– A niby po co?

– Nie ufasz mu? – zapytał czujnie.

– Komu?

– Swojemu... dentyście – wybrnął Meyer i zaśmiał się. Słowo „mąż" wciąż nie przechodziło mu przez gardło.

– Nie, to nie tak. Szanuję go, ale... sama nie wiem. Nie śmiej się... Felicjan jest naprawdę porządnym, odpowiedzialnym człowiekiem. Wiem, że go nie lubisz i... – Anka gubiła się w wyjaśnieniach.

– No, nieważne – przerwał jej i dodał naprawdę czule. – Dziękuję, Aniu.

Anka chwilę milczała.

– Nie ma sprawy. Choć tyle się zdarzyło i nam się nie udało, wiesz, że zawsze możesz na mnie liczyć – odparła ciepło, zadowolona, że były mąż nie chce rozwijać wątku jej nowego związku. – Czy ty nigdy się nie nauczysz, że w twoim fachu nie jedzie się nigdzie w lakierkach!

– Aniu, proszę cię, nie mam teraz czasu na wyjaśnienia. Dokumenty są w komodzie w salonie, tam gdzie zwykle... Przywieź jakieś ciuchy i koniecznie normalne buty. Jak Marcelina? I powiedz wreszcie, jak Michu przeżył ten występ? Przepraszam, zapomniałem.

– Wiem, wiem. Ta twoja robota. Nienawidzę jej... Jakoś to przełknął, chociaż wszyscy ojcowie byli... Następnym razem... Wrócisz, to pogadamy. Naprawdę byłam wściekła, że nie dojechałeś. Obiecywałeś... I uważaj bardziej na siebie. Dam ci znać, jak się z tym wszystkim uwinę. Czy ja do końca życia będę musiała mieć ciebie na głowie, czy to się nigdy nie skończy? – znów zaczęła kwękać, ale Meyer już nie słuchał. Kątem oka zauważył podinspektora Szerszenia, który mocował się z kartą chipową przy bramce.

– Muszę kończyć – rzucił do słuchawki. – Dzięki.

Rozłączyli się bez pożegnania, Meyer był jednak pewien, że nie wystawi go do wiatru.

Zanim Szerszeń zbliżył się do siedzącej na krześle wdowy, Hubert zdążył jeszcze pomyśleć, że to prawdziwa ironia losu. Kiedy się z Anką rozstawali, myślał, że to on pierwszy ułoży sobie życie. Sądził, że pojawienie się Kingi – jego studenckiej miłości – to jakiś cud i że będzie miał w niej oparcie. Stało się inaczej. Kobieta, którą uważał za swoją największą miłość, zniknęła szybciej, niż się pojawiła. Najgorsze, że nie mógł nikogo za to winić. Ani Kingi, ani siebie. Los zakpił z nich obojga, piętnując drugą żonę Meyera śmiertelną chorobą, która zmusza Kingę do przebywania w klinice za granicą. Kiedy profiler o tym myślał, czuł złość na Boga, w którego nie potrafił już wierzyć. Kiedyś było inaczej. Ale kiedyś wszystko było inne.

Dziś jest żywym zaprzeczeniem własnego przekonania, że dobry profiler powinien mieć oparcie w rodzinie, by ciemna strona nie zdominowała jego życia. Wciąż przekonuje o tym młodych adeptów profilowania. Tłumaczy im, że jeśli chcą wykonywać dobrze swoją pracę, muszą mieć do czego wracać. A sam wraca do pustego domu. Nie ma czasu na spotkania z dziećmi. Pokątnie zdradza nieuleczalnie chorą żonę, która żyje tylko miłością do niego, i pozbawia się w ten sposób szacunku do samego siebie i wpędza w poczucie winy. Sam nie wie, dlaczego tak kieruje swoim losem.

– Gdybym tylko wiedział, co będzie z nami, Kinguś? Gdzie teraz są twoje myśli, czy jeszcze jest nadzieja? Gdybym to wiedział, już by mnie tu nie było – szepnął do siebie. Przekręcił obrączkę, jakby próbował ściągnąć ją z palca, ale siedziała ciasno. Westchnął ciężko, spoglądając na łańcuszek run, magicznych znaków, których znaczenie poznał podczas pracy nad najdziwniejszą sprawą, z jaką miał do czynienia: nad zabójstwem aktorki Niny Frank.

– Meyer – tubalny głos podinspektora Szerszenia sprowadził go na ziemię. – Czekam na was na górze od kwadransa. Już myślałem, że pani źle się poczuła albo, co gorsza, rozmyśliła.

– Rozmyśliła? – Żona ofiary bezmyślnie powtórzyła za Szerszeniem ostatnie słowo, a Meyerowi wydało się, że za chwilę zachichocze jak idiotka. Może ona po prostu jest głupia? Może nie szok ani chłód emocjonalny czy nawet wyrachowanie kazały jej tak się zachować po tragicznej wiadomości. Ale nie sposób być przecież tak bezgranicznie pustym. Tylko co taki łebski facet jak Schmidt by z nią robił tyle lat? – zganił się w myślach.

– Ty, Hubert, na górze świecą gwiazdy seksuologii. – Szerszeń puścił do niego oko. Chciał dodać coś jeszcze, ale zrezygnował ze względu na obecność Klaudii Schmidt. – A panią zapraszam. Już czeka na nas doktor Dróżdż. Jest pani w stanie rozpoznać ciało? To niezbyt przyjemny widok. Jak się pani czuje? Czy mamy wezwać kogoś innego z rodziny?

– Nie, ja rozpoznam... – Klaudia się zerwała. – Ja chcę go zobaczyć!

Kiedy chuchnęła Szerszeniowi w twarz, policyjny wyga odruchowo odwrócił twarz i skrzywił się z obrzydzeniem. Meyer zaś uśmiechnął się półgębkiem – w końcu Szerszeń tej nocy także nie wylewał za kołnierz. A potem zastanowiło go, z czego może wynikać tak ochocza reakcja wdowy na myśl o wizycie w kostnicy.

Czujne spojrzenie orzechowych oczu, niezobowiązująca elegancja. Markowe dodatki i biżuteria z najlepszych salonów jubilerskich. Ani cienia kiczu. Inteligencja wypisana na twarzy. Elwira Poniatowska-Douglas była przeciwieństwem żony Schmidta.

Trochę zbyt koścista jak na mój gust, pomyślał Meyer, zalewając wrzątkiem kawę „plujkę", ale mimo swoich pięćdziesięciu lat wciąż mogła się podobać. Na jej twarzy nie było znać nawet kurzych łapek wokół oczu czy siateczki krótkich linijek wokół ust, które mają niemal wszystkie kobiety w jej wieku, a które, zdaniem Meyera, tylko przydają damskiej twarzy smaku.

Przez chwilę mierzyli się wzrokiem, co profiler uznał za nieco zabawne. To ona pierwsza odwróciła głowę. Kiedy po chwili spojrzała na niego ponownie, jej oczy mówiły: „Akceptuję tę sytuację, choć zdecydowanie wolę być osobą zadającą pytania".

Sprawiała wrażenie człowieka, którego nic nie zdziwi. Gdyby wyznał jej, że właśnie uprawiał seks z kurą, krową czy motylem, prawdopodobnie nie mrugnęłaby okiem. „To naprawdę ciekawe. Czy współżycie dało panu oczekiwaną satysfakcję? W którym kierunku ewoluowały pana fantazje?", odpowiedziałaby swoim ciepłym głosem, który jej pacjentom z pewnością zapewniał poczucie bezpieczeństwa. Widać, że przeszła szkolenia z mowy ciała. Panowała nad gestykulacją, próbowała się uśmiechać pojednawczo. Meyer wiedział, że to są jej zawodowe triki, które stosuje wobec pacjentów. Widział też jednak, że nie czuje się do końca pewnie. Kiedy założyła fantazyjne czerwone okulary, jedyny ekscentryczny akcent w jej stroju, był pewien, że stara się w ten sposób odgrodzić od jego wzroku. Uprzedził ją, że to nie przesłuchanie, więc nie będzie żadnego protokołu do podpisu. Wyjaśnił, że przygotowuje do tej sprawy profil nieznanego sprawcy.

– Pomiędzy ofiarą a zabójcą istnieje pewna komplementarność. Zabójca mógł znać ofiarę – być z nią związany emocjonalnie, lecz także mógł być dla niej całkiem obcą osobą, co nie znaczy, że nie znał jej zwyczajów. Mógł ją obserwować, śledzić. Sprawca zawsze ukrywa się w tle życia ofiary. Chciałbym więc odtworzyć tryb życia Johanna Schmidta, jego rytuały. Po to, by znaleźć indywidualne cechy zabójcy, wyróżniające go z populacji, które policja weźmie pod uwagę przy aresztowaniu – wyjaśnił i by powstrzymać ziewanie, podniósł do ust szklankę z kawą parzoną po turecku, bo nie cierpiał smaku instant, lecz na jej dnie zostały już tylko fusy. Włożył rękę do kieszeni, bezskutecznie szukając chusteczki higienicznej, którą mógłby wytrzeć usta, wreszcie dyskretnie oblizał wargi. Jego próba zatuszowania ziewnięcia nie uszła jednak uwagi lekarki.

– Jest pan bardzo zmęczony – mruknęła i zerkała na niego podejrzliwie.

Miał wrażenie, że za chwilę prześwietli go jak rentgen. Uśmiechnął się w myślach. Choć przed chwilą wypił kawę, a w ciągu dnia kilka napojów energetyzujących, z trudem walczył z sennością, która ogarniała go w najmniej oczekiwanych momentach. Prawdopodobnie trzymał się dziś tylko dzięki adrenalinie.

Elwira tym razem postanowiła współpracować z policjantem. Udawała, że słucha o jego pracy ze szczerym zainteresowaniem. Obiecała wszelką pomoc. Kiedy jednak położył na stole dyktafon, spięła się i zamknęła w sobie, choć zapewnił ją, że nagranie nie znajdzie się w aktach śledztwa, bo jest tylko na jego potrzeby i po zakończeniu sprawy zostanie schowane w szafie pancernej wraz z resztą jego tajnych akt. Przyjęła to zapewnienie obojętnie. Boi się, pomyślał. I miał rację. Zaniemówiła, gdy zadał pierwsze – wydawało mu się – niewinne pytanie.

– Jakim człowiekiem był pan Schmidt?

– Słucham?

– Co pani o nim wie?

– Był rzutkim biznesmenem. Zbudował i prowadził potężne przedsiębiorstwo, całą grupę. Koenig-Schmidt Sauberung & Recycling spółka z o.o. działa też na zagranicznych rynkach. To wyłącznie jego zasługa. Miał trzy samochody, nie licząc firmowych oczywiście, dom w samym centrum Katowic, jacht w Chorwacji. Co więcej? Nie wiem. O to musi pan spytać jego żonę, choć według mnie ta kobieta z inteligencją kleju w tubce chyba nie bardzo się w tym orientowała.

Meyer zanotował w myślach opinię Elwiry o wdowie po Schmidcie. A więc uważa, że Klaudia jest głupia. Postanowił wrócić do tego tematu później, kiedy Elwira trochę się z nim oswoi i przestanie recytować formułki.

– To wszystko można wyczytać w gazetach – przerwał jej, kiedy musiała zaczerpnąć powietrza. – Dziennikarze branżowi publikowali artykuły na jego temat. Nazwali go śmieciowym baronem, bo jeśli chodzi o recykling i produkcję opakowań z surowców wtórnych, nie miał konkurencji w całej Europie Środkowo-Wschodniej. Zwykłemu zjadaczowi chleba, niezorientowanemu w sprawach giełdy i wielkiego biznesu, był znany dzięki filantropii. Tym kupił prasę popularną. Nawet ja kojarzę jego twarz, choć nie oglądam telewizji. Mnie bardziej interesuje, jakim był człowiekiem. Jak pani go odbierała.

– Był poukładany, uparcie dążył do celu. Z charakteru trudny, dość szorstki. Powiedziałabym, że bywał nieprzyjemny. Potrafił być także okrutny werbalnie, ale ja myślę, że w środku był wrażliwy. Myślę... może inaczej, ja wierzę w to, że w gruncie rzeczy był dobrym człowiekiem, który... dużo przeszedł. Może za bardzo lubił zdobywać pieniądze. Zarabianie pieniędzy to był chyba jedyny nałóg, który sobie pozostawił. Chwalił się tym, że od dwóch lat jest świadomy seksualnie.

– Co proszę?

– Był moim pacjentem od dwa tysiące piątego roku. Leczyłam go z nadpobudliwości seksualnej. Miał kłopot z emocjami. Partnerki traktował instrumentalnie. Tak się poznaliśmy. Przyprowadziła go do mnie żona – wyjaśniła spokojnie Elwira, ani na chwilę nie tracąc rezonu. Tylko nerwowe poprawianie apaszki w najsłynniejszą kratkę świata zdradzało jej zdenerwowanie.

– To była trudna terapia?

– Tak – potwierdziła i ponownie dotknęła chustki, jakby sprawdzając, czy jest na właściwym miejscu. – Jeden z ciekawszych przypadków, z jakimi miałam do czynienia. Między nami mówiąc, beznadziejny. To dlatego, kiedy dostałam propozycję napisania książki na temat nałogów seksualnych, skontaktowałam się właśnie z nim. Intensywna terapia Johanna trwała ponad rok. Potem były jeszcze sporadyczne konsultacje, aż wreszcie przestał mnie potrzebować. Zaczął żyć świadomie. Wyleczył się zresztą nie tylko z nadpobudliwości seksualnej, przestał też pić alkohol. Stał się całkowitym abstynentem. Potrafił sprawdzać, czy w ciastku nie ma adwokata albo rumu. Kilka miesięcy temu próbował rzucić palenie. Szczerze mu w tym sekundowałam, bo mnie się to nigdy nie udało, choć wielokrotnie się starałam. Według mnie był człowiekiem niezwykle silnej woli. Co sobie postanowił, to zwykle osiągał.

Co za epitafium, chodzący ideał, prawie anioł. Czyżby? Tylko że takich nie ma, uśmiechnął się w myślach Meyer. Była wpatrzona w niego niczym w święty obraz, stwierdził. Elwira, wspominając śmieciowego barona, nie patrzyła na profilera, mówiła wyraźnie do dyktafonu. Starała się ubierać swoje uczucia do tego człowieka w gładkie, ogólne zdania, by się nie rozsypać. Dopóki mi nie zaufa, będziemy tak sobie konwersować i nie dowiem się niczego ciekawego, pomyślał. Postanowił ją trochę zmiękczyć.

– Kochała go pani?

Elwira nabrała powietrza. Zanim odpowiedziała, wyjęła z torebki paczkę slimów i pytającym gestem wskazała na popielniczkę stojącą na sąsiednim stoliku. Meyer podał jej ogień. Kiedy zaciągała się papierosem, zauważył, że na jej twarzy zagościł rumieniec.

– Już mówiłam pana kolegom – odpowiedziała po długim namyśle. – Nie byliśmy kochankami.

– Nie o to pytałem, choć... – zawahał się profiler. – Miłość fizyczna to jedno, ale istnieje też wiele innych jej odmian. Na przykład platoniczna. A jest jeszcze fascynacja, pożądanie, porozumienie dusz. To pani jest ekspertem od miłości.

Elwira milczała. Meyer czekał cierpliwie. Też zapalił. Miał wrażenie, że się trochę rozluźniła, wciąż jednak nerwowo poprawiała i wygładzała zapinaną na guziki sukienkę, która dzięki temu nie rozchylała się ani na milimetr.

– Zapewniam panią raz jeszcze, to, co pani teraz powie, nigdy nie znajdzie się w aktach – zachęcił ją.

Po czym wstał i wziął ze stolika obok staroświecki kryształ, który zawieruszył się w komendzie prawdopodobnie jeszcze w latach siedemdziesiątych. Kiedy wracał, spotkał jej spojrzenie. Oceniała jego sylwetkę, niemal wieczorowy strój. Jej wzrok zatrzymał się na przykurzonych już lakierkach. Uśmiechnęła się chytrze.

– Czy taką umowę można zawrzeć z policjantem? Nawet tak przystojnym...

Meyer się skrzywił. Najwyraźniej próbowała go kokietować.

– Tylko prawda może nam pomóc w znalezieniu jego zabójców – odparł najchłodniej, jak potrafił. – Jeśli byliście kochankami, i tak się tego dowiem.

Lekarka pochyliła głowę, zdjęła okulary. Wyglądała, jakby za chwilę miała się rozpłakać. Zaskoczyła go. Nie spodziewał się takiej reakcji. Czy grała?

– Kiedy go dziś zobaczyłam, świat pękł mi na pół. Do tej pory nie mogę w to uwierzyć. To jak zły sen. Wcześniej wiele razy próbowałam uwolnić się od uczuć do tego człowieka. Nie wiem, czy to była miłość. Pierwszego męża kochałam miłością nabożną, poddańczą, Michała kochałam każdym fragmentem swojego ciała. Z Johannem... to był inny rodzaj więzi. To było coś wyjątkowego, jakbyśmy się znali z innego życia. To był rodzaj obsesji. Dziś jestem tego pewna. Coś strasznego i pięknego jednocześnie.

Meyer przez chwilę nie wiedział, jak ma zareagować. Zastanawiał się, czy i po co ta kobieta próbuje wzbudzić w nim litość.

– Każdy z nas był kiedyś zakochany – stwierdził.

– Tak, byłam w nim zakochana. Ale chyba... bez wzajemności. Choć bardzo jej pragnęłam. Jeszcze w piątek rano, przed swoim wyjazdem, powiedziałabym, że go kocham. Niech mi pan wierzy. Gdyby wtedy kiwnął palcem i obiecał mi związek, spakowałabym walizkę, zostawiła męża, dziecko... Byłam gotowa zaryzykować dla tej fascynacji swoją pozycję zawodową i po prostu pójść za nim. Tylko że on mnie nie chciał. Był jak nieokiełznany tajfun, który niszczy. Nie znosił sprzeciwu. Nie poddawał się żadnym normom. Był człowiekiem, któremu trzeba ofiarować własne życie, iść z nim, a raczej próbować go dogonić, co nigdy się nie udaje, jeśli on sam tego nie chce. Nie można go do niczego zmusić, bo jak pan powstrzyma burzę albo lawinę, jak pan się im przeciwstawi? To mnie w nim fascynowało. Tak, byłam odurzona jego siłą, wiedzą, charyzmą. I choć jestem ekspertem i zdawałam sobie sprawę, że wpadłam w pułapkę własnych emocji, nie mogłam tego powstrzymać. Cierpiałam, kiedy nie dzwonił. Płakałam, kiedy mówił, że jesteśmy jedynie przyjaciółmi i nie zamierza tej relacji zmieniać. Wystarczyło jednak, by skinął palcem, a już leciałam jak małolata. Zdawałam sobie sprawę z tragizmu tej sytuacji, ale nie mogłam, a może nie chciałam tego zakończyć. Bałam się potwornej pustki, która pojawiłaby się z pewnością, a ja nie wiedziałabym, jak i czym ją wypełnić.

Meyera poruszyła jej opowieść, nie mógł jednak oprzeć się wrażeniu, że pani doktor, inteligentny niewątpliwie przeciwnik, odgrywa przed nim jedną ze swoich ról. Tak jak wcześniej grała zranioną mimozę, tak teraz próbuje wzbudzić litość, opowiadając o swoich miłosnych porażkach. Tylko że te łzawe opowieści nijak nie pasowały mu do tej chłodnej, kontrolującej się i – profiler nie miał złudzeń – wyrachowanej kobiety. Nie była typem romantyczki, o nie. Jaki jest cel tej spowiedzi?

– Przecież pani ma męża. Nie kocha go pani?

– Co za pytanie!

– Pani wybaczy, ale nie rozumiem.

– Mój mąż był dla mnie bardzo dobry... – zawahała się. – Był wspaniałym ojcem dla naszego syna. Odpowiedzialnym, oddanym człowiekiem. Pomagał mi w codziennych obowiązkach. Niech pan znajdzie mężczyznę, dla którego zmywanie, sprzątanie i gotowanie nie są obelgą.

„Zależy, co z tego ma. Jaka jest gratyfikacja" – chciał powiedzieć Meyer, ale się powstrzymał.

– Przecież on żyje, jesteście razem – mruknął, nie przestając się zastanawiać, dlaczego lekarka, mówiąc o mężu, używa czasu przeszłego.

Elwira Poniatowska-Douglas udała, że nie dostrzega ironii w jego głosie.

– Zgadza się. No i jest bardzo przystojny. Wszystkie koleżanki mi go zazdrościły – zaśmiała się sztucznie.

Profiler stwierdził z niesmakiem, że ta kobieta nawet śmiech ma wypracowany. Czekał, aż lekarka wystrzela się z laurkowych wyjaśnień i zacznie go przekonywać, powtarzać się albo zaprzeczać temu, co powiedziała wcześniej. Wtedy zada kluczowe pytania.

– Tyle że łączył nas jedynie seks. Kiedyś... – podkreśliła Elwira. – Bo ostatnio i tego zabrakło – dodała nieoczekiwanie.

Choć jej twarz była napięta, kąciki ust opadały w dół. Psycholog milczał, Elwira zaczęła szukać wygodniejszej pozycji na krześle. W końcu usiadła bokiem i założyła nogę na nogę. Sukienka rozchyliła się na moment i Meyer dostrzegł na jej udzie siniak wielkości jabłka. To odkrycie było szokujące, zupełnie nie pasowało do nieskazitelnego wizerunku kobiety. Zmrużył oczy w oczekiwaniu na dalszy ciąg jej wyjaśnień i wzmógł czujność. Przypatrywał się teraz apaszce i przyszło mu do głowy, że lekarce musi być w niej gorąco, a jednak nie decyduje się, by ją rozwiązać i zdjąć.

– To Johann przypomniał mi, że w związku liczą się inne sprawy. Na przykład przyjaźń – powiedziała Elwira, nie wytrzymując ciszy, która zapanowała w pokoju przesłuchań. – Potrafiliśmy rozmawiać godzinami. W naszym związku było wszystko, oprócz seksu.

– To faktycznie ciekawe – mruknął znów Meyer. – Z mężem łączył panią seks, ale go pani nie szanuje, a z Johannem seksu nie było, a mówi pani, że kochała go nad życie. I jak to się stało, że w kimś takim zakochała się pani, ekspert od seksu?

– To, pan wybaczy, kwestia indywidualnej diagnozy i sytuacji rodzinnej. – Elwira przybrała pozę pani doktor. Wydęła usta i zaczęła mówić przez nos.

Meyer wiedział, że nadchodzi sposobność, by ją przycisnąć. Jest na krawędzi kontrolowania własnych emocji. Za chwilę sama mu wszystko objaśni.

– Nie zamierzam się z tego tłumaczyć, zwłaszcza obcym osobom, tym bardziej jeśli pracują w policji – ciągnęła tonem wykładowcy. – Choć muszę dodać, że owszem, nader często się to zdarza. Kobiety terapeutki wychodzą za pacjentów, których wyleczyły, terapeuci za swoje byłe pacjentki. Jeśli chodzi o Johanna, to sądzę, że straciłam czujność, bo trafił w taki moment mojego życia, kiedy szukałam odmiany. Mówiąc wprost, byłam gotowa na romans. Tymczasem on nie zamierzał niczego w swoim życiu zmieniać. On się zabawił. Widzi pan, miał kłopot z emocjami, traktował ludzi instrumentalnie, wykorzystywał ich do własnych celów, kłamał, manipulował. Johann przeszedł terapię, przestał szukać zaspokojenia swoich rozbuchanych potrzeb w stosunkach seksualnych, lecz mechanizmy zachowania mu pozostały. Czasami miałam wrażenie, że to ja, moje emocje, moja miłość i całkowite oddanie zastępowały mu – przepraszam za wyrażenie – pochwę, której ostatecznie nie dotknął. Dziś wiem, że mnie wykorzystał. Wiedział, że jestem zakochana i ma nade mną

77

nieograniczoną władzę. Kiedy dziś wróciłam do Katowic, byłam przekonana, że starczy mi siły, by zakończyć ten chory związek.

– To bez sensu – prychnął Meyer. – Może jakaś iluzja, fascynacja, otumanienie. Tu bym się zgodził. Ale z tego, co pani mówi, ta relacja nie była związkiem...

– To był związek! – Poniatowska podkreśliła stanowczo. – I to bardzo silny! Pan może tego nie rozumieć, potrzeba do tego wrażliwości. Ale tak było! Mimo iż spotkaliśmy się może kilkanaście razy, nie więcej, nigdy mnie nie pocałował, ale to był związek! – zapewniła go po raz kolejny.

Widać było, że wreszcie udało mu się ją zdenerwować. Kobieta na chwilę wyszła ze swojej kontrolowanej pozy.

– To na czym on polegał? Oprócz pisania listów, rzecz jasna – atakował dalej Meyer. Zapalił papierosa, rozparł się na krześle i czekał.

– Pamiętał o wszystkich świętach, sylwestrze, moich imieninach, walentynkach, choć wyśmiewał się z tej amerykańskiej tradycji – przekonywała go uparcie. – Dzwonił z życzeniami, dawał mi jakieś drobiazgi. Nic kosztownego, ale wiedział, że to dla mnie ważne. Był czas, że dostawałam dziesiątki esemesów dziennie. Martwił się o mnie.

– Raczej kontrolował – wtrącił profiler i pochylił się w jej kierunku. Zniżył głos, jakby zdradzał jej sekret. – Manipulował pani emocjami. Bawił się. Była pani jego marionetką.

Elwira podniosła głowę, wyprostowała się, nabrała powietrza i odrzekła:

– I ja to rozumiałam. Bóg mi świadkiem, że chciałam się z tej miłości wyzwolić. Właściwie... dziś rano wracałam do domu z tym postanowieniem. Tylko... – przerwała. – Nie takiego zakończenia się spodziewałam.

Meyer uśmiechnął się półgębkiem. Nieoczekiwanie ta kobieta zaczęła budzić w nim współczucie. Nie dlatego jednak, że udało jej się go oszukać tymi płaczliwymi historyjkami. Wreszcie zrozumiał, na czym polegał jej dramat. Ona sama żyła w wielkim zakłamaniu. I w pierwszym, i w obecnym małżeństwie. Mogła wierzyć, że kocha męża, tak samo jak uwierzyła, że darzy wielkim uczuciem śmieciowego barona. Tak naprawdę ta wielka gwiazda seksuologii nie miała kontaktu z własnymi emocjami. A chłód, którym odgradzała się od świata, który miał ją chronić, był złudny. To dlatego tak gwałtownie weszła w iluzję relacji ze Schmidtem. Niemiec pewnie śmieje się z niej teraz z tamtej strony, pomyślał. Wiedział, że musi wybrać: albo ją przycisnąć, albo dać jej i sobie ochłonąć. Prawdę mówiąc, nie spodziewał się aż takich wyznań. Zdecydowanie wolałby dalej rozmawiać z Elwirą, lecz nie mógł. Musiał dziś załatwić sprawę wypadku. Zaklął w myślach i oświadczył, siląc się na przemiły uśmiech:

– Jest pani zmęczona... Ja też rozpocząłem dzień bardzo wcześnie... – mówiąc to, już pożałował decyzji, ale stało się. Brnął więc w pozę dobrego psychologa, licząc na wzajemność przy następnym przesłuchaniu. Choć czy lekarka będzie wobec niego pozytywnie nastawiona i powie więcej – nie miał pewności. – Proponuję wrócić do tej rozmowy, choćby jutro. Dziś proszę odpocząć, spróbować się zdrzemnąć. Skontaktuję się z panią.

Spojrzała na niego zdziwiona, po czym uśmiechnęła się z wdzięcznością.

– Jeśli pan chce, mogę przesłać to, co Johann zdążył napisać. Muszę przyznać, że jak na niewykształconą osobę, świetnie operował słowem. Czy pan wie, że on nie skończył nawet średniej szkoły? Chodził do technikum mechanicznego, ale zrezygnował po dwóch latach. Nigdy nie studiował marketingu ani zarządzania, a tak dobrze prowadził firmę. Myślę, że z tych jego impresji wiele się pan o nim dowie. A zwłaszcza, kim był przed terapią. Czy pan wie, że przez swoje rozbuchane potrzeby seksualne omal nie stracił firmy? Ale wyszedł z tego. Dokładnie to opisuje. Być może ułatwi to panu znalezienie sprawcy jego zabójstwa.

– Będę zobowiązany – odrzekł. – Jeśli zaś chodzi o robienie pieniędzy, to wykształcenie nie ma znaczenia. Liczą się spryt życiowy i inteligencja emocjonalna. Jak widać, on miał jej wysoki iloraz – dodał.

Pokiwała głową ze zrozumieniem.

– Chciałabym, żeby pan złapał tego, kto to zrobił. – Wyjęła z torebki wizytówkę i położyła na stole. – To mój służbowy telefon i e-mail. Prywatną komórkę zapiszę panu na odwrocie. Wolałabym, żebyśmy się spotkali gdzieś na mieście, a nie w tym obskurnym miejscu, jeśli miałabym wybór. Ja zapraszam – dorzuciła, a Meyer poczuł się tak, jakby ktoś go uderzył w twarz. Nic jednak nie powiedział i z uwagą słuchał dalszego wywodu lekarki. – Kamienicę będę musiała szybko sprzedać, jeśli ktoś ją kupi po tym wszystkim – zawiesiła głos.

Meyera uderzyło to szybkie przejście od rozpaczy po stracie kochanka do trzeźwej i racjonalnej decyzji pozbycia się zabytkowego domu na Stawowej.

– Nie będę w stanie już tam pracować – pośpieszyła lekarka z wyjaśnieniem. – Czy pan wie, że większość zrabowanych przedmiotów nie miała znaczenia antykwarycznego? To były jedynie rodzinne pamiątki i tanie reprodukcje rycin z *Kamasutry* przywiezione z Indii. Tam nie było ani jednego wartościowego obrazu! Nie wiem, dlaczego ktoś chciał je ukraść. I nie rozumiem, dlaczego ktoś chciałby mnie zabić z tak błahego powodu.

– Panią? – Meyer szczerze się zdziwił. Notował jej właśnie na kartce swój adres mejlowy, na który miała przesłać teksty napisane przez Schmidta do książki. Wizytówek oczywiście nie miał. Jego podanie już kolejny miesiąc czekało na biurku komendanta śląskiej policji. Prośba zostanie prawdopodobnie zrealizowana dopiero przed jego wyjazdem na konferencję do Sopotu. – Dlaczego panią? – powtórzył, bo Elwira nie odpowiadała.

Lekarka zmarszczyła czoło z niedowierzaniem.

– Jakiś miesiąc temu zaczęły się te anonimowe telefony. Potem suszone kwiaty za wycieraczką samochodu, a wreszcie cuchnąca rybia głowa w pudełku po butach. Damskich, tanich butach – podkreśliła. – Któregoś wieczoru wracałam późno do domu i jestem pewna, że byłam śledzona. Następnego dnia rano nie mogłam ruszyć auta, bo ktoś przeciął mi oponę.

– Zgłosiła to pani na policję?

– Pomyśleliby, że straciłam rozum. – Zaprzeczyła ruchem głowy. – Zresztą podejrzewałam tę głupią gęś. Była o mnie zazdrosna, przeglądała jego telefon, grzebała w mejlach. Czytała moją korespondencję do niego. Dziwię się, bo z pewnością niewiele rozumiała. Podejrzewam, że z trudem składa literki...

– Ma pani na myśli panią Klaudię Schmidt?

– A kogóż by innego – żachnęła się Elwira, jakby to było oczywiste. – Ona podejrzewała nas o romans. Idiotka. Mówił o niej Bobik, jak na psa. Nie wiem, skąd to przezwisko, może z czasów, kiedy się poznali. Na początku wydawało mi się obraźliwe, bo czasami tak zwracał się do niej przy obcych. Irytujące było zwłaszcza to, że mówił o niej w rodzaju męskim. Bobik zrobił, poszedł, ugotował. Raz zażartowałam, czy on nie żyje przypadkiem z mężczyzną. Potem się przyzwyczaiłam, zaczęło mnie to bawić. Sądzę, że to przezwisko dobrze oddaje jej osobowość. Zresztą ona najwyraźniej nie uważała, że to ją obraża. Ale odpowiadając na pana pytanie, podejrzewałam, że Bobik mogła nasłać na mnie jakichś zbirów. Myślę, że ten wątek też powinien pan zbadać.

Meyer słuchał tego wszystkiego ze spokojem, jakby mówiła o pogodzie. Tak naprawdę analizował każdy podawany przez nią szczegół. Interesował go zwłaszcza sposób przekazywania informacji. Zastanawiał się nad celem, jaki przyświecał lekarce. Kiedy skończyła, uprzedził ją:

– Jeszcze przez kilka dni wejście do kamienicy będzie opieczętowane przez policję. Na razie nie powinna pani tam wchodzić. Sprawa jest zbyt świeża. I radzę nie udzielać żadnych wywiadów. To dla dobra śledztwa.

– Ależ oczywiście.

– Aha, jeszcze jedno – zawahał się i zablefował. – Dlaczego dała pani Johannowi klucze?

Elwira odparła bez zająknięcia:

– Miał jakąś sprzeczkę z Bobikiem. Zaproponowałam, żeby przenocował w gabinecie. Ponieważ wstawał wcześnie rano, pozwoliłam mu zabrać klucze ze sobą.

– Pamięta pani, kiedy to było?

Elwira się zamyśliła.

– Dokładnej daty nie podam... Jakieś cztery miesiące temu.

– Nigdy więcej nie nocował w pani gabinecie?

– Nie.

– Dlaczego nie zażądała pani zwrotu kluczy?

– Po co? – Elwira wzruszyła ramionami. – Miałam zapasowe.

– Jest pani pewna?

– Tak, prawdopodobnie nadal są w naszym mieszkaniu. A jaki to ma związek ze sprawą? – zaniepokoiła się.

– Ile było zapasowych kompletów?

Kobieta się skupiła. Czuła, że to podchwytliwe pytanie. Nie wiedziała, jak wybrnąć.

– Nie pamiętam...

– Ile było kompletów kluczy? – powtórzył Meyer. – Do kamienicy, domu i gabinetu.

– Trzy – odrzekła niepewnie. – Chyba trzy. Jeden miałam ja, drugi Michał i trzeci – rezerwowy, który dałam Johannowi.

– Przez ostatni miesiąc przed śmiercią Schmidta mąż miał jakiś problem, by się dostać do kamienicy? – drążył uparcie profiler.

– Pan coś sugeruje? Nie bardzo rozumiem. – Znów jej ręce powędrowały w kierunku apaszki. Jakby chciała ją rozwiązać. Zamiast tego rozsunęła fałdy chustki, ale tak, by nie odsłonić ani kawałka szyi. Meyer wpatrywał się w nią wyczekująco.

– Prowadzą państwo różny tryb życia. Mąż zajmuje się dzieckiem. Rzadko jednocześnie wychodziliście i wracaliście. Pytam więc raz jeszcze: czy mąż miał jakikolwiek kłopot, by dostać się do domu?

– Nie – szepnęła Elwira.

– I nie zgubił kluczy?

– Nic o tym nie wiem.

– Nie pożyczał ich od pani?

– Może raz czy dwa. Ale miał swoje. Chyba tak...

– Nie szukał zapasowego kompletu? Nie pytał, co się z nim stało?

Elwira była blada. Kręciła tylko przecząco głową.

– To chyba jakieś nieporozumienie – zaśmiała się nerwowo.

– Chyba nie wiedział, że zapasowy komplet jest u Schmidta... Wie pan, on nie interesował się tym zbytnio – wikłała się coraz bardziej.

By dać sobie trochę czasu, postanowiła zapalić. Nerwowo szukała w torebce zapalniczki. Nagle torebka upadła na podłogę, a kiedy kobieta po nią sięgała, apaszka odsłoniła szyję i Meyer dostrzegł zaczerwienienie. Już wcześniej nurtowało go, co lekarka ukrywa pod chustką. Teraz aż go skręcało, by poprosić ją, żeby zdjęła z szyi ten kawałek jedwabiu. Zamiast tego jednak bacznie obserwował jej ruchy. Była bardzo zdenerwowana. Miał ją w garści. I choć wiedział, że powinien już wychodzić, jeśli chce cokolwiek załatwić w Siewierzu, nie mógł się powstrzymać i pytał dalej.

– To mąż znalazł tę kamienicę?

Tak. Dzięki jego informacjom kupiłam ją za naprawdę okazyjne pieniądze. – Odetchnęła z ulgą, że zmienił na chwilę temat.

– Można spytać, za ile?

– Milion dwieście.

– Złotych?

Kiwnęła głową.

– No, chyba nie dolarów...

Meyer zagwizdał.

– Rozumiem, że to dobra lokata kapitału.

Lekarka się uśmiechnęła.

– To był łut szczęścia. Sama nie wiem, jak to się udało. Pan Zylber, z ramienia miasta administrujący kamienicami przy Stawowej, w niecały miesiąc załatwił wszystkie formalności z trójką spadkobierców. Jedna z nich – Marion Kasaar, ponoć była gwiazda filmowa, mieszka w Berlinie. Dla niej ta scheda była jedynie kłopotem, bo przy okazji każdego remontu elewacji czy dachu musiała przyjeżdżać do Polski. Drugi z nich – pan Zbigniew Zorza, ma warsztat samochodowy, a trzecia dziedziczka – Ewelina Jeziorek, zamierza wyjechać ze Śląska za mężem. Pani Kasaar była zadowolona, że pozbędzie się kłopotu, tej ostatniej dwójce zależało na żywej gotówce. Za odpowiednią opłatą pan Zylber wszystko dla nas załatwił. Mieliśmy ogromne szczęście. Proszę sobie wyobrazić, że zaledwie trzy miesiące później dwie neobarokowe kamienice, przylegające do mojej, przejęli bracia Lipscy i zaczęli tam gruntowny remont. Nie wiem, czy pan pamięta, jak wyglądały te budynki, zanim obok nas stanął hotel. To były rudery. Nasza była w najlepszym stanie. Mieszkali w niej ludzie! W tej chwili wartość tej kamienicy jest dwu- albo i trzykrotnie wyższa.

– To rzeczywiście wielkie szczęście. I ciekawy zbieg okoliczności. A jeśli można spytać, skąd pani miała tyle pieniędzy? – zainteresował się profiler. Dla niego milion złotych było kwotą całkowicie abstrakcyjną.

– Większość pieniędzy pożyczyłam od pierwszego męża. Jest biznesmenem. Prowadzi sieć dystrybucyjną lodówek i zamrażarek dla gastronomii. Ma w Polsce wyłączność na kilka wiodących marek. W dzisiejszych czasach lodówki w restauracjach i sklepach muszą być wymieniane co cztery lata. Wymóg Unii Europejskiej. Jak pan widzi, taki biznes to prawdziwa żyła złota. W związku z tym mój były mąż nie robi już właściwie nic. Kontroluje jedynie, by rada nadzorcza go nie okradała.

– Skoro cena kamienicy na Stawowej była tak atrakcyjna, to dlaczego pani były mąż sam tego nie kupił?

– Artur nie chciał się w to bawić. Ma dość pieniędzy. Chce mieć święty spokój, korzystać z życia. Poza tym koszt kamienicy to jedno, a drugie to remont, który zresztą też pochłonie fortunę. Przy najmniejszej przeróbce trzeba się zwracać do miasta o zgodę. Nawet w przypadku wymiany instalacji elektrycznej. O odrestaurowaniu elewacji, zabytkowych kopułach, lukarnach czy iglicy nie wspominając. Sama nigdy nie wpadłabym na taki pomysł. Ale Michał miał obsesję na punkcie tego budynku. Nie wiem dlaczego. A zresztą on to wszystko tak wspaniale czuł – wyjaśniła.

– Nie przeszkadzało mu to, że bierze pani milion złotych od byłego męża?

– Dwa miliony.

Meyer aż się zapowietrzył. Kobieta mówiła o dwóch milionach jak on o pożyczce dwustu złotych od Szerszenia.

– To tym bardziej.

– Proszę pamiętać, że Michał jest artystą. Inaczej postrzega świat niż my, zwykli śmiertelnicy. Jest ponad materialne problemy. Jego umysł zajmują zdecydowanie wyższe sprawy. – Lekarka mówiła z egzaltacją, jakby nie dostrzegała śmieszności własnej wypowiedzi. Meyer żałował, żc obok nie ma Szerszenia. Już słyszał jego gromki śmiech i uszczypliwy komentarz. – Jak pan się domyśla, ci dwaj panowie nie przepadają za sobą – ciągnęła. – Dlatego to ja firmowałam całą operację. W razie czego to ja musiałabym spłacić męża. Wszystkie prawa należą do mnie. Jestem jedyną właścicielką Kaiserhofu. Jeśli mam być szczera, Michał był trochę zły z tego powodu, lecz nie mogłam podpisać umowy pożyczki na innych warunkach. Poniatowski nigdy by się nie zgodził.

– Czyli pani ma bardzo dobre relacje z byłym mężem?

– No, tak... – Elwira się zawahała. – Po latach walki z nim stwierdziłam, że muszę mu wybaczyć i żyć dalej.

– Jakiej walki?

– To melodramat, nie wiem, czy pana zainteresuje... – krygowała się.

Zachęcił ją ruchem ręki. Elwira z miną cierpiętnicy zaczęła relacjonować:

– Wbrew temu, co można sądzić, że zostawiłam męża dla dwa razy młodszego przystojniaka, to on pierwszy mnie zdradził. Klasyka, niebrzydka sekretarka. Nic nie zauważyłam. Zajmowałam się karierą naukową, pracowałam wtedy w Katedrze Zdrowia Psychicznego i Więzi Międzyludzkich w Śląskiej Akademii Medycznej. Dowiedziałam się o wszystkim, dopiero kiedy ona zaszła w ciążę. Ja wtedy dzieci mieć nie chciałam. Mąż poprosił o rozwód, ale ja nie zamierzałam się zgodzić. Żądałam orzeczenia winy z jego strony. To oznaczałoby dla niego niekorzystny podział majątku. Oczywiście nie chciał tracić ani grosza. Tak więc żyliśmy w fikcyjnym związku ponad rok. On na górze, ja na dole. Czekaliśmy, aż ten pat sam się rozwiąże. I tak

się stało. Poznałam Michała. Z wykształcenia jest informatykiem, skończył jakieś dwuletnie studium. Przychodził do firmy
męża naprawiać sprzęt. Zakochałam się. Zaczęliśmy romanso-
wać. Mąż wynajął detektywa i zagroził użyciem zgromadzonych
materiałów w sądzie. I tak poszliśmy na ugodę, rozwiedliśmy
się polubownie. To, że pożyczył mi te pieniądze, było trochę
– jak pan widzi – odkupieniem win, może zatkaniem mi ust. Pła-
cę mu zresztą stosowne odsetki. Nie stracił na tym geszefcie.
Michał zaś nigdy nie mieszał się do moich spraw finansowych.
Od początku był na straconej pozycji.

– Dlaczego? – zainteresował się psycholog.

– To ja przez całe lata go utrzymywałam. Dzięki mnie został
kimś, ze zwykłego informatyka przeistoczył się w artystę. Mógł
sobie na to pozwolić jedynie przy mnie. Żył, jak chciał, robił, co
chciał. Mógł realizować swoje pasje. A ja szczerze go w tym
wspierałam.

Był twoim utrzymankiem, pomyślał Meyer. Na głos powiedział jednak coś innego:

– Ale chyba odczuwał frustrację, że nie mógł dać pani tak
wielkiej kwoty?

– O nie, on jest zupełnie pozbawiony takiej, pan wybaczy,
samczej ambicji – żachnęła się Poniatowska. – Pieniądze mają
dla niego wartość jedynie wymienną.

– Jak dla większości z nas – zdecydował się wtrącić Meyer.

Lekarka jednak nie dostrzegła sarkazmu w jego głosie.

– Nieważne, po prostu Michał nie mieszał się w moje finansowe sprawy. W tych kwestiach mój mąż, przyznaję, jest zupełnie nieżyciowy. Choć nie ukrywam, że odkąd poznałam Johanna, trochę mi to przeszkadzało. W każdym razie Michał całą
uwagę i kreatywność wkładał w plan odrestaurowania tego
pięknego budynku. Kochał to. Jego plan przywrócenia świetności tej kamienicy był naprawdę obłędny.

– Rozumiem.

– To już wszystko? – Poniatowska wstała. – Czy mogę iść do
domu?

– Sama pani nie wyjdzie. Proszę za mną.

Ruszyli długim, szarym korytarzem z dziesiątkami drzwi oraz tablicami, na których wieszano ogłoszenia o poszukiwanych niebezpiecznych przestępcach i zawiadomienia o szkoleniach czy policyjnych imprezach. Takich korytarzy w katowickiej komendzie były dziesiątki. Istny labirynt. Każdy zakończony wielkim oknem z dziwacznymi metalowymi kratami. Przez te okna widać było panoramę miasta. Komenda Wojewódzka Policji w Katowicach swoją świetność miała dawno za sobą. Zjechali windą na parter i skierowali się do wyjścia.

Kiedy lekarka poczuła się już wolna i uznała, że nie musi się kontrolować, przygarbiła się, a skóra na jej twarzy sprawiała wrażenie wiotkiej, o niezdrowym żółtym odcieniu pergaminu.

– Tak przy okazji – zagaił Meyer. – Czy pani mąż jest Polakiem? Ma takie cudzoziemskie nazwisko i aparycję.

– Tak. – Lekarka się uśmiechnęła. – Jest stuprocentowym Polakiem. Pochodzi z Waplewa, małej miejscowości na Suwalszczyźnie. Zmienił nazwisko, kiedy zaczął być artystą. Jako informatyk miał inne. Kiedy go poznałam, nazywał się Łopata. Michał Łopata. Sam pan widzi, że nie pasowało to do image'u artysty, wziętego stylisty wnętrz. Mogło być źle odebrane przez lokalną cyganerię. Kiedy braliśmy ślub, przyjęłam już jego nowe nazwisko, bardziej atrakcyjne – Douglas. Nie mam pojęcia, dlaczego akurat takie wybrał.

Meyer spojrzał na nią. Dlaczego szydzi z męża? Czy robi to świadomie? Czy możliwość swobodnego opuszczenia komendy tak ją rozluźniła, że na chwilę zaniechała samokontroli?

Na pożegnanie Elwira Poniatowska podała mu dłoń jak do ucałowania. Udał, że nie zrozumiał gestu. Uścisnął ją po męsku i zawrócił. Chciał jak najszybciej znowu znaleźć się w pokoju przesłuchań, by zabrać swój dyktafon i dokumenty. Lekarka została sama. Z ulgą ściągnęła z szyi chustkę i postawiła kołnierzyk sukienki.

– Pani Elwiro – usłyszała za plecami.

Meyer stał tuż za nią. Odwróciła się gwałtownie. Na jej szyi dostrzegł podłużną szramę, jakby zadrapanie od pazura. Rana, podpuchnięta i zaczerwieniona wokół, nie wyglądała na świeżą, raczej sprzed dwóch, trzech dni, była podgojona. Kobieta zorientowała się, że psycholog dostrzegł to, co tak skrzętnie cały czas ukrywała.

– Proszę nie opuszczać miasta. Nigdzie nie wyjeżdżać do odwołania. I być pod telefonem – powiedział.

Skinęła głową i pośpiesznie ruszyła w kierunku drzwi. Stał jeszcze chwilę, wpatrując się w jej znikającą sylwetkę. Z kim szamotała się ta damulka? W drodze na górę myślał o zadrapaniu na szyi oraz siniaku na udzie. Kto ją tak załatwił?

– Ale nasmrodziła – usłyszał od policjanta, który przygotowywał się do kolejnego przesłuchania.

Meyer chwycił dyktafon, papiery i wizytówkę lekarki, na której złotymi literami wypisane było jej nazwisko, po czym spojrzał pytająco na kolegę.

– Wylała na siebie chyba całą butelkę perfum. Chciała cię uwieść – pośpieszył z wyjaśnieniem policjant i zaśmiał się.

– Bidula nie wie, że na naszego psychologa takie sztuczki nie działają.

Meyer odwzajemnił uśmiech. Wyszedł z pokoju zatopiony w myślach. Jak to możliwe, by zrozpaczona kobieta pamiętała, by zabrać do torebki perfumy i użyć ich przed przesłuchaniem? Czy faktycznie była tak zrozpaczona, jak starała się wszystkich przekonać?

Aż się rozpromienił, kiedy oficer dyżurny wyciągnął spod blatu przesyłkę od Anki. Minęła siedemnasta trzydzieści, większość pracowników opuściła budynek. W poczekalni nie było nikogo, więc funkcjonariusz z zaciekawieniem obserwował profilera, który natychmiast, nie przejmując się wścibskim spojrzeniem dyżurnego, zaczął przeglądać zawartość torby. Dokładnie sprawdził plik papierów w foliowej koszulce. Anka spisała się na medal. Nie zapomniała o karcie pojazdu jego świętej pamięci passata. Przywiozła mu też czyste ubranie na zmianę i wygodne mokasyny. Profiler postanowił buty zmienić natychmiast. Chwycił torbę i ruszył w stronę holu, by usiąść na jednym z plastikowych krzesełek dla oczekujących i wreszcie zdjąć znienawidzone lakierki, które wpijały mu się w stopy. Kiedy przechodził obok drzwi wejściowych komendy, które dzięki czujnikom fotokomórki automatycznie się rozsunęły, dostrzegł stojące u podnóża schodów nowiutkie auto.

– Już bliżej się nie dało – mruknął pod nosem. Rzeczywiście samochód był zaparkowany tak, jakby kierowca zamierzał wspiąć się nim schodami do wnętrza komendy, lecz tylko z sobie znanych przyczyn zrezygnował z tego pomysłu. – Co za palant przyjechał tą landrynką? – zaśmiał się w głos.

Oficer dyżurny zawtórował mu głośnym rechotem:

– Może bał się, że ktoś go nie zauważy. – Podparł się pod boki i bacznie przypatrywał profilerowi.

– W takim kolorze? Chyba musiałby być ślepy – odrzekł Meyer.

Barwa auta stojącego na podjeździe komendy była wyjątkowo słodkim odcieniem różu. Jego perfekcyjnie wypolerowana karoseria błyszczała w popołudniowym słońcu. Samochód sprawiał wrażenie szerszego niż dłuższego, prawie nie miał bagażnika i był wyposażony w szeroko rozstawione wielkie reflektory – wszystko to nasuwało skojarzenie z lateksową żabą sporych rozmiarów w kolorze pink.

– W życiu nie wsiadłbym do takiego wozu – oświadczył Meyer i skrzywił się ze wstrętem. – Choćby mi płacili...

– E tam, panie nadkomisarzu. Nigdy nie mów nigdy. – Oficer dyżurny pokiwał palcem. – Ja bym go wypróbował. Przecież to jeden z najnowszych kabriolecików Nissana, Pink Micra CC. Połowa chłopaków z kryminalnego i miejskiego już go oglądała. Byli nawet z ABW. Robili zakłady, do kogo należy...

– Nie dziwię się – mruknął Meyer, skupiając się teraz wyłącznie na zmianie butów. Kiedy jego stopy poczuły wreszcie błogosławioną wolność, jeszcze raz przejrzał torbę. – A kluczyki do wozu? – zwrócił się do dyżurnego.

Przez moment przemknęło mu przez głowę, że Anka w ostatniej chwili zmieniła zdanie i w zemście nie pożyczy mu tego cholernego auta. Byłaby do tego zdolna. Pamiętał, co wyczyniała, kiedy się rozwodzili. Może znów jej odbiło, pomyślał. Kiedy zapytał, czy pożyczy mu auto, stawiała opór, jakby to był jakiś skarb, a nie dwudziestoletni sunny po przejściach, którego wartość podwajała się po zatankowaniu pełnego baku. Jeśli wykręciła mi taki numer, pożałuje, zaperzył się. Dyżurny zrobił gest, jakby dopiero sobie przypomniał o jakimś mało istotnym szczególe.

– A tak – złożył usta w ciup.

Meyer odetchnął z ulgą. Wszystko gra, pomyślał. Kiedy jednak funkcjonariusz położył na blacie kluczyki i powoli przesuwał je pod szklanym otworem w szybie, profiler zmarszczył brwi.

– To nie te – syknął.

Kluczyki miały wprawdzie napis i logo nissana, lecz były jakieś inne, nowoczesne, o obłych kształtach. Nie mogły pasować do staruszka sunny'ego. Zwłaszcza że oprócz głównego klucza ktoś przywiesił do kompletu dwa małe kluczyki, pilota do centralnego zamka oraz alarmu, a także infantylne plastikowe serduszko. Meyer był przekonany, że funkcjonariusz się pomylił i wydał mu nie te klucze co trzeba.

Oficer dyżurny jednak pewnym gestem przesunął je w kierunku psychologa.

– To nie moje – upierał się Meyer.

Kluczyki znów znalazły się po stronie dyżurnego. Funkcjonariusz wstał, wyszedł z dyżurki i włożył je zdziwionemu profilerowi do rąk.

– Co to ma być? – Hubert się wkurzył. Nie rozumiał, dlaczego dyżurny uparcie wciska mu nie jego klucze. Przemknęło mu przez głowę, że może robi sobie z niego żarty – podmienił kluczyki, a na dodatek przywiesił do nich kiczowatą ozdobę. Chciał spytać: „Kurwa, co jest grane?", ale opanował się i zdobył na rzeczowy ton: – Gdzie Anka zaparkowała?

– To, panie nadkomisarzu, chyba są kluczyczki do pana nowej bryczki – oświadczył dyżurny, z trudem opanowując śmiech.

Meyer spojrzał na niego wilkiem. Podniósł klucze do góry, jakby trzymał w rękach martwego gza czy karalucha, obejrzał je dokładnie i nie czekając na odpowiedź, podszedł do okna.

Rozpaczliwie wypatrywał granatowego kanciaka. Ale niczego podobnego w zasięgu wzroku nie było. Naprzeciw niego stała tylko ta różowa karykatura samochodu. Hubert czuł, że zaczynają go piec uszy. Kiedy ponownie odwrócił się w kierunku dyżurki, napotkał rozbawione spojrzenie dyżurnego.

– Jeszcze pan nie widzi, nadkomisarzu? – Oficer wskazał pink nissana micrę CC zaparkowaną u podnóża komendy. – Tutaj stoi, na puzzlach[1].

I tylko na tyle starczyło mu powagi. Policjant zaniósł się gromkim śmiechem. Hubert spojrzał na różowe zjawisko, po czym zerknął na ozdobę przy kluczykach. Wszystko się zgadzało. Na kluczu i włączniku alarmu wyraźnie było napisane: nissan. Plastikowe serduszko jednoznacznie wskazywało, że auto należy do kobiety. Jego kolor też. Tak, wszystko się zgadzało. Anka była w końcu kobietą. I miała za męża dentystę. Skrzywił się, jakby rozgryzł garść ziarenek pieprzu. Chwycił torbę, starając się nie napotkać wzroku dyżurnego, który z trudem opanowując głupawkę, zszedł do połowy schodów przed komendą. Meyer wybrał w komórce numer Anki.

Pewnie uważasz, że to bardzo śmieszne. Taki zajebisty kawał. Naprawdę, jajcara z ciebie, szydził w myślach. I zamierzał jej to wszystko zaraz wyrzucić. Zamiast niej powitał go głos dentysty nagrany na skrzynce. „Tu automatyczna sekretarka Anny Lewandowskiej. Pani Ania nie może teraz odebrać telefonu, gdyż jest bardzo zajęta. Proszę zostawić wiadomość, pani Ania oddzwoni w późniejszym terminie, lub proszę spróbować później. Na razie! Pa!". Meyer ze złością nacisnął czerwony przycisk i spróbował jeszcze raz. To samo: spróbować później, spróbować później... Pa! Pa! Pa!

– Ty, Anka – za trzecim razem postanowił się jednak nagrać. – Dzięki za pomoc, ale... – zawahał się dłuższą chwilę, po czym podniósł głos. – To różowe tutaj... Co to, kurwa, jest?! Gdzie jest twój wóz? Jeśli myślisz, że to jest śmieszne... – Nagrywanie przerwało długie „piiik".

---

[1] Puzzle – tutaj bruk.

Zerknął na wyświetlacz. Połączenie zostało przerwane, przekroczył czas nagrywania wiadomości. Westchnął ciężko i nieufnie zbliżył się do luksusowej mydelniczki. Rozejrzał się czujnie wokół, jakby obawiał się, że ktoś go zauważy, po czym kliknął centralny zamek i szybko wsiadł do wozu. Wewnątrz poczuł się bezpieczniej. Zdziwił się, bo było tam zaskakująco dużo miejsca. Maksymalnie odsunął przednie siedzenie i z ulgą wyciągnął nogi. Dopasował sobie lusterka, sprawdził działanie spryskiwaczy i świateł. Otworzył skrytkę – znalazł plik dokumentów, mapy, jakieś instrukcje i książkę serwisową. Wszystko ułożone pedantycznie, według wielkości. Auto lśniło czystością i pachniało zapachem „new car", który dyndał na lusterku wstecznym. Mimo to poczuł się jak w Kingsajzie. Nic nieznaczący przegrany mały człowieczek, który tylko na chwilę uciekł z Szuflandii.

– Chciałbym coś ci wyznać, różowa landryno – zwrócił się do auta. Modulował głos, skutecznie udając piskliwy tembr Anki, kiedy jej na czymś bardzo zależało. – Nigdy tego nikomu nie mówiłem. Jestem... jestem... – wybuchnął udawanym płaczem – krasnoludkiem. – Spojrzał we wsteczne lusterko i już normalnym głosem powiedział do siebie: – Klasyczny szok powypadkowy. Reminiscencje mogą pojawiać się jeszcze przez kilka najbliższych dni. Dlatego muszę je zminimalizować nieznaczną dawką nikotyny.

Otworzył okno i bez skrupułów wyciągnął z kieszeni papierosy oraz zapalniczkę. Dał pstryczka w sam środek dyndającej na wstecznym lusterku tekturowej choinki, wyobrażając sobie, że to nos dentysty, i z rozkoszą zaciągnął się dymem. Słońce świeciło mu w twarz, ale nie odgiął osłony. Ciepło zwielokrotnione przez przednią szybę auta miło rozgrzewało policzki. Na chwilę przymknął oczy i napawał się tym stanem. Czuł, że odzyskuje siły. Kiedy otworzył oczy z postanowieniem, że za chwilę ruszy do Siewierza, słońce na moment go oślepiło. Ledwie zyskał ponownie ostrość widzenia, na alejce wzdłuż komendy dostrzegł kobietę zmierzającą wprost na niego. Meyer od razu rozpoznał energicznego rudzielca.

Prokurator Weronika Rudy była ubrana inaczej niż rano, kiedy się poznali. Widać po wizycie na Stawowej pojechała do domu przebrać się w służbowy uniform prokuratora. Granatowy kostium, składający się z krótkiej dopasowanej marynarki oraz ołówkowej spódnicy, nadawał jej sylwetce kształt klepsydry. Ramiona poszerzone przez poduszki były niemal tej samej szerokości co biodra kobiety. Pod żakietem miała białą bluzkę ze stójką. Widział jej zgrabne nogi, wydłużone niebotycznymi obcasami. Na nosie miała przeciwsłoneczne okulary o klasycznym kształcie Wayfarer Ray Ban, takie jakie nosiła Audrey Hepburn w filmie *Śniadanie u Tiffany'ego*. Miedziane włosy związane w ciasny kucyk poruszały się w rytmie jej roztańczonych bioder – to w prawą, to w lewą stronę.

Meyer nagle uświadomił sobie, że prokuratorka zaraz dostrzeże go w tym różowym aucie. Chyba spalę się ze wstydu, przeraził się. Aż zakrztusił się dymem i zaczął głośno kasłać. Chwycił ze schowka w drzwiach ścierkę do wycierania szyb. Rudy szła szybko, równym wojskowym krokiem. Była zamyślona. Wydawało się, że nie widzi nikogo i niczego wokół. Kiedy stanęła u podnóża schodów prowadzących do bocznego wejścia do budynku, gdzie mieściła się komenda miejska, profiler przestał oddychać.

– No wejdź tam. Wejdź! Proszę, błagam – powtarzał jak mantrę. Ale kobieta zatrzymała się tam tylko na chwilę, podniosła stopę i dokładnie obejrzała obcas buta. Stwierdziła, że wszystko w porządku, i ruszyła dalej. Wyminęła komendę miejską i wyraźnie zmierzała do głównego wejścia, czyli wprost na różową micrę i Meyera. Mężczyźnie zrobiło się gorąco. Wiedział, że kiedy prokurator zbliży się do schodów, na pewno rozpozna, kto siedzi wewnątrz auta. Odwrócę głowę – nie, to nic nie da. Udam, że szukam czegoś na tylnym siedzeniu – też nie, zorientuje się, że to ja, i jeszcze sobie pomyśli, że jej unikam. A może wysiąść i przywitać się, jak gdyby nigdy nic, jakby to było takie normalne auto? Nie! Nigdy!

Czasu było coraz mniej. Weronika znajdowała się tuż-tuż. Nie miał wyjścia. Pochylił głowę i schował ją między nogi, niczym struś w piasek. Czuł, że drętwieje, lecz nie odważył się podnieść przez długą chwilę. Czujnie nasłuchiwał. W pewnym momencie wydawało mu się, że stukot szpilek się oddalił. Odczekał jeszcze chwilę i zaczął się wynurzać. Natychmiast ukrył się ponownie. W bocznej szybie dostrzegł sylwetkę prokuratorki od biustu do bioder. Stała obok landrynkowej micry. Jej głowa znajdowała się ponad dachem samochodu. Meyer odetchnął z ulgą. Nie zauważyła mnie, ucieszył się. Podniósł nieco głowę. Werka rozpięła żakiet, jej śnieżnobiała bluzka nie sięgała do pasa, mógł więc ze swojej żabiej perspektywy wpatrywać się w wąski fragment jej nagiego ciała. Jest wąska w talii, zarejestrował.

Po chwili niepokój wrócił. Nie rozumiał, dlaczego kobieta tak długo stoi koło samochodu, bał się, że za chwilę zapuka w szybę. Uzmysłowił też sobie, że nie widzi jej rąk, za to słyszy jakieś chrobotanie na dachu. Wreszcie odwróciła się i powoli ruszyła po schodach prowadzących do komendy. Meyer mógł się wyprostować. Nie przestając wpatrywać się w plecy prokuratorki, z ulgą zapalił kolejnego papierosa. Kiedy zobaczył, jak przykłada komórkę do ucha, pojął, co zatrzymało ją przy samochodzie. Po prostu położyła na dachu torebkę i szukała w niej telefonu.

Nagle Weronika odwróciła się i zaczęła schodzić po stopniach. Znów się pochylił. Jednak nie na tyle nisko, by nie widzieć jej twarzy, którą wykrzywił grymas złości. Nie patrzyła ani na auto, ani na niego. Słuchała tego, co mówiła osoba po drugiej stronie słuchawki. Pokonała kilka stopni, nacisnęła przycisk w telefonie, wrzuciła komórkę do torebki i zawróciła ku drzwiom do komendy. Meyer użył dźwigni przesuwającej oparcie do pozycji półleżącej, rozparł się wygodnie i wtedy zobaczył na tapicerce okrągłą dziureczkę, którą wypalił rozżarzonym papierosem. Na wycieraczce zaś leżał nadwęglony niedopałek czerwonego marlboro.

– O kurwa – szepnął. – Dentysta tego nie przeżyje. – A po chwili dodał: – Skoro już biorę udział w tej landrynkowej zemście Anki, to przynajmniej niech to będzie przyjemne.

Odpalił silnik, znalazł przełącznik automatycznego otwarcia dachu auto open roof i przytrzymał go. Z cichutkim bzyczeniem dach schował się do bagażnika. Kiedy auto ruszyło, poczuł orzeźwiający wiatr na twarzy i we włosach. Już po chwili nie pamiętał ani o kolorze wozu, ani o uszkodzonej tapicerce, ani o prokuratorce, przed którą się ukrywał. Pogrążony w myślach nad konfiguracją: Johann–Elwira–Klaudia zmierzał do Siewierza załatwić sprawę nocnego wypadku.

Wracając do Katowic, profiler poczuł się o wiele lepiej. Choć wcześniej wydawało mu się, że marzy tylko o spaniu, kawy i napoje pobudzające zrobiły swoje. Zbliżał się wieczór, ale wiedział, że nie zaśnie, dopóki nie poukłada wszystkiego, co zdarzyło się w ciągu ostatnich godzin. Zresztą nie mógł teraz iść spać. Czas działał na korzyść sprawcy. Wszelkie czynności operacyjne miały największą siłę na samym początku śledztwa. Zamiast więc jechać do pustego domu w Ligocie, skręcił z trasy w ulicę Górnośląską, by jak najszybciej dojechać do komendy. Na niebie zbierały się właśnie burzowe chmury. Powietrze wydawało się wilgotne i lepkie. Meyer był pewien, że zaraz zacznie błyskać i grzmieć, a z nieba lunie deszcz. Nacisnął przycisk, by zabawkowy kabriolecik ponownie zmienić w mydelniczkę. Silniczek brzęczał znajomo, lecz dach nie przemieścił się nawet o centymetr. Początkowo Meyer nie bardzo się tym przejął. Uznał, że nie można zamknąć dachu w trakcie jazdy i powinien najpierw zaparkować. Zerknął na niebo i ucieszył się, że zdążył wszystko pozytywnie załatwić przed burzą.

Pomarańczowo-niebieską elewację Komendy Wojewódzkiej Policji widać było z daleka. Monumentalna bryła usytuowana na wzgórzu i zbudowana na planie półokręgu nasuwała myśl, że jest raczej żywym stworem z betonu i szkła niż architektonicznym dziełem wybudowanym z rozmachem typowym dla lat PRL-u. Kiedy Meyer wjeżdżał landrynkowym kabrioletem na parking, funkcjonariusz w budce strażniczej zasalutował mu karnie. Nie mrugnął okiem na widok pojazdu, jakim poruszał się słynny profiler. Meyer zaparkował niedaleko głównego wejścia i zaczął batalię z dachem. Jak na ironię zerwał się wiatr i nadkomisarz poczuł gęsią skórkę. Momentalnie się ochłodziło. Nie trzeba było wiedzy meteorologa, by wiedzieć, że za chwilę lunie. Po takim upale jak dziś zapowiadało się na porządną burzę. I tak miał szczęście, że nadeszła dopiero teraz. Pośpiesznie nacisnął pstryczek zamykający dach i czekał.

– No już, ruszaj się – zamruczał.

Znajome brzęczenie ponownie okazało się bezskuteczne. Meyer czuł, że narasta w nim złość. Nie mógł uwierzyć, że ma takiego pecha. Już słyszał lament Anki, jakim go poczęstuje na widok wypielęgnowanej jasnej tapicerki pełnej czarnych zacieków. Przycisnął auto open roof ponownie i spiął się w sobie, jakby jego skupienie mogło pomóc w uruchomieniu dachu.

– Zaskocz, skurwysynu! – podniósł głos. Uderzył ręką w kierownicę i zaczął wrzeszczeć na całe gardło: – Liczę do trzech. Raz... No już, dawaj, ostatnia szansa. Dwa... Zamykaj się, bo rozpierdolę ci tę różową facjatę! Trzy!

Dach ani drgnął, choć silniczek wciąż wydawał jednostajny odgłos.

– Zaciął się, pierdolony. Teraz wziął i się zaciął. Właśnie teraz – powtarzał. – Jebana różowa podróba.

Zrezygnowany westchnął ciężko i przechylił głowę do tyłu. Nie było ostrzeżenia, żadnych pojedynczych kropli. Z nieba gwałtownie lunęły strugi wody. Rozległ się głośny hałas. Ciężkie krople bębniły o karoserię. Woda zalewała wypielęgnowane jasne siedzenia. Moczyła dokumenty, lała się po plecach. Po chwili włosy miał całkiem mokre. Było mu zimno, ale nie zamierzał się poddać. Spróbował się uspokoić i zwrócił się do auta:

– Okay, nie polubiliśmy się. Ale nie zawsze zdarza się miłość od pierwszego wejrzenia. Spróbujemy jeszcze raz. Ale teraz... – Nabrał powietrza i nacisnął guziczek. – Proszę cię, bądź grzeczny... Ty skurwielu! – Wyskoczył z auta, krzycząc. – Zamykaj tę pieprzoną mydelnicę!

Bezsilnie opadł na siedzenie. Otworzył skrytkę i zaczął szukać instrukcji. Czuł się jak idiota. Nie wiedział, co zrobić. Męska duma nie pozwalała poprosić kogoś o pomoc. Wyciągnął liczne książeczki i przeglądał je w pośpiechu. Wreszcie znalazł jakąś instrukcję z obrazkami. Nie miał jednak możliwości ani czasu na jej studiowanie. Z nieba płynęły strugi wody i zalewały mu oczy.

– Skąd ona wzięła tego strucla!

Wcisnął mokre książeczki do schowka. Nie zwracał uwagi na ich ułożenie ani na to, że gniecie i moczy większość przedmiotów w skrytce. Odpalił silnik i podjechał w to samo miejsce, z którego ruszał po południu. Pod sam nos oficera dyżurnego. Wiedział, że o jego nowym wozie jutro będzie mówić cała komenda, a także o tym, że nie potrafi zamknąć dachu w kabriolecie. Ale nie miał wyboru. Tylko główne wejście do komendy miało zadaszenie, więc właśnie tam ustawił landrynę. To było jedyne wyjście, by uratować wóz Anki przed całkowitym zalaniem. Postarał się jedynie tak zaparkować, by zostawić miejsce radiowozom, które ewentualnie podjadą w nocy.

– Chrzań się! – mruknął, zatrzaskując drzwi.

Kliknął alarm, choć do otwartego kabrioletu mógł wsiąść teraz każdy, kto chciał. Nie odwracając się, biegiem ruszył po schodach w górę. Z ulgą stwierdził, że na zmianie jest inny funkcjonariusz. Ten, widząc wściekłego profilera, bez słowa komentarza otworzył mu drzwi. Meyer nie musiał szukać swojej karty chipowej.

Komenda o tej porze była wyludniona. Większość świateł wygaszono, więc wnętrze sprawiało wrażenie bardziej przygnębiającego, niż było w rzeczywistości. Przeszklonym korytarzem oświetlonym zielonkawym światłem jednostajnie brzęczących jarzeniówek Meyer dotarł do wind. Znał doskonale każde osiemnaście tysięcy metrów kwadratowych powierzchni tego budynku.

Teraz poczuł fizyczne zmęczenie. Stres odpuścił i Meyer zaczął ziewać. Nacisnął guzik windy i uśmiechnął się, bo jeszcze dwa miesiące temu zamiast nowiutkich szwajcarskich dźwigów były tu staroświeckie, hałaśliwe windy z lat sześćdziesiątych. Niespodzianką było, jeśli działały. Częściej więc docierał do swojego gabinetu po schodach. Ale na pamiątkę zachował sobie tablicę z napisem: „Przed wejściem sprawdź obecność kabiny".

Na drzwiach jego gabinetu wisiał nowiutki złoty szyld: „Nadkomisarz Hubert Meyer, radca wydziału kryminalnego, psycholog policyjny". Pokój był niewielki, mieściła się w nim wąska szafa na ubrania, gdzie Hubert trzymał mundur galowy, szafa pancerna z tajnymi aktami i materiałami z przesłuchań, biurko, komputer oraz mały stolik kawowy dla gości. Nadkomisarz z ulgą włożył ubranie, które przywiozła mu Anka. Strój wieczorowy i lakierki z nienawiścią wcisnął na samo dno szafy. Postanowił, że nie włoży ich przez najbliższy rok. A na pewno się o to postara. Błyskało. W okno z hukiem uderzały krople deszczu. Musiał przymknąć lufcik, by nawałnica nie zamoczyła książek i papierów leżących na parapecie. Chwilę później w pomieszczeniu zrobiło się bardzo gorąco. Włączył więc wentylator i jego jednostajny odgłos towarzyszył mu cały czas. Kiedy zalewał wrzątkiem kolejną kawę, zadzwonił podinspektor Szerszeń, domagając się pochwały.

– Załatwiłem twoje oddelegowanie – ogłosił triumfalnie. W jego mniemaniu oznaczało to, że Meyer nie musi przez najbliższe trzy dni zajmować się niczym innym, tylko sprawą śmieciowego króla.

– Waldek, ale ja mam jeszcze opinie do sądów, jestem biegłym. Wolne mnie nie dotyczy – żachnął się Hubert. – No i taktyki. A w piątek mam wykład. Przykro mi, ale nie masz szans dostać mnie na wyłączność. Mimo wszystko jednak dziękuję.

– Idź, chłopie, spać. Jutro robota czeka. Rano byłeś zuch, a wieczorem pod pierzynę buch – zakończył Szerszeń.

– Tego jeszcze nie słyszałem. Sam wymyślasz te powiedzonka? – Profiler się zaśmiał.

– Mam rozum, chłopie, a to największa majętność – odciął się podinspektor.

Pożegnali się i umówili na spotkanie rano przed odprawą. Meyer stwierdził, że może sobie pozwolić na pracę najwyżej do północy.

Nie zgadzał się ze zdaniem młodej prokuratorki, że da się ustalić tożsamość sprawców zbrodni w ciągu najbliższych czterdziestu ośmiu godzin. Pozostawili wprawdzie wiele śladów, jeśli jednak nie ma ich w kartotekach, czyli nie byli już karani za podobne przestępstwa, a taką hipotezę stawiał Meyer, szanse na ich zatrzymanie są niewielkie. Wprawdzie Szerszeń rozpuścił już wici w półświatku, że czeka na jakiekolwiek informacje dotyczące tej zbrodni, ale profiler nie liczył na rewelacje. Jego zdaniem nawet najbardziej precyzyjny profil też może się na niewiele zdać. Trudno będzie wyłuskać cechy indywidualne zabójców, bo ludzie z półświatka charakteryzują się podobnym zestawem cech osobowości. Są podobnie zdegenerowani, mają podobne przeszłość, wygląd i priorytety życiowe. Bardziej liczył na rozmowy z osobami bliskimi ofierze. A to zajmie trochę czasu. Oczywiście obiecał, że zrobi wszystko, co w jego mocy. Już teraz, mając tak skąpą wiedzę, założył, że sprawców mogło być kilku. Jednej, nawet bardzo silnej osobie nie udałoby się obezwładnić tak wielkiego mężczyzny i zadać takich obrażeń – z przodu i z tyłu.

Najbardziej prawdopodobne wydawało mu się, że to zbrodnia na zlecenie. Meyer miał już okazję pracować przy takich sprawach. Był niemal pewien, że motyw rabunkowy jest pozorowany. Nie wykluczał też, że zabójstwa dokonano, by tą śmiercią nastraszyć kogoś innego. By wiedział, że „z nami się nie zadziera, bo kończy się to dziwną pozą po śmierci". Uczestniczył już w takiej sprawie. W ten sposób zginął Lubimyj, jeden z kaukaskich żołnierzy rosyjskiej mafii, cyngiel i doświadczony snajper. Kiedy Meyer wszedł do mieszkania lekarki i zobaczył na krześle martwego Schmidta, poczuł, jakby już to przeżywał. Ale zauważył tylko to jedno podobieństwo, reszta się nie zgadzała. Na przykład sposób krępowania nóg. Lubimyj miał ręce i nogi ciasno przywiązane do fotela sznurkiem zakończonym specyficznymi węzłami. Schmidta związano taśmą, która była poluzowana w wielu miejscach i poskręcana.

Przy sprawie żołnierza rosyjskiej mafii Meyerowi kilka dni zajęło, zanim domyślił się, że zabójca mógł być marynarzem.

Końce sznurków były poukrywane pod „półsztykami", bardzo popularnymi węzłami żeglarskimi, których uczą na weekendowych kursach. Dla wykonania ekspertyzy ważny był także swoisty „klar" – porządek, który profiler dostrzegł na miejscu zdarzenia. Tak mają w zwyczaju zachowywać się w pracy marynarze. I rzeczywiście sprawca okazał się byłym bosmanem.

Meyer zastanawiał się, czy zbrodni na przedsiębiorcy nie mogliby dokonać obywatele innego kraju. Szukał więc jakiegoś rysu obcej kultury, zachowania nietypowego dla Polaków, lecz nie znajdował. Wiele elementów tej zbrodni – jak choćby podcięcie gardła – wyglądało jak podpatrzone na filmach, w książkach kryminalnych lub w telewizji, lecz samo zabójstwo nie było perfekcyjne, wydawało się wręcz nieudolne. Może sprawcy nie mieli doświadczenia w zabijaniu i dlatego z trudem pozbawili mężczyznę życia? Wzorowali się na stereotypach. Mieli jakiś plan, lecz rzeczywistość ich przerosła, a cała sytuacja wymknęła się spod kontroli. Dlatego też starali się pozorować inny motyw zbrodni.

Do tego dochodził jeszcze wątek kluczy, który wciąż go dręczył. Douglas – mąż lekarki – zawiadomił policję zaniepokojony nieobecnością żony. Wyjaśniał, że dostrzegł zapaloną lampę w gabinecie i obawiał się, że mogło jej się stać coś złego. Twierdził, że w ostatnim czasie nie widział zamordowanego mężczyzny. Początkowo zapewniał, że nie wie, kim on jest... Mówił też, że nie miał kluczy do tego mieszkania. Do własnego domu? Zapewniał, że nie ma drugiego kompletu, a nie było potrzeby ich dorabiać. „Zawsze ktoś był w kamienicy" – tak się wyraził. A to przecież nieprawda. W całej kamienicy mieszkali tylko oni i stara Hasiukowa. Zresztą Poniatowska nie potwierdziła wersji zgubienia kluczy. Któreś z nich kłamie.

Jeśli założyć, że to Douglas mówi prawdę, rodzi się pytanie, dlaczego Elwira nie dała mężowi kluczy do swojego gabinetu? To przecież nielogiczne, jak dostaliby się tam, gdyby zgubiła ostatni komplet albo ktoś go ukradł... A może z jakiegoś powodu nie chciała przekazać go Michałowi? Co ukrywała przed nim w tym pomieszczeniu? Meyer miał przeczucie, że ta kobieta coś ukrywa. Jej przesadna kontrola, te siniaki... Nie wierzył jej.

Ale mąż Poniatowskiej też był podejrzany. W jego wyjaśnieniach brakowało logiki. Skłamał, że nie znał Schmidta, a to najłatwiej było sprawdzić. Meyer nic z tego nie rozumiał. Mógł być pewien tylko jednego: zabójcy dostali się na Stawową bez żadnego problemu. Pokonali domofon i drzwi. Nie było śladów włamania. Weszli niezauważeni przez wścibską sąsiadkę. Musieli mieć klucze, znać teren, na którym działali, i po dokonaniu zbrodni odeszli niezauważeni.

Zerknął za okno, deszcz przestał padać. Zszedł na dół do wozu i jeszcze raz nacisnął przycisk, który uruchamia dach. Mechanizm nadal był zablokowany. Meyer zrezygnowany spojrzał na granatowe niebo i stwierdził, że na razie nie będzie padało. Nigdy nie czuł się tak uzależniony od pogody. Przyszło mu do głowy, żeby jak najszybciej wrócić do domu i wysuszyć zalane siedzenia suszarką do włosów, lecz po chwili namysłu zmienił zdanie. Stwierdził, że z tak idiotycznego powodu jak zepsuty dach, nie może zaniedbywać swoich obowiązków. Chciał jeszcze przejść się Stawową i zastanowić nad ucieczką sprawców. Na mokrym siedzeniu położył reklamówkę, którą znalazł w teczce, i zasiadł za kierownicą. Z ulgą stwierdził, że silnik auta pracuje wzorowo.

Zaparkował przy placu Szewczyka. Kiedy próbował wcisnąć się pomiędzy auta a barierkę, usłyszał charakterystyczne pikanie. Irytujący odgłos czujników parkowania, normalnie słyszalny tylko dla kierowcy, w kabriolecie mogli podziwiać wszyscy. Na domiar złego chyba przesterowano ich głośność, jakby auto było przeznaczone dla niedosłyszących. Hałaśliwe „pik, pik, pik" rozlegało się niczym fanfary. Meyer lubił być w cieniu i czuł się okropnie, kiedy wszyscy się na niego gapili. A tak było właśnie w tej chwili. Mimo późnej pory, na Stawowej wciąż było wielu przechodniów.

– Co jeszcze? Może jakaś fontanna – jęknął. Dosłownie w ostatniej chwili wyhamował, ratując różową landrynkę przez zarysowaniem od słupka. Oczywiście nie wiedział, jak wyłączyć czujniki parkowania, co drażniło go jeszcze bardziej. Miał wrażenie, że stał się fosforyzujący i przechodnie patrzą tylko na niego. Z ulgą wysiadł z pink micry i ruszył w stronę Stawowej. Kiedy tylko oddalił się od różowego cuda Anki, od razu poczuł się lepiej.

Przyjrzał się kamienicy. Wiele razy ją mijał. Mimo to nie pamiętał jej dokładnie. Kiedyś musiała być bardzo piękna. Odrestaurowanie budynku nie wydawało się sprawą ani prostą, ani tanią. Zdobienia w większości trzeba odtworzyć na nowo.

Budynek zbudowano na planie prostokąta. Zaokrąglony narożnik, trzy kondygnacje, poddasze. Meyer zadarł głowę i przyglądał się łukowatym oknom, wykuszom i dachowi z okrągłymi okienkami. Narożnik budynku wieńczyła zdobna kopuła z iglicą. Okna trzeciej kondygnacji zakończone były gzymsami wspartymi na konsolkach, pomiędzy którymi umieszczono rzeźby główek aniołów i motywy roślinne. Balkony miały kute balustrady. Wszystkie okna kamienicy były ciemne. Ludzie spacerowali Stawową, nie zdając sobie sprawy z tego, do jakiej potworności doszło tutaj kilka dni temu.

Meyer rozglądał się na boki. Sprawdzał, jak sprawca mógł uciec z miejsca zbrodni i ile czasu mu to zajęło. Pięć minut wolnym krokiem, trzy i pół szybkim. A biegiem? Niespełna dwie minuty. Jeśli sprawcy byli dobrze zorganizowani. Ale czy rzeczywiście nikt ich nie zauważył? Przecież wynieśli z tego mieszkania fanty. Niektóre sporych rozmiarów, jak obrazy.

Meyer mijał ulicznych grajków, mima, który zgromadził wokół siebie krąg przechodniów, zakochane pary obściskujące się tuż obok beznogiego żebraka zbierającego pieniądze do kubka z McDonalda. Był tak skupiony na analizie, że nie dostrzegał twarzy mijanych postaci, nie słyszał muzyki dobiegającej z otwartych drzwi knajpek. Nie przyciągał go też gwar pierwszych w tym roku ogródków piwnych przed restauracjami. Olśniło go, kiedy zobaczył ludzi z plecakami idących na dworzec. Nawet jeśli sprawcy mieli ze sobą wielkogabarytowe fanty, nikt nie zwróciłby na nich uwagi. Tymi ulicami przechadzają się dziennie setki ludzi, jest wśród nich mnóstwo podróżnych niosących w rękach bagaże. Rozmyślał teraz, jaki mógł być przebieg zdarzenia. Zatrzymał się i wyciągnął z kieszeni plik żółtych karteczek, które zawsze trzymał przy sobie. Zapisywał na nich przychodzące do głowy myśli. Zastanowił się nad ułożeniem ciała zamordowanego.

Noc zapowiadała się chłodna. W wysłużonej skórzanej kurtce było mu teraz po prostu zimno. Na jednej z karteczek rozrysował sobie rano plan mieszkania, w którym dokonano zbrodni. Pracownia lekarki miała ponad sto dwadzieścia metrów. Była usytuowana na przedostatnim piętrze kamienicy. Jedno duże okno wychodziło na ulicę 3 Maja, a trzy pozostałe na Stawową. Balkon znajdował się na samym rogu budynku. Stojąc na nim, można było doskonale obserwować obie ulice jednocześnie.

Lekarka przyjmowała pacjentów w salonie. To dlatego mąż specjalnie na jej potrzeby zaprojektował długą ściankę z karton-gipsu, która uniemożliwiała przechodzącym do poczekalni zobaczenie, kogo właśnie gości. Także ten, kto akurat zajmował kozetkę, nie widział twarzy następnego w kolejce. Poniatowska w ten sposób zapewniała swoim pacjentom prywatność.

Meyer zerknął na odręczny plan. W malutkiej poczekalni stały: stolik kawowy, na którym leżały gazety do czytania, niewielka sofka do siedzenia i wazon z kwiatami. Poczekalnia nie miała żadnych okien, ale były drzwi, które łączyły ją z kuchnią, gdzie czekający mógł zrobić sobie na przykład herbatę. Kuchnia znajdowała się po przekątnej do salonu, a jej okno wychodziło na podwórko. Była doskonale wyposażona, ale Meyer nic dostrzegł w niej śladów gotowania.

Tam nie było żadnych śladów walki. Zabójcy nie trudzili się, by upozorować w niej bezład. Nie splądrowali też gabinetu lekarki, czyli pomieszczenia, do którego wchodziło się przez salon. Te dwa pokoje oddzielały rozsuwane stare drzwi z kryształowymi szybami. W prywatnym gabinecie lekarki znajdowało się tylko jedno okno, które wychodziło na ulicę Stawową. Pod nim zainstalowano długi blat, pełniący funkcję biurka. Przylegająca ściana była cała zabudowana półkami na książki. Brakowało komputera Poniatowskiej, jednak to nie sprawcy go zabrali, lecz sama seksuolog.

Teraz już wiedział na pewno, że znalezione tu klucze – do samochodu i dołączone do nich do bramy kamienicy i gabinetu Poniatowskiej – należały do Schmidta. I to on musiał je tam pozostawić, bo sprawcy z jakichś przyczyn nie plądrowali tego pokoju. Dlaczego akurat tam Schmidt zostawił kluczyki do swojego auta?, zastanowił się psycholog. Czegoś szukał w gabinecie? Komputera? Może właśnie po to do niej przyszedł?

Teraz Meyer nie czuł się na siłach, by myśleć nad odpowiedziami na te pytania. Chciał skupić się na czymś zupełnie innym. Zamknął oczy i wyobraził sobie, że znajduje się w salonie – miejscu zbrodni, gdzie rozegrała się tragedia.

W rogu przy balkonowych drzwiach stał okrągły stół, obok zaś fotel, na którym pozostawiono zwłoki ofiary. Kozetka dla pacjentów była ustawiona pod przeciwległą ścianą. Obok niej – fotel dla tych pacjentów, którzy nie mieli ochoty spowiadać się lekarce na wpół leżąco. Dalej parawan. Meyer się zamyślił. Gdzie wobec tego siedziała Elwira? Przecież musiała mieć swoje miejsce obok kozetki. A może to właśnie na jej lekarskim „tronie" usadowiono po śmierci Schmidta. Tyle że przemieszczono ów ciężki fotel pod okno.

Ślady krwi wskazywały, że Johann został zaatakowany w przejściu z korytarza do salonu. Sprawca uderzył go czymś ciężkim. Na podłodze znaleziono kawałki glinianej amfory, która wcześniej znajdowała się w poczekalni dla pacjentów. Może zabójcy czekali tam na Schmidta. On zaś był w salonie. Dlaczego nie zaatakowali go w salonie? Dlaczego wywabili go do korytarza? Atak nastąpił w korytarzu, potem akcja rozgrywała się już w salonie. Sądząc po rozbryzgach krwi na ścianie, Schmidt się bronił, chciał ratować się ucieczką. Ofierze zadano bardzo dużo ciosów. Obezwładnienie tak potężnego mężczyzny nie było więc proste. Czyżby jednak śmieciowego barona zaatakowali niedoświadczeni zabójcy, a nie członkowie grupy przestępczej?

Muszę natychmiast pogadać o tym z Waldkiem. Może warto zbadać, czy sprawy włamania i zabójstwa nie są ze sobą powiązane?, pomyślał Meyer i już zamierzał wykręcić numer domowy podinspektora, gdy usłyszał bicie miejskiego zegara. Szybkim krokiem ruszył do samochodu. Jechał jak automat, tak był pochłonięty rozmyślaniem.

Kiedy przekręcał klucz w zamku swojego pustego, niewykończonego wciąż domu, poczuł, jak bardzo jest zmęczony. Położył się, tak jak stał, w ubraniu. Ściągnął jedynie buty i marynarkę. Do snu kołysały go urywki przepływających myśli – nieprawdopodobnych olśnień i kapitalnych pomysłów, dzięki którym to śledztwo wydawało się dziecinnie proste. Zanim całkiem wpadł w objęcia Morfeusza, na moment dostrzegł jeszcze sylwetkę Weroniki Rudy i jej miedziane włosy, które rozwiewał wiatr. Uśmiechnął się. Zbliżała się ku niemu niczym bogini. Uniesione kąciki ust po chwili jednak zamarły w sztucznym grymasie, a włosy zapłonęły czerwonym ogniem.

6 maja – wtorek

Meyer dotarł do komendy kilka minut po jedenastej. Był tak zmęczony, że nie usłyszał budzika. Do pracy jechał z poczuciem winy. Odprawa skończyła się o dziesiątej, a on zamierzał przed nią rozmówić się z Szerszeniem. Nie zjadł śniadania, licząc, że pójdą razem do policyjnego bufetu. Przy drzwiach pokoju podinspektora Szerszenia kręciło się kilka osób, ze środka co chwila rozlegał się poirytowany znajomy głos. Stek niewyszukanych wyzwisk, cisza, wreszcie trzaskanie drzwiami. Meyer postanowił najpierw przyjrzeć się sytuacji. Stanął na samym końcu korytarza, przy otwartym oknie z widokiem na Katowice, gdzie znajdowała się tymczasowa palarnia, i zaciągając się pierwszym dziś papierosem, zastanawiał się, co nieoczekiwanego mogło się stać, że wywołało taką burzę. Znał Waldka od lat i wiedział, że ten człowiek – choć hałaśliwy i rubaszny w obyciu – w sytuacjach kryzysowych zachowuje stoicki spokój. Naprawdę trudno było wyprowadzić go z równowagi. To zresztą fascynowało w nim Meyera. Jeśli o kimś dałoby się powiedzieć, że umie zapanować nad swoimi emocjami, byłby nim właśnie Waldemar Szerszeń. Pokrzykiwał i żartował tylko wtedy, gdy wiedział, że może sobie na to pozwolić. Kontrolował sytuację i nic nie umykało jego uwagi. Teraz zachowywał się zupełnie inaczej. Meyer wyraźnie słyszał w głosie Szerszenia panikę. Musiało więc zdarzyć się coś poważnego. Dopalił papierosa. Czas sprawdzić przyczynę wściekłości kolegi.

Nagle drzwi pokoju otwarły się z hukiem i wyszedł z nich komendant wojewódzki policji we własnej osobie, a za nim kilku policjantów z kryminalnego. Wyglądał jak Napoleon w otoczeniu swojej świty – był nikczemnego wzrostu, co próbował zniwelować butami na grubych podeszwach, lecz niewiele to dawało. Mikrą posturę nadrabiał przekonaniem o własnej wielkości. Obrzucił wściekłym wzrokiem korytarz, policjanci rozpierzchli się do swoich pokojów. Wzrok komendanta spoczął na sylwetce profilera.

– Niech pan się pośpieszy z tą swoją dedukcją – zarządził władczo. – Czasu jest coraz mniej. – Po czym odmaszerował w kierunku wind, głośno stukając obcasami.

Meyer nie zdążył zapytać, co się stało ani dlaczego komendant osobiście pofatygował się do gabinetu Szerszenia prowadzącego dochodzenie w sprawie zabójstwa Schmidta. Poczuł nieprzyjemne mrowienie na karku. Nienawidził działania pod presją i nie cierpiał, kiedy zdarzało się coś nieoczekiwanego, dopóki nie przeanalizował gruntownie materiału dowodowego. Niestety, bywało tak bardzo często. I wtedy przeklinał dzień, w którym zdecydował się zostać policjantem. To nie jest praca, którą można odłożyć na później. Momentalnie zapomniał o głodzie oraz o tym, że obiecywał sobie: nie palić na czczo, regularnie się odżywiać, wysypiać i wreszcie tak nie denerwować. Ruszył do gabinetu Szerszenia. Kiedy mijał drzwi z prowizoryczną, przyklejoną skoczem kartonową tabliczką: „Zespół do walki z handlem ludźmi", te nagle się otworzyły i Meyer w ostatniej chwili uchylił się, by nie dostać nimi w twarz. Zza drzwi wychylił się wymoczkowaty mężczyzna z chytrym uśmieszkiem na twarzy.

– Sorry, mistrzu. – Zrobił niewinną minkę, udając, że dopiero teraz zauważył profilera. Meyer był jednak przekonany, że komisarz Piotr Kolarski czaił się na niego, odkąd zauważył go przy popielniczce, i tylko czekał, żeby uderzyć go drzwiami. I choć Kolarskiemu nie do końca udała się ta złośliwość, wyglądał na bardzo zadowolonego z siebie. Wąskie usta rozciągnął w triumfującym uśmiechu i zadarł do góry głowę, wlepiając wyłupiaste oczy w profilera. Hubert był od niego zdecydowanie wyższy, tak że dokładnie mógł przyjrzeć się plackowatemu łysieniu na czaszce Kolarskiego. Zamiast włosów policjant miał kępki blond puchu, który przypominał opierzenie młodego kurczęcia.

– Koniecznie zajrzyj dziś do nas, mistrzu – kpił dalej Kolarski. Słówko „mistrzu" powtarzał z przekąsem. – Mamy dziś kilka dziewuszek do przewiezienia. Kto jak kto, ale ty wiesz, że one lecą na takie różowe zabawki. Ulubiony kolor królowej Dody... I twój...

– Pierdol się, Kolarz. – Meyer wykrzywił twarz w nieprzyjemny grymas.

– Profiler landrynka, uhm, mniam – mlaskał Kolarz obleśnie, znajdując wreszcie pretekst, by popastwić się nad Meyerem.

Kilka lat temu smalił cholewki do sekretarki komendanta głównego – Boskiej Marioli, jak przezywano kobietę ze względu na jej urodę lalki Barbie i nogi do nieba. Sekretarka nie odwzajemniła jednak jego uczuć i traktowała go jak popychadło. Z nieudolnych umizgów Kolarza śmiała się cała komenda. Mimo to Kolarski podczas jednej z policyjnych gali, na oczach kilkuset kolegów z województwa śląskiego, zdecydował się jej oświadczyć. Padł na kolana, wyciągnął w jej kierunku puzderko z pierścionkiem i przywiędłą różę. Kobieta na ten widok tylko się roześmiała. Po czym pochyliła się w jego kierunku, jakby chciała go pocałować, i szepnęła mu na ucho, by przestał się wygłupiać i przyjął wreszcie do wiadomości, że jest zajęta. Wszyscy o tym wiedzą, tylko nie ty, podkreśliła. Kolarz zapałał chęcią zemsty. Nie czuł jednak złości na Mariolę. Za wszelką cenę chciał dać wycisk swojemu rywalowi. I dopiero wtedy ktoś uświadomił Kolarza, czyją kochanką jest sekretarka. Kolarski całą wściekłość skierował na profilera. Ubzdurał sobie, że psycholog odbił mu dziewczynę, i do dziś – choć minęły już ponad trzy lata – nie mógł pogodzić się z takim afrontem. Od tamtej pory przy każdej okazji starał się uprzykrzyć Hubertowi życie.

– Od dziś mówię do ciebie Pan Pink – rechotał z dowcipu Kolarz.

– Zapomniałeś już, jak rozkraczyłeś swoją corollkę przy dworcu i spaliłeś akcję pościgu za „Baleronem"? A twój strucel nie był różowy ani nawet buraczkowy – odciął się Meyer. – Zadzwoń jutro, pożyczę ci wózek. Zaoszczędzisz na bilecie tramwajowym. – I nie odwracając się, dorzucił: – Może wreszcie zdołasz poderwać coś, co nie skończyło siedemdziesiątki.

Zanim Kolarski zdążył odpowiedzieć, psycholog nacisnął klamkę gabinetu Szerszenia.

Podinspektor był tak zdenerwowany, że na twarz wystąpiły mu nieregularne czerwone plamy.

– Tak... Tak... Tak! – powtarzał. Ruchem ręki wskazał, by Meyer zajął jedyne wolne krzesło. – No żeż kurwa jego pierdolona mać! Mówiłem, żeby ją aresztować? To ty jesteś prokuratorem, nie ja. Jak chcesz się bawić w Matkę Teresę, to zostań wolontariuszką. Teraz to ja gówno z niej wyciągnę! Posadziłem przy niej Pawlaka, ma dzwonić, gdyby odzyskała przytomność. Według mnie to klapa, lekarz nic nie obiecuje. Na mój nos ona ma bliżej w tamtą stronę niż do nas. Ja pierdolę, ty myślisz, że my tu mamy tylko sprawę śmieciowego barona? Na biurku mam stos dokumentów do wypełnienia, przecież to niejedyne śledztwo, które prowadzę! To sama jedź do tego Raciborza. Bóg mi świadkiem, nie mam ci kogo dać.

Szerszeń krzyczał, wściekał się. Za to dwaj policjanci, którzy pozostali w pokoju po wyjściu komendanta głównego, nie wyglądali na zaniepokojonych. Z uśmiechem wyciągnęli do Meyera ręce w geście powitania. Hubert miał wrażenie, że zrzucili całą odpowiedzialność na Szerszenia i lekko znudzeni czekali na rozkazy. Podszedł do biurka podinspektora i wziął plik fotografii wykonanych na miejscu zdarzenia. Były już lekko wymięte – Szerszeń i inni funkcjonariusze musieli je oglądać.

Zdjęcia przedstawiały zwłoki Schmidta przytwierdzone do krzesła. Pierwsze kilkanaście odbitek ukazywało szczegóły: rozległość każdej z zadanych ran, sposób krępowania rąk taśmą klejącą, garnitur unurzany we krwi. Była nawet fotografia stłuczonej porcelany i rozbryzgi krwi na stole. Kolejne dziesięć zostało zrobionych z pewnej odległości. Na nich uwieczniono konfiguracje ciała ze stołem, meblami i innymi przedmiotami znajdującymi się w pobliżu. Na następnych Meyer widział ciało zamordowanego – sfotografowane z różnych perspektyw: z boku, z tyłu i z przodu oraz w szerokim planie. Na zdjęciach wyraźnie ujęto duże fragmenty pomieszczenia. I wreszcie jedna, lecz niezwykle ważna odbitka – plan ogólny miejsca zbrodni, widziany z perspektywy wejścia. Nawet gdyby psycholog nie był na Stawowej wczorajszego ranka, dzięki tym zdjęciom doskonale wyobraziłby sobie to miejsce. Uśmiechnął się. Tyle razy rozmawiali z Waldkiem o konieczności takiej rejestracji – fotografowaniu cebulkowym[1] oraz filmowaniu miejsc zdarzenia. Był pewien, że Szerszeń zadbał także o film z miejsca zbrodni. Jeszcze do niedawna policjanci na takie prośby profilera reagowali ironicznym uśmiechem.

– I po co ci to? Nie masz w domu kina nocnego? Horrorów ci mało? – kpili. Nie bardzo rozumieli, po co tak dokładnie rejestrować wszystkie szczegóły. Ale podinspektor Szerszeń nigdy nie bagatelizował rad psychologa.

– Ludzie mają dobrą pamięć, tylko krótką. – Pokiwał głową i utwierdził Meyera, że w stu procentach rozumie wagę i konieczność takich działań. – Dlatego masz rację, lepiej mieć wszystko na taśmie i zdjęciach. A zresztą nigdy nie wiadomo,

---

[1] Fotografowanie cebulkowe – technika rejestracji miejsca zbrodni zapożyczona od sposobu pracy agentów FBI w Centrum Analizy Przestępstw Brutalnych w Quantico w Stanach Zjednoczonych Ameryki. Polega na wykonaniu pliku zdjęć: najpierw ofiara z daleka, w szerszym planie, a potem coraz bliżej, aż do istotnych szczegółów – kolejnych części garderoby, rozdartej bluzki czy dziury w rajstopach. Ten sposób fotografowania pozwala dostrzec, w jakim ładzie bądź nieładzie jest odzież ofiary oraz gdzie pozostawiono i zabezpieczono narzędzie zbrodni lub ślady biologiczne etc. Także to, jak sprawca pozostawił zwłoki – co dla psychologa jest cenną wiedzą.

jaki dupersznyt nagle okaże się kluczowy. Nie posadzę przecież trupa jeszcze raz w tym samym miejscu. W tej branży dubli nie ma – dodał.

I Szerszeń uparcie wymuszał na technikach taki rodzaj dokumentacji. Nikt nigdy nie odważył się przeciwstawić podinspektorowi. Z czasem zaś jego działania zaczęli naśladować inni prowadzący dochodzenie – nawet ci, którzy początkowo naśmiewali się z dziwacznego wymysłu – „cebuli Meyera". Tym bardziej że Hubert niechętnie pomagał detektywom, którzy nie mieli takiej dokumentacji z miejsca zdarzenia.

– Profil będzie obarczony błędem – ostrzegał. – Drugim razem zadbaj o „cebulę". Mając te dwie nieostre foty, nie powiem ci nawet, czy sprawca przemieścił ciało, a o hipotezach odejścia z miejsca zbrodni zapomnij.

Na jednym ze zdjęć profiler zauważył pokryty czarnymi drobinkami medalion z kameą. Inne przedstawiało stół z plamami krwi i filiżankę z kawą, którą pamiętał z miejsca zdarzenia. Kolejna odbitka była bardzo ciemna, technicznie pozostawiała wiele do życzenia. Profiler jednak wiedział, co przedstawia zdjęcie. Były to fusy z kawy, spod których prześwitywała główka kobiety z alabastru. Ten medalion znaleziono w filiżance z kawą, która stała przed zamordowanym Schmidtem, domyślił się. Sprawcy, którzy przyszli na rabunek, nie zostawiliby takiego cacuszka.

– Ja nie wiem, co teraz zrobić! – krzyczał tymczasem Szerszeń do słuchawki. – Chyba trzeba ich zgarnąć i przemaglować. Ty zdecyduj, ale ja bym ich wszystkich przymknął: lekarkę razem z jej mężusiem-gogusiem, tę cwaną księgową i córkę Schmidta też. Tak, to niewinne dziecko też. A zresztą ona ma dwadzieścia cztery lata. Jest dorosłą babą, nie dzieckiem, i korzysta na jego śmierci najwięcej. Wszystko dziedziczy. Co? Teraz?

Meyer zastanawiał się, kto znajduje się po drugiej stronie aparatu.

– O nie! Nie zgadzam się! Nie możesz teraz brać urlopu! – Szerszeń z wściekłości aż poderwał się z krzesła. – Jak masz za

111

dużo pracy, to przyjdź do mnie na grubę[1] do kryminalnego. Będziesz miała wakacje w siodle. Ja ci mówię, że w takich sytuacjach wkurwia mnie, że jesteś kobietą. Tak, znam twoją sytuację rodzinną. Wiesz, co? Na twoim miejscu dawno bym mu przypierdolił. Chcesz, zajmę się twoim mężem?! Jakim szowinistą?! Ja nie potrafię wymówić tego słowa! – Wzniósł oczy ku sufitowi, po czym spojrzał przed siebie i napotkał wzrok Meyera, który pomachał do niego zdjęciem ze starym medalionem. Szerszeń kiwnął do niego ręką i nagle jego pucołowatą twarz rozjaśnił uśmiech. – Już wiem. Nie rozłączaj się – nakazał osobie po drugiej stronie aparatu. – Powiedz, że się zgadzasz – zwrócił się do zdziwionego psychologa. Meyer nienawidził, kiedy ktoś kazał mu decydować się natychmiast i niczego nie wyjaśniając, po prostu narzucał tryb pracy, więc nastroszył się jak zły pies. Kręcił głową, a potem na migi zaczął pokazywać Szerszeniowi, że zupełnie nie wie, o co chodzi. Najpierw z rąk ułożył literę T jak sportowiec proszący o przerwę, potem palcem wskazał tarczę zegarka i wyjście z pomieszczenia, a na koniec bezgłośnie zaczął poruszać ustami, które układały się w trzy słowa: „Co jest, kurwa?".

Szerszeń pochylił się w jego kierunku, zmarszczył brwi, usilnie próbując zrozumieć, co Meyer do niego mówi, aż wreszcie profiler powtórzył na głos:

– Co to jest, kurwa? Policja czy piekarnia?

Szerszeń wybuchnął gwałtownym śmiechem. Ponownie wydał rozkaz osobie po drugiej stronie linii:

– Czekaj, Werka, jeszcze chwila. Nie rozłączaj się. Mam tu rozwścieczonego byka do ogarnięcia. Jutro jest wycieczka do Raciborza – zwrócił się do Huberta. – Pierdel. Zaraz ci wszystko wyjaśnię. Trzeba gnoja przesłuchać, i to jak najszybciej. Pomóż dziewczynie, dobra jest, ale... rada mocniejszego zawsze bywa lepsza. Co ci będę tłumaczył!

– Z panią prokurator Rudy? Do pierdla? – Meyer podniósł brew. – Trzeba było tak od razu.

---

[1] Gruba (w gwarze śląskiej) – kopalnia. W tym kontekście oznacza ciężką pracę.

Rozłożył ręce w geście kapitulacji i skinął głową na znak zgody, choć w dalszym ciągu nie wiedział, co się dzieje.

– Załatwione. – Szerszeń zwrócił się do Weroniki. Był już w zdecydowanie lepszym nastroju, bo dodał: – I nie wściekaj się tak, bo złość piękności szkodzi. Hubert z tobą pojedzie. Tak, ten sam. Mam nadzieję, że się nie pozabijacie. Dzwoń lepiej do tego pierdla i wypisuj delegację na swoje auto. Przeciez się nie rozsypie. Tak, jak się rozsypie, pożyczę ci swoje – zapewnił.

Odłożył słuchawkę z poczuciem dobrze spełnionego obowiązku i w pokoju zapadła na chwilę błoga cisza. Potem rozdzielił obowiązki dwóm policjantom, którzy w dalszym ciągu siedzieli naprzeciw niego i nudzili się jak mopsy. Wyszli bez słowa. Meyer obracał w dłoni papierosa i co chwila zerkał na kartkę, którą podinspektor umieścił na drzwiach: „Palenie czasowo zawieszonc". Wciąż nie mógł się przyzwyczaić, że Szerszeń, palący do niedawna dwie paczki dziennie, nikomu nie zezwala u siebie nawet na jednego dymka. Czekając, aż podinspektor pozbiera myśli i wyjaśni mu, co się tu dzieje, zgniótł bibułkę czerwonego marlboro i tytoń wysypał się na podłogę.

– Pewnie jesteś ciekaw, co tu się dzieje – powiedział w końcu policjant. Meyer się uśmiechnął. Znali się już tak dobrze.

– Waldek, bez wstępów. Przed chwilą widziałem Starego. Był wkurwiony jak za przeproszeniem... szerszeń.

Teraz uśmiechnęli się obaj.

– Powiesz mi w końcu czy nie? – Profiler wyjął z pudełka kolejnego papierosa i zaraz schował go z powrotem.

– Nie wiem, od czego zacząć. – Szerszeń zaczerpnął powietrza. – Więc po kolei. Wczoraj wieczorem żona Schmidta wjechała pod TIR-a. Zapadła w śpiączkę, jej stan jest krytyczny. Posadziłem przy niej Pawlaka, ale między nami mówiąc, małe są szanse, żeby cokolwiek z niej wydobyć. Do wypadku doszło po identyfikacji zwłok. Wracała do domu, musiała pić w aucie, bo była kompletnie naprута. Bardzo możliwe, że tylko dlatego jeszcze żyje. Poduszki wystrzeliły, ma przemieszczony nos, zmiażdżoną czaszkę, klatkę piersiową, połamane kończyny. Jej auto jest do kasacji. Nie zdążyliśmy go zbadać. I dodam, że nie przyszłoby nam to do głowy, gdyby nie fakt, że w torebce miała kosę. Ale nie jakiś tam scyzoryk, tylko dwudziestocentymetrowy pitlok[1] do siekania warzyw. Badamy, czy nadawał się do poderżnięcia gardła naszego barona.

Meyer wysłuchał tego ze spokojem.

– Rozumiem, że to jeszcze nie wszystko. Po co mam jechać do Raciborza? I kogo słuchać? – spytał.

– Możesz sobie zapalić – łaskawie zgodził się Szerszeń i wstał, by szerzej otworzyć okno.

Meyer pomyślał, że skoro szef wydziału zabójstw „odwiesza czasowo palenie", dalsze informacje są bardziej niepokojące.

– Cóż wiemy o naszym królu recyklingu... – zaczął podinspektor. Meyer nie odezwał się ani słowem. Zaciągnął się głęboko papierosem i czekał, choć aż go skręcało, by zarzucić Szerszenia gradem pytań. – Świetny biznesmen, bogaty człowiek, małżonek i ojciec. Z prasy i oficjalnych danych wiemy, że to Niemiec polskiego pochodzenia, który wrócił do kraju jako największy potentat recyklingu w Polsce. Wyjątkowy talent biznesowy. I – uwaga – działacz charytatywny. Sierota, który jako dwudziestodziewięciolatek wyjechał za granicę, by po jedenastu latach wrócić jako potentat. Nie ma zupełnie wykształcenia, za to rozliczne kontakty. Na koncie dwie żony, z czego jedna to niemiecka wdowa. Ursula zaraz po ślubie ginie i zostawia mu sortownię śmieci oraz prymitywną przetwórnię makulatury i plastiku, które Schmidt błyskawicznie rozwija w spółkę komandytową. Po powrocie do kraju omal nie zostaje zakatowany na śmierć przez narzeczonego i kolegów hostessy, którą usiłował zgwałcić. Trafia do szpitala, gdzie poznaje pielęgniarkę Klaudię Wiśniewską, kupuje jej dom, pojmuje za żonę. Jedno dziecko, dwudziestoczteroletnia obecnie Magda Wiśniewska. Kobieta używa także nazwiska ojczyma. Ponoć traktował ją jak córkę.

– Dziś się tego wszystkiego dowiedziałeś? – Profiler zaciągnął się papierosem.

---

[1] Pitlok (w gwarze śląskiej) – duży nóż.

- Ha, mam swoje źródła... Pracuję tu nie od dziś. – Podinspektor uśmiechnął się połechtany komplementem. – A tak na poważnie, to Jacek wziął na warsztat billingi komórki Schmidta i wyłuskał jeden numer, który ostatnio powtarzał się kilkanaście razy dziennie. Poza oczywiście numerami lekarki, żony, córki i kontrahentów. Te też analizujemy. Jak się okazało, to był strzał w dziesiątkę.

- Dobra, czyj to numer? – nie wytrzymał Meyer i w napięciu wpatrywał się w Szerszenia.

- Osoba o tym numerze figurowała na liście kontaktów w telefonie Schmidta jako Borecka. Wysłałem do firmy człowieka i okazało się, że to główna księgowa Koenig-Schmidt. Najbardziej zaufana osoba w przedsiębiorstwie. Właściwie szara eminencja.

- I co? – dopytywał się Meyer. – Ona ci to wszystko opowiedziała?

Szerszeń pokręcił głową.

- Nie mnie, tylko sierżant Barbarze Waleskiej. Baśka umie podejść stare baby. Dowiedziała się trochę. Reszta to wiedza operacyjna, rzecznik prasowy i trochę danych z prokuratury.

- Z prokuratury?

- Mówiłem ci przecież, że Schmidt w dwa tysiące drugim roku był podejrzewany o gwałt. Sprawę ostatecznie umorzono. Hostessa wycofała oskarżenie, bo dostała dobrą zapłatę. Zresztą Schmidt omal nie stracił życia przez jej zazdrosnego konkubenta. Mało brakowało, a mściwy kochanek poszedłby siedzieć za głowę Niemca. Tak więc doszli do porozumienia. Ale w tych aktach trochę o Schmidcie znalazłem. Dopiero wchodził na polski rynek, nie był znany. Lukrowane informacje o jego dobrym sercu mecenasa uciśnionych pojawiły się później. Tak, media lubią bogatych wujków, co sypią groszem na domy dziecka.

- Prasę i internet na jego temat przeszukałem. Oficjalną wiedzę mam. Słuchaj, Waldek, opowiadaj po kolei – przerwał mu Meyer.

- Okay, okay. – Szerszeń podniósł rękę w geście kapitulacji. – Mamy więc całą jego rodzinkę, jedną zaufaną księgową i prawdopodobnie kilkaset tysięcy na koncie plus majątek w akcjach, nie licząc przetwórni śmieci, sortowni, wysypisk, firmy przewozowej, nieruchomości, samochodów, jachtów i antyków. O zawartości sejfów w Szwajcarii nie wspomnę, bo do tego nie mam dostępu. Nikt tego, kurwa, nie jest w stanie na razie policzyć.

– A księgowa?

– Chyba tylko ona, ale zaraz do niej dojdziemy, czekaj. Co jeszcze? Jedna zakochana w nim pięćdziesięcioletnia lekarka, która wyciągnęła go z seksoholizmu, a z którą łączyła go jedynie miłość do literatury.

– Jakoś często ludzie z jego otoczenia giną – przerwał mu profiler. – Rodzice, pierwsza żona...

– Skąd wiesz, jak zginęli rodzice? – spytał Szerszeń czujnie.

– Mówiłeś przecież, że jest sierotą i wychowankiem domu dziecka.

– Tak twierdzi Borecka. Powiedziała to w luźnej rozmowie, ale nie wyjaśniła, jak zginęli. Zresztą wtedy ważniejsze było jej alibi. Ale głowy bym nie dał, czy to prawda. A zresztą, Hubercie, ludzie umierają. Każdego z nas to czeka, niestety. Nie doszukujmy się niezdrowej sensacji. Swoją drogą, cóż za malowniczy życiorys. Któż nie chciałby być na jego miejscu? – szydził Szerszeń.

– Ja. Wolę moją branżę – mruknął profiler.

– A czym branża, w której robimy obaj, różni się od recyklingu? – Szerszeń się zafrasował. – Też usuwasz i przetwarzasz śmieci, stary. Ale fakt, że masz lepszy gust, jeśli chodzi o kobiety... Tak przy okazji, jak ci się podoba nasza Wenera?

– Kto?

Podinspektor Szerszeń nabrał powietrza. Udał, że podtrzymuje rękoma biust, wzniósł przy tym oczy ku niebu, a usta wydął, jakby był śmiertelnie obrażony. Całość prezentowała się tak komicznie, że choć sytuacja ku temu nie nastrajała, po chwili obaj śmieli się w głos.

– Trochę skórzasta – stwierdził profiler, kiedy tylko przepona pozwalała mu znów normalnie oddychać. – Gdyby nie te okulary, w których wygląda jak Mary Poppins... No, ale poza tym, niczego sobie... Z łóżka bym jej nie wygonił. Ile ona ma lat?

– W metrykę jej nie zaglądałem. Młodsza od nas obu. – Puścił do Meyera oko. – Ale zapomnij. I tak nie masz szans. Ona wstąpiła do klasztoru. Nazywa się Prokuratura Okręgowa.

– Bardzo porządna dziewczyna. Co robić? Trudno... – Meyer się uśmiechnął. – I co z naszym śmieciowym królem?

Podinspektor Szerszeń pogrzebał w papierach leżących na biurku. Wyjął jakąś zmiętą kartkę i zaczął odcyfrowywać bazgroły.

– Nie był w ciemię bity. I trzeba przyznać, miał w życiu dużo szczęścia. Nie licząc finału, rzecz jasna. Na emigracji przygarnęło go małżeństwo Schmidt. Edwin Schmidt był wtedy w sędziwym wieku. Ponoć traktował Johanna jak syna. Jeszcze nie ostygło ciało starego, kiedy jego żoneczka Ursula zaciągnęła Johanna do urzędu i zaobrączkowała. Musiał być galanty z niego chłop... – zaśmiał się Szerszeń.

– Byli kochankami, kiedy stary jeszcze żył?

– A kto to wie, na razie nie mam takich danych. Ale też o tym myślałem. Samo się nasuwa.

– W każdym razie Janek po ślubie przyjął jej nazwisko?

– Klasyka, choć podejrzewam, że imię też zmienił. Nie wiem jeszcze, jak nazywał się naprawdę, tutaj w kraju. Sprawdzamy to. Ale na mojego nosa facet uciekł w to małżeństwo przed swoją przeszłością. Odciął się.

– Niemka dała mu nowe nazwisko i nową tożsamość?

– Drugi, lepszy życiorys. Ale marna zapłata ją za to spotkała.

Meyer zmarszczył czoło. Nie bardzo rozumiał.

– Jakiś tajemniczy wypadek? – spytał.

– A i owszem – mruknął Szerszeń. – Jednak sierżant Waleska nie wyciągnęła z Boreckiej, co się zdarzyło.

– Czyli księgowa nie wie?

– Nie sądzę... – Szerszeń założył nogi na stół. Podniósł do ręki notatkę sporządzoną przez policjantkę. – Borecka wyraziła się tak: „Wokół pana Schmidta jest wiele tajemnic. Największego pecha miała jednak jego pierwsza żona. Druga małżonka powinna była wyciągnąć z jego przeszłości lekcję, ale tego nie zrobiła".

117

- To znaczy, że księgowa wie, co się stało z Ursulą, lecz nie chce powiedzieć? – upewnił się Meyer.

- Nie chce lub nie ma w tym żadnego interesu – podkreślił Szerszeń. – Zresztą Baśka mówiła, że ta kobieta to chodzący kalkulator. I Schmidt chyba coś na nią miał. Mówię ci, trzeba się tej babie przyjrzeć. Tylko ostrożnie. Ona jest chytra. Rozmawiając z Waleską, nie mówiła wiele o sobie ani swoich relacjach ze Schmidtem. Jakby chciała coś ukryć.

- Coś masz na myśli? – Meyer zawiesił głos.

- Nic konkretnego. Będę wiedział, jak to znajdę, a właściwie, jak ty znajdziesz. – Spojrzał na Huberta wymownie. – Bo przecież to ty będziesz z nią rozmawiał. Musisz z niej też wyciągnąć, czy Schmidt miał coś wspólnego ze śmiercią Ursuli. Odnoszę wrażenie, że maczał w tym palce i że księgowa wie na ten temat wszystko.

- Nie bądź taki w gorącej wodzie kąpany – żachnął się Meyer. – Schmidt to wprawdzie rasowy skurwiel, ale niekoniecznie morderca.

- Trzeba to jednak sprawdzić. – Szerszeń rozłożył ręce.

- Cholernie tajemnicze to wszystko, dziwaczny życiorys. Nieprawdopodobna historia... – westchnął profiler. – No dobra, ale co było dalej?

- Podobno to dzięki niemu firma zaczęła dobrze prosperować. Unowocześnił technologię, obniżył koszty, zaczął też działać w Polsce i na innych zagranicznych rynkach. Według danych od księgowej przełom nastąpił w tysiąc dziewięćset dziewięćdziesiątym szóstym roku. To wtedy mała firemka Schmidt Ordnung dostała spory zastrzyk gotówki od jakiegoś szwajcarskiego koncernu i z dnia na dzień urosła do miana korporacji. Schmidt zmienił też nazwę na Koenig-Schmidt Sauberung & Recycling GmbH. Przez całe lata nie wracał do Polski, jedynie „bywał" w interesach.

- Jako Johann Schmidt?

- Tak. Wtedy też zaczął odwiedzać katowickie burdele. Tutaj mam już jakieś tropy. Dziewczyny z Alabamy go pamiętają. I z Kaskady. Kurwy z dworca i te najtańsze siksy z Mariackiej też. Ponoć szybko zyskał miano dupcyngiela. Ruchał wszystko, co nie ucieka. Pamiętasz starą Wojakową?

– Babcię Lodzię?

– Tę samą.

– Ona jeszcze żyje?

– Chłopie, jeszcze pracuje!

– Eee... Że też znajduje klientów.

– To wyobraź sobie, że Schmidt brał Babcię Lodzię, jak go przycisnęło. I to nie raz.

– Taki baron? Przecież mógł mieć każdą – skrzywił się Meyer. – Ale żeby Lodzię...?

– Lodzia teraz ma z sześć dych. Wygląda jak mumia, nie ma już ani jednego zęba i śmierdzi jej z japy. No, ale z gustami się nie dyskutuje... W każdym razie Lodzia dużo nam opowiedziała. Te siksy nie umieją współpracować. Więc od Lodzi wiem, że Schmidt lubił perwersyjnie. Bywał też agresywny. I musiał natychmiast, wiesz. Jak miał potrzebę, to musiał to zrobić. Nie było „czekaj". Tylko rżnięcie już, teraz, zaraz. To dlatego było mu wszystko jedno z kim. Tylko facetów nie tykał. Zawsze płacił, często walutą. Kurwy dobrze go pamiętają. Już wtedy trochę się go bały. Mówiły, że jest chory.

Meyer zgniatał w palcach kolejnego papierosa.

– To ich małżeństwo też było trochę dziwne – rzucił nagle.

Szerszeń zerknął zdziwiony na profilera.

– Czyje?

– No, Schmidta i pielęgniarki.

– Co przez to rozumiesz?

Meyer wzruszył ramionami.

– Dlaczego żona tak bogatego faceta wciąż pracuje w szpitalu? Mogła założyć jakąś fundację, galerię sztuki... Szczytny cel, szlachetne działanie...

– Nie wiem. – Szerszeń machnął ręką. – A może to była jakaś przykrywka?

– Nie, raczej nie. Ale przyznasz, że to nie pasuje do układanki. Z tego, co mówisz, to oni byli razem od sześciu lat. Kiedy się pobrali?

Szerszeń zaczął grzebać w papierach.

– Nie wiem – odparł zgodnie z prawdą.

– Nieważne. Byli małżeństwem. Ona ma jego nazwisko. Czy gdybyś był żoną takiego faceta, to nie chciałbyś rzucić ciężkiej i mało płatnej pracy?

– Stary, nie jestem kobietą ani nie zamierzam nią być. Chuj mnie to obchodzi. To teraz nie jest najważniejsze – przerwał Szerszeń poirytowany. I dodał: – Wyjaśnij mi raczej, dlaczego ta baba godziła się na takie upokorzenia i znosiła jego ekscesy? To pierdolenie, picie, szlajanie się po burdelach. Przepuszczanie kasy na kurwy z agencji... Do tego kurwy amatorki w domu, dziwki na telefon, molestowanie kobiet w pracy, zdrady z sekretarkami, a nawet sprzątaczkami. Kiedy wczoraj jechaliśmy do prosektorium, Klaudia Schmidt opowiedziała mi trochę. Dał jej popalić. On nawet zerżnął niepełnosprawną, która segreguje butelki typu PET w jego fabryce. Wyobrażasz sobie? A mimo to Klaudia z nim była.

Meyer wykrzywił twarz z obrzydzenia.

– On był naprawdę chory – powiedział. – A dlaczego z nim była? Może chciała go zmienić, uleczyć – po prostu go kochała. Wiesz, jakie są kobiety.

– Ja tam wolę inną wersję – żachnął się Szerszeń. – Jak to ładnie określiła Wera, Klaudia była ze Schmidtem z miłości... ale do pieniędzy.

– Nie wiem, czy ktoś wytrzymałby coś takiego dla pieniędzy.

– Sam ją widziałeś. Na Matkę Teresę mi nie wyglądała. Zresztą śmierdziało od niej wódą na kilometr. To zwykła blachara, a nie kobieta naukowiec. O, przepraszam. Nie chciałem cię urazić – Szerszeń zawiesił głos. – Masz jakieś wieści od Kingi?

Hubert wzruszył ramionami. Milczeli chwilę obaj.

– No i co, że jest głupia – podjął wreszcie wątek profiler. – Ale nawet jeśli poślubiła go dla kasy, to nie mogła być bardziej wyrachowana od tej drugiej, pseudokochanki.

– Myślisz o lekarce? – upewnił się Szerszeń.

– A są jeszcze inne na podorędziu?

– To dopiero rura. Zwłoki nie kobieta. Zimna jak lód i ponaciągana. – Szerszeń wykrzywił twarz w grymas. – Ale jedna warta drugiej. Klaudia to pustak, ale nie w ciemię bita. Od razu wyczuła koniunkturę. Podstarzała pielęgniarka. Wiedziała, że drugi raz taka okazja jej się nie trafi. Pewnie uznała, że jak ona pomoże jemu, on pomoże jej. Wyciągnie ją z biedy. Tak mogło być. Ale się przeliczyła. Schmidt się z nią ożenił, ale kasą nie chciał się dzielić. Podobno nawet w knajpie płacili osobno. Niestety, nie mogę tego wszystkiego zweryfikować. Pani Schmidt jest chwilowo niedysponowana. Szlag by to trafił.

– A wiemy, skąd pochodził nasz polski Johann?

– Niestety. Najwięcej luk mam właśnie z tego okresu. Z czasów jego młodości, zanim stał się Schmidtem, i czasu jego pobytu w Niemczech. O tym Borecka wie niewiele. Ale może się dowiemy. Pracuję nad tym. Nie ukrywam, że liczę też na twoje zdolności. Bo jest jeszcze to. – Szerszeń wyciągnął wykałaczkę z ust i rzucił na biurko wymiętą gazetę. Był to jeden z brukowców. Meyerowi wystarczył rzut oka na zdjęcie i tytuł, by stwierdzić, że dzisiejsze zamieszanie w komendzie zawdzięczają publikacji w tabloidzie. Wziął gazetę do ręki i zaczął czytać.

Kaiserhof zbrodni, „Ludzie, którzy mieszkają w kamienicy przy Stawowej 13, tracą życie w makabrycznych okolicznościach". Dalej wypowiadali się eksperci, mieszkańcy okolicznych kamienic i jasnowidz, który zapewniał, że to miejsce jest przeklęte. „Dlaczego lekarka Elwira Poniatowska-Douglas podstępnie przejęła słynną kamienicę, dawny hotel Kaiserhof przy Stawowej 13, choć miasto planowało przebudować go na zabytkowy market? W ten sposób zaprzepaściła możliwość utworzenia sześciuset miejsc pracy, jak zapewniał niedoszły inwestor..."

Meyer czytał opublikowany tekst ze zmarszczonymi brwiami. Większość podanych informacji była tak nieprawdopodobna, że podejrzewał, iż zostały wyssane z palca. Zainteresował go jedynie wątek, na który powoływano się w ostatniej części artykułu.

„Siedemnaście lat temu dokonano tutaj brutalnej zbrodni na znanym stomatologu i techniku dentystycznym Ottonie Troplowitzu. Bogaty Żyd zmarł tragicznie w sylwestrową noc 1990/1991 roku. Padł rekordowy łup. Krewni Troplowitza oszacowali zrabowane kosztowności i gotówkę na trzy miliardy starych złotych. Według anonimowych informatorów policyjnych dokładnie w tej samej części mieszkania zamordowano Johanna Schmidta, zwanego śmieciowym królem".

Meyer odłożył gazetę na biurko.

– To prawda?

– Z czym? – Szerszeń odparł pytaniem na pytanie.

– Z Gybisem[1].

– A tak, było takie zabójstwo. Pamiętam je. Mężczyzna zmarł, bo był chory na astmę. Zakneblowany i skrępowany udusił się w dawnej służbówce. Żadne fatum, przypadek. Ale to nam bardzo utrudni dochodzenie. Krewni rozkradli jego majątek i powyjeżdżali. Nie ma żadnych tropów.

– Nie wiedziałem, że ta kamienica nazywa się Kaiserhof.

– To jeszcze z czasów pruskich. Mieścił się tam prestiżowy hotel.

– Cesarski Dwór?

– Tak, jedna z najlepszych lokalizacji. Stare dzieje. Pismaki lubią takie opowieści z dreszczykiem. Dziwne, że nie nasmarowali, że w tym domu straszy – zaśmiał się podinspektor.

– Czy wierzysz, że to ma jakiś związek z naszą sprawą? – zapytał Meyer. Szerszeń dłubał wykałaczką w zębach i milczał. Pytanie okazało się więc retoryczne. – Co teraz planujesz?

– Teraz to ja muszę przesłuchać podejrzanego. Michała Douglasa – tego amoroso, dekoratora czy stylistę. Co to w ogóle za gówniany zawód? Stylista – prychnął Szerszeń. – Ty pojechałbyś do księgowej. Dobrze by było, gdybyś wydobył z niej coś na temat wątku niemieckiego. Gybisem i domem z duchami zajmiemy się później. Wera już przy tym grzebie. Jej ojciec prowadził tę sprawę.

– Jej ojciec był prokuratorem? – zainteresował się Meyer.

Podinspektor pokręcił głową.

– Rudi, bo tak go nazywaliśmy, był gliną. Bardzo zresztą dobrym. Nie splamił się politycznie i dlatego miał przesrane. Już nie żyje. Wera niewiele pamięta o sprawie Troplowitza. Była zbyt

---

[1] Gybis (w gwarze śląskiej) – sztuczna szczęka.

122

młoda. Zdawała wtedy maturę, z ojcem miała chyba kiepski kontakt... Wczoraj była u mnie, jak wyszedłeś. Rozmawialiśmy.

– Tak? Coś podobnego... – bąknął Meyer i poczuł, jak zasycha mu w gardle. Na szczęście Szerszeń był zbyt skupiony na swoim wywodzie, by zauważyć konsternację psychologa.

– Sama do mnie zadzwoniła, wiesz? – ciągnął Szerszeń. – Nawet się zdziwiłem. To ona skojarzyła te dwie sprawy. Dlatego dzisiejszy brukowiec mnie nie zaskoczył. Mam wrażenie, że ta stara sprawa była dla niej ważna. Ale nie wiem dlaczego. Możesz ją podpytać, jak będziecie jechali do Raciborza.

– No właśnie – przerwał mu Meyer. – Powiesz mi w końcu, po co mam jechać do tego więzienia i o co ta cała chryja? Bo przecież nie z powodu brukowca.

Szerszeń spoważniał.

– No pewnie, że tak. Ale najpierw przyciśnij księgową. I to teraz. Ona może nam się wymknąć. Nie mam podstaw, by ją aresztować, a tylko ty umiesz podejść taką lisicę. Poloczek poczeka. Nigdzie się nie śpieszy.

– Poloczek?

– Zabójca Ottona Troplowitza. Tego dentysty zamordowanego siedemnaście lat temu w Kaiserhofie. Wracaj tu jak najszybciej. Jestem do wieczora.

Meyer wyjął notes i zapisał adres Haliny Boreckiej. Wyszedł z gabinetu Szerszenia i skierował się do wind. W ostatniej chwili zmienił zdanie i zbiegł schodami. Był już prawie na dole, kiedy przypomniał sobie, że nie wziął dyktafonu.

– Kurwa mać – przeklął i w wyobraźni usłyszał komentarz Szerszenia, który w takich sytuacjach zawsze mawiał: „Kto nie ma w głowie, tego pięty bolą".

Uśmiechnął się do siebie i wspiął się na czwarte piętro. Schody w komendzie wybudowano z betonowych płyt z prześwitami. Osoba idąca niżej widziała tego, kto przemieszcza się na wyższym piętrze. Nogi tej kobiety rozpoznał bezbłędnie. Doskonały kształt pęcin i świeża brzoskwiniowa opalenizna. Wysokie obcasy i minispódniczka dodatkowo je wydłużały. Kiedy kobieta zeszła niżej, poczuł łaskotanie w przełyku. Naturalne sprężynki blond loków okalały już nie tak filigranową twarz, jaką pamiętał z czasów ich romansu. Dostrzegł cienie pod oczami, zauważył, że bruzdy wokół ust się pogłębiły. Ze swoją sylwetką wciąż jednak bez wstydu mogła nosić mini i głębokie dekolty. Ucieszył się na widok Marioli. Nie widzieli się chyba dwa lata.

– Zeszczuplałeś – powitała go uwodzicielskim uśmiechem.

– A ty, Mari, wyglądasz na własną córkę – skłamał i uśmiechnął się. W jego oczach pojawił się szelmowski błysk.

– Jak zwykle słodkie kłamstewka. Cały Hubert – rozpromieniła się, słysząc niezasłużony komplement. – Wyglądałabym dużo lepiej, gdybyś mnie nie porzucił.

Weszli na piętro i stanęli przy windach.

– Co słychać? – powiedzieli jednocześnie i wybuchli śmiechem. Dawniej często im się to zdarzało. Myśleli jednocześnie o tym samym.

– Praca, praca... – Profiler machnął ręką.

– Widziałam cię kilka razy w telewizji... I ten film... Same sukcesy. – Mariola nawijała na palec jeden ze sprężystych kosmyków.

– Sama wiesz, jak jest... Niewdzięczna robota. Ani spektakularna.

– Tak, nic się tu nie zmieniło. Ty się nie zmieniłeś...

– A co się miałem zmienić? – nastroszył się.

– Wam, mężczyznom, czas tylko sprzyja... – wybrnęła. – Pewnie jesteś zajęty... Ja wyszłam za mąż, wiesz?

– Gratulacje – mruknął. Nie spytał jednak, kim jest ów szczęśliwiec. Prawdę mówiąc, zupełnie go to nie obchodziło.

– Ale może kiedyś jakaś kawa... – zaczęła Mariola. – Bo może teraz... wiesz, jakbyś... Chciałabym pogadać, posłuchać, co u ciebie...

Podeszła do niego i zaczęła mu poprawiać krawat.

– Wiele rzeczy robisz bezbłędnie – zamruczała, po czym roześmiała się perliście. – Ale tego chyba nigdy się nie nauczysz.

Długimi, smukłymi palcami zakończonymi różowymi paznokciami sprawnie rozplątała węzeł i zawiązywała go ponownie. Czuł, że przy okazji dotyka jego ramion. Potem długo, jakby napawając się tym dotykiem, manewrowała przy jego kołnierzyku. Otrzepała mu ramiona z niewidzialnych pyłków i nie spuszczała z niego wzroku. Mrugała przy tym długimi rzęsami. Stała tak blisko, jak to tylko było możliwe. Czuł ciepło jej oddechu, widział, jak porusza się jej klatka piersiowa. Dotknęła jego szyi i zamruczała mu do ucha:

– Jesteś jeszcze przystojniejszy niż kiedyś, naprawdę...

W tym momencie drzwi windy otworzyły się i wysiadła z nich Weronika Rudy. W lewej ręce trzymała skórzaną teczkę, prawą obejmowała segregator z dokumentami. Teraz go przełożyła pod lewą pachę, by poprawić okulary na nosie. Meyer spotkał jej spojrzenie godne bazyliszka. Chłodno skinęła mu głową na powitanie. W jednej chwili dotarło do niego, jak wyglądali z Mariolą. Gwałtownie odsunął się od byłej sekretarki komendanta głównego i swojej ekskochanki. Kobiety zmierzyły się wzrokiem. Na twarzy Marioli zagościł uśmiech zwyciężczyni. Wyciągnęła rękę i świadoma każdego gestu poprawiła idealnie już zawiązany krawat. Tylko po to, by zaznaczyć swoje terytorium, pomyślał profiler. Prokuratorka, widząc ten ruch, wydęła wargi z pogardą. Ostentacyjnie oceniła skalę jakości nóg sekretarki oraz długość jej spódnicy. Przeniosła wzrok na Meyera i uśmiechnęła się ironicznie. Zanim zdołał cokolwiek powiedzieć, ruszyła w kierunku gabinetu Szerszenia.

– Ta z kijem w gardle to twoja znajoma? – zapytała Mariola, kiedy po Weronice Rudy nie było już śladu. Meyer spojrzał na nią nieufnie, więc dodała: – Ładna. I młodziutka.

– To prokuratorka. – Hubert machnął ręką. Sam nie wiedział, dlaczego był poirytowany. – Prowadzi jedno ze śledztw, przy którym pracuję... Chyba za mną nie przepada – dodał.

– Tak? – Mariola przekrzywiła głowę na bok niczym sprytna kocica. – A ja myślę, że przeciwnie. Bardzo jej się podobasz.

– Szczerze wątpię – odparł sucho profiler.

– I wcale jej się nie dziwię... – Mariola znów próbowała się do niego zbliżyć i dotknąć.

Meyer cmoknął ją w policzek i odsunął się ostentacyjnie.

– Miło było cię spotkać na starych śmieciach, ale muszę lecieć. W kontakcie.

Zawrócił i szybkim krokiem ruszył do swojego gabinetu po dyktafon.

– Hubert, przecież nie masz mojego telefonu! – krzyknęła Mariola, lecz udał, że nie słyszy.

* * *

Podinspektor Szerszeń nie lubił miękkich mężczyzn. Nie znosił fircyków, bawidamków ani mdląco-przylepnych gogusiów w kółko się uśmiechających, którzy według jego mniemania nie zasługiwali na chlubne miano: facet. I do tej właśnie kategorii zaliczył Michała Douglasa, męża Elwiry Poniatowskiej. Ten człowiek budził w Szerszeniu atawistyczną niechęć. Na dodatek, kiedy doprowadzono stylistę na przesłuchanie i stary policyjny wyga zauważył, że mężczyzna wciąż ma na sobie białe buty, nie był w stanie tej niechęci ukryć. Skąd miał wiedzieć, że białe trampki Lacoste to ostatni krzyk mody i symbol luksusu?

Jako partnera w przesłuchaniu Szerszeń dobrał sobie najtwardszego z dochodzeniowców w śląskiej komendzie – Marka Stefanowskiego, zwanego Stefanem. Liczył, że wspólnie rozwalą tego mięczaka. Wyzna im wszystko jak na spowiedzi, w przeciwnym razie rozpłaszczą go na podłodze i rozwałkują. Kiedy Stefan dowiedział się o planach Szerszenia, wściekł się. Właśnie zamierzał pójść do domu i porządnie się wyspać. Tej nocy skończył służbę koło trzeciej nad ranem. Zanim rozliczył się z aparatury podsłuchowej i złożył zwierzchnikom raport ze swojego spotkania z Garbusem, najsłynniejszym po Masie świadkiem koronnym, którego zeznania pogrążyły bossów śląskiej mafii, świt zmienił się w gorący poranek. Morze wódki wypitej ze skruszonym gangsterem, który prawdopodobnie tak leczył swój nieustający strach przed tym, że utną mu głowę bez ostrzeżenia, już

126

wyparowało Stefanowi z głowy i zamiast podniecenia policjant zaczął odczuwać wielkiego kaca. Najgorsze, co można zrobić policjantowi w takiej sytuacji, to skierować go do jakiejś zwykłej sprawy zabójstwa. Stefan wierzył, że przed nim drżą przedstawiciele półświatka, i był przekonany, że jego nazwisko przejdzie do historii, ponieważ nawet gangsterzy cenili jego dochodzeniowy talent i uważali za groźnego przeciwnika. Nic dziwnego, że rozkaz komendanta, który kazał mu zająć się zwykłym, niedotyczącym gangsterskich porachunków zabójstwem, zinterpretował jako potwarz. Szedł teraz ze szklanką kawy i zamierzał zmiażdżyć świadka. Choćby był Bogu ducha winny i nie miał z tą zbrodnią nic wspólnego, a jest tylko tchórzliwym nieudacznikiem.

Wyglądało na to, że Michał Douglas miał tego dnia okropnego pecha, choć z całą pewnością nic zdawał sobie z tego sprawy. Siedział grzecznie na krzesełku przed pokojem przesłuchań, zupełnie nieporuszony tym, że korytarzem przechadzają się same kobiety i dyskretnie zerkają na niego jak na smakowite ciasteczko. Wieść o obłędnie przystojnym podejrzanym dotarła aż na siódme piętro. Kena, jak go natychmiast ochrzciły policyjne plotkarki – protokolantki, psycholożki i sekretarki, chciały zobaczyć prawie wszystkie. Wiadomo było, że podinspektor Szerszeń każe mu czekać na przesłuchanie, by go dodatkowo zmęczyć, więc przez korytarz wydziału kryminalnego przewalił się tego przedpołudnia cały kwiat katowickiej komendy. Na Douglasie to jednak nie robiło żadnego wrażenia. Siedział nieporuszony, obojętnie wpatrując się w tablice korkowe na korytarzu, na których umieszczono zdjęcia poszukiwanych przestępców. Jemu także wykonano podobne fotografie i pobrano odciski palców – przed godziną policjant usadowił go na małym krzesełku i uwiecznił jego wizerunek z obu boków i z przodu. Mężczyzna skupiał się więc teraz bardziej na oglądaniu swoich wytuszowanych opuszek, bo policjantom nie przyszło do głowy, by pozwolić mu je umyć, niż na oglądaniu damskich sylwetek, które kursowały przed nim jak po wybiegu.

Dopiero na widok nadchodzących z dwóch stron korytarza policjantów, którzy niczym rewolwerowcy piorunowali się wzrokiem, głupio się uśmiechnął. Dla wszystkich w tej komendzie było jasne, że Szerszeń i Stefan tak przemaglują męża słynnej lekarki seksuolog, iż ten uśmieszek błyskawicznie zniknie mu z twarzy.

Stefan cenił Szerszenia, który nauczył go wielu policyjnych chwytów i sposobów wyciągania informacji. Nie rozumiał jednak, dlaczego podinspektor wzywa na to przesłuchanie właśnie jego. Chciał spytać, ale wiedział, że nie otrzyma odpowiedzi. Z trudem powstrzymywał irytację.

Podinspektor zresztą był zbyt zajęty obserwowaniem Douglasa, by wdawać się w rozmowy ze Stefanem. Lubił przed przesłuchaniem przyjrzeć się człowiekowi. Jak wygląda, jak się zachowuje, by potem – kiedy padają trudne pytania dotyczące zbrodni – móc stwierdzić, czy w jego ruchach i wypowiedziach jest konsekwencja. Patrzył na smukłe, jakby wyrzeźbione ciało Michała Douglasa, na jego nowoczesny strój: te cholerne białe buty, które tak go drażniły, koszulkę z jakimś – był pewien, choć nie znał angielskiego – bluźnierczym nadrukiem i jasną marynarkę w tenisowe prążki, która eksponowała oliwkową cerę podejrzanego. Próbował dopasować go do pani doktor i nijak nie był w stanie wyobrazić sobie ich razem. Nie chodziło o różnicę wieku – ze słów Elwiry Poniatowskiej wynikało, że Douglas był od niej młodszy o trzynaście lat – lecz o różnicę stylu bycia i osobowości. Tak, Szerszeń był pewien: w tym związku to ona nosiła spodnie. Dzięki temu Michał mógł wciąż pozostawać dzieckiem, które nie martwi się o swój byt. Jak bardzo podinspektor Szerszeń żałował, że obok nie ma Huberta! Był przekonany, że profiler zauważyłby rzeczy, których oni nie dostrzegą. Trudno, Meyer będzie musiał porozmawiać z Douglasem potem.

* * *

Halina Borecka mieszkała na osiedlu Paderewskiego, bardzo blisko komendy. Drzwi do bloku były otwarte. Meyer schodami ruszył na drugie piętro. Kiedy zapukał do drzwi, księgowa była nieco zdziwiona.

– Szybki pan jest, panie Meyer – przywitała go lekko zaru-
mieniona i uśmiechnięta. Szerokim gestem zaprosiła go do
środka.

Niewielkie mieszkanie już na pierwszy rzut oka zdradzało,
że kobieta mieszka sama od lat. Lokal był urządzony całkiem
przypadkowymi meblami. Niektóre pamiętały czasy młodości
grubej jak balon księgowej. We wnętrzu, pozbawionym gustu
i niedoinwestowanym, panował perfekcyjny porządek. Profiler
zapowiedział swoją wizytę krótko przed przybyciem, nie zostawił jej więc czasu, by mogła tak dokładnie posprzątać. Borecka
zaraz zaproponowała herbatę, a na stole postawiła talerz z kru-
chymi ciasteczkami i miseczkę z pralinkami. Główne miejsce
jej miniaturowego salonu zajmowało ciężkie przedwojenne
biurko, na którym miała poustawiane w idealnym porządku
przybory do pisania, korektory, zszywacze, głośniki do radia
i nowiutki laptop. Na podłodze wiły się niedbale kable. Zważywszy na jej zwalistą postawę, przemieszczała się z minisalonu do
kuchni z niezwykłą zwinnością. Ani razu nie zaczepiła o sieć
przewodów.

– Słodzi pan?

Meyer pokręcił głową. Spostrzegł, że kobieta dość mocno
umalowała usta. Wyglądały groteskowo w zestawieniu z jej luź-
nym strojem. Była dobrze po pięćdziesiątce. Twarz miała nalaną i opuchniętą pod oczami. Jej oczy były jednak czujne i zdra-
dzały życiowy spryt. Halina Borecka z pewnością nie grzeszyła
urodą, ale biła z niej pewność, że zna się na swojej pracy; wiedziała, jak obejść przepisy i nie narazić klientów na zbyt wysokie podatki. Meyer był przekonany, że jeśli sama nie będzie
chciała współpracować, nie wyciągnie z niej żadnych informacji. Zastanawiał się, jaką podrzucić jej „kotwicę" – jak sprawić,
by uznała, że opłaca jej się opowiedzieć mu wszystko, co wie,
choćby wcześniej zaplanowała milczenie aż po grób. Ta kobieta
to stuprocentowa racjonalistka. Czuł, że tylko jedno może ją
przekonać – dobry interes. Nie miał jednak wiele do zapropono-
wania. Prawdę mówiąc – nic. Gorączkowo myślał, jak ją sobie
zjednać.

– A więc pan jest takim specjalnym policjantem, znacznie lepszym od innych. – Borecka zaczęła od nieudolnych pochlebstw.

– Przede wszystkim jestem psychologiem – odparł i położył na stole notatnik oraz dyktafon. – Moim zadaniem jest przygotować ekspertyzę, która ma ułatwić zatrzymanie sprawców. Nie jestem żadnym nadpolicjantem, choć czasem bardzo bym chciał – zaśmiał się.

– A ma pan broń i może na przykład kogoś aresztować? – zapytała z niewinną minką. Kiedy czekała na odpowiedź, jej twarz stężała niczym maska.

– Teoretycznie tak – odparł po namyśle. – Choć zwykle działam jedynie na polecenie prowadzącego śledztwo. Staram się dobrze wypełniać swoje obowiązki, ale zatrzymywanie sprawców zostawiam osobom do tego powołanym.

– Znaczy się temu przemiłemu panu z wąsami?

– Temu samemu. – Meyer zastanawiał się, dlaczego zaczyna od pochlebstw. Na co liczy? I co chce w ten sposób uzyskać? – Ile lat pracowała pani z Johannem Schmidtem?

– Dla niego, nie z nim – poprawiła i podsunęła Meyerowi pod sam nos ciasteczka. – Proszę spróbować, świeżutkie. Ja, niestety, nie powinnam ich jeść... – Pogładziła się po wydatnym brzuchu, po czym sięgnęła po pierwsze z wielu, które pochłonęła zaledwie w kilka minut. – Byłam jedynie człowiekiem do wynajęcia, nie wspólnikiem pana Schmidta.

– Oczywiście.

– Siedem lat minęło w ubiegłym roku – ciągnęła. – A jeszcze wcześniej wykonywałam dla niego zlecenia. Właściwie na stałe związałam się z Koenig-Schmidt w dwa tysiące pierwszym roku, kiedy Schmidt zaczął prowadzić interesy w Polsce. Wtedy, wie pan, były inne czasy. Ale co ja opowiadam te historie z mchu i paproci. Stara już ze mnie kobieta... – Uśmiechnęła się przy tym lubieżnie i puściła do niego oko. Profiler aż znieruchomiał.

– Cóż, nieskromnie powiem: znam się na swojej robocie – trajkotała tymczasem Borecka. – Nie bez powodu Johann mnie wybrał. Zajmuję się kreatywną księgowością od dawna. Pan wtedy jeszcze studiował, chodził w dzwonach i nie obchodził pana raczkujący kapitalizm.

– Niewiele wcześniej byłem didżejem na dansingach – podjął wątek. – Znałem przeboje ze wszystkich światowych list.

– Naprawdę?

– To były czasy... – Meyer udał, że zamyślił się i rozmarzył. – Do głowy by mi nie przyszło, że trafię do policji. – Po mistrzowsku zbliżył do świadka. Efekt został osiągnięty. Księgowa patrzyła teraz na niego inaczej. Widać tym drobnym wyznaniem wkupił się w jej łaski. – Jak się poznaliście ze Schmidtem?

– To zabawne – roześmiała się Borecka. – Wie pan, chyba nikomu tego nie mówiłam...

Natychmiast spoważniała i poczuł, że się wycofuje. Zorientowała się widać, że może powiedzieć o jedno słowo za dużo.

– Zawsze jest ten pierwszy raz... – zachęcił ją.

– Właściwie to przypadkiem – zaczęła mówić, robiąc między zdaniami długie pauzy. – W hotelu... W holu hotelu Katowice... Siedział przy jednorękim bandycie, a do korytka jego automatu sypały się żetony. Rozbił bank. Ten hałas brzęczących monet zwrócił moją uwagę. W zasadzie z czystej ciekawości podeszłam do niego, żeby się przyjrzeć takiemu szczęściarzowi. Boże, jaki Johann był wtedy przystojny – rozmarzyła się. – Wysoki, barczysty... Wspaniale zbudowany mężczyzna. Prawie taki jak pan, panie Meyer. Choć włosy już wtedy miał całkiem białe. Podobno osiwiał w jedną noc, gdy miał trzydzieści lat. Podeszłam i powiedziałam, że ma dzisiaj fart. A on odparł: „Jedni mają szczęście do pieniędzy, inni w miłości”. Tak się poznaliśmy.

– Co pani robiła w hotelu Katowice?

Księgowa się zmieszała.

– Miałam spotkanie z klientem.

– W hotelu?

– Tak, tam jest taka kawiarnia... – ucięła.

Meyer przyjrzał się jej badawczo. Czuł, że kłamie.

– I wtedy zaproponował pani współpracę? – mruknął.

Księgowa poprawiła serwetkę na stole, zaczęła zbierać puste szklanki po herbacie.

– No, nie tak prędko – odpowiedziała, żwawo ruszając do kuchni. Miał wrażenie, że ucieka. – Napije się pan kawy? – krzyknęła z drugiego pomieszczenia.

– Tak, jeśli to nie kłopot – odparł Meyer i zmarszczył czoło. Ciekawe, jak to naprawdę było?, myślał. – Pani Halino, dlaczego to panią wybrał? Nie miał swojej księgowej? Jak wcześniej prowadził biznes? – uparcie drążył, kiedy Borecka wróciła z parującym imbryczkiem. Westchnęła ciężko.

– Panie Meyer, czy to naprawdę takie istotne? – Rozciągnęła usta w uśmiechu. Jej oczy pozostały zimne jak sztylety.

– Chciałbym wiedzieć. To jakaś tajemnica?

– Żadna tajemnica, panie Meyer. Po prostu od początku wyczuł, że pomogę mu w pewnym szemranym interesie. Pan rozumie...

– Nie – odparł zgodnie z prawdą.

Księgowa była coraz bardziej rozdrażniona.

– To stare dzieje. Naprawdę... On nie żyje, a ja nie chciałabym mieć kłopotów. Pan jest z policji. Gdybyśmy byli w innej relacji...

– Teraz pani żartuje, tak? – przerwał jej. – Bo jeśli nie, to...

Z miejsca zrozumiała, gdzie jest granica poufałości z tym policjantem. Przyjęła pozycję zamkniętą – założyła ręce i wyprostowała się, na ile pozwalał jej wydatny brzuch.

– Ale to jest wyłączone? – Wskazała na dyktafon.

Meyer spojrzał na nią, chwilę mierzyli się wzrokiem.

– Wciąż jeszcze tak – zapewnił.

– Nie powtórzę tego przed sądem, rozumiemy się? – oświadczyła twardo księgowa. – Nawet jeśli ściągnie pan tutaj kontrolę skarbową czy choćby Generalnego Inspektora Informacji Finansowej[1]. Nikt już tego nie udowodni. Zadbałam o to. Ale panu powiem.

---

[1] Generalny Inspektor Informacji Finansowej (GIIF) – jednoosobowy organ Ministerstwa Finansów RP powołany w 2000 roku, by przeciwdziałać wprowadzaniu do obrotu finansowego wartości majątkowych pochodzących z nielegalnych źródeł.

Meyer zastanawiał się dlaczego.

– Schmidt miał trochę pieniędzy do przeprania – kontynuowała zgodnie z obietnicą księgowa. – Podsunęłam mu pomysł z działalnością charytatywną. Na początku współpracowaliśmy tylko w tej kwestii. Wtedy nie było takich obostrzeń jak dziś. Zresztą fundacja „Promyczek" była legalna, wszystko zgodne z prawem. Johann wprowadził tam trochę gotówki na próbę, a potem... Potem były inne rzeczy, dzięki którym oszczędzał na podatkach. Sowicie mnie za to wynagradzał. Czy możemy na tym zakończyć ten temat? – Było to bardziej żądanie niż pytanie.

Meyer pokiwał głową. Zerknął na urządzenie nagrywające, cały czas bezużyteczne. Na szczęście Borecka nie miała nic przeciwko temu, żeby robił notatki. Pytał, czy prezes miał wrogów, czy ona kogoś podejrzewa. Kobieta nagle stała się nad wyraz otwarta. Czasem żądał szczegółów wymagających wiedzy podatkowej, ale nawet gdy je wyjaśniała, niewiele rozumiał. Kiedy po raz kolejny dopytywał się o konkretny przepis kodeksu spółek handlowych, zniecierpliwiła się i odesłała go do literatury, a wreszcie do internetu. Po chwili jednak wstała i podeszła do komputera.

– Lepiej sama to sprawdzę, bo pomyśli pan, że chcę coś przed panem ukryć – dodała, otwierając klapę uśpionego laptopa.

Profiler nie musiał wstawać ze swojego miejsca, by widzieć ekran. Komputer zażądał hasła, które Borecka błyskawicznie wstukała. Sprzęt załadował dane i na pulpicie Meyer dostrzegł otwartą stronę internetową. Borecka gwałtownie kliknęła w krzyżyk na górze. Meyerowi wydało się, że jest nieco skonfundowana i rozluźniła się, kiedy okno zniknęło z jego pola widzenia. Chwilowe napięcie kobiety utwierdziło go w przekonaniu, że nie chciała, by zobaczył, co miała otwarte na pulpicie. Była to strona internetowej ruletki. Borecka ponownie uruchomiła internet. Kiedy wpisywała adres najpopularniejszej wyszukiwarki, stanął za jej plecami. Dostrzegł, że w najczęściej używanych adresach wyskoczyła na pierwszym miejscu ruletka. Chyba ten sam adres, który próbowała przed chwilą ukryć. Była przekonana, że profiler go nie zauważył. Księgowa szybko wstukała nazwę poszukiwanej strony. Po chwili na pulpicie pojawił się spis firm, które nie płacą kontrahentom. Tak zwana czarna lista przedsiębiorstw.

– O, proszę, jest! Koenig-Schmidt Sauberung & Recycling sp. z o.o. – wskazała. – Pytał pan o wrogów z branży Schmidta. Myślę, że wystarczy wrzucić w Google „recykling" i wyszukiwarka wyrzuci panu samych wrogów. Marzyła o tym cała konkurencja. – Uśmiechnęła się szeroko. – Wrogów miał wielu, ale nikt nie mógł go zniszczyć. Co z tego, że nie płacił na czas, wykradał dane, dawał łapówki. Wielu bankrutów zawdzięczało mu swój los. Był nie do ruszenia.

– Dlaczego?

– Nie zalegał z płatnościami wobec urzędu skarbowego i państwowych instytucji. Wszystkie koncesje i pozwolenia miał legalne.

– Sam znał się na tych procedurach? Z tego, co wiem, nie miał wykształcenia.

– Od tego miał mnie. – Borecka wyprostowała się dumnie.

– Wiele pani zawdzięczał... – zauważył z uśmiechem Meyer.

– Owszem, a ja jemu – przyznała Borecka. – Pracowaliśmy razem, bo nie mieliśmy innego wyjścia. Gdyby nie to, dawno mieszkałabym w Las Vegas, a nie w tej klitce.

Jaki hak miał na ciebie, że do tego Las Vegas nie wyjechałaś? I czy z powodu hazardu spotkaliście się w hotelu Katowice?, przemknęło Meyerowi przez myśl. Kręcisz, kochaniutka. Uznał, że już czas przystąpić do właściwych pytań.

– Jakie tajemnice pani znała, które nie mogły zostać ujawnione za jego życia?

– A pan znów swoje... – westchnęła zrezygnowana.

– Taka moja rola.

– Z osobistego życia czy zawodowego?

– Nie będę ukrywał, że interesują mnie wszystkie...

– Czy to warto, panie Meyer? Straci pan dużo cennego czasu...

– Proszę spróbować. Nie pytam przecież o pani sekrety... Tutaj chodzi o zbrodnię. Pan Schmidt nie żyje. Większość tajemnic i tak zabrał do grobu – przekonywał.

134

– Powiem panu szczerze, że bardzo trudno mi uwierzyć, że tę zbrodnię mógł zlecić ktoś z jego kręgu zawodowego. Owszem, wielu chciało go zniszczyć, ale nikt nie był w stanie. On był sprytny jak wąż – uwielbiał zbliżać się do swoich wrogów, by poznać sposób ich myślenia. Wtedy miał gotową strategię walki. Prawie nigdy się nie mylił, bo planował kilka ruchów naprzód. Był cierpliwy i raczej czekał na działania konkurencji, niż sam atakował. A jeśli już decydował się kogoś zniszczyć, robił to bez skrupułów, perfekcyjnie. Pach – i po wszystkim. Nie był to drapieżnik, który pozostawia rannych, jedynie trupy. Dlatego – nie ukrywam – miał bardzo wielu wrogów. Kontrolował jednak ich ruchy, kupował informacje, stosował wywiad gospodarczy. Korzystał z usług detektywów. Wśród setek jego kontrahentów, jeśli pan zechce, oczywiście przygotuję taką listę, nie było bodaj jednej osoby, która nie marzyła o zniszczeniu go. Nikt nigdy jednak nie zdobył się na nic takiego, bo to byłby prawdziwy zamach stanu.

– Nikt nie śmiałby zadrzeć ze śmieciowym królem?

– Każdy by chciał, ale nikt nie miał odwagi – zaśmiała się chrapliwie Borecka. – Byłoby to wypowiedzenie wojny, której nikt nie umiałby poprowadzić, z góry skazanej na porażkę. Bo najlepszym strategiem w tym towarzystwie był Johann.

– A może jednak ktoś taki się znalazł i zagrał poniżej pasa?

– Zlecając zabójstwo? – skrzywiła się Borecka. – Nie sądzę.

– Wobec tego podejrzewa pani kogoś z jego znajomych?

Uśmiech na twarzy księgowej zastygł.

– O wiele bliżej, panie Meyer. Znacznie bliżej. Jedyną niekonsekwencją w jego życiorysie jest drugie małżeństwo. Powinien pan przyjrzeć się bliżej tej kobiecie.

Meyer rozsiadł się wygodnie w starym fotelu.

– Klaudii Schmidt? Bobikowi?

Borecka wybuchnęła szczerym śmiechem. Opowiedział się po jednej ze stron. Kupił ją. Czyżby ten tłusty kalkulator także podkochiwał się w śmieciowym baronie? Cóż, jest w końcu kobietą. Choć trudno w to uwierzyć, przemknęło mu przez głowę.

– Właściwie powinnam zatrzymać to dla siebie – wyznała nieoczekiwanie. – Ale nie znosiłam jej, zresztą z wzajemnością. I wcale mi nie szkoda, że teraz leży w szpitalu.

– Jest pani okrutna.

– To życie nas nie rozpieszcza. A kobiety z otoczenia Schmidta zdecydowanie nie mogły mówić o szczęściu. – Borecka pochyliła głowę, jakby zaliczała się do tego grona. – Czy pan wie, że jego pierwsza żona – Ursula – zginęła tragicznie?

Profiler zastrzygł uszami.

– Kolejny tajemniczy wypadek?

Borecka spojrzała na niego czujnie.

– Skąd pan wie?

Wzruszył ramionami.

– Właśnie nie wiem.

– Ta historia pana zaskoczy – zaczęła. – Ursula zginęła w wypadku samochodowym. Był duży ruch uliczny, jechała na zakupy. Z tyłu uderzył w nią autobus miejski. Podczas gwałtownego uderzenia głowa poleciała jej do tyłu i złamał się jej kark.

– Strzał z bicza[1]? – zdziwił się Meyer.

– Nie wiem, jak to się nazywa, ale mówię prawdę. Johann nie miał z tym nic wspólnego. W aucie, którym jeździła, nie było zagłówków. Kupiła je jeszcze za życia pierwszego męża i pracodawcy Johanna – Edwina Schmidta. Ten mały samochodzik, isuzu trooper, był kupiony za śmieszne pieniądze. W idealnym stanie, z bardzo niewielkim przebiegiem. Służył kiedyś jako auto typu *follow me* na małym lotnisku. To wtedy zdjęto zagłówki, bo ograniczały kierowcy widoczność. Potem, kiedy auto było sprzedawane, okazało się, że zaginęły. Ursula jeździła tym autem po zakupy. Uwielbiała je. Nawet kiedy już byli z Johannem bogaci i miała inne. Głupia śmierć, co? – Księgowa pokiwała

---

[1] Strzał z bicza – tak lekarze w slangu nazywają kontuzję, której doznają kierowcy w momencie najechania przez inny pojazd z tyłu. Podczas zderzenia głowa kierowcy i pasażerów gwałtownie wędruje do przodu, a potem natychmiast do tyłu, z ogromną siłą. Dlatego w autach montowane są wysokie zagłówki, które amortyzują siłę uderzenia i zapobiegają urazom kręgosłupa odcinka szyjnego oraz złamaniu karku.

głową. – Tak sobie czasem myślę, że co los nam przeznaczył, tego nikt nam nie odbierze. W tym dniu, dokładnie w dniu jej śmierci, Johann kupił dom Klaudii. W tym czasie miał jedną żonę w Niemczech, a tutaj już wił sobie gniazdo z Bobikiem. Może to i lepiej, że Ursula nigdy się nie dowiedziała.

Meyer wyciągnął papierosy.

– Mogę? – Wskazał otwarte drzwi balkonowe.

– Nie musi pan wychodzić. – Borecka, nie ruszając się z miejsca, podała mu popielniczkę. Sama wyjęła z szuflady biurka cygaretki i jedną z nich włożyła do ust, czekając, aż psycholog poda jej ogień. – Ach, gdybym była trochę młodsza... – Skierowała na niego swoje zalane tłuszczem oczy, sprawdzając, czy i tym razem oburzy się i ustawi ją do pionu. Była jak przebiegły kocur, nieco już wyleniały, lecz wciąż obdarzony wigorem. Kiedy nie zareagował, dodała kokieteryjnie: – Pan jest jak te ciasteczka z kajmakiem, na które już nie mam zdrowia.

Meyer zacisnął usta ze złości, lecz po chwili swoje niezadowolenie i niesmak przykrył hałaśliwym śmiechem. Nawet nie chciał wyobrażać sobie, jaki temperament ma ta kobieta. Zaciągnął się papierosem i nagle zrozumiał, jaki klucz zastosuje do otwarcia serca księgowej. To on sam. Nigdy by się nie spodziewał, że dla tej kobiety racjonalistki-kalkulatora interesem może być zwykły flirt. Przechylił głowę, zmrużył oczy i wpatrywał się w nią wnikliwie. Borecka pierwszy raz zachowała się jak kobieta. Zamrugała, spuściła głowę i miał wrażenie, że lekko się zarumieniła. A może tylko mu się wydawało?

– Zdradzę panu największy sekret Johanna – odezwała się wreszcie. – Ale robię to tylko ze względu na pana, panie Meyer – zastrzegła. Wtedy zmusił się do najbardziej uwodzicielskiego uśmiechu, na jaki go było wobec niej stać.

– Naprawdę? – Zniżył głos, by nabrał ciepłej, niskiej barwy. Był już pewien, że karty są w jego rękach. Kiedy księgowa zaczęła wreszcie mówić, był skoncentrowany na każdym jej słowie.

– Na przełomie lutego i marca, czyli dwa miesiące przed zabójstwem, prezes przyszedł do mnie i przedstawił swój szatański plan – ciągnęła księgowa. – To był łebski facet, proszę mi wierzyć. Nie znam nikogo innego, kto mógłby dokonać takiej wolty. Zaplanował bankructwo świetnie prosperującej firmy i jednocześnie zapewniał sobie pełną swobodę w dysponowaniu majątkiem. Wszystkie operacje przygotował z zegarmistrzowską precyzją. Gdyby nie został zamordowany, jego firma upadłaby w ciągu kwartału, a z nim jego dostawcy odpadów wtórnych. Sprzedawali mu przecież towar na faktury długiej, czasem i półrocznej płatności. Straciliby płynność i faktycznie zostaliby na lodzie, tymczasem on pozbyłby się koncernu, a stał milionerem szarej strefy. Nikt by się o tym nie dowiedział. Jeśli ma pan czas, wszystko objaśnię. Ale zastrzegam, nie powtórzę tego w sądzie, bo taki mechanizm to majstersztyk i wart jest fortunę. Nie muszę chyba dodawać, że to nielegalne.

Meyer słuchał Boreckiej z uwagą. Kiedy skończyła, pożałował, że zamiast wysokiego IQ, Bóg nie obdarzył go po prostu życiowym sprytem, jaki posiadał Johann Schmidt.

* * *

– Imię i nazwisko?
– Michał Douglas.
– Wiek?
– Trzydzieści siedem lat. Skończę we wrześniu.
– Zawód?
– Designer, stylista, grafik.
– Zatrudniony?
– Freelancer.
– Co? – Szerszeń podniósł głowę.
– Wolny strzelec. Pracuję na zlecenie.

Czyli jesteś na utrzymaniu żony?, chciał powiedzieć podinspektor, ale się powstrzymał. Przesłuchanie odbywało się w najmniejszym chyba pokoju komendy. Szerszeń wertował akta, a Stefan wpisywał zeznanie męża lekarki do komputera. W pokoju panował zaduch. Pauzy pomiędzy pytaniami i odpowiedziami wypełniał stukot starej klawiatury i przekleństwa policjanta, który kompletnie nie nadawał się na protokolanta. Wszyscy wiedzieli, że za chwilę trzeba będzie otworzyć okno, bo zaraz uduszą się od upału.

Szerszeń jednostajnym głosem odczytał formułkę pouczenia podejrzanego, jaka kara mu grozi za składanie fałszywych zeznań. Michał Douglas miał ze zmęczenia podkrążone oczy i zapadnięte policzki. Widać było, że z każdą chwilą denerwuje się coraz bardziej.

– Czy pan wie, w jakiej sprawie został zatrzymany? – zapytał podinspektor, a mąż lekarki spojrzał na niego pytająco.

– Chyba tak.

Szerszeń postanowił go zmęczyć. Udawał niezbyt zainteresowanego sprawą służbistę, którego obchodzi tylko to, by sporządzić protokół.

– Jest pan podejrzany o zabójstwo Johanna Schmidta. Przyznaje się pan?

– Nie mam z tym nic wspólnego. – Douglas utkwił wzrok w czubkach swoich trampek.

– Chce pan zeznawać?

Podcjrzany pokiwał głową.

– Chce pan skontaktować się ze swoim adwokatem?

– Nie mam nic do ukrycia! – Douglas dumnie podniósł głowę.

Głupek, pomyślał Szerszeń. A Stefan przeciągle spojrzał na podejrzanego. Mechanicznie przy tym uderzał w klawiaturę komputera. Nie działała litera „f" i cyfra 0. Stefan za każdym razem, gdy miał je nacisnąć, przeklinał pod nosem.

– Co pan wie w tej sprawie?

– W gabinecie mojej żony zamordowano człowieka. Słabo go znałem. Zamieniłem z nim może kilka zdań. Wiem, że żona pisała z nim książkę, znali się chyba wcześniej. Mówiła mi, że był jej pacjentem. Nie wiem nic więcej, co mogłoby pomóc.

– Zaraz się przekonamy.

Szerszeń wyjął wykałaczkę i włożył do ust. W pomieszczeniu panowała cisza. Michał nerwowo rozglądał się po gabinecie.

– Kurdelek, pierdelek – wymsknęło się Stefanowi.

Podinspektor zdumiony spojrzał na pogromcę mafiozów.

– No i co? – obruszył się policjant. – „G" przestało działać. Stary rupieć – mruknął i udał, że poprawia literówki. Tak naprawdę z zainteresowaniem przyglądał się, jak po skroni podejrzanego płynie strużka potu.

Szerszeń też to zauważył, lecz nadal nie proponował otwarcia okna. Wiedział, że za chwilę podejrzany zdejmie marynarkę i zacznie się naprawdę denerwować. Tak też się stało. Douglas się rozbierał. Podkoszulek, który miał pod spodem, był dość obcisły. Markowy ciuch eksponował pięknie zbudowaną klatkę piersiową. Mąż lekarki był typem mężczyzny metroseksualnego, czyli takiego, który używa kremu przeciw zmarszczkom i otwarcie deklaruje, że nie wstydzi się łez.

– Co pan robił w piątek po południu? Od piętnastej do dziewiętnastej? – Szerszeń wyjął z ust niewielki kikut wykałaczki. Douglas zastanawiał się, co się stało z resztą drewienka.

– Ja?

– Widzi pan tu jeszcze kogoś?

– Byłem u rodziców. Zastanawialiśmy się, czy mój synek powinien jechać na obóz konny dla gimnazjalistów do Ochab. To byłby jego pierwszy tak długi wyjazd bez rodziców.

– Przecież jest na obozie.

– Tak. Ale baliśmy się, jak siedmiolatek poradzi sobie przez niemal dwa tygodnie sam. Ja byłem za. Wiem, jak Tymek kocha konie, a tam mógłby się nimi zajmować, nawiązywać więzi z innymi dziećmi. Moja mama była przeciw.

Stukanie klawiatury ucichło. Stefan patrzył wyczekująco na Szerszenia. Nie wiedział, czy ma protokołować.

– Dlaczego nie omawiał pan tego z żoną, tylko z mamusią? – spytał Szerszeń z przekąsem.

– Elwira raczej mało się interesuje dzieckiem... – Douglas zająknął się i spojrzał na Stefana. Ten natychmiast zaczął stukać w klawisze.

– Ta rozmowa... Ile dokładnie trwała? – dopytywał się Szerszeń. – O której pan przyjechał, o której wyszedł?

– Byłem u nich około czternastej, potem obiad. Koło siódmej odwiozłem syna do Ochab. Ustaliliśmy z żoną, że zostanę tam kilka dni.

– Czyli do której dokładnie był pan u rodziców?

– Mówiłem... do siódmej.

– Pięć godzin rozprawiał pan z dziadkami o koloniach dziecka?

– Rozmawialiśmy o wielu różnych sprawach. Zdrowie taty, moja praca. Matka uważa, że niezdrowo się odżywiam.

Szerszeń z trudem hamował irytację. Stefan to widział. Douglas jeszcze nie.

– A o tym, że żona wyjechała bez ostrzeżenia? O tym też mówiliście?

– Nic o tym nie wiedziałem. Kiedy próbowałem się z nią skontaktować, włączała się sekretarka. Dzwoniłem kilka razy do jej matki, ale nic nie wiedziała.

– A następnego dnia znów obiadek u mamusi?

– Byłem z synem na obozie. Mówiłem.

– Sam?

– Tak.

– Co pan robił?

– Spacerowałem po lesie. Jeździłem konno z synem.

– Ile czasu jechał pan z synem do tej miejscowości?

– Niecałą godzinę.

– Czyli w każdej chwili mógł pan skoczyć do Katowic i wrócić do dziecka.

– Panie komisarzu...

– Podinspektorze – poprawił go Stefan.

– Nie wiem, co pan insynuuje.

– Ja nic. – Szerszeń zrobił niewinną minę, a Stefan uśmiechnął się kącikiem ust. – Chciałem się tylko upewnić co do pańskiego alibi. Z tego, co pan mówi, mam prawo założyć, że to wszystko kłamstwa. I nie ma alibi.

Michał zwrócił w kierunku Szerszenia przerażony wzrok.

– Powiem ci, jak było. – Głos Szerszenia nagle stał się niski i twardy. – Na ten dzień umówiłeś zabójców. Zwabiłeś Schmidta. Nie znałeś go blisko, to fakt, ale na tyle dobrze, by móc zadzwonić i skłamać, że żona prosiła o spotkanie. A może udałeś zazdrość i powiedziałeś, że chcesz się z nim rozmówić na okoliczność ich romansu.

– Myli się pan – przerwał mu Michał Douglas. – My jesteśmy nowoczesnym związkiem. Każde z nas ma swoją przestrzeń. Ona ma swoich przyjaciół i fascynacje. Ja swoje. Nie kontrolowaliśmy się. Dopiero w poniedziałek zacząłem się martwić. Nie odbierała komórki.

Stefan wpatrywał się w Michała trochę zbity z tropu.

– To po co przyjeżdżałeś w sobotę i niedzielę pod dom? – atakował dalej Szerszeń.

Michał nabrał powietrza i wypuścił. Nie odpowiedział.

– Dlaczego przyjeżdżałeś i nie wysiadałeś z auta?

– Słucham? – wyjąkał Michał.

– Widziano twoje auto. Kłamiesz. Byłeś w Katowicach.

– Nigdzie nie jeździłem...

– Do kogo w takim razie należy biały ford sierra o numerze rejestracyjnym SH 54 634?

– To moje auto. – Michał podniósł na policjanta przerażony wzrok.

– Widziano je pod Kaiserhofem w tych dniach, kiedy spacerowałeś po lesie! – Zwrócił się do Stefana: – Wezwij rodziców pana Douglasa na przesłuchanie.

– Jak trzeba, to trzeba – zamruczał Stefan od niechcenia, ale zamiast wstać, przyglądał się wnikliwiej przystojnemu podejrzanemu.

– Zobaczymy, czy potwierdzą twoją wersję – podkreślił Szerszeń. – A może zaczniesz mówić prawdę, drogi chłopcze? Może o tym nie wiesz, ale mogę cię przetrzymać na naszym wikcie i trzy miesiące. A z twoją buźką po tygodniu przecwelują[1] cię z Michała na Michalinę.

Michał Douglas był blady z przerażenia.

– Ale ja nic nie zrobiłem. Nie mam z tym nic wspólnego. Nie znam go. Moja żona się znalazła. Ja nie wiem...

– Stefan – krzyknął głośniej Szerszeń. – Daj mi tutaj kogoś do protokołu. Sam pojedź i przesłuchaj jego starych.

Stefan gwałtownie wstał. Krzesło, na którym siedział, przewróciło się.

– Nie, ja naprawdę się stamtąd nie ruszałem. Może wychowawca grupy poświadczy, niech pan spyta instruktora, choćby dzieci... – Michał rozpłakał się jak mały chłopczyk.

---

[1] Przecwelowanie (w gwarze więziennej) – gwałt.

Szerszeń ruchem ręki nakazał Stefanowi usiąść.

– Nie masz alibi – zwrócił się ostro do Douglasa. – Byłeś tutaj. Droga samochodem z Ochab do centrum Katowic zajmuje najwyżej godzinę. Zbadałem to – blefował. – Mogłeś w ciągu dnia przyjechać tutaj z siedem razy i tyle samo razy wrócić. Na obozie konnym nikt nie da ci stuprocentowego alibi. W sumie zadbałbyś o to, gdybyś miał trochę oleju w głowie. Nie chodzi o kolejne dni, ale o piątkowe popołudnie. Po co przyjeżdżałeś? Chciałeś sprawdzić, czy on naprawdę nie żyje? Nieważne, już jesteś ugotowany.

Michał łkał.

– Obiad jadłem w stołówce... Ja... Ja... muchy bym nie skrzywdził.

– Wiem, wiem. Wszyscy tak mówicie – westchnął Szerszeń.
– Co było na obiad?

– Kiedy?

– Na przykład w niedzielę.

– Kurczak w brzoskwiniach. W niedzielę zawsze jest kurczak.

– Jak to zawsze?

– Na tym obozie.

– Myślałem, że byłeś tam pierwszy raz?

Douglas drgnął.

– A w sobotę?

– Nie pamiętam.

– Nie pamiętasz, co jadłeś?

– Chyba zupa. Tak, zupa. – Douglas się trząsł. – Zupa rybna i leniwe.

– Dobra. – Szerszeń zapisał sobie jadłospis na kartce.

Wstał, otworzył okno. Do pokoju wpadło gorące powietrze, ale i odgłosy z zewnątrz. Szerszeń z rozleniwionego służbisty nagle zmienił się w zażywnego jegomościa. Podszedł do Douglasa, pochylił się i zbliżył do jego twarzy, aż poczuł jego przyśpieszony oddech:

– A teraz ja idę się odlać, a Stefan się tobą zaopiekuje. Wytłumaczysz mu, dlaczego kłamiesz. Jak wrócę, porozmawiamy na poważnie. Dobrze, skarbie?

Michał nie znalazł sił, by odpowiedzieć. Był przerażony.

– Wolny związek, ja mu dam wolny związek! – Szerszeń, wychodząc, splunął pod nogi.

Gdy znalazł się w swoim gabinecie, wystukał na klawiaturze aparatu stacjonarnego numer Huberta. Profiler nie odbierał dłuższą chwilę. Podinspektorowi pot wystąpił na czoło, podszedł do okna i otworzył je na oścież. Zaraz jednak musiał przymknąć, bo dokumenty na biurku poderwały się do lotu. W słuchawce usłyszał głos Huberta. Zaczerpnął powietrza i zaczął mówić, ale po chwili usłyszał dłuższy gwizd. Włączyła się sekretarka.

Meyer oddzwonił dosłownie po minucie. Był bardzo ciekaw, jak Szerszeń ocenia przesłuchanie Douglasa.

– Na razie nic – gderał podinspektor. – Dupek płacze, trzęsie się cały jak galareta. Nie ma alibi i coś mi tu śmierdzi. Ale nie mam na razie pojęcia co. Jeśli gość się nie przyzna, nic na niego nie mam. Ślady biologiczne go nie potwierdziły. Chyba będę musiał go puścić. To zwykły nieudacznik, a raczej – powiedziałbym, utrzymanek tej baby. Sprząta, gotuje, opiekuje się dzieckiem. Ma kompletnego bzika na punkcie syna. Możliwe, że na niego przelał wszystkie uczucia. Tej babie chyba odpowiadało, że zamiast faceta ma w domu gosposię i niańkę. Jest kilka elementów do sprawdzenia, ale on nie wygląda mi na zleceniodawcę. Teraz Stefan go przyciśnie. I liczę na ciebie, jak wrócisz. Nie wiem jednak, jak ten niedojda zaplanowałby taki misterny atak. Rozpuszczę wici. Niech chłopcy z miasta zaczną gadać. – Uśmiechnął się przebiegle.

Dopiero wtedy zorientował się, że w słuchawce od jakiegoś czasu była cisza. Zerknął na wyświetlacz. Połączenie trwało nadal. Był zły, bo nie wiedział, od kiedy mówił do siebie. Rzucił słuchawką i jeszcze raz wykręcił numer Meyera. Odezwała się skrzynka. Wyszedł z pokoju i tonem nieznoszącym sprzeciwu zlecił swoim ludziom, by dali znać policyjnym informatorom, że szukają danych o zabójstwie na Stawowej.

– I niech rozpytają też o sprawę starego Gybisa – dodał.

Próbował jeszcze złapać Meyera, lecz znów słyszał nagranie i gwizd. Kolejne nagrywanie się nie miało sensu. A przecież zaraz musi wyjść z pokoju. Już słyszał narzekania Huberta, który zupełnie nie rozumiał, dlaczego Szerszeń nie kupi sobie wreszcie komórki. – Nie będę chodził na smyczy. I tak jestem prawie cały czas na posterunku – gderał, kiedy profiler zaczynał swoją śpiewkę. Nie docierało do Szerszenia, że to właśnie telefon komórkowy da mu odrobinę swobody. Tkwił w tępym uporze tak długo, ponieważ obawiał się, że nie poradzi sobie z obsługą tego małego pudełka z niezliczonymi funkcjami. Nie zniósłby drugi raz wstydu – jak kilka lat temu w sklepie ze sprzętem elektronicznym, kiedy kupował telewizor. Przyzwyczajony do szesnastoletniego neptuna z mnóstwem pokręteł zdziwił się, że nowoczesny telewizor ma jedynie przycisk on/off.

– A jak będę zmieniał kanały? Jak ściszę głos? – zaatakował sprzedawcę.

– Żartowniś z pana. – Chłopak wręczył mu zawiniątko w folii bąbelkowej. – Od tego jest pilot.

Szerszeń hałaśliwym śmiechem pokrył zakłopotanie. Gdyby nie to, że wkrótce rozpoczynały się mistrzostwa świata w piłce nożnej, a jego telewizor zamiast boiska pokazuje skandynawską śnieżycę, uciekłby z tego sklepu co sił w nogach.

– Dobra, synku. – Szerszeń przybrał groźną minę. – To powiedz jeszcze, jak mam ustawić kontrast i te pięćdziesiąt kanałów, które niby ten telewizor ma odbierać.

Chłopak zbaraniał, ale wyjaśnił jak najuprzejmiej.

Wszystko jest w menu, proszę pana.

– W czym?

– W menu. A jeśli będzie pan miał jakiekolwiek kłopoty, proszę zajrzeć do instrukcji. Tam znajdzie pan wszystko.

– Rzeczywiście, chyba dowiem się stamtąd więcej niż od pana – rzucił na odchodne Szerszeń i skierował się do kasy.

Kiedy w domu włączył odbiornik do prądu, a na ekranie pojawił się wielki błękit, nie miał wyjścia. Wziął do ręki instrukcję, pilota i zaraz zrozumiał, jak bardzo ośmieszył się przed młodym sprzedawcą.

Szerszeń doskonale wiedział, że nowoczesne technologie to jego pięta achillesowa. Dlatego obawiał się, że choć nawet kilkuletnie dzieci potrafią obsługiwać przenośne telefony, on się tego nigdy nie nauczy. Kilka razy potajemnie odwiedził salon z komórkami. Ledwie jednak pracownik zaczynał tłumaczyć, jak się z nimi obchodzić, Szerszeń wpadał w panikę. Nie rozumiał połowy rzeczy, o których mówił młody człowiek. Bał się o cokolwiek zapytać, by nie wyjść na idiotę, jak podczas zakupu telewizora. Jego ostrożność dotyczyła też komputerów. Wciąż pisał raporty ręcznie, choć pochłaniało to kilka razy więcej czasu.

Teraz przeklinał komórkę Meyera, jakby to z jej winy nie mogli się skontaktować. Stwierdził wreszcie, że skoro profiler właśnie rozmawia z księgową, to zostało mu już tylko uratować męża lekarki z rąk Stefana.

Był bardzo zdziwiony, kiedy okazało się, że w pomieszczeniu nastąpiła nieoczekiwana zmiana miejsc. Na krześle Stefana siedział teraz podejrzany i jak gdyby nigdy nic grzebał w policyjnym pececie. Na nosie miał okulary z szerokimi zausznikami, całe w logo D&G.

– Co tu się dzieje? – huknął Szerszeń.

– Komputer się zawiesił i system nie wstaje. Pan Douglas próbuje coś z tym zrobić. Yeti znów gdzieś wsiąkł. – Stefan wzruszył ramionami.

Był podejrzanie wesołkowaty. Jego wściekłość zniknęła jak ręką odjął. Szerszeń obserwował sytuację z niepokojem i nie rozumiał, co zaszło między tymi dwoma mężczyznami pod jego nieobecność. Stefan nigdzie się już nie śpieszył i mówił wyraźnie podniecony:

– Prawie skończyliśmy. Miałem to wydrukować i wtedy program się zawiesił. Wyskoczył jakiś blue screen i dziwne komunikaty. A ja mam tam, wiesz, czyje zeznanie. Bez tego nie mamy co iść do sądu. Prokurator mi urwie jaja, jak te pliki szlag trafi...

– Już wiem – ucieszył się Douglas. Po jego łzach i nerwowości nie było śladu. – Padła partycja dysku. Na razie nie ma dostępu do żadnych plików, ale skandisk sobie z tym poradzi. Na przyszłość radzę przeinstalować na tym sprzęcie Windows. A przy okazji, jak korzystacie na nim z internetu, to zainstalujcie program antywirusowy i firewall, bo pierwszy lepszy wirus wyczyści wam dane albo zaszyfruje je na hasło. Dla zabawy albo dla kasy.

Szerszeń i Stefan spojrzeli po sobie.

– Yeti sobie z tym poradzi – odparł Szerszeń.

Douglas skierował na niego wzrok znad okularów. Chciał spytać, kim jest Yeti, ale zabrakło mu śmiałości. Szerszeń zaś zmarszczył brwi. Nie dostrzegał w Douglasie tego miękkiego jak plastelina gogusia. Kiedy posługiwał się językiem informatyków, znikała cała jego niezdarność. W tych okularach, przy pracy, sprawiał wrażenie naprawdę pewnego siebie. Może go nie doceniłem?, pomyślał Szerszeń i zastanowił się, na ile jest możliwe, by ten człowiek mógł jednak zaplanować intrygę, która doprowadziła do zabójstwa Schmidta. Miał w końcu motyw – zazdrość. Ale czy on był zazdrosny o swoją żonę? W kółko powtarza o „wolnym związku". Czy ludzie w takich związkach nie są o siebie zazdrośni? On wygląda, jakby go to wcale nie obchodziło. A może tylko udaje, że romans lekarki i śmieciowego barona go nie dotyka? Czy ktoś taki mógłby zabić z zemsty?

– Kimkolwiek jest Yeti, powinien zająć się tym sprzętem – odważył się wreszcie Douglas. – Gdyby jeszcze ten komputer nie był podłączony do sieci. Teraz łapie wszystkie wirusy, jakie tylko są w stanie się do niego przedostać. I tak cud, że do tej pory działał. W zasadzie mógłbym zabrać go do domu, przeinstalować Windows.

– Wykluczone – zaprotestował Szerszeń. – Trudno, będę pisał protokoły ręcznie – dodał, jakby w rzeczywistości było inaczej. Stefan, słysząc tę deklarację, omal nie wybuchnął śmiechem.

– Ale może pan zająć się moim. Zanim doczekam się na naszego magika... – Stefan się uśmiechnął, a podinspektor aż otworzył usta ze zdziwienia, widząc stopień zażyłości między podejrzanym a swoim ulubionym dochodzeniowcem. Nie wyobrażał sobie, by podejrzanemu umożliwić dostęp do operacyjnych danych. To już nie tylko niedopatrzenie, to wręcz łamanie prawa! Stary wyga policyjny nie mógł oprzeć się wrażeniu, że

147

Stefan nie tylko jest wobec Douglasa miły, ale wręcz próbuje nawiązać z nim bliższy kontakt. Czy on upadł na głowę?, pomyślał, kiedy policjant zaczął sobie z Douglasem żartować:

– Wie pan, Yeti to Jurek Strzałka, nasz magik od komputerów. Potrafi odzyskać dane, które wydawały się dawno stracone. Niestety, w komendzie nie ma działu ITP. Tylko Jurek się na tym zna i wszyscy zawalają go zleceniami. Telefon na jego biurku dzwoni w kółko. Słuchawkę zawsze podnosi jego kumpel technik kryminalistyczny i odpowiada, że Jurek jest w pracy, ale go nie widział. Stąd wzięło się jego przezwisko. Wszyscy wiedzą, że jest, tylko nikt go nie widział. Całkiem jak Yeti.

* * *

Podinspektor Szerszeń właśnie kończył papierkową robotę, kiedy recepcjonistka komendy poinformowała go, że na dole czeka na niego kobieta. Jej nazwisko nic mu nie powiedziało.

– Spytaj, czego chce. Nie mam czasu – zbył ją podinspektor.

– To znajoma żony tego barona od śmieci. Mówi, że widziała coś, co może się przydać. Może połączę?

– Zaraz wyślę kogoś, żeby ją przesłuchał – mruknął Szerszeń.

– Ona chce mówić tylko z panem.

Podinspektor potargał wąsa i westchnął ciężko.

– A chociaż ładna?

Recepcjonistka się roześmiała.

– Rzecz gustu, podinspektorze, a o gustach się nie dyskutuje...

– Czyli brzydactwo. Trudno, zejdę po nią. Na wszelki wypadek wypisz przepustkę, niech czeka. Najpierw pogadam z nią na dole.

Uprzątnął biurko i wyszedł z pokoju. Zauważył, że do wind pakują się ludzie z CBŚ. Zablokowali drzwi jakimiś pakunkami. Nie zamierzał czekać, ruszył po schodach w dół. Klął, że za chwilę znów będzie musiał się po nich wdrapywać, bo nie liczył zbytnio na rewelacje znajomej Klaudii Schmidt. Zamierzał ocenić to w ciągu kilku minut rozmowy. Do tej sprawy sprawdził już mnóstwo fałszywych alarmów. Z informacjami zgłaszały się także niezłe świry.

Kobieta była po czterdziestce i miała zgrabne nogi, które umiała eksponować. Reszta nie była już tak apetyczna. Kiedy podszedł, gwałtownie zerwała się z krzesła.

– Nie wiem, czy to ważne. Ale nie chciałam o tym przez telefon, wie pan... – Kobieta rozejrzała się niespokojnie po zatłoczonej poczekalni.

– Słucham.

– Tutaj? – zdziwiła się.

Policjanci i pracownicy cywilni przyglądali się jej badawczo.

– Zanim przedstawi mi pani te rewelacje, może najpierw się pani przedstawi? Moje nazwisko już pani zna.

– Nazywam się Marta Robska – odrzekła spłoszona. – Jestem znajomą Klaudii.

– Klaudii Schmidt? O co więc chodzi?

– Widzi pan, ja sądzę, że to Klaudia zabiła męża.

– To ciekawe – westchnął podinspektor. Tego właśnie się obawiał: kolejnej wariatki. – A na jakiej podstawie wysnuwa pani takie przypuszczenie?

Kobieta kurczowo zaciskała torebkę w rękach. Zwrócił uwagę na jej sztuczne paznokcie, zdobione wzorkami jak z pisanek.

– Tydzień przed zabójstwem byłam przy ich rozmowie. Siedzieli na tarasie w bufecie szpitala, mam tam swój rewir.

– Rewir?

– Jestem kelnerką. Pracuję w bufecie, w tym szpitalu, gdzie Klaudia jest... była pielęgniarką. Johann kazał jej podpisać dokumenty. Klaudia płakała. Wie pan, chciał ją zostawić. Kolejny raz, ale tym razem naprawdę. Podpisała, bo ją zmusił. Widziałam wszystko.

– To ciekawe. Czyli pani zajmuje się podsłuchiwaniem?

– Szerszeń powątpiewał w jej uczciwość i wiarygodność tej relacji, a jednak ciekawiło go, dlaczego kobieta pofatygowała się aż tutaj, by mu o tym donieść.

– Nie... Ja się przyjaźniłam z Klaudią od lat. Myślałam, że... – Zawstydziła się. – Zresztą Johanna też znam, odkąd był w Polsce. Pamiętam, jak trafił do szpitala, jak się z Klaudią spotkali.

Byłam na ich ślubie. Wie pan, to nie był dobry człowiek. Nie był dobrym mężem. Ona za to była święta, wszystkie jego humory znosiła. Co on z nią wyrabiał, jak traktował. To był potwór! Mówiłam, że nie powinna sobie na to pozwalać. Czy pan wie, że on nawet ze mną flirtował? Choć byłyśmy przyjaciółkami. Dla niego każda kobieta, no wie pan. On każdą chciał. Jak by to powiedzieć... Gdyby nie było w pobliżu kobiety, zrobiłby to choćby i z owcą. Taki człowiek. Wstrętny!

– Była pani jego kochanką?

– Nie! – zaprzeczyła gwałtownie. Według Szerszenia zbyt gwałtownie. – Na szczęście jakoś opędziłam się od jego zalotów. Wybrał Klaudię. – Pochyliła głowę. Szerszeń przypatrywał się jej i miał wrażenie, że kelnerka kręci. – Tydzień temu, gdy on wyszedł z bufetu, a ona płakała, próbowałam ją pocieszyć. Mówiłam, że sobie kogoś znajdzie, że może walczyć przed sądem. „Jesteście małżeństwem, weźmiesz adwokata. Nie dasz mu rozwodu, wyszaleje się i wróci". Tak jej mówiłam. Wtedy ona powiedziała, że ma dość jego i tych jego kurew. Ale nie pozwoli mu odejść, prędzej go zabije. Nie poznawałam jej, kipiała złością. Ona naprawdę chciała to zrobić. No i dowiedziałam się z prasy, że jej się udało.

Podinspektor zacisnął usta.

– Spiszemy protokół. Zapraszam na górę.

– Ale czy to konieczne? – Kobieta zaczęła nerwowo dreptać w miejscu. – Taki protokół chyba potrwa. A ja zaraz muszę być w pracy...

– Jesteśmy na komendzie. W grę wchodzi morderstwo. Ja jestem policjantem i nie zajmuję się plotkami ani podsłuchanymi rozmowami. Chciałbym też potwierdzić pani tożsamość.

– Już mówiłam. Jestem kelnerką, przyjaciółką Klaudii...

– Przyjaciółką? – powtórzył z przekąsem Szerszeń.

Kobieta zaczerwieniła się i pośpieszyła z wyjaśnieniem.

– Myślałam, że można tak nieoficjalnie... Ja oczywiście zostawię swój numer, ale protokół, wie pan... Ona może mieć do mnie żal. Odważyłam się tutaj przyjść, bo ona jest, jak by to powiedzieć, nieprzytomna. Jakoś tak nie w porządku byłoby, gdyby się dowiedziała, z czym tu przyszłam... Liczyłam po prostu, że ta informacja panu pomoże.

– Nie rozumiem. Mówiła pani, że się przyjaźnicie. A jednak donosi pani na nią glinom. I jeszcze chce, by Klaudia Schmidt się nie dowiedziała? Czyli nie interesuje pani stan pani Schmidt. Myślę też, że wykorzystuje pani fakt, że nie mogę skonfrontować tych informacji.

Marta była przerażona.

– Mało tego. Twierdzi pani, że Klaudia Schmidt zamierzała zabić męża, ale nie chce pani tego zeznać oficjalnie?

– To nie tak... – szepnęła.

– A jak? Jak mam to rozumieć?

– Ja nie mówię, że ona to zrobiła. Może tylko chciała, może komuś się zwierzyła i ktoś zrobił to za nią. Bo mu było jej szkoda... Może pomógł jej... Ona nie była złą osobą. Przeciwnie, pomogła w swoim życiu setkom ludzi. Była wzorową pielęgniarką, z powołaniem. Nie byłaby zdolna do poderżnięcia gardła. Ale...

– Pani Robak...

– Robska.

Marta wyginała nerwowo tipsy. Miał wrażenie, że zaraz je połamie.

– Kiedy dokładnie odbyła się ta rozmowa? – spytał łagodniej.

– Dwudziestego czwartego kwietnia.

– Tak dokładnie pamięta pani datę?

– Kiedy usłyszałam, co się stało, wszystko sobie poukładałam – tłumaczyła rozpaczliwie.

– O której i gdzie?

– U nas w szpitalu, rozmawiali od szesnastej do osiemnastej, tak mniej więcej... Kiedy Johann wyszedł, zerknęłam na zegarek. Było za dwadzieścia szósta.

– Widzę, że jest pani precyzyjna i ma dobrą pamięć... – zawiesił głos.

– Może to było jednak o szóstej... – Kelnerka zaczęła się wycofywać. – Klaudia tak szybko wróciła do pracy.

- Przecież mówiła pani, że jeszcze rozmawiałyście. Klaudia płakała, zwierzała się, a pani pocieszała ją jak przyjaciółka.
- Uśmiechnął się kwaśno. - To jak naprawdę było? A może ta rozmowa to wytwór pani wyobraźni?
- To prawda! - krzyknęła. - Może pan spytać siostrę oddziałową. Pani Bisaga potwierdzi moje słowa. Kiedy Johann wyszedł, faktycznie rozmawiałyśmy z Klaudią tylko chwilę, ma pan rację.

Szerszeń się uśmiechnął. Nie miał wątpliwości, że kelnerka kłamie. Nie przerywał jej jednak. Czekał, aż sama się zapętli.

- Martwiłam się o nią, potem poszłam na oddział. Rozmawiałyśmy przy papierosie.
- W jakiej sali leży teraz Klaudia?

Zaskoczył ją. Kelnerka się zapowietrzyła.

- Nie wiem. Chyba na OIOM-ie. Tak, chyba tak.
- Numer sali.

Kelnerka milczała i z przerażeniem wpatrywała się w twarz policjanta.

- Taka z pani przyjaciółka. Nawet jej pani nie odwiedziła - zaśmiał się.
- I tak by mnie nie wpuścili. Tam nie można wchodzić... - jęknęła Robska.
- Czy wszystkich gości w swoim rewirze tak doskonale pani pamięta? Czy podsłuchuje pani jedynie rozmowy znajomych? - zapytał, ale wiedział już swoje. Zastanawiał się tylko, w co ta kobieta gra? Na co liczy? I dlaczego tu przyszła?

Musiała się do tej rozmowy przygotowywać. Pamięta datę i godzinę wyjścia Johanna Schmidta z bufetu. Czekała tu ponad pół godziny. Spóźni się do pracy. Nie chciała rozmawiać z byle dyżurnym, tylko z prowadzącym śledztwo. A teraz, choć zrównał ją z ziemią, wcale nie odchodzi. Jeśli ma coś na sumieniu, czy nie boi się, że policja i ją zacznie sprawdzać?

- Jest jeszcze jedno... - Tipsy stukały w ekologiczną skórę amarantowej torebki. - Księgowa Johanna jest hazardzistką. Obstawia w zakładach bukmacherskich, gra w ruletkę i na wyścigach. Głównie przegrywa. Klaudia skarżyła się, że Johann

152

pożyczył jej już w sumie około czterystu tysięcy, a ona nie miała z czego oddać. Pracowała dla niego właściwie za darmo. Trzymał ją, bo znała wszystkie tajemnice firmy. Także te niechlubne. Wie pan, Schmidt nie od razu stał się biznesmenem.

Szerszeń zastanawiał się, ile ta kobieta wie naprawdę, a ile kłamstw mu sprzedaje.

– On rozumiał jej słabość, sam kiedyś był nałogowcem, trochę innym, nie będę go oczerniać, ale tacy ludzie się rozumieją – opowiadała szybko kelnerka, jakby za wszelką cenę chciała go przekonać, że jest wiarygodna. – Klaudia mówiła, że chyba tych pieniędzy nie zobaczą. Ale jak Johann zaczął te rewolucje w swoim życiu, które zakończyły się groźbą rozwodu z Klaudią, to kazał też księgowej oddać dług. Naliczył jej odsetki. Duże odsetki. Chyba piętnaście procent. Klaudia mówiła, że Halina była wściekła. Dzwoniła do nich i groziła, że odejdzie i sprzeda konkurencji jakieś dane. Ja to wszystko wiem od Klaudii.

– Po co i dlaczego pani mi to wszystko mówi? – przerwał jej podinspektor.

– Czułam, że muszę. – Spojrzała mu prosto w oczy. – Powinien pan jak najszybciej posadzić za kratkami sprawców tej okrutnej zbrodni!

Szerszeń omal nie wybuchnął śmiechem.

– Więc proszę przyjść, kiedy zdecyduje się pani złożyć zeznania.

* * *

Elwira wyłuskała z listka tabletkę, zawahała się, ale włożyła ją do ust i popiła piwem. Po chwili z innego listka wyjęła kolejną, a potem jeszcze dwie. Od wizyty na policji była roztrzęsiona, w nocy nie zmrużyła oka. Dziękowała Bogu, że w ostatniej chwili przypomniała sobie o sąsiadce z działki w Śmiłowicach – żonie drwala, która często przychodziła do niej w sprawie „pomocy finansowej". Iwona Chudzińska była typową niezaradną kobietą, która nie splamiła się w życiu ciężką pracą. Funkcjonowała na granicy ubóstwa, żebrząc od własnej rodziny, sąsiadów i pomocy społecznej. Skutecznie wykorzystywała nałóg męża, by zdobyć środki z licznych organizacji wspomagających ofiary przemocy domowej. Tymczasem on po alkoholu był łagodny jak baranek i to Iwona go tłukła, nie odwrotnie. Kiedy do jej drzwi zapukał dzielnicowy i spytał o Poniatowską, Chudzińska natychmiast zorientowała się w sytuacji. Przyrzekła na Boga i życie własnych dzieci, że doskonale pamięta, jak lekarka przyjechała do letniego domu, bo akurat wtedy była w pobliżu. Zapewniła dzielnicowego, że Elwira dała jej sto pięćdziesiąt złotych, stary prodiż i trochę ubrań, których już nie nosiła. Była przekonana, że za potwierdzenie alibi Poniatowska odwdzięczy się czymś znacznie bardziej wartościowym oraz że będzie to robiła już w nieskończoność. Sama Elwira nie myślała jeszcze o haraczu, jaki przyjdzie jej płacić, za to pierwszy raz w życiu pomyślała ciepło o Chudzińskiej. Gdyby nie zeznanie drwalowej, lekarka prawdopodobnie spędzałaby teraz czas nie w mieszkaniu rodziców na osiedlu Tysiąclecia, lecz w areszcie, co prawdę mówiąc, kompletnie nie mieściło się jej w głowie. Wprawdzie ten starszy gliniarz sceptycznie podszedł do zeznania Chudzińskiej, ale w końcu pogodził się z tym, że nie może Elwirze nic zarzucić, i wypuścił ją do domu. Wyszła z komendy na miękkich nogach, nie była w stanie prowadzić auta. Wezwała taksówkę, chciała jak najszybciej opuścić miejsce swojego upokorzenia. Bała się, że przed wejściem będą czekać na nią dziennikarze i wypytywać o szczegóły dotyczące śledztwa. Tego już by nie zniosła.

Odwołała wszystkie wizyty, wykłady i spotkania na najbliższy tydzień. Poinformowała wydawcę o tym, że nie będzie w stanie dotrzymać terminu oddania książki. Odniósł się do sytuacji ze zrozumieniem. Spytał jedynie, kiedy może liczyć na ukończenie pracy.

– Teraz to byłby bestseller! Możemy podwoić wysokość honorarium, podeślę stosowny aneks do umowy – zaproponował.

Nie mogła tego słuchać. Obiecała, że oddzwoni, kiedy poczuje się lepiej. Ale jej stan z każdą minutą się pogarszał. Zamiast ulgi czuła coraz większy niepokój. Snuła się po mieszkaniu, kilka razy kładła do łóżka, ale nie mogła zasnąć, tylko przewracała się z boku na bok. W głowie miała gonitwę myśli. Była bardzo zmęczona – fizycznie i psychicznie. Nie mogła jeść. Matka zawsze się śmiała, że Elwirze apetytu nic nie odbierze: „Jesz jak wilk, a i tak nie tyjesz. Pewnie masz tasiemca". Teraz jednak lekarka nie była w stanie przełknąć ani kęsa.

Przyjaciółka psychiatra i specjalistka od nerwic już trzy miesiące temu – w apogeum huśtawki emocjonalnej z Johannem, który ewidentnie nie odwzajemniał uczuć Elwiry – zapisała jej kilka leków: coś na sen, na uspokojenie i coś na pobudzenie wydzielania serotoniny – tego wyzwalacza poczucia szczęścia.

– To ci pomoże wrócić do równowagi. Na apetyt zjedz śledzika. Musisz jeść! Nie możesz sobie pozwolić na załamanie nerwowe – perorowała, a Elwira pomyślała, że to przecież nie jest jej wybór. Koleżanka widocznie zorientowała się po jej minie, że Elwira jest wciąż sceptyczna, więc przyjęła pozycję ofensywną. – Bez farmakologii się nie obejdzie. To mi zaczyna wyglądać na chorobę dwubiegunową. Raz jesteś pobudzona, raz przybita – stwierdziła i nabazgrała coś w bloczku recept, po czym podała Elwirze. – Trzy razy po dwie. Kup sobie w aptece taki rozdzielacz na leki, bo się pogubisz.

– Już się pogubiłam – mruknęła Elwira.

Neurolożka ostrzegła ją jeszcze, by nie brała zbyt dużych dawek, bo te środki uzależniają.

– Nie działają szybko, ale zobaczysz, po trzech–czterech tygodniach poczujesz się lepiej, a po dwóch miesiącach znów będziesz w formie. Tylko błagam cię, nie odstaw zbyt wcześnie. I nie pij za wiele. Nie jesteś dzieckiem. Alkohol i leki to mieszanka zwodnicza. Nie wiadomo, jak na ciebie zadziała. Mówię, bo człowiek w takim stanie nie zawsze o tym pamięta.

Elwira, wspominając rozmowę z koleżanką, wydłubała z listka jeszcze dwie maleńkie tabletki. Wcześniej starała się nie brać leków psychotropowych. Uważała, że potrafi sobie poradzić bez wspomagania z każdym problemem. Teraz już nie umiała. Dziś rano wykupiła recepty i zaczęła brać tabletki. Śmierć Johanna, aresztowanie Michała pod zarzutem zabójstwa, przesłuchanie, po którym cudem wyszła z komendy, szukanie adwokata i cała ta straszna sytuacja, w jakiej się znalazła, spowodowały, że nie miała innego wyjścia. Po wykupieniu leków weszła do spożywczaka na dole i postawiła przy kasie kilka piw. Było wczesne popołudnie, Elwira wiedziała, że alkohol najszybciej ją znieczuli.

Chwyciła butelkę i przyłożyła do ust. Nie trudziła się przelewaniem napoju do szklanki. Zamiast płynu poczuła tylko wciągane powietrze. Butelka była pusta. Tak jak pozostałe trzy, które wypiła w ciągu kilku godzin. Postanowiła zejść do sklepu na dół i wziąć jeszcze ze dwa budweisery na wieczór.

– Przecież to tylko piwo – wmawiała sobie.

Michała nie było w domu od wczoraj. Obawiała się, że mąż dzisiejszą noc także spędzi w więzieniu. Łudziła się, że jest aresztowany jedynie za prowadzenie bez prawa jazdy i po alkoholu. Taki był bowiem bezpośredni powód jego zatrzymania wczorajszego poranka. Wiedziała jednak, że tak naprawdę zbierają przeciwko niemu dowody w sprawie zabójstwa Johanna.

Boże, to ja mogłam być na jego miejscu. Mnie też mogli aresztować. Dlaczego tego nie zrobili?, myślała gorączkowo. A potem? Co będzie potem? Mogą mu ten areszt przedłużyć. Mogą, jeśli postawią mu zarzuty. Jeśli dopatrzą się, że brał udział w zbrodni. Akt oskarżenia, proces. I jej nazwisko na pierwszych stronach brukowych pism. Chwyciła się za głowę.

– To niemożliwe – powiedziała na głos, by się w tym utwierdzić. Gdzieś z tyłu głowy czaił się jednak niepokój. Przecież policja nikogo nie trzyma w więzieniu bezpodstawnie.

Gdyby chodziło tylko o jazdę bez dokumentów, adwokat załatwiłby kaucję. Michał byłby już na wolności, rozmyślała. Martwiło ją coś innego. Dlaczego mąż nalegał, by pozwoliła mu bronić się samemu? By nie załatwiała adwokata, a wręcz nie mieszała się do jego spraw.

„Niech żona nie zajmuje się tym, niech nie robi sobie kłopotu" – te słowa męża przekazał jej najlepszy i najdroższy mecenas w mieście, którego wynajęła zaraz po opuszczeniu komendy.

Dlaczego on tego chce?, zadręczała się.

Była w mieszkaniu swoich rodziców, którzy co roku w długi majowy weekend rozpoczynali sezon letni. Wyjeżdżali do swojego małego domku w okolicach Rzeszówka, który stał na pięknej działce. Rosło tam mnóstwo krzewów i drzewek owocowych. Ogród tonął w kwiatach. Grzebanie w ziemi zajmowało im całe dnie. Uprawiali też warzywa. Dopiero pod koniec września, kiedy robiło się już naprawdę chłodno, niechętnie wracali do bloku – jednej ze słynnych „kukurydz" na osiedlu Tysiąclecia. Matka Elwiry dowiedziała się o zbrodni na Stawowej z telewizji. Omal nie dostała zawału, nie wysłuchała nawet wiadomości do końca. Myśląc, że to Elwira albo Michał nie żyją, straciła przytomność.

Ojciec lekarki poradził, by córka przeniosła się na razie do ich mieszkania. Elwira uspokoiła rodziców, kłamiąc, że sytuacja jest pod kontrolą, i zapewniła, że nie muszą przyjeżdżać, bo poradzi sobie sama.

Kiedy znalazła się w tym mieszkaniu, poczuła, jakby cofnęła się w czasie. Te same meble, wzorzysta wykładzina na podłodze, firanki w identyczny deseń. Wszystko jak wtedy, gdy była dorastającą dziewczyną. Tylko ze ścian jej pokoju zniknęły kolorowe plakaty z wizerunkami gwiazd rocka, a zastąpiły je landszafty jeleni na rykowisku. Rodzice po jej wyprowadzce zaanektowali ten pokój. Wciąż jednak w szafie miała swoją półkę z piżamą i kilkoma niemodnymi sukienkami.

W mieszkaniu panowała cisza. Elwira czuła się bezgranicznie samotna. Jakby nagle z jej oczu zdjęto różowe okulary i zmuszono, by dostrzegła prawdę. Czuła teraz na barkach brzemię życia swojego i bliskich: męża, synka, pacjentów, z których zdejmowała poczucie winy za wszelkiej maści dewiacje. Przez ostatnie miesiące w ogóle się nad tym nie zastanawiała. Błogostan zakochania w Johannie skutecznie znieczulał ją na wszelkie cięgi od losu czy kłopoty. Uciekła w tę miłość przed rzeczywistością, która ją przerastała. Przy Johannie czuła się stuprocentową kobietą. Obudził w niej zmysłowość, która przygasła w trakcie małżeństwa z Michałem. Była przekonana, że to właśnie Schmidt był największą miłością jej życia. Taką, o jakiej czyta się w książkach, która przychodzi późno, ale gromadzi w sobie najlepsze wspomnienia wszystkich poprzednich związków oraz emocji im towarzyszących. Ale Johann nie żył. Zawyła jak ranne zwierzę. Ryczała na cały głos, nie licząc się z tym, że ktoś może usłyszeć jej zawodzenia. Nie mogła i nie chciała pogodzić się ze stratą Johanna. Zwłaszcza że oprócz niego nie miała już nic, co zajmowałoby jej wyobraźnię. I nie mogła już udawać, że nie widzi realnie swojej sytuacji rodzinnej.

Tak naprawdę aresztowanie męża niezbyt ją obeszło. O ile dotkliwa rozpacz ogarnęła ją, kiedy uświadomiła sobie, że już nigdy nie spotka się z Johannem, o tyle wobec Michała czuła obojętność. Nawet kiedy rodzice dowiedziawszy się, że Michał jest zatrzymany, nagle zaczęli go oczerniać, nie broniła męża. Usłyszała, że nigdy go nie lubili. Uważali, że jest zbyt skupiony na sobie, niepoważny, niezaradny. Od początku nie akceptowali tak dużej różnicy wieku między nimi. Zabolało ją to, że przez te wszystkie lata jej tego nie powiedzieli. „Nie chcieliśmy ci sprawiać przykrości. Kochałaś go. No i jest w końcu ojcem naszego jedynego wnuka", usprawiedliwiali się.

Teraz Elwira nie cierpiała z powodu nieobecności Michała. Od dawna nie bywał w domu wieczorami. Przyzwyczaiła się, że siedział do późna w jakichś firmach czy klubach ze znajomymi. Zwłaszcza ostatnio częściej znikał. Tłumaczył się, że wziął dużo zleceń.

– Szkoda, że z twojej pracy po nocach nie ma pieniędzy i to ja mam na głowie cały dom. – W ostatnim miesiącu przygadała mu tak kilka razy. Chyba dotknęła go do żywego, bo przyniósł jej wreszcie dwa tysiące złotych i rzucił na stół jak jałmużnę. Uśmiechnęła się kpiąco.

To ma mi zamknąć usta?, pomyślała, lecz wzięła gotówkę i wpłaciła ją na ich wspólne konto. Od tamtej pory, a minął ponad miesiąc, praktycznie nie rozmawiali. I nawet gdyby Michał był teraz na wolności, sytuacja wyglądałaby podobnie. Podinspektor Szerszeń na próżno obawiałby się mataczenia z ich strony. Nie moglibyśmy ustalić żadnej wspólnej wersji. Nie wiemy, co drugie czuje, myśli, a na szczere rozmowy od lat nie mamy ochoty, westchnęła z sarkazmem.

Tak naprawdę milczenie było wygodne dla nich obojga. Lepiej było nie zaczynać tych rozmów, bo pociągnęłyby za sobą konieczność odsłonięcia sekretów ich małżeństwa. Elwira wolała więc tkwić w kłamstwie i iluzji, sycić się fantazjami o Johannie i nadzieją na związek z nim, niż stanąć twarzą w twarz z prawdą, która była bolesna i porażająca. Oboje więc z Michałem udawali, że nic się nie dzieje. Ot, zwykły kryzys, jaki dopada setki, tysiące par w Polsce. I nie robili z tym zupełnie nic. Nie dotykali problemu, jak nic rusza się zgniłego jajka. Czekali, obserwując się nawzajem, licząc, że rozwiązanie pojawi się samo.

Wstała gwałtownie i zakręciło jej się w głowie. Opadła więc na krzesło i oddychała głęboko. Po chwili zawroty głowy ustąpiły. Zdecydowała, że kolejna butelka piwa nie jest najlepszym pomysłem. Poszła do kuchni, włączyła ekspres do kawy i usiadła przy kuchennym stole. Uświadomiła sobie, że tak dawno nie jedli wspólnie kolacji: ona, Michał i ich siedmioletni syn – Tymek. Uderzyło ją poczucie winy, odezwały się wyrzuty sumienia. To Michał zajmował się dzieckiem. To on karmił, ubierał syna i odrabiał z nim lekcje. Mieli już swoje męskie sprawy. Grali w piłkę, jeździli konno i montowali te idiotyczne wojskowe makiety. Zanim się obejrzała, Tymek dorósł do wieku, w którym miecz Skywalkera z zabawki zmienił się w przedmiot kultu. Mieli z Michałem identyczne T-shirty z bohaterami kreskówek. Szeptali jakieś zaklęcia, kiedy się na nich wściekała. Wykonywali dziwne gesty, kiedy się żegnali przed wyjściem chłopca do szkoły, i nie zapominali dodać jak mantry: „Niech moc będzie z tobą".

Musiała przyznać, że kiedy się z Michałem poznali, nie sądziła, że ten zbuntowany dwudziestosiedmiolatek okaże się tak dobrym ojcem. Ale wtedy nie planowała dzieci. Miała już czterdzieści lat i skupiała się na karierze zawodowej. To dla Michała zdecydowała się na ciążę. Jeszcze osiem lat temu obłędnie go kochała. Ale on wtedy miał dość małżeństwa. Kiedy napomknął o separacji, stwierdziła, że tylko dziecko może je scementować. Zdawała sobie sprawę, że ciąża po czterdziestce to poważne ryzyko, ale gdyby nie urodziła mu syna, straciłaby go. Miała stuprocentową rację. Po narodzinach dziecka Michał nigdy już nie wspomniał o rozwodzie. Te lata tak szybko zleciały, zamyśliła się.

Tylko że od urodzenia Tymka zmieniła się ich relacja. Michał pokochał synka bez pamięci. Był świetnym ojcem, nie znała lepszego. Ale między nimi coś umarło. Ona uciekła w pracę. Od „matek-kwok" wolała trzymać się z daleka. Domowe obowiązki zrzuciła na wynajętą bonę i na męża. Wykąpała małego może kilka razy. Nigdy nie siedziała z synem przy piaskownicy. Michał zaś robił to nieustannie. Przez te wszystkie lata ani razu nie wypomniał jej tego, nie narzekał. Z uśmiechem zmywał, gotował, bawił się z małym. Kiedy wracała z pracy, konferencji czy studia telewizyjnego, czekał na nią gorący obiad. To Michał prasował jej bluzki, nosił garsonki do pralni. Z jednej strony było to wygodne, z drugiej stało się początkiem końca ich związku. Po narodzinach syna przestali ze sobą sypiać. Już nie wzbudzali w sobie pożądania. Pozornie ich związek funkcjonował wzorowo. Przypominał jednak raczej kontrakt dwojga atrakcyjnych ludzi niż małżeństwo.

Michał był pięknym mężczyzną, o urodzie południowca, która nabierała wartości wraz z wiekiem. Kiedy wychodzili gdzieś razem, dostrzegała miękkie spojrzenia innych kobiet. On jednak zdawał się nie zwracać na to uwagi. Miał wiele koleżanek, które zwierzały mu się ze swoich sercowych problemów. Czasem chodził z nimi na zakupy i doradzał, co powinny włożyć, by oszołomić mężczyznę. Początkowo Elwira była o nie zazdrosna, potem jednak przyzwyczaiła się do tego, a niektóre polubiła.

Nigdy nie przyłapała męża na zdradzie. Widziała, jak na nie patrzy, zupełnie aseksualnie. Martwiła się jednak o siebie. Doszła do wniosku, że się zestarzała i dlatego przestała być dla męża atrakcyjna. To nie była prawda – pozostała piękną kobietą, nie wyglądała na swój wiek.

Dostała jednak prawdziwej obsesji. Oglądała swoje ciało przed lustrem i szukała w nim mankamentów. Zaczęła pielgrzymkę po gabinetach chirurgii plastycznej. Była stałą klientką licznych salonów piękności. Miała osobistego trenera jogi i lekarza, który dopasował jej dietę tak, by opóźnić proces starzenia. Wyglądała olśniewająco. Nikt, kto ją w tamtym czasie spotykał, nie wierzył, że wielkimi krokami zbliża się do pięćdziesiątki. Zabiegi upiększające poprawiały jej nastrój, ale na krótko. Ich intymna sytuacja się nie zmieniała. Z czasem było tylko gorzej. W ich stosunkach nie tylko brakowało już namiętności, przestali ze sobą rozmawiać. Michał był bliżej swojego środowiska – ludzi mody, sztuki i architektury – niż niej.

W tym czasie kariera Elwiry rozkwitła. Miała już tylu pacjentów, że musiała wynająć biuro i otworzyć prywatną praktykę, w której spędzała całe dnie. Praktycznie się nie widywali. Przez lata małżeńskiej posuchy napisała cztery poradniki i obroniła tytuł doktora. Seksualnie jednak umarła. Tak naprawdę uciekła w pracę przed prawdą, z którą nie chciała się mierzyć. Była seksuologiem i doskonale zdawała sobie sprawę, że ich małżeństwo to ruina, lecz nie potrafiła z tym nic zrobić. Tylko terapia mogła ich uratować, ale lekarka wstydziła się powiedzieć o osobistej klęsce komukolwiek. W całym kraju nie było eksperta, który by jej nie znał. Wszyscy wierzyli w fikcję, którą sama podtrzymywała: największy autorytet w branży nie ma żadnych problemów seksualnych. Występowała w telewizji, na łamach gazet, pisała książki. Wystarczyło zresztą spojrzeć na nią i Michała, by uwierzyć w ten mit. Wyglądali jak para z obrazka. Piękni, zgodni, osiągający sukcesy. Elwira wolała utrzymywać wszystkich w tym przeświadczeniu, niż ratować związek. Dławił ją wstyd. Za atrakcyjną fasadą ukrywała się zaś cierpiąca kobieta – samotna i rozpaczliwie potrzebująca bliskości.

Wtedy w jej życiu pojawił się Johann. Był rok 2005. To nie miało nic wspólnego z miłością od pierwszego wejrzenia. Ona przyzwyczaiła się do młodego ciała, męskiego piękna, modnego ubioru. Johann zaś był zwalisty, pozbawiony finezji w zachowaniu, a przedwcześnie posiwiałe włosy przydawały mu lat. Może właśnie dlatego, że wydał się jej tak nieatrakcyjny fizycznie, umiała skupić się na jego leczeniu. To był najtrudniejszy i najciekawszy przypadek w jej karierze. Na kozetce Schmidt opowiedział jej całe swoje życie. Pierwszy raz pozwolił sobie wobec kogoś na taką szczerość. Szybko nawiązała się między nimi nić sympatii. Było to jednak raczej zaufanie niż fascynacja. Zwłaszcza że lekarka wyraźnie utrzymywała granicę terapeuta–pacjent. Zachwyciła się jednak jego charyzmą.

Był człowiekiem, który nie przegrywa, nie poddaje się. Osiąga każdy zamierzony cel. Słuchała jego opowieści jak mrożącego krew w żyłach horroru. Stopniowo poznawała jego sposób patrzenia na życie i wiedziała, że taki pacjent zdarza się naprawdę rzadko. Zaparła się, postanowiła go wyleczyć. Zaplanowała, że jego przypadek nadpobudliwości seksualnej będzie tematem jej habilitacji. Zdradził jej wszystkie swoje tajemnice: od osiągnięć po klęski, dalekosiężne plany, przyznawał się do niecnych uczynków, których w biografii miał aż nadto. Nie miała wątpliwości, że ten człowiek pozwolił, by ciemna strona zdominowała jego życie, i właśnie z tego powodu miał problem z popędem seksualnym. Dlatego była bardzo ostrożna.

W trakcie terapii próbował ją uwodzić, manipulował nią, wszelkimi sposobami wabił, by weszła w jego chory świat. Ale wówczas skutecznie mu się oparła. Wiedziała, że to niebezpieczna gra. Przekonywała samą siebie, że sprawa Schmidta jest po prostu niezwykłym przypadkiem klinicznym i jej obowiązkiem jest go dogłębnie zbadać. To samo powtarzała, kiedy dwa lata później dostała propozycję napisania książki o problemach seksualnych. Jej bohaterem może być tylko Johann, pomyślała. Ale mówiąc to, wiedziała, że oszukuje samą siebie, bo fascynacja tym mężczyzną od dawna nie była wyłącznie zawodowa. Tak naprawdę książka posłużyła jedynie za pretekst, by go ponownie spotkać.

Jej małżeństwo nie istniało. Ona zaś rozpaczliwie szukała bliskości. Była pusta w środku, emocjonalnie wypalona. Chciała znów poczuć motyle w brzuchu, mieć zawroty głowy na widok mężczyzny, który patrzyłby na nią jak na kobietę i rozpalał jej trzewia. Nie pamiętała już nawet, jak to jest być z mężczyzną. Dlatego tak łatwo dała się złapać na przynętę Johanna rzuconą dla zabawy podczas terapii.

Początkowo Schmidt wcale nie chciał się zgodzić, by pisali razem książkę. Dopiero kiedy dowiedział się, że Elwira kupiła Kaiserhof, przyjechał na spotkanie. Usiadł w salonie i pokiwał głową na znak, że przyjmuje propozycję. Cieszyła się, że będą się spotykać.

Tym razem ich relacja wyglądała zupełnie inaczej. To ona była osobą proszącą, a on sprytnie wykorzystywał jej uległość. Od razu wyczuł, że małżeństwo Elwiry nie jest doskonałe. Bawił się jej emocjami. Początkowo broniła się i utrzymywała dystans. Nie odpowiadała na komplementy ani na listy o treści osobistej. Nie był natarczywy – wiedział, że jest inteligentna i wciąganie jej w sieć musi odbywać się niepostrzeżenie. Początkowo pisał do niej tylko mejle na zadany temat do książki. Odpowiadała mu w podobnym stylu, bardzo correct. On zaś uparcie karmił ją pochlebstwami, komplementował umysł i bezczelnie uwodził. Pierwsze jego umizgi zignorowała, za kolejne podziękowała. Kiedy zaproponowała mu spotkanie na mieście, zamilkł na tydzień. Poczuła wtedy pierwszy raz, że jej na nim zależy. Zadzwoniła więc, by spytać, czy go nie uraziła. Od razu zauważył, że była onieśmielona.

– Wszystko w porządku. Jestem w domu z żoną – odrzekł.

Zarumieniła się jak uczennica. Z ulgą stwierdziła, że Schmidt tego nie widzi. Uświadomiła sobie jednak, że ona, ekspert od seksu, próbuje uwieść żonatego faceta. Postanowiła się natychmiast wycofać.

– Chciałam omówić kilka akapitów, ale to może poczekać.

Już chciała przerwać połączenie, gdy usłyszała:

– Miło, że zadzwoniłaś. Wszystko opowiem ci w liście.

Ale nie napisał. Ani tego, ani następnego wieczoru. Nie odważyła się drugi raz zadzwonić. Czwartej nocy znalazł ją na Skypie. Rozmawiali przez komunikator tekstowy. Nie musieli się ukrywać przed współmałżonkami. Kiedy dwie godziny później Elwira kładła się spać, uświadomiła sobie, że ani jedno zdanie tej rozmowy nie dotyczyło pisanej wspólnie publikacji. To był flirt, w którym Elwira uczestniczyła czynnie i w pełni świadomie. Zadrżała. Nie zauważyła, kiedy Johann obudził ją z seksualnego letargu. Znała go przecież doskonale z terapii. Wiedziała, że każdy jego ruch ma swój cel. Teraz to ona była kolejnym celem, a relacja z nią – grą strategiczną. Ale nie zdobyła się na zerwanie tego kontaktu. Musimy napisać tę książkę. To tylko książka. Muszę go bliżej poznać, żeby dobrze pokazać zjawisko, oszukiwała samą siebie.

Teraz Schmidt pisał coraz rzadziej. I nawet jeśli obiecał napisać coś do książki, przesuwał godziny wysyłki do późnych godzin nocnych. Ona zaś zamiast skupiać się na swoim życiu rodzinnym, przesiadywała przed komputerem. Tylko po to, by przeczytać około trzeciej nad ranem, że Johann życzy jej dobrej nocy. Bardzo często czekała na darmo – skrzynka była pusta.

Potem Johann zmienił strategię. Zaczął zasypywać ją esemesami. W ten sposób ją kontrolował – wiedział, co robi, co je, dokąd idzie, jakie ma plany. Kiedy nie odpowiadała, wysyłał ponaglenia w postaci pustych wiadomości lub pytajników czy wykrzykników. Nagle okazało się, że interesuje się tym, co ona – zbierał dane o niej, jak wywiadowca gospodarczy bada konkurencję. Wreszcie znał każdy element jej życia. Umiejętnie wykorzystywał tę wiedzę, by wciągnąć ją w długie mejlowe dyskusje. Opowiadał o swojej żonie. Wyrażał się o niej z politowaniem, jakby była starym sprzętem w domu, który trzeba wymienić, i tylko z litości nie wynosi się go na śmietnik. Zwierzał się, że jedyną osobą, na której mu zależy, jest córka Klaudii – Magda, która jest wyjątkowo inteligentna – prawie jak on sam – lecz z powodu kompleksów sprawia wrażenie zahukanej. Zapewniał Elwirę, że kiedy Magda uwierzy w siebie, przejmie po nim przedsiębiorstwo. Całymi godzinami mówił o swoich kłopotach z potencją.

Często milczał przez kilka dni, które wydawały się lekarce wiecznością. Nie odpowiadał na e-maile, esemesy, nie odbierał telefonów, wyłączał Skype'a. Elwira odchodziła wtedy od zmysłów. Nie była w stanie skoncentrować się na pracy. I nie mogła tego znieść. Dzwoniła do niego nieustannie, zostawiała wiadomości u sekretarek, domagała się spotkania pod pretekstem książki. Nie mogła zasnąć, dopóki nie usłyszała jego głosu.

– Dziś nie mogę, jadę z rodziną do znajomych – odmawiał oficjalnym tonem, a Elwira czuła, jakby uderzał ją w twarz. Upokarzał ją. Wtedy pierwszy raz próbowała ustawić granicę w ich relacjach. Nie chciała zrezygnować z książki, ale nie potrafiła sprawić, by Johann traktował ją inaczej. Miał ją w garści.

Kilka dni później w nocy dostała wiadomość. Schmidt wysłał jej zdjęcie swojego członka we wzwodzie z dopiskiem: „Dzięki tobie". Z samego rana zadzwonił z przeprosinami – był słodki jak miód. Zaproponował obiad w najlepszej restauracji w mieście. Następnego dnia zabrał ją na wycieczkę za miasto, która przeciągnęła się do wieczora. Kolacyjki i lunche, w trakcie których głównie mówił o sobie, trwały prawie tydzień. Obsypywał ją drobnymi prezentami. Wysyłał kwiaty na adres jej gabinetu. W niedzielę ten miodowy tydzień się skończył, choć Schmidt wciąż podtrzymywał kontakt. Cały dzień wysyłał jej pikantne esemesy. W poniedziałek znów zamilkł. Jeden dzień milczenia Elwira zniosła dzielnie, we wtorek wieczorem była już wściekła. Nie patrząc na zegarek, zadzwoniła, by zrobić mu awanturę.

– Słucham. – Telefon odebrała jego żona. Lekarka aż się zapowietrzyła. – Słucham – powtórzyła kobieta. – Pani Poniatowska?

– Tak – jęknęła Elwira. Czuła się tak, jakby złapano ją na kradzieży.

– Johann tyle o pani opowiada... – szczebiotała niczego nieświadoma Klaudia. – Jest pani niesamowitą osobą. Tyle pani zawdzięczamy. Jego wyleczenie z nałogu, a teraz ta książka... Proszę do nas kiedyś przyjść na kolację.

Elwira przytaknęła i szybko się rozłączyła. Zamiast wściekłości czuła teraz ból. Pierwszy raz poczuła dotkliwie, że nie potrafi zapanować nad swoimi uczuciami do Johanna. Wiedziała, że ją skrzywdzi i że się nią bawi. Choć do tej pory nie zaszło między nimi nic, co można nazwać zdradą, czuła się już jak jego kochanka. W ciągu zaledwie trzech miesięcy omotał ją. Potem było już tylko gorzej.

Już nie zabiegał o nic. Skończyły się kwiaty, prezenty, kolacyjki, nawet listy. To ona teraz żebrała o jego uwagę. Czasem łaskawie zgadzał się na spotkanie. Umawiał się z nią w Latawcu, podrzędnym motelu na godziny z barem, blisko jego firmy, choć doskonale wiedział, że Elwira, by przyjechać, będzie musiała zaniedbać swoje obowiązki. Zwykle w czasie lunchu, tłumacząc się, że każdego dnia ma napięty grafik. Kiedy zaś wybijała ustalona minuta końca pseudorandki, zrywał się i wychodził. Czasem w ostatniej chwili zmieniał miejsce i wybuchał gromkim śmiechem, gdy skarżyła się, że bawi się z nią jak z dzieckiem. Kiedy robiła mu wyrzuty, karał ją całkowitą obojętnością. Potrafił milczeć tygodniami. Źle znosiła tę tresurę, a jednak nie potrafiła wycofać się z gry.

Kiedy ją odtrącał, nie mogła spać. Nie przestawała o nim myśleć, była wciąż pobudzona. Kilka razy nie wytrzymała tego napięcia i próbowała zmusić Michała do seksu.

– Zachowujesz się jak suka w rui. – Odepchnął ją ze wstrętem.

Na zmianę cierpiała i była w euforii. Doskonale rozumiała, że relacja z Johannem jest chora, ale nie potrafiła jej przerwać. Johann dostarczał jej całkiem nowych przeżyć. Już dawno nie czuła tak silnych emocji.

Przede wszystkim był kompletnym przeciwieństwem jej męża – stuprocentowym samcem. Klął. Nie hamował agresji. Dążył do dominacji. Był egocentrykiem skupiającym na sobie całą uwagę. Imponował jej. Nosił garnitury od Bossa i koszule od Armaniego, a nie jak jej mąż – sportowe, obcisłe ubrania, którymi mógłby wymieniać się z siedmioletnim synem. Johann jeździł saabem, Michał starą sierrą, i to kupioną za jej pieniądze. Kiedy wybierała się gdzieś z Michałem, nie tylko musiała zapłacić za siebie i synka, ale i za męża. Do czasu poznania Johanna nie zdawała sobie sprawy, że bardzo jej to przeszkadza. Schmidt nie rozprawiał o tym, co kiedyś zrobi, gdy w kraju będzie inaczej – tak jak Michał. Tylko robił to i informował ją „po fakcie". Mówienie nie zastępowało mu działania, nawet jeśli chodziło o wielomilionowe kwoty. Znał się na najnowszej technologii przetwarzania odpadów, brał udział w przetargach na zakup prasy hydraulicznej czy chwytaka łupinowego, z których każdy kosztował tyle, ile połowa ich kamienicy na Stawowej. Chodził na spotkania biznesowe. Wszystko miał obliczone. Bogaty, silny, bezkompromisowy zwycięzca. Najpierw zaintrygował ją, potem zafascynował, a wreszcie uzależnił od siebie. Zanim się obejrzała, była już śmiertelnie zakochana. Początkowo wmawiała sobie, że to urozmaicenie małżeńskiej nudy, niegroźny wirtualny romans. Nigdy się przecież nie całowali, nie doszło między nimi do żadnego seksualnego kontaktu, choć w sieci pozwalali sobie na intymne wyznania. Gdyby o tej relacji opowiedział jej jakiś pacjent, nazwałaby ją jednoznacznie:

– Uprawiają państwo seks przez internet. To bardzo niebezpieczne.

Ale to dotyczyło jej samej. Nie potrafiła stanąć przed lustrem i powtórzyć tej kwestii ani zrobić tego jedynego, co mogło ją uratować – zerwać kontaktu ze Schmidtem. Zamiast tego przez ponad rok się oszukiwała. Tkwiła w iluzji dla cudownego poczucia nieważkości. W jej wyobraźni odbywało się alternatywne życie seksualne ze Schmidtem, które dawało jej ogromną satysfakcję i nie potrafiła z niego zrezygnować. Tolerowała dziwne znikanie męża wieczorami, czasem na całe noce. Obwąchiwała jego ubranie, kiedy odsypiał balangi, ale nigdy nie znalazła śladów szminki czy zapachu damskich perfum. Brudna odzież pachniała co najwyżej papierosami, a czasem nie było na niej żadnych śladów pobytu w knajpie. Akceptowała jego koleżanki płaczące mu w rękaw, jego znajomych designerów, których nigdy jej nie przedstawił. Michał zaś sprawiał wrażenie, jakby nie podejrzewał jej zdrady.

Tylko czy to rzeczywiście była zdrada?, zastanawiała się teraz. Tak, miała takie poczucie, choć między nią a Johannem nigdy nic się nie zdarzyło. W tej kwestii nie kłamała na przesłuchaniu. A cała reszta? Ten magiczny świat, w który wkroczyła w wieku lat pięćdziesięciu dzięki Johannowi – nie mogła o tym mówić policjantom. Przecież żaden z nich by tego nie zrozumiał. Naraziłaby się tylko na śmieszność. Czy ktokolwiek byłby w stanie ją zrozumieć? Taką miłość przeżywa się przecież tylko raz. I nie żałowała ani jednej chwili, choć wiedziała, że Schmidt omal jej nie zniszczył.

Leżała teraz na łóżku, a świat wokół wirował. Widziała jak przez mgłę żyrandol z wiatrakiem, szyk mody lat osiemdziesiątych, który leniwie kręcił się nad jej głową i nieskutecznie rozgarniał gęste, gorące powietrze. Odurzona lekami i alkoholem uświadomiła sobie prawdę, której wcześniej nie chciała przyjąć do wiadomości. Coś całkiem nowego. Prawdę, którą odpychała od siebie miesiącami. Johannowi wcale na niej nie zależało. Wymyśliła to sobie, a on zabawił się jej uczuciami, jak to mają w zwyczaju seksoholicy. Nikt nie musiał jej tego wyjaśniać. Była przecież najlepszym ekspertem od seksu i małżeńskiej harmonii w tym kraju. I za tę wiedzę dostaje od innych pieniądze. Co za ironia losu, pomyślała. Że to właśnie ona wpakowała się w taką kabałę. Chciała się roześmiać, ale nie mogła, bo łzy spływały jej po policzkach. Płakała bezgłośnie. Nie wydała z siebie ani jednego dźwięku.

Na filmach w takich sytuacjach nagle coś się dzieje. Ktoś dzwoni, ktoś pojawia się nieoczekiwanie, przychodzi list albo bohaterka doznaje olśnienia i już wie, jak ma postąpić. Ale to nie był film i nie zdarzyło się nic niezwykłego. Cisza potęgowała jedynie bezsilność lekarki. Elwira czuła się niczym w matni i nie miała pojęcia, jak z niej wyjść. Wiedziała, że jej problemem jest nie tylko tragicznie utracona miłość. Problem był o wiele głębszy. I nie miała pojęcia, jak sobie z nim poradzić. Leżała zwinięta w kłębek, płakała. Po godzinie emocje opadły i postanowiła zabić smutek pracą. Podeszła do drzwi, gdzie po wejściu postawiła torbę z laptopem, lecz nigdzie jej nie znalazła. Pewnie laptop został w samochodzie. Spojrzała na swoją twarz w lustrze, na rozczochrane włosy i zgniecione ubranie. Stwierdziła, że nie może się tak pokazywać ludziom. Postanowiła, że pójdzie po niego wieczorem. Na najpilniejsze e-maile odpowie teraz, korzystając z komputera Michała, który sama przytargała na górę, uznając, że może mu być potrzebny, kiedy wypuszczą go z komendy.

W czasie kiedy komputer ładował konfiguracje, skorzystała z toalety. Myślała wciąż o sobie i o tym, jak bardzo jej życie naznaczone jest porażkami w życiu osobistym. Zastanawiała się, dlaczego tak jest.

– Dobrze, że nie żyjesz – zwróciła się do Johanna. – Teraz sama bym cię zabiła – zamruczała i rzuciła wiązankę niewybrednych przekleństw.

Ulżyło jej i uświadomiła sobie, że jest w niej tyle goryczy, żalu i wściekłości. Przede wszystkim na Johanna – za to, że jej nie kochał, i za to, że już nie żył. Po jego śmierci bowiem wypełniła ją pustka. To ostatnie uczucie zdecydowanie dominowało. Uspokoiła się trochę i zadzwoniła do syna. Rozmawiała z nim, udając wesołą, by Tymek nie zauważył zmiany w jej zachowaniu. Wiele ją to kosztowało, ale poczuła się spokojniejsza. Synek opowiadał jej o tym, co dzieje się na obozie i jak opiekuje się swoim koniem Herkulesem. Odetchnęła z ulgą, że dziecko ma się dobrze i jest szczęśliwe. Zrezygnowała z otwierania poczty. Zamknęła klapę komputera męża i postanowiła pojechać do koleżanki.

Nie minęło pół godziny, kiedy już siedziała w taksówce. Jechała do znajomej bizneswoman, która racjonalnie podchodziła do życia i zawsze była optymistką. Elwira nie wątpiła, że spotkanie z Nataszą poprawi jej nastrój.

* * *

Magda Wiśniewska przygładziła popielate włosy grzecznie zaplecione w cienki warkocz i ruszyła w kierunku głównego wejścia do szpitala. Miała wrażenie, że serce zaraz wyskoczy jej z piersi. Kilka razy obejrzała się za siebie, ale nie zauważyła nikogo, kto zwróciłby na nią uwagę. Wciąż była niewidoczna. Całe życie tak się czuła. Zdarzało się, że kilkakrotnie powtarzała swoją kwestię, a mimo to jej nie słuchano. Z czasem przyzwyczaiła się do tej czapki niewidki, dostrzegła plusy. Będąc niewidzialna, mogła lepiej ocenić sytuację. Nauczyła się planować strategię działań i robić podchody. Niezauważonej udawało się coś sprawdzić, na co inni, „wyraźnie widoczni", nie mieli szansy.

Niestety, dla mężczyzn też była przezroczysta. Rozterki miłosne czy zbliżenia cielesne rozpamiętywała jedynie w fantazji. Tam wszystko było możliwe, więc czerpała z wyobraźni garściami. Była odważna, przebojowa, uwodzicielska, czasem wyuzdana. W fantazjach nie było miejsca na nieśmiałość: to ona sama rozdzielała bohaterom role i nic dziwnego, że sama odgrywała te główne. W fantazjach mężczyźni nie wprawiali jej w zakłopotanie, osłupienie, nie szydzili z niej ani nie oceniali krytycznie jej niedoskonałego ciała. Była uwielbiana i kochała siebie samą. Wystarczyło, że przymknęła powieki, a znajdowała się natychmiast w tym alternatywnym świecie marzeń, najbezpieczniejszym i najbardziej fascynującym. Nikt oprócz niej nie miał do niego dostępu, co dawało jej siłę godną olbrzyma o nieskończenie wielkiej mocy, porównywalną z boską.

Teraz jednak koślawo stawiała stopy, skrupulatnie liczyła kroki dzielące ją od wejścia i bała się panicznie, że w tych szpilkach zaraz wywinie orła. Do tego jeszcze napakowana po brzegi torebka wciąż spadała jej z ramienia. Nie chciała myśleć, w jakim stanie są kwiaty, które niosła w prawej ręce. Sama nie wiedziała, dlaczego je kupiła, przecież matka i tak ich nie zauważy.

Gdyby nawet była w stanie je dostrzec, i tak by tego nie doceniła, uśmiechnęła się kwaśno.

Czasem Magda miała wrażenie, że nie jest córką tej kobiety, tak bardzo się różniły. Ale niosła kwiaty, czyniąc zadość dobremu wychowaniu i zasadom, które lubiła pielęgnować – to dawało jej poczucie bezpieczeństwa i porządku. Chaosu nie cierpiała. Gdyby była mężczyzną, z całą pewnością marzyłaby o karierze wojskowej. Porządek, działania wytyczone precyzyjnie odtąd dotąd, tak jest – wykonać. Tak naprawdę chciałaby, żeby świat był czarno-biały – dobry lub zły, zupełnie nie rozumiała odcieni szarości i niejasnych sytuacji. Tak jak teraz – do chorego zawsze idzie się z kwiatami i mandarynkami. Choć owoce sobie darowała.

Szpilki, które miała na nogach, były przyciasne. Uciskały ją w palce, więc trudno jej się maszerowało. Zwłaszcza że na tak wysokich obcasach szła właściwie pierwszy raz w życiu. Buty należały do matki. Znalazła je, kiedy szukała szlafroka, który zamierzała zanieść mamie do szpitala. Kiedy otworzyła garderobę Klaudii, nie mogła się powstrzymać i zaczęła grzebać w jej rzeczach. Z ciekawości policzyła buty niedbale wrzucone w rząd szuflad. Wkurzało ją bałaganiarstwo. Od zawsze była poukładana, więc zaczęła je sortować i chować do rozsypanych pudełek. Znalazła model z prawdziwej wężowej skóry z wściekle czerwonymi obcasami – pamiętała je, ojciec przywiózł je z Włoch kilka lat temu – i z głupiej babskiej próżności włożyła je na nogi. Doświadczyła nieokreślonej bliskości z matką; poczuła smak wygranej, nagrody po skutecznie stoczonej bitwie, niczym morderca biorący talizman – jakiś przedmiot należący do ofiary – na pamiątkę. Tak się zaangażowała w to poznawanie i poszukiwanie czegoś, sama nie wiedziała czego, że nie zauważyła, kiedy wybiła dziewiętnasta. Zdenerwowała się, bo o tej godzinie powinna być już w szpitalu.

Ostrożnie zeszła na dół, wyszukała kluczyki do auta matki i po prostu wsiadła za kierownicę. W tych szpilkach nie potrafiła wyjechać z bramy, prowadziła więc boso. Kiedy jednak dotarła na miejsce, musiała włożyć je ponownie. Z trudem, niczym na szczudłach, dobrnęła do windy i z radością nacisnęła przycisk. Drzwi rozsunęły się natychmiast, jakby winda na nią czekała. Zrobiła krok i w tym momencie kwiaty wyślizgnęły się z opakowania i rozsypały na posadzce. Postawiła torebkę w drzwiach windy, by zablokować jej zamknięcie, i pieczołowicie pozbierała wszystkie tulipany. Niektóre były powyginane, miały wymięte płatki, żaden jednak się nie złamał. Zadowolona weszła do windy i przejrzała się w lustrze. W pierwszej chwili nie rozpoznała siebie – to przez kosmetyki matki, których użyła kilka godzin temu. Makijaż, tak jak obuwie, miał dziś w jej życiu premierę. Magda uznała, że całkowicie satysfakcjonującą.

Przed wejściem do sali stał stosunkowo młody policjant. Wyraźnie się nudził. Wyginał plecy i ziewał. Magda zaraz dostrzegła, że na pasku ma kaburę z bronią. Na taborecie obok, który ktoś wspaniałomyślnie postawił, by sobie odpoczął na służbie, leżało kilka popularnych gazet. Nie wyglądał na groźnego glinę. Twarz miał pospolitą, bez znaków szczególnych. Magda inaczej wyobrażała sobie policjantów z sekcji zabójstw. Ten nie nadawał się na odtwórcę siebie w filmie.

Sądziła, że będzie chciał ją wylegitymować. Zaniepokoiła się, że nie wzięła dowodu tożsamości. Starała się iść jak najciszej, lecz to było trudne, a jeszcze trudniej było jej zachować równowagę na tych dziesięciocentymetrowych szpilach. On, jak widać, nie był zbyt czujny. Zauważył ją, dopiero kiedy stanęła przed drzwiami i chrząknęła znacząco. Odwrócił się, po czym odezwał niezwykle niskim głosem, który zupełnie nie pasował do jego postury.

– Słucham.

– Przyszłam do matki – powiedziała i nie czekając na odpowiedź, popchnęła drzwi sali. Wszedł za nią.

– Tutaj nie wolno wchodzić – ostrzegł ją niezbyt groźnie.

– Mówiłam już. – Magda nie poznawała swojego głosu. – Jestem córką pacjentki. Chyba mogę pobyć chwilę sama z matką?

Policjant się speszył. Możliwe, że dopiero teraz do niego dotarło, co dziewczyna mówi.

– Muszę powiadomić lekarza i jednostkę o pani wizycie.

– Proszę bardzo – odrzekła i rzucając kwiaty na sąsiednie łóżko, dodała nonszalancko: – I niech pan zorganizuje jakiś wazon.

– A... tak – wyjąkał policjant.

– Proszę coś z nimi zrobić. I zostawić mnie chwilę samą z matką, jeśli będzie pan łaskaw.

Policjant wyszedł zmieszany. Magda spojrzała na matkę, która leżała podłączona do różnego rodzaju rurek. Obok na monitorze regularnie wiły się świetliste wężyki.

– I co teraz? Co ty sobie wyobrażasz? – zwróciła się z wyrzutem do leżącej. – Chcesz mnie zostawić samą?

Łzy popłynęły jej po policzkach. Zsunęła buty i przytuliła się do matki. Chlipała cicho. Znów była małą dziewczynką, która nie chce dorosnąć. Nie słyszała, jak policjant wszedł, by poinformować, że jest zmuszony poprosić ją o opuszczenie sali. Kiedy jednak zobaczył, że dziewczyna płacze, wycofał się. Magda chlipała jeszcze chwilę, wzięła matkę za rękę i pocałowała, po czym wstała i wyszła bez słowa.

Policjant widział, jak mija windę i rusza schodami. Miał wrażenie, że zaraz spadnie głową w dół, ale przytrzymała się barierki.

Biedna dziewczyna, pomyślał i zanotował w kajeciku godzinę wizyty córki pacjentki. Był tak zaaferowany obserwowaniem młodej kobiety, że nie zauważył dorodnej brunetki, która za jego plecami bezszelestnie przemknęła korytarzem. Zanim odwrócił głowę od wężowych szpilek na niezgrabnych nogach tej szarej myszy, tajemnicza kobieta niepostrzeżenie zamknęła drzwi sali, w której leżała Klaudia.

* * *

Hubert Meyer wyszedł z mieszkania księgowej cały zlany potem. Nie dlatego, że był pod wielkim wrażeniem opowieści Haliny Boreckiej, powód był zdecydowanie bardziej trywialny. W jej mieszkaniu panowała okropna duchota, a ona zamiast szerzej otworzyć okno, wciąż dolewała mu gorącej herbaty. Dochodziła dwudziesta druga. Profiler był na siebie wściekły.

– Już nie te czasy, chłopie. Nie możesz sobie pozwolić na takie długie nasiadówki – pouczał się na głos. Wiedział jednak, że było warto. To nie był stracony czas. Od księgowej Schmidta dowiedział się naprawdę bardzo dużo.

Kiedyś normą było, że przesiadywał ze świadkami całe godziny. Ale pracował wtedy przy zdecydowanie mniejszej liczbie spraw. Dziś miał na głowie nie kilka, ale kilkadziesiąt śledztw.

Postaw na syntezę. Twój czas jest na wagę złota, mówił do siebie, schodząc na dół. Za tydzień masz być w Sopocie na międzynarodowej konferencji, do której musisz się jeszcze przygotować. Przyjadą goście z całego świata, psychologowie i ważniacy z Anglii, Niemiec i Czech. Musisz być na błysk, powtarzał. Uświadomił sobie, jak niewiele ma czasu, i zdenerwował się. Stanął przed klatką i zapalił papierosa. Dopiero wtedy poczuł głód. Prawie nic dziś nie jadł, jeśli nie liczyć tych cholernych ciastek, którymi wciąż częstowała go księgowa. Zamarzył o kebabie z pikantnym sosem. Myślał o frytkach i surówce z czerwonej kapusty. O schabowym albo chociaż klopsach. Czuł, jak gardło zaciska mu się z głodu, a żołądek jak na zawołanie wydaje rozpaczliwe odgłosy. Postawił kołnierz marynarki i ruszył w kierunku auta. Zamierzał pojechać pod dworzec i najeść się do syta. A dopiero potem wykonać mapy śmierci i szkice miejsca zbrodni, jak to sobie zaplanował przed wizytą u księgowej. Chciał też przeanalizować dokumentację fotograficzną i ustalić główny motyw. W myśl zasady Roberta Resslera – guru Meyera – profiler musi najpierw odpowiedzieć sobie na pytania: „Jak dokonano zbrodni?" i „Dlaczego do niej doszło?". Jeśli zrobi to uczciwie i prawidłowo, nie będzie musiał długo szukać odpowiedzi na pytanie kluczowe, od którego wielu początkujących psychologów zaczyna poszukiwania, czyli „Kto to zrobił?".

Zastanawiał się, dlaczego Schmidt został zamordowany w mieszkaniu Poniatowskiej, przecież prawie tam nie bywał. Tylko jeden raz skorzystał z jej gabinetu i nigdy więcej się tam nie pojawił poza feralnym dniem. Z lekarką spotykał się na mieście, najczęściej w restauracji Latawiec przy alei Roździeńskiego, niedaleko jego firmy. Dla niej przybycie na spotkanie oznaczało przebicie się przez korki w centrum. Jak widać, to Schmidt ustalał warunki tej relacji. Elwira przyznała, że kilka razy wyrwał ją z pracy, umówił się z nią na drugim końcu miasta, a kiedy już dojeżdżała, odwołał randkę, ponieważ spóźniła się pół godziny. Tymczasem ona po prostu nie była w stanie przedrzeć się przez korki. Zawsze celem ich spotkań była książka. Odcinki swoich opowieści Johann przesyłał jej pocztą elektroniczną, wieczorami zaś dużo rozmawiali. Jej numer telefonu ustawił jako jednego z ulubionych abonentów. Dzwonił do niej bezpłatnie.

Meyer nie znał szczegółów tej relacji. Liczył, że dowie się więcej na kolejnym spotkaniu z lekarką. Był przekonany, że ich związek przypominał jednak romans. Czy to znaczy, że pani doktor miała nieudane życie seksualne? Elwira i Schmidt byli umówieni w piątek 2 maja. Było to kluczowe spotkanie, bo wkrótce mieli przesłać pierwszą partię materiału wydawcy. Elwira szykowała się na spotkanie jak na randkę. Korzystając z tego, że nie dojechał jeden z pacjentów, weszła do swojego mieszkania i przebrała się. Przez telefon oświadczyła mężowi, że będzie pracować do późna, a potem wyjeżdża. Odwołała wizyty pacjentów już od trzynastej. Około dwunastej trzydzieści dostała esemes, że Johann nie przyjedzie na Stawową i czeka na nią w Latawcu. Kiedy tylko wybiła czternasta, pojechała na spotkanie. W gabinecie zostawiła komórkę. Policjanci zebrali z niej ślady i oddali do badania.

Dlaczego sprawcy jej nie ukradli? Co się zdarzyło, że Schmidt nagle pojawił się na Stawowej? Dlaczego ryzykował spotkanie z jej mężem? Dlaczego po raz kolejny zmienił plany? I dlaczego wreszcie nie zauważyła go Elfryda Hasiukowa, która prawdopodobnie trzyma dwudziestoczterogodzinną wartę przy wizjerze? Aby wejść na górę do gabinetu seksuolog, trzeba minąć jej mieszkanie. Dlaczego się rozminęli z Poniatowską? Może to ona zwabiła go do gabinetu, bo wiedziała, że będą tam zabójcy? A do Latawca wcale nie pojechała. Trzeba będzie wybrać się do tej restauracji i rozpytać.

Tak rozmyślając, dotarł do wozu. Landrynka wciąż miała opuszczony dach. Silniczek ciągle nie działał, a na jasnoszarych siedzeniach auta profiler dostrzegł już niewielkie zacieki i trochę liści, które wiedziony poczuciem winy natychmiast pozbierał. Wrzucił też do pobliskiego kosza stos papierów i opakowania po jedzeniu – sam nie pamiętał, jak się tam znalazły. Po czym zrezygnowany wsiadł do różowej micry i pomyślał ze smutkiem, że bez kredytu nie kupi sobie nawet dużo starszego passata niż ten, którym jeździł do tej pory. Policzył w myślach posiadane pieniądze i postanowił, że naruszy żelazny fundusz, który z Kingą ustanowili na ich wspólne wakacje. W obecnych warunkach szanse, że ten wyjazd kiedykolwiek się ziści, były minimalne.

Tyle lat pracy, tyle wyrzeczeń, a nie stać mnie na porządne auto. A dentysta wywala lekką ręką pięćdziesiąt baniek na takie zabawki, pomyślał gorzko. Zerknął na niebo, które już zaciągnęło się deszczowymi chmurami, i pośpiesznie odpalił silnik. Ruszył z piskiem opon i jego wzrok przypadkowo zatrzymał się na siedzeniu pasażera, a dokładniej na kilku brązowych rozmazach wyglądających dość odrażająco. Musiały powstać, kiedy chcąc oszczędzić czas, czytał w aucie akta i jednocześnie jadł zapiekankę. Był wtedy tak zatopiony w myślach, że nie dostrzegł, jak nagle wiatr porywa mu plik dokumentów. W ostatniej chwili udało mu się złapać kartki, które oczywiście całe uwalały się w keczupie. Potem niefrasobliwie woził te dokumenty na przednim siedzeniu. Nie pomyślał, że mogą się do niego przykleić i zostawić takie ślady... To go zmotywowało do podjęcia decyzji. Jutro się już ukorzy i poprosi o pomoc Waldemara Szerszenia, by pomógł mu zamknąć to landrynkowe pudło, zanim wiatr wywieje mu coś ważnego lub wnętrze tego kabrioletu zamieni się w stajnię Augiasza.

* * *

Elwira wróciła do domu na rauszu i w nieco lepszym nastroju. Zaraz jak tylko wysiadła z taksówki, powiedziała Nataszy o tragedii i o wszystkim, co zdarzyło się potem. Biznesmenka sama zbudowała swoją firmę – eksportowała na wschód Europy cement i żelazostopy. To dlatego osiadła na Śląsku. Zresztą wszystko, co osiągnęła, zawdzięczała wrodzonemu sprytowi i racjonalnemu podejściu do życia. Nie kierowała się emocjami. Pochodziła z prostej wielodzietnej rodziny zamieszkującej lepiankę gdzieś w obwodzie magadańskim – krainie na dalekich krańcach Syberii. Elwira nie miała pojęcia, gdzie to jest. Wiedziała, że chcąc odwiedzić bliskich, Natasza musi jechać do domu ponad tydzień. Rosjanka miała już czterech mężów, żaden jednak nie był w stanie dotrzymać jej kroku.

– Pierwszy był dla matki. *Biez mienia mienia zamuż wydali*[1]. Drugi raz wzięłam *muża* dla pieniędzy, a trzeci dla miłości. Czwarty to już *oszybka*[2]. I wyczerpała ja swoje zasoby – mawiała.

Dwa lata temu, po ostatnim rozwodzie, zdecydowała, że będzie żyć sama. Zresztą wokół tak bogatej kobiety wciąż kręcili się kandydaci na kochanków, a ona skrzętnie z tego korzystała. Rosjanka w mniemaniu Elwiry była bodaj najtwardszą osobą, jaką kiedykolwiek spotkała. Pochodziła z Syberii, a karierę zrobiła w Polsce. Jej trzeźwy osąd sytuacji często pomagał Elwirze uporać się ze swoimi emocjami. Teraz jednak lekarka poczuła, że koleżanka przesadziła w swoim cynizmie.

– Żal, *czto* książki wy nie skończyli. – Wzruszyła ramionami, jakby chodziło o nagły wyjazd Johanna, a nie jego śmierć. – A tak po prawdzie... *Niet chuda biez dobra*[3] – Natasza ciągnęła, zupełnie nie zwracając uwagi na minę koleżanki.

– Natasza, mówże po polsku, nie rozumiem... – jęknęła Elwira.

– Wcale mi tego *musorszczika*[4] nie szkoda – pośpieszyła z wyjaśnieniem biznesmenka. – Ja już nie mogła słuchać, jak ty siebie żałujesz. Toż to swołocz był... Dobry tylko, jak spał.

Elwira najpierw spojrzała na nią, jakby zobaczyła ducha, potem zaś wybuchnęła nienaturalnym hałaśliwym śmiechem. Nagle wszystko wydało się absurdalne. Kręciło jej się w głowie, miała mdłości. Zamiast jednej sylwetki koleżanki widziała trzy nakładające się na siebie kolorowe plamy. Dostała niekontrolowanej głupawki i przez kilka minut nie była w stanie przestać się śmiać. Aż spadła z krzesła i trzymając się za brzuch, niemal się dusiła.

– Dobrze ty się czujesz? – Rosjanka dopiero teraz zmartwiła się stanem Elwiry. – Słuchaj, nie wolno być smutnym bez *wodki*.

---

[1] *Biez mienia mienia zamuż wydali* (ros.) – wydali mnie za mąż bez mojej zgody.
[2] *Oszybka* (ros.) – pomyłka.
[3] *Niet chuda biez dobra* (ros.) – nie ma tego złego, co by na dobre nie wyszło.
[4] *Musorszczik* (ros.) – śmieciarz.

Zrobię ci *kriepkij napitok*[1] – postanowiła i przez taras weszła do mieszkania.

Lekarka przez ogromne okno widziała, jak Natasza krząta się po nowoczesnej kuchni i przygotowuje drinki. By nie stracić równowagi i przetrwać jakoś karuzelę, która szaleńczo wirowała jej w głowie, położyła się na wiklinowym szezlongu, jednym z wielu orientalnych mebli w ogrodzie Rosjanki. Przymknęła powieki. Przed oczami miała kalejdoskop barwnych plam. Pomyślała, że jest teraz na prawdziwym haju – prawdopodobnie od tych tabletek, których nieodpowiedzialnie nałykała się od rana, i dużych ilości alkoholu, którym je popiła. Nie zmartwiła się tym jednak zbytnio i niefrasobliwie sięgnęła po szklankę z mojito, którą przed chwilą ustawiła na stoliku Rosjanka, po czym wzięła duży łyk. Pierwszy raz od dawna jej myśli nie zajmowało nic poważnego: ani Johann, jego śmierć, ani nawet Michał i problemy małżeńskie. Poczuła się tak wolna od trosk, że być może nawet na chwilę się zdrzemnęła. Koleżanka jednak zupełnie tego nie dostrzegła, bo kiedy Elwira ponownie otworzyła oczy, Natasza kontynuowała swoją opowieść o drzewkach owocowych w ogrodzie. Elwira z przyjemnością słuchała głosu gospodyni, która z zaangażowaniem opowiadała, ile się natrudziła, by przewieźć z Japonii okazałą wiśnię.

– I wyobraź sobie, że drzewko właśnie zakwitło – w tonie koleżanki wybrzmiała autentyczna radość.

Elwira nie mogła się nadziwić, po co tyle energii i pieniędzy przyjaciółka zużywa na takie zbytki. Uśmiechnęła się do Rosjanki z wdzięcznością. To spotkanie sprawiło, że wracała do żywych. Uświadomiła sobie, że nie jest tak źle – ona sama żyje i ma się dobrze. Nagle śmierć Johanna, zjawisko bądź co bądź ostateczne i nieodwołalne, przestała ją przerażać. Znała doskonale ten mechanizm – oswajała się z nowym stanem rzeczy. To dlatego odprężyła się i była w stanie się śmiać.

---

[1] *Kriepkij napitok* (ros.) – mocny, porządny drink.

Wróciła taksówką, do której wsadziła ją Natasza, kiedy Elwira zaczęła przysypiać. Czuła się zdecydowanie lepiej. Mdłości i zawroty głowy minęły. Teraz marzyła tylko o tym, by położyć się wreszcie do łóżka i zasnąć. Jeszcze kiedy przekręcała klucz w zamku, uśmiechała się na wspomnienie uwag Nataszy o śmierci „śmieciarza", jak biznesmenka pogardliwie wyrażała się o Johannie.

W mieszkaniu rodziców panowały cisza i ciemność. Lekarka nagle poczuła irracjonalny niepokój. Ktoś tu był, przemknęło jej przez głowę. Znieruchomiała. Spojrzała na okno balkonowe i lufcik w salonie. Były zamknięte. A przecież pamiętała, że wychodziła na balkon i zaplątała się w wirujący woal firanki. Serce podeszło jej do gardła. Nie była w stanie zrobić ani kroku. Czujnie nasłuchiwała. Drżącą ręką przełożyła klucze do mieszkania z prawej do lewej ręki. Starała się robić to bezszelestnie. Kurczowo przytrzymała torebkę. Wolną dłonią rozsunęła jej zamek. Zdejmując buty na koturnach, zacisnęła dłoń na gazie łzawiącym, który nosiła od lat. Zaklęła w myślach: pewnie już nie działa, od dawna jest przeterminowany. Po co właściwie wciąż go nosi? Chyba żeby oszukiwać samą siebie.

Jak będzie trzeba, wcisnę to temu komuś do gardła, postanowiła, by dodać sobie animuszu. Bała się zapalić światło. Zresztą po chwili jej wzrok przyzwyczaił się do ciemności. Doskonale odróżniała zarys sprzętów znajdujących się w mieszkaniu. Miała wrażenie, że słuch jej się wyostrzył, a cisza dzwoni w uszach. Przemieszczała się wzdłuż szafy obitej boazerią, modląc się, by niczego nie potrącić. Nagle trzask. Odwróciła się gwałtownie, ale nie krzyknęła. Nie wydała z siebie ani jednego dźwięku. Znieruchomiała. Dopiero po kilku sekundach uświadomiła sobie, że to stara kuchenka gazowa. Rodzice specjalnie taką kupili. Kuchnia co jakiś czas wydawała odgłos, który miał chronić domowników przed wydzielaniem się trującej substancji. Serce podchodziło jej do gardła ze strachu, ale zajrzała do kuchni. Ze stojaka na noże wyciągnęła największy – do siekania warzyw. Zacisnęła na nim dłoń i ruszyła do ataku z ostrzem na sztorc. Gwałtownie otworzyła drzwi toalety.

– Aaaaa!!! – krzyknęła przerażona.

Wrzeszczała dobrą chwilę, aż wreszcie osunęła się w kucki wzdłuż ściany. W łazience nie było nikogo, lecz ciszę przerwał alarm samochodowy za oknem. Wstała, przygładziła włosy i oddychając ciężko, pstryknęła światło. Nagła jasność aż zapiekła ją w oczy, więc natychmiast je wyłączyła. Już wiedziała jednak, że w mieszkaniu nie ma nikogo. Opadła na fotel w największym pokoju, omal nie uderzając się nożem w nogę. Dopiero po chwili przypomniała sobie, że ma go w ręku. Ostrożnie odłożyła nóż na szklany stolik. Oddychała głęboko.

– Jest tu ktoś? – krzyknęła już jedynie pro forma.

Nie ma nikogo. Ale był, pomyślała przerażona. Tylko kto? Alarm rozległ się ponownie. Powoli, na palcach podeszła do okna. To wył jej samochód. Wszystkie światła awaryjne zielonej mazdy 626 migały niczym w lunaparku. Przy niej stał mężczyzna i manipulował coś przy klamce. Nie wiedziała, co robić: dzwonić na policję czy biec i ratować auto. Czy zdąży złapać windę, zanim mężczyzna upora się z zacinającym się alarmem? Chwyciła telefon i wykręciła 112. Odezwała się automatyczna sekretarka, która kazała jej oczekiwać na połączenie. Elwira w tym czasie włożyła pierwsze z brzegu tenisówki i wróciła do dużego pokoju, by zabrać kluczyki wozu. Była przekonana, że zostawiła je obok telewizora. Nie było ich. Zamarła. Złodziej ukradł kluczyki! Teraz bez problemów uprowadzi jej auto! Nie zastanawiała się już dłużej. Chwyciła torebkę i wybiegła z domu. Była tak zdenerwowana, że z trudem zamknęła drzwi. Zanim uporała się z zamkiem, przyjechała winda. Elwira była gotowa sama zmierzyć się ze złodziejem, bez względu na cenę, jaką przyszłoby jej zapłacić. Przepełniała ją wściekłość, którą chciała wyładować jak najszybciej.

Wybiegła z klatki i gnała co sił w nogach w stronę parkingu. Usłyszała znajome pikniącie. To znaczy, że mężczyzna dostał się do auta. Przyśpieszyła. Ledwie łapała oddech. Pot spływał jej strużkami po twarzy. Słyszała zatrzaskiwanie drzwi i odpalanie silnika. Za późno! Jej mazda odjechała. Nie dogoni jej. Spóźniła się. Kompletnie osłupiała stanęła. Ocierała czoło i łapała oddech, kiedy kilka metrów dalej zauważyła podjeżdżającą taksówkę. Podbiegła i ulokowała się na przednim siedzeniu.

– Jestem zajęty. Proszę sobie zamówić kogoś innego. Kończę kurs – zaprotestował kierowca.

Dopiero wtedy odwróciła się i zobaczyła zdziwione spojrzenia dwójki pasażerów, wciąż siedzących z tyłu auta. Kobieta otworzyła usta ze zdziwienia, w jej oczach był autentyczny strach. Mężczyzna gorączkowo szukał po kieszeniach portfela, by zapłacić taksówkarzowi. Elwirze wydawało się, że to trwa wieki.

– Niech pan jedzie, a wy się wynoście – powiedziała tonem nieznoszącym sprzeciwu. – Ja zapłacę. Za nich i za siebie. Tyle, ile będzie trzeba. – Na dowód wyciągnęła z torebki dwieście złotych i wręczyła zszokowanemu taksówkarzowi. – A teraz gazu, musimy dogonić tamtą mazdę.

Kierowca wpatrywał się w całkiem pustą ulicę i nie widział żadnego auta, które miałby gonić. Odpalił jednak silnik i usztywnił się. Bez słowa ruszył. Nie miał odwagi spojrzeć na Elwirę jeszcze raz i wlepiał spojrzenie w przednią szybę.

– Szybciej! Jak będziemy się tak wlec, to nam ucieknie – popędziła go i zdziwiła się, bo bez słowa wykonał polecenie.

Odetchnęła z ulgą i rozsiadła się wygodniej. Chwyciła pas bezpieczeństwa, żeby go przypiąć, i dopiero teraz zrozumiała, dlaczego mężczyzna za kierownicą zamilkł i się usztywnił. Dlaczego patrzył na nią, jakby to miał być jego ostatni kurs. Dlaczego kobieta na tylnym siedzeniu z trudem powstrzymała okrzyk paniki. Ręce lekarki były całe we krwi. Szukając pieniędzy w torbie, skaleczyła się nożem do siekania warzyw, który w pośpiechu zabrała ze stolika. Nawet nie poczuła bólu.

7 maja – środa

Prokurator Rudy zostawiła auto na parkingu przed dworcem i szybkim krokiem wspięła się na kładkę dla pieszych. Wczesnym porankiem powietrze było rześkie, miasto powoli budziło się do życia. Wokół nie było zbyt wielu przechodniów – tylko podróżni śpieszący z bagażami na dworzec. Nikt nie zwracał na nią najmniejszej uwagi. Na to właśnie liczyła. Ze szczytu schodów dokładnie widziała bryłę kamienicy z kopułą, którą teraz bajkowo oświetlało wstające słońce. Wyjęła notatki zrobione poprzedniego wieczoru na podstawie jednej z książek o mieszczańskich budowlach Górnego Śląska i zaczęła je porównywać z realiami.

Ogromna kamienica przy Stawowej 13 należała do najelegantszych mieszczańskich budynków wykonanych w stylu neobaroku według projektu Ignatza Grünfelda. Zbudowana w 1893 roku była jedną z wiernych kopii berlińskich gmachów, których w Katowicach do dziś stoi całe mnóstwo. Samego Grünfelda dziś nazwałoby się deweloperem. To jego dziełem były najpiękniejsze kamienice i pałacyki w centrum miasta. Nazwa Stawowej przez całe stulecia nie została zmieniona, co w Katowicach jest rzadkością. Pod koniec XIX wieku brzmiała po niemiecku: Teichstrasse, ale znaczyła to samo. Tędy bowiem w dawnych czasach przebiegała trasa spacerowa wzdłuż przepięknego stawu – rozlewiska rzeki Rawy, dzięki której w XVI wieku powstała osada Katowice, a z niej w niecałe pięćdziesiąt lat rozrosła się aglomeracja – serce Górnego Śląska. Po drugiej wojnie światowej po prostu zamurowano Rawę i płynie ona ukryta pod miastem. W okolicy osiedla Gwiazdy spod betonowej trumny miasta wypływa jako wątły ściek z obu brzegów uregulowany betonem i ogrodzony siatką. Niektórzy mieszkańcy dziwią się, że w Katowicach jest w ogóle jakaś rzeka. Dziś nazwa ulicy Stawowej w samym centrum wydaje się cokolwiek absurdalna. Tak jak nieczynna fontanna z żabą, zbudowana na jej pamiątkę, dziś wiecznie oszpecana przez niedopałki i śmieci, które wrzucają do niej przechodnie.

Weronika zamknęła oczy i wyobraziła sobie ulicę w swej świetności przed stu laty. Wówczas feralny budynek o numerze 13, ustawiony na samym skraju stawu, stanowił jej perłę. Był pięknie oświetlony, by wyeksponować bajkowe zdobienia neobaroku. Mieścił się w nim hotel Kaiserhof[1], jeden z najbardziej ekskluzywnych w mieście. Mieszkali tutaj artyści, włodarze miejscy, najznamienitsze persony Górnego Śląska. Podobno w jednym z prywatnych apartamentów miała siedzibę loża masońska. Mówiono, że tutaj wreszcie odbył się ślub Joasi Gryzik, córki służącej, i Hansa Ulryka Schaffgotscha, arystokraty z Saksonii. Joasia Gryzik, nieślubna córka służącej śląskiego bogacza Karola Goduli, w wieku kilkunastu lat została spadkobierczynią ogromnej fortuny.

Karol Godula zdobył majątek dzięki ciężkiej pracy, niezłomnemu charakterowi oraz brawurowej odwadze. Mówiono, że zaczynał od pilnowania hałd w majątku Ballestremów. Szybko jednak awansował na zarządcę. Wtedy też wpadł na pomysł technologii, jak z odpadów po wydobyciu węgla można wytapiać cynk. W tamtych czasach nikt tego nie robił. Udał się więc do swojego chlebodawcy – hrabiego Karola Franciszka von Ballestrema, i podzielił się swoim pomysłem. Tak powstała jedna z pierwszych hut cynku. Hrabia w dowód uznania za pracę

---

[1] Kaiserhof (niem.) – w tłumaczeniu na język polski Cesarski Dwór.

i oddanie wręczył Goduli akt darowizny dwudziestu ośmiu spośród stu dwudziestu ośmiu posiadanych udziałów Huty Cynku „Karol". Potem Godula otwierał kolejne, już własne huty i wydobywał rudy żelaza. Wkrótce stał się ogromnie bogaty. Kupował różne dobra: majątki, pałace, inwestował w kopalnie. Sam wciąż mieszkał w szopie, ponieważ do końca życia pozostał skromnym człowiekiem. Jedynym jego luksusem było posiadanie służącej – właśnie matki Joanny Gryzik. Godula nigdy się nie ożenił, w jego życiu nie było kobiet, gdyż w młodości został brutalnie okaleczony i nie mógł mieć potomków. Joasią zaopiekował się jak ojciec. Wysłał ją do szkół, zadbał o odpowiednie wychowanie i obycie. Zmarł nagle, gdy dziewczyna miała kilkanaście lat. Po otwarciu testamentu okazało się, że to właśnie młoda Gryzikówna jest dziedziczką monstrualnej fortuny. Mogła zamieszkać w każdym zakątku świata, ale wybrała właśnie Kaiserhof.

Ten budynek miał jednak także złą sławę. W jednym z pokoi Cesarskiego Dworu znaleziono zwłoki kuzyna Franza Wincklera, założyciela miasta. Nigdy nie dowiedziono, czy popełnił samobójstwo, czy ktoś pomógł mu przedostać się na tamtą stronę za pomocą rewolweru.

Weronika znała te i wiele innych historii także od ojca, rodowitego katowiczanina. W przeciwieństwie do większości mieszkańców tego miasta – dzisiaj tygla narodowości i pochodzenia – identyfikowała się z Górnym Śląskiem, choć nigdy nie rozmawiała gwarą i niewiele z niej rozumiała. Matka zmuszała ją do mówienia po polsku bądź niemiecku. Chciała w ten sposób uchronić córkę przed etykietką prymitywnej Ślązaczki. Dopiero kiedy Weronika weszła w dorosłość, zaczęła doceniać swoje pochodzenie.

Patrzyła teraz na Kaiserhof – kamienicę, którą dwa lata temu kupiła seksuolog Elwira Poniatowska-Douglas, a gdzie w jednym z lokali przedwczoraj znaleziono zwłoki śmieciowego barona.

– Tato... – wyszeptała. – Omal nie zapłaciłeś za to śledztwo życiem.

Zeszła z estakady i usiadła na brzegu nieczynnej fontanny z żabą. Przed sobą miała Kaiserhof. Zamknęła oczy i zobaczyła twarz ojca. Kiedy intensywnie myślał, marszczył czoło. Z biegiem lat lwia bruzda pogłębiała się, aż wreszcie stała się częścią jego twarzy. Często wracał z pracy przybity. Dziś już rozumie dlaczego. Jako mała dziewczynka nie mogła w pełni pojąć ciężaru, jaki dźwigał policjant wydziału zabójstw w tamtych czasach, choć nieźle im się powodziło. Pierwsi w okolicy mieli samochód – syrenkę, którą ojciec wciąż naprawiał. Uważała rodziców za kochającą się parę. Ojciec wprawdzie popijał – tak odreagowywał stres w pracy, nigdy jednak nie podniósł na matkę ręki. Ta zresztą znosiła jego nałóg cierpliwie i ukrywała go przed światem.

Zamek z kart runął, kiedy Weronika natrafiła na list podpisany imieniem Agnieszka. Z jego treści nawet czternastoletnia dziewczynka mogła się zorientować, że to list od kochanki. Była porażona. Kobieta pisała do ojca, jakby byli ze sobą od dawna, jakby ich nielegalny związek trwał już bardzo długo. Weronika pokazała list matce. Ta w ogóle się nie zdziwiła. Wzruszyła ramionami: „Tacy są właśnie mężczyźni, córeczko". Całe wyobrażenie o miłości rodziców okazało się fikcją. Co gorsza, matka zaczęła wykorzystywać Werkę do śledzenia ojca i jego kochanki. W ten sposób dziewczyna dowiedziała się, kim jest owa Agnieszka. Że ma syna mniej więcej w jej wieku.

Werka nagle dostrzegła sytuacje, których wcześniej nie widziała: kłótnie rodziców, błagania matki, by nie odchodził, by poczekał, aż Werka skończy szkołę. Ojciec ulegał namowom, ale pił coraz więcej. Im Weronika była starsza, tym wyraźniej zauważała to, co dzieje się w trójkącie: matka, ojciec i jego kochanka. Wiedziała też, że ojciec z Agnieszką założyli warsztat samochodowy, a wkrótce ojciec dostał ultimatum: albo odejdzie od żony i zamieszka z nią, albo Agnieszka przejmuje interes. Była pewna, że wygra – okazało się bowiem, że kochanka zdołała uwikłać go w jakąś aferę samochodową. Ojciec szybko dokonał wyboru.

Zostały z matką same. Na Śląsku źle jest jednak widziane, gdy kobieta nie ma męża. Potrzebuje chłopa, by na nią zarabiał i dawał jej poczucie bezpieczeństwa, choćby złudnego. Przez dom Weroniki i jej matki zaczęli się więc przewijać przeróżni absztyfikanci. Weronika zza ściany swojego pokoju słyszała ich do późnych godzin. Bywało, że matka opowiadała mężczyznom, że to nie jest jej córka, ale siostra. Czasem, by wydać się młodsza, kłamała, że jej córka ma kilka lat, i nie pozwalała jej opuszczać pokoju, by nie wydało się, jaka jest prawda.

Wreszcie Weronika złapała się na tym, że przepełnia ją nie żal czy złość, lecz nienawiść do rodzicielki. Któregoś dnia do szkoły Weroniki przyszedł ojciec. Zwolnił ją z zajęć i pojechali do wesołego miasteczka w Chorzowie. Dziś już nie pamięta, o czym rozmawiali – ojciec nie był zbyt wylewny i nie potrafił okazywać emocji. Pamięta jednak, że za coś przepraszał. A kiedy ją przytulił, drżał na całym ciele. Szeptał jej coś do ucha, choć nie rozumiała sensu jego słów. Czuła, że stało się coś bardzo złego. Do domu pojechali samochodem. Potem jeszcze kilka razy się to powtórzyło. Czasem ojciec musiał najpierw jechać coś załatwić służbowo. Wtedy córka czekała na niego w aucie.

Weronika nigdy nie opowiadała o tym matce. Zresztą ta tak zaangażowała się w poszukiwanie nowego męża, że nieobecność córki była jej na rękę. Dziewczyna uwielbiała te wypady z ojcem. Cieszyła się chwilą i na moment zapominała o swoich przeczuciach. Tymczasem on tworzył alternatywne światy: świat córki, kochanki, byłej żony, pracy i tak dalej. Światy się nie zazębiały, nie uzupełniały. W każdym z nich ojciec funkcjonował poprawnie, lecz gdy tylko w jednym pojawiały się jakieś problemy do rozwiązania – uciekał w inny. Kiedy zmęczyła go kochanka, przyjeżdżał do byłej żony, ale ukrywał przed nią fakty z życia swojej drugiej rodziny. Werkę zabierał na wycieczki i starał się, by chwile z nim spędzone były wielkim świętem z fajerwerkami. To wszystko robił ze strachu, by nie musieć rozwiązywać nawarstwiających się problemów.

Ale realny świat, całe jego życie emocjonalne było zabałaganione i Rudi już nie liczył, że uda mu się to kiedykolwiek uporządkować. Był mistrzem tworzenia mikroświatów, do których ludzie z zewnątrz nie mieli dostępu. Właśnie z tego powodu stracił zaufanie najukochańszej córki. Weronika o jego ślubie z Agnieszką dowiedziała się od sąsiadów. A tego, że będzie miała przyrodnie rodzeństwo, domyśliła się sama – widząc niemowlęce zabawki w bagażniku auta ojca. Była porażona. Poczuła się zdradzona i zraniona. Ojciec złamał jej serce. Nie rozumiała, dlaczego nie powiedział jej o tym osobiście. Zajmował się tak trudnymi sprawami w policji, przesłuchiwał, ścigał i zatrzymywał bandytów. A nie miał odwagi, by jej powiedzieć prawdę. Zinterpretowała to jednoznacznie – że jej nie kocha. Nie mogła mu wybaczyć takiej zdrady. Poczuła się zupełnie samotna, zwłaszcza że matka znalazła sobie właściwego mężczyznę. Marek był potulny i oddany. Za wszelką cenę starał się wkupić w łaski pasierbicy, przynosząc jej prezenty i pozwalając na wszystko. Weronika nie mogła się jednak pogodzić z tym, że ten obcy człowiek zamierza zająć miejsce ojca. Robiła mu na złość, buntowała się, wagarowała, uciekała z domu. Ostrzygła włosy na zapałkę i związała się ze środowiskiem punków. Matka bardzo się niepokoiła stanem psychicznym córki. Zwłaszcza że dziewczyna kilkakrotnie brała udział w ulicznej awanturze. Była wtedy pod wpływem alkoholu. Miała dopiero szesnaście lat.

Matka uznała, że sobie z Werką nie poradzi. Szkolny psycholog sugerował, by zmienić dziewczynie środowisko, więc trafiła na wychowanie do babci w Nikiszowcu. To początkowo dawało mierny skutek. Weronika stała się jedynie sprytniejsza i manipulowała babcią nader umiejętnie. Uspokoiła się dopiero po roku, kiedy babcia Antonina trafiła do szpitala. Siedemnastoletnia Werka zrozumiała, że może ją stracić, i dojrzała w ciągu kilku tygodni. Zaopiekowała się staruszką. Odsunęła się od towarzystwa anarchistów i zaczęła nadrabiać zaległości w szkole. Zaliczyła także przedmioty, z których wściekli nauczyciele nie zamierzali przepuścić jej do następnej klasy. Nosiła tylko czarne stroje. Stała się szkolnym outsiderem i bez ogródek wyrażała swoją opinię na temat jakości prowadzonych zajęć. Nie uczestniczyła w życiu klasy, a jednak bardzo szybko pojawiły się w jej otoczeniu osoby, które wybrały ją na lidera.

Wypowiedziała wojnę matce i jej nowemu partnerowi. Z ojcem wciąż się spotykała, choć nie była w stanie mu zaufać – brała jednak od niego pieniądze, którymi próbował odkupić swoje winy. Nie potrafiła już jednak otworzyć przed nim serca. Kiedy zaproponował, żeby przeprowadziła się do niego i jego nowej rodziny, zareagowała szyderczym śmiechem.

– Mam być kopciuchem w twoim nowym domu? Nigdy, choćbym miała umrzeć – rzuciła mu w twarz.

Po kolejnym roku zawiesiła jednak broń i uznała zarówno macochę, jak i ojczyma. Zgodziła się wprowadzić do ojca i wydawało się, że polubiła Agnieszkę, jej syna oraz trzyletnią siostrzyczkę Jolę. To były jednak tylko pozory. Weronika po prostu przystosowała się do sytuacji. Spędzała więcej czasu z nimi niż z ojcem, bo ten głównie przesiadywał w pracy, a potem w barze z kolegami spod ciemnej gwiazdy. Zdarzało się, że wracał do domu kompletnie pijany. Bełkotał coś o sprawach, przy których pracował, rozklejał się. Koledzy z pracy uważali go za twardziela, a on w zaciszu domowym pozwalał sobie na kompletne rozbicie, które macocha próbowała koić ze wszystkich sił. Niestety, z czasem ojciec stał się agresywny – nie wobec niej czy rodziny, lecz w stosunku do siebie. To było najstraszniejsze. Ani Weronika, ani rodzeństwo, ani Agnieszka nie rozumieli, dlaczego zadaje sobie ból, wbijając kawałki stłuczonej szklanki w przegub. Były noce, kiedy ojciec i macocha – sądząc, że Weronika śpi – rozmawiali o sprawach, które prowadził. Ojciec mówił o strasznych zbrodniach, o ofiarach, które zginęły niewinnie, bezsensownie. Nie dało się nie słuchać tych rozmów. Czasem ojciec kończył opowieść hałaśliwym płaczem i macocha go pocieszała. Dziś Weronika rozumie, że w małżeństwie jej rodziców od dawna musiało być coś nie tak i pojawienie się w życiu ojca innej, kochającej go kobiety okazało się dla niego błogosławieństwem. To podczas takich wieczorów podsłuchała trochę szczegółów sprawy zabójstwa Ottona Troplowitza.

Była to naprawdę głośna zbrodnia. Nic dziwnego, że zadziałała na jej wyobraźnię. Po pierwsze, okoliczności śmierci bardzo bogatego dentysty i producenta sztucznych szczęk były makabryczne. Po drugie, mówiło się, że zabójcy zrabowali z jego domu rekordowy łup. Po trzecie, to jej ojciec prowadził dochodzenie. I nawet kiedy sprawę zamknięto, on ciągnął prywatne śledztwo. Bo tylko jeden ze sprawców został osądzony, drugiemu udało się zniknąć. Ojciec postanowił go znaleźć.

Ta sprawa, choć była jedną z setek, nad którymi pracował, zapadła w pamięć Weroniki jeszcze z innego powodu. Przez nią ojciec omal nie stracił życia. Kiedy Rudi szukał nowych tropów, w bramie jednego z domów w Załężu, dzielnicy Katowic o złej sławie, zaatakował go nożownik. Zadał trzy ciosy: w gardło, płuca i serce. Prawdopodobnie policjant wykrwawiłby się na śmierć, gdyby ktoś na czas nie zawiadomił pogotowia. Potem w Katowicach aż huczało od obelg, że funkcjonariusz działał na własną rękę, na dodatek tak pijany, że nie miał sił obronić się przed napastnikiem. Choć na nogi postawiono wszystkich katowickich policjantów, nie znaleziono sprawców tego ataku. Ojciec wkrótce odszedł z policji. Werka nie wiedziała, czy wskutek nacisków, czy nałogu. Twierdził, że ma dość zbrodni i że zamierza poświęcić się prowadzeniu z Agnieszką warsztatu samochodowego. Ale bez pracy, którą naprawdę kochał, pił jeszcze więcej i w domu atmosfera stawała się coraz gorsza.

Kiedy Werka pytała ojca o tę sprawę, nie uzyskiwała odpowiedzi. Jakby próbował ją chronić. Nie wiedziała jednak, czy przed sprawą, czy przed zawodem, który wybrała. Chciała wstąpić do policji, tak jak on. I choć ojciec nigdy niczego jej nie zabraniał, teraz mówił nie. To był jedyny sprzeciw, na jaki się wobec niej zdobył otwarcie. Bał się panicznie, że Werka jednak dopnie swego. Widział, że jest tak samo uparta jak on i nikt nie odwiedzie jej od raz powziętej decyzji. Próbował tłumaczyć, że kobieta nie powinna się interesować przestępczością. Wciąż powtarzał, żeby lepiej znalazła sobie jakiegoś porządnego chłopca i urodziła mu dzieci. Nie mówił, jak wielkie piętno wywarła na jego życiu ta praca – to widziała ona sama. Po długich bojach poszli wreszcie na kompromis. Werka zobowiązała się, że najpierw skończy „normalne" studia, a potem zdecyduje, czy chce pracować w policji. Ojciec obiecał, że wtedy już nie będzie się sprzeciwiał. Wybór kierunku studiów był oczywisty – prawo.

Była na pierwszym roku, kiedy zmarł. Na zapalenie płuc, choć leżał wtedy w szpitalu, bo zdiagnozowano u niego nowotwór żołądka. W styczniowe popołudnie wymknął się z oddziału, opuścił budynek i poszedł do pobliskiego sklepiku z pirackimi kasetami, by kupić Bee Geesów. Wyszedł w kapciach i piżamie, na którą narzucił szlafrok frotté, choć mróz sięgał dwudziestu stopni Celsjusza. Te wagary trwały może pół godziny, lecz jego stan pogorszył się jeszcze tego samego popołudnia, a lekarze wkrótce orzekli zapalenie płuc. Osłabiony organizm nie był w stanie zwalczyć choroby.

Ojciec słuchał tej kasety non stop, aż do śmierci. Weronika nigdy nie zapomni sceny, kiedy odwiedziła go w niedzielne popołudnie, a on w kreszowym dresie kiwał się na krześle w rytm ulubionej melodii. Do dziś, kiedy słyszy tę piosenkę, łzy cisną się jej do oczu. Zmarł dwa tygodnie po szalonej ucieczce ze szpitala. Lekarze nie mogli nic zrobić. Zmarł na szpitalnym łóżku, zupełnie sam, a nie – jak pragnął – w domu, wśród bliskich. Jego druga żona – Agnieszka, nie chciała nawet słyszeć o tym, by zabrać go ze szpitala.

– Tu się tobą zaopiekują lepiej – tłumaczyła głosem nieznoszącym sprzeciwu, jakby chciała się go jak najszybciej pozbyć. Zresztą pod koniec odwiedzała go coraz rzadziej. Jeszcze żył, a ona już wystawiła na sprzedaż ich wspólne mieszkanie. Potem zaś odgrywała rolę zbolałej wdowy. Werka szczerze jej nienawidziła. Ale matka wcale nie była lepsza – zaraz po śmierci ojca wyjechała z Markiem na Dolny Śląsk, skąd przysyłała córce drobne pieniądze i niemodne ubrania, i pisała listy, które Weronika wyrzucała bez czytania. Kiedy dziewczyna kończyła studia na Uniwersytecie Śląskim w Katowicach, wiedziała, że musi być dobrym prawnikiem, bo nie ma już w nikim oparcia. Musi sama zarobić na swoje utrzymanie.

Teraz siedziała naprzeciw kamienicy Kaiserhof, o której w dzieciństwie słyszała tyle historii. Nie mogła się nadziwić, że los zatoczył takie koło. Żałowała, że nie może pójść do ojca i wypytać o wszystkie szczegóły sprawy zabójstwa Ottona Troplowitza. Wiele pamiętała, ale nie była pewna, czy pamięć nie płata jej figla – czy nie wyolbrzymia, jak dziecko, mało istotnych, lecz działających na wyobraźnię szczegółów. Teraz miałaby do ojca masę pytań, jak do śledczego. Niestety, nie dożył czasu, kiedy skończyła aplikację prokuratorską. Stary glina mimo wszystko byłby dumny z jej wyboru. Prychałby, że powinna zająć się czymś przyjemniejszym, ale na koniec dodałby z uśmiechem, za który dałaby się pokroić, że jest uparta jak osioł. Ona odpowiedziałaby mu wtedy, jak zawsze mówiła do niej babka Antonina, kiedy kapitulowała w dyskusji z nią, bo ani syna, ani wnuczki nic dało się do niczego przekonać, jeśli uważali, ze mają rację: „wykapany tatuś".

Tcn natłok wspomnień przerwał sygnał przejeżdżającej karetki. Weronika potrzebowała kilku sekund, by wrócić do rzeczywistości. Patrzyła na Kaiserhof, w którym znaleziono ciało Johanna Schmidta, i zastanawiała się, jak można wpaść na tak kuriozalny pomysł, by porównać ten dom do Trójkąta Bermudzkiego, co na łamach poczytnego dziennika zrobił mag Amarytus. Choć z drugiej strony, trudno odmówić temu szaleńcowi pewnej racji. Wzięła do ręki gazetę i spojrzała na infografikę wykonaną według słów jasnowidza, który uważał, że w domu lekarki krzyżują się złe moce. Te niby magiczne prądy pochodziły ponoć z pobliskich obiektów, które jasnowidz uważał za kluczowe: dworzec, spalony przez Sowietów rynek i ukryta pod ulicą rzeka, która, choć niewidoczna, wibrowała energią. Zdaniem jasnowidza połączenie na mapie tych trzech miejsc tworzy trójkąt. Jeśli zaś z każdego z rogów trójkąta poprowadzimy linie prostopadłe, otrzymamy punkt centralny figury geometrycznej. Kamienica przy Stawowej 13 znajdowała się w samym jego centrum. Oczywiście Rudy nie wierzyła w te bzdury. Jeszcze nie postradała zmysłów. Zgniotła gazetę i wrzuciła ją do najbliższego kosza.

Spojrzała na dom, który Elwira Poniatowska-Douglas wraz z mężem zamierzali wyremontować i zarobić na tym spore pieniądze. Nie mogła podważyć dwóch faktów. To właśnie w tej kamienicy siedemnaście lat temu dokonano zbrodni na Ottonie Troplowitzu, a przedwczoraj Weronika była na oględzinach miejsca zwłok Johanna Schmidta. Przypadek? Fatum?

Rudy zamierzała wejść do kamienicy i się rozejrzeć. W gruncie rzeczy sama jednak nie wiedziała, czego szuka. Spojrzała na zegarek – dochodziła ósma. Chciała jeszcze zjeść śniadanie, a za godzinę była umówiona w komendzie na odprawę u podinspektora Szerszenia. Dziś miała jechać z Meyerem do Raciborza, by przesłuchać zabójcę Ottona Troplowitza. Wahała się chwilę, ale w końcu odwróciła się na pięcie i ruszyła do auta.

* * *

Czerwona limuzyna – kultowe mitsubishi diamante – z piskiem opon ruszyła ze świateł na ulicy Górnośląskiej. Na małym rondzie niefrasobliwie zajechała drogę kanarkowemu fiatowi punto, którego kierowca zaprotestował przeciwko tak jawnemu łamaniu przepisów głośnym klaksonem. Mitsubishi gwałtownie przyhamowało, a kanarkowy wóz tylko cudem nie wbił mu się w zderzak. Mężczyzna z punto wychylił się z okna.

– Ty głupia dziwko! – krzyknął.

Kobieta za kierownicą limuzyny zatrzymała się. Spojrzała w lewe boczne lusterko, po czym zaczęła złośliwie cofać. Kierowca punto nie miał innego wyjścia i natychmiast zrobił to samo. Niezbyt udanie. Fiacik wjechał tyłem na trawnik, z rumorem zgniatając sobie tylny zderzak. Zanim mężczyzna zdążył wysiąść i wszcząć awanturę, mitsubishi z piskiem opon ruszyło i natychmiast skręciło do komendy. Strażnik podniósł szlaban, a diamante bezpiecznie potoczyło się na parking. Mężczyzna z punto stał jeszcze chwilę skonsternowany, obejrzał dokładnie zderzak i pogroził kobiecie zaciśniętą pięścią. To jedyne, na co się zdobył. Widać postanowił odpuścić. Nie wiedział przecież, kim ona jest. Zerknął raz jeszcze na budynek komendy, machnął ręką zrezygnowany, wsiadł do auta i odjechał Górnośląską. Hubert Meyer w oczekiwaniu na Weronikę palił papierosa i krążył po parkingu. Doskonale widział całe zajście. Od razu domyślił się, kto siedzi za kierownicą czerwonego wozu, zanim prokuratorka z niego wysiadła.

Weronika Rudy wyglądała dziś o niebo lepiej niż za pierwszym razem, kiedy się widzieli. Miała na sobie bluzkę z dekoltem. Rozpuszczone włosy w odcieniu złota okalały jej twarz.

– Dzień dobry, nadkomisarzu. – Rozciągnęła usta w szczerym uśmiechu, odsłaniając białe równe zęby z przerwą między jedynkami.

W świetle poranka wyglądała jak anioł w aureoli. Gdyby Hubert nie widział, co przed chwilą wyprawiała na drodze, nigdy nie podejrzewałby jej o taką złośliwość.

– Komu dobry, temu dobry – mruknął. – Dla tego faceta chyba nie najlepszy. – Wskazał rondo, na którym rozegrał się popis drogowej wściekłości prokuratorki.

– Sam sobie zasłużył – prychnęła i ruszyła do wejścia. Przed drzwiami jednak obróciła się i zapytała: – Idzie pan czy dalej będzie się bawił w cerbera drogówki?

Meyer z trudem powstrzymał się przed jakimś złośliwym komentarzem. Zgniótł w popielniczce papierosa i ruszył za Rudy. W windzie Weronika zaczęła gorączkowo szukać czegoś w torebce. Po chwili miała już na nosie swoje szylkretowe okulary.

– Mamy dziś razem pracować. Może spróbujemy zawiesić broń – zaproponowała łagodniejszym tonem.

– Ja jej nie wyciągałem – odburknął Meyer. – To panią przepełnia jakaś agresja.

– Cóż, trudno. Próbowałam... – odrzekła i całą drogę wpatrywała się w sufit.

Hubert pożałował swojego zachowania. Wysiedli. Podinspektor Szerszeń maszerował właśnie korytarzem. W jednym ręku trzymał szklankę z parującą kawą, w drugim karton mleka i dwa puste kubki.

– Proszę, proszę... Jaka z was piękna para! – obwieścił na cały głos, widząc ich zacięte twarze. – Co, znowu się droczycie? Ale kto się czubi, ten się lubi... – Uśmiechnął się znacząco.

– Daj, bo rozlejesz. – Weronika ze złością wyjęła mu z ręki szklankę z wrzątkiem i przyśpieszyła kroku, by ich wyprzedzić.

Meyer i Szerszeń szli za nią. Podinspektor, korzystając z wolnej ręki, wskazał na sylwetkę prokuratorki i bezgłośnie cmoknął w powietrzu. Meyer z uśmiechem przyglądał się, jak niczego nieświadoma Rudy porusza biodrami.

Zaraz po wejściu do gabinetu profiler streścił Szerszeniowi i Rudy, czego dowiedział się od Boreckiej.

– No, mistrzu – zagwizdał zadowolony podinspektor. – Nie ma to jak wiedza psychologiczna i urok osobisty. Widzę, że udało ci się kompletnie omotać tę kasę fiskalną. A już myślałem, że zmarnujesz u Boreckiej cały dzień. No, ale wreszcie mamy coś ponad przypuszczenia. I do tego kompletny życiorys śmieciowego barona od dwa tysiące drugiego roku. Szacuneczek.

– Jednego tylko nie rozumiem – zastanawiała się na głos prokuratorka. – Dlaczego nic nie wiadomo o Schmidcie z czasu jego pobytu w kraju. Wychodzi na to, że jest Polakiem, a nawet urodził się gdzieś tu, na Śląsku. Przecież nie można mieć takiej dziury w życiorysie.

– Ty, Wenerko, zawsze jesteś pesymistką – roześmiał się podinspektor. – A znasz takie przysłowie: kto szuka, ten znajdzie? Bo ja właśnie taki mam plan.

– Nie mów tak do mnie, prosiłam cię tyle razy – jęknęła Weronika, ale Szerszeń zupełnie to zignorował.

– Skąd takie przezwisko? – zwrócił się do niego Meyer z kpiącym uśmieszkiem.

– I ty się pytasz? – Szerszeń się rozpromienił. – Jeszcze się nie zorientowałeś? Prokurator Rudy to przecież największa hetera w śląskiej prokuraturze. Z połączenia początku jej imienia Weronika z końcówką tego pieszczotliwego epitetu powstało jej przezwisko – Wenera. Nie wiem, kto je wymyślił. Na pewno nie ja. – Uderzył się w pierś.

– Chyba przyznasz, że jest nie tylko najbardziej złośliwa, ale też najładniejsza w prokuraturze... – Profiler się uśmiechnął.

– Fakt, to najładniejsza Wenera, jaką znam – dokończył Szerszeń. I nie przejmując się obecnością prokuratorki, obaj zarechotali na cały głos.

Rudy aż poczerwieniała ze złości.

– Przypominam, że wciąż tu jestem – odezwała się, kiedy mężczyźni trochę się uspokoili. – A ty, Waldek, zamiast mnie obrażać, powiedz lepiej, co z tym Raciborzem. Po co właściwie mamy tam jechać? – odcięła się.

Szerszeń rozparł się na krześle, upił łyk kawy i otarł wąsy.

– Mówiłem już wczoraj. Jedziecie przesłuchać zabójcę Ottona Troplowitza: Alojza Poloczka, syna Leona – podkreślił z naciskiem.

– No tak. Ale po co? – spytał Meyer. – Ty też wierzysz w te brednie? Klątwa kamienicy? Fatum? Od kiedy to jesteś przesądny?...

– Fatum, przeznaczenie, dom, w którym spełnia się mroczna przepowiednia... Zostaw to twórcom thrillerów i dziennikarzom. Niech oni karmią się takimi bzdurami.

Szerszeń lekceważąco rzucił na stół dzisiejszy tabloid, w którym tematowi mrocznej przeszłości kamienicy przy Stawowej poświęcono pierwszą stronę i dwie rozkładówki w środku. Większość danych o Kaiserhofie była nieprawdziwa. Podinspektor czytał na głos, a Meyer i Rudy z niedowierzaniem kręcili głowami. Widać było, że autor tekstu, nie mając konkretnej wiedzy na temat zabójstwa Schmidta, ratuje się doniesieniami wymyślonych sąsiadów i kolejnymi rewelacjami wróża Amarytusa. Duża część dotyczyła sprawy zabójstwa dentysty sprzed lat.

– Dzięki tym bzdurom sprzeda się cały nakład – mruknęła prokuratorka i dodała zniecierpliwiona: – Waldek, streszczaj się. Powinniśmy za pół godziny wyjechać, jeśli mamy zdążyć na dwunastą. A ja wciąż nie rozumiem, po co my tam... Chyba że nadkomisarz... – Wskazała na Meyera, lecz ten pokręcił głową.

– Pani prokurator, pan nadkomisarz... – Szerszeń wykrzywił twarz i przedrzeźniał Weronikę, aż cały się zapluł. – Może już przestaniecie tak się tytułować?

Spojrzeli na niego, jakby spadł z księżyca.

– Waldek, nie ma czasu na żarty. Mów wreszcie! – Werka wzniosła oczy do sufitu i postukała palcem w zegarek.

– Aha, racja, czas... Ustalmy plan gry. Po kolei – zarządził wreszcie Szerszeń i zaczął opowiadać o zbrodni na dentyście. – To była dość głośna sprawa. Pamiętam ją, choć nie pracowałem przy niej. Robił ją twój ojciec, Wero, i jego partner – Zefek Stopka. Danych nie ma wiele. Rudi już nie żyje, Zefek się rozpił i od denaturatu mieszają mu się śledztwa. Chyba widzi już białe myszki i inne węże. Gadałem za to z Józkiem, wiecie, starym technikiem, teraz już na emeryturze. No i... mam tu akta podręczne. – Rzucił na stół pożółkłą teczkę i zawiesił głos, czekając na aplauz Meyera i Rudy, lecz ci wyrazili swój szacunek milczeniem. – Niełatwo było je wydobyć – podkreślił więc podinspektor i ciągnął relację. – Otton Troplowitz był dentystą i protetykiem. Wtedy to był złoty fach. A Troplowitz, jak na Żyda przystało, wyczuwał pieniądze na odległość. Produkował sztuczne szczęki najlepiej w całym mieście i inkasował spore kwoty. Nikt nie wiedział, po co gromadzi ten majątek, bo Otton był samotnikiem, nie miał dzieci ani nawet kochanki. Mówiono, że lubił zapach waluty.

Mieszkał, jak wiecie, w Kaiserhofie, na przedostatnim piętrze. To najlepszy lokal w tej kamienicy. Narożny, z widokiem na obie ulice i balkonem. Bajka... Nic dziwnego, że Poniatowska właśnie tam zrobiła sobie gabinecik.

– Ładny mi gabinecik – mruknął Meyer. – Też chciałbym taki. Powierzchnia całego mojego domu włącznie z garażem jest mniejsza od tego mieszkania...

– Gybis był ostrożny aż nadto. – Podinspektor zignorował Meyera i mówił dalej. – Nikogo nie wpuszczał, z nikim się nie spotykał. Wszędzie ze sobą nosił skórzaną walizkę. Skonstruował specjalny zamek z szyfrem, którym przytwierdzał ją do ręki. O tej walizce krążyły legendy. Że są tam dolary, marki i kosztowności. Kilka razy chcieli mu ją ukraść, ale bezskutecznie. Musieliby odciąć mu rękę w przedramieniu. Tak naprawdę walizka z gotówką była jednak słabym łupem w porównaniu z tym, co Troplowitz miał w żeliwnym sejfie. To dlatego nie wpuszczał obcych do mieszkania. Doskonale wiedział, że pieniądze mogą stracić na wartości, i kupował złoto. Potem zaś zaczął inwestować w kościelne cacka – relikwiarze z kością Pana Boga czy innego świętego. Znali go wszyscy paserzy w mieście. Miał też hopla na punkcie numizmatyki. Zbierał monety.

– Wiemy jakie? – zainteresował się Hubert.

– Jak to jakie? – Szerszeń się obruszył. – Stare.

– Coś więcej?

– Tylko tyle, że miał naprawdę okazałą kolekcję. To przez swoje bogactwo zginął. I przez to, że tak się z nim obnosił. Zabójstwa dokonano na tle rabunkowym. Poloczek jednak poszedł nie po walizkę, ale po to, co było w sejfie. Liczył na złoty skok. I się nie pomylił. Rodzina oszacowała straty na dziewięć miliardów osiemset milionów starych złotych, czyli dziewięćset osiemdziesiąt tysięcy na nowe. Prawie bańka. Ale nie wiemy, czy to prawda, bo pieniądze i kosztowności zniknęły. Nigdy ich nic odnaleziono.

– Jak to zniknęły? – zdziwiła się prokuratorka. – Wyparowały?

– No właśnie. – Szerszeń pokiwał głową. – Zniknęły jak pierdolona kamfora. Zabójca Gybisa, do którego dziś pojedziecie, twierdzi, że wspólnik go przekręcił i pozbawił całego łupu. Na odczepnego dostał kilka małowartościowych monet, trochę gotówki, którą przepuścił, i puzderko z jakimś zielonym wisiorkiem. Zapewnia, że te naprawdę cenne precjoza widział tylko przez kilka minut. Kompan po zbrodni uchylił wieczko torby z fantami.

– Może kłamie, a pieniądze gdzieś ukrył? – rzucił Meyer.

Szerszeń wzruszył ramionami.

– Kto dziś dojdzie, jak było? Ale chyba mówi prawdę. Nie miał nawet na adwokata. Bronił go jakiś łachudra z urzędu. W pierdlu nawet papierosów mu brakowało. Chyba faktycznie wyszedł na tym jak Zabłocki na mydle.

– Ale przecież widział, co kradnie?

– Tak, są zeznania. Tutaj masz wszystko. Miała tam być biżuteria, pieniądze, relikwiarz z szesnastego wieku i trochę starych monet. Ruskie, amerykańskie i niemieckie – tych było najwięcej. No i gotówka. Potem sobie przeczytacie.

– Jak wyglądało to zabójstwo? – zapytała Weronika.

– Poloczek wiedział, że w sylwestrową noc z tysiąc dziewięćset dziewięćdziesiątego na dziewięćdziesiąty pierwszy Otton będzie w domu sam. Wszedł na „legendę" – udawał gazownika. Był w kombinezonie i czapce, ze skórzaną torbą na narzędzia. Otton wpuścił go, wierząc, że w kamienicy ulatnia się gaz i należy natychmiast naprawić instalację. Klasyka. Poloczek zamiast narzędzi miał w torbie ładunki wybuchowe, sznurek i taśmę klejącą.

– A narzędzie zbrodni? – zainteresował się Meyer.

– Nie potrzebował. Wiedział, że facet ma astmę i jak go zaknebluje, sam zejdzie. Tak się stało.

– Potwór – mruknęła prokuratorka.

– Od początku wkalkulował zbrodnię w ten napad, bo nie zasłonił twarzy – przyznał Szerszeń. – Od razu po wejściu skrępował Troplowitza i ulokował w małym pokoiku gospodyni, której nie było: spędzała ten wieczór z rodziną. Poczekał do północy i dokładnie wtedy, kiedy całe miasto huczało od sylwestrowych wystrzałów, wywalił jego sejf. Zabrał wszystko, co tam było, opróżnił słynną walizeczkę i zwiał. Troplowitz udusił się, zanim sprawcy opuścili mieszkanie.

– Ale przecież Poloczek już został skazany. Siedzi. Jaka historia jest tu do odkrycia?

– Masz rację tylko połowicznie – odparł Szerszeń niewzruszony. – Poloczka złapali po dwóch tygodniach. Paser go wystawił, kiedy próbował opchnąć te ruskie monety. Zaraz jak pojawiły się w obiegu, Rudi, twój ojciec, miał cynk. Potem to było proste. Sąsiadka go rozpoznała. Zostawił palucha pod parapetem. Analiza porównawcza go potwierdziła. Były też inne ślady, które dopiero teraz mogę zbadać: niedopałki, włosy, krew. Skaleczył się, kiedy krępował Troplowitza. Siedemnaście lat temu nie robiono badań DNA. Dalej, wiadomo: proces, druga instancja i ciupa. Ale... – podinspektor zawiesił głos.

Meyer i Rudy zamarli w oczekiwaniu. Szerszeń dopiero po krótkiej chwili kontynuował:

– Przy pierwszym przesłuchaniu Poloczek powiedział, że nie był sam. Zrzucił całą winę na wspólnika, niejakiego Zygmunta Królikowskiego, ksywa Król. Był młodszy od Poloczka o siedem lat. Drobny włamywacz, wychowanek domu dziecka w Rudzie Śląskiej. Według Poloczka to dwudziestodziewięcioletni Król był mózgiem i to on zaplanował napad, a potem oszukał go i zwiał z łupem. Faktycznie, ślad po Zygmuncie Królikowskim

198

zaginął. Kobieta, od której wynajmował pokój, zeznała, że widziała go ostatni raz w sylwestrowe popołudnie. Nie płacił jej czynszu od miesięcy. Zanim zawiadomiła policję, przeszukała jego rzeczy i omal nie zemdlała. W puszce po zagranicznej wódce Królikowski trzymał gotówkę. Musiał ją długo odkładać, bo kobieta znalazła tam czterdzieści cztery miliony dziewięćset dwadzieścia osiem tysięcy siedemset złotych. – Szerszeń odczytał tę kwotę ze starej notatki służbowej z akt podręcznych policji. Potem wziął kartkę, zapisał cyfry i oddzielił przecinkiem cztery ostatnie. – Cztery i pół tysiąca złotych. A wtedy średnie roczne zarobki w Polsce kształtowały się w granicach trzech i pół tysiąca. Królikowski trzymał więc w swoim pokoju kupę forsy. Nigdy po nią nie wrócił.

W pokoju zapadła cisza.

– Łup z mieszkania Troplowitza musiał być zdecydowanie większy, skoro facet nie wrócił po takie pieniądze – zastanowił się Meyer na głos. – Jeśli oczywiście założymy, że wersja Poloczka jest prawdą.

– Ponoć robiono na Królikowskiego różne zasadzki. Obserwowano mieszkanie, znajomych. Nikt nigdy go więcej nie widział. Jakby się zapadł pod ziemię – dodał Szerszeń.

– To właśnie jego szukał mój ojciec? – Weronika była blada jak ściana.

– Tak – odparł Szerszeń. – Chodziło o Króla.

– Dlaczego nikt o tym wtedy nie mówił? – pytała dalej prokuratorka. – Dlaczego mówiono tylko o jednym zabójcy?

– Bo chcieli szybko zamknąć sprawę, a mieli już sprawcę. Były inne czasy. Palono akta, to było ważne. Nie jakiś Gybis, choćby i bogaty. A zresztą oprócz zeznania Poloczka na Króla nie było zupełnie nic. Sąsiadka widziała tylko jedną uciekającą postać. Kwadrans później jacyś świętujący z okna dostrzegli podejrzanego typa. Kręcił się w kółko, rozglądał na boki, a wreszcie zaczął uciekać. Nie widzieli jego twarzy. Zresztą byli pijani. Ich zeznania nie zostały włączone nawet do akt sądowych. Jeśli jednak Królikowski faktycznie tam był, musiał zachowywać się bardzo ostrożnie. Nie zostawił na miejscu zdarzenia żadnego śladu. Oficjalnie podano więc, że sprawca zabójstwa został złapany, i tyle. Do prasy nie przedostała się ani jedna informacja o drugim sprawcy. To była wiedza operacyjna. Najpierw trzymano ją w tajemnicy, żeby Króla nie spłoszyć, a potem ktoś z góry zdecydował, żeby to przemilczeć i zamknąć sprawę, skoro mają pewniaka, czyli Poloczka. Sąd, skazując Poloczka, stwierdził, że mógł dokonać zbrodni z nieustaloną osobą, lecz równie dobrze można jego zeznaniom nie dać wiary, bo to jego nieudolna linia obrony. I tak to się zakończyło. Po zamknięciu sprawy twój ojciec wpadł na trop Króla. Nie bardzo wiadomo, co to było. Rudi pracował sam, prowadził jakieś zapiski. Ale nie ma ich w aktach. Werka, a może u niego w domu coś znajdziesz?

– Nie sądzę – mruknęła prokuratorka. – Jego żona szybko sprzedała mieszkanie i pozbyła się rzeczy. Jeśli cokolwiek było, trafiło na śmietnik.

– Szkoda. Resztę już pamiętasz. Potem był nożownik, a potem wyrzucili go z policji – dokończył Szerszeń.

– Mocno to przeżył – szepnęła Weronika i poderwała się z krzesła. Dalszej części opowieści słuchała, chodząc w tę i z powrotem po niewielkiej przestrzeni pokoju Szerszenia. Widać było, że jest bardzo zdenerwowana.

– Wiem, ale najgorsze było to, że Rudiemu nikt nie wierzył. Józek mówił, że traktowali jego raporty śledcze jak bajki o żelaznym wilku. Niektórzy nawet uważali, że zbikował i zamiast pracować nad następnymi sprawami, wciąż grzebie przy Gybisie. Dostał na tym tle prawdziwej obsesji. Przykro mi, Wera, ale i ja tak myślałem. Byłem wtedy młody, głupi...

– Mów dalej. – Zmarszczyła brwi i na chwilę zatrzymała się w miejscu. – Wolę znać najgorszą prawdę, niż być oszukiwana – dodała, dumnie podnosząc głowę i zaciskając usta, a Szerszeń pomyślał, że w tej chwili jest bardzo podobna do swojego ojca.

– Ale wiesz... Teraz sobie myślę, że wywalili go z roboty nie za alkohol, tylko za tę sprawę. Za to, że tak się w nią zaangażował. – Podinspektor nabrał powietrza, by ciągnąć wątek Rudiego, kiedy przerwał mu profiler:

– Nadal nie rozumiem, jaki to ma związek ze sprawą Schmidta. Wiem, że to wszystko dla pani prokurator trudne wspomnienia, ale...

– Właśnie! – krzyknął Szerszeń. – I o to właśnie chodzi. Poloczek siedzi już siedemnasty rok. Nabył nawet prawo do zwolnienia warunkowego. W czasie odbywania kary wczasował się na warszawskiej Białołęce, we Wronkach, w Hajnówce, Wierzchowie i wreszcie ostatnie siedem lat w Raciborzu. Rok temu, ze względu na przeludnienie, do Raciborza na oddział dla skazanych trafiali tymczasowo aresztowani. Wtedy do celi Poloczka dokwaterowali koleżkę – niejakiego Mirosława Masajłę, straszną gnidę. Facet twierdził, że ma na sumieniu napad na bank, a tak naprawdę brał udział w gwałcie zbiorowym. To było kolejne jego przestępstwo seksualne. Recydywa oznaczała, że może posiedzieć długie lata. Żeby więc uciąć ze swojej kary kilka wiosen, sprzedał prokuratorowi pewną informację. Usiądź, Werka. – Wskazał prokuratorce krzesło.

Kobieta zatrzymała się, lecz nie usiadła. Meyer zaś wyostrzył słuch i czekał, aż Szerszeń przedstawi im relację gwałciciela.

– Była połowa stycznia tego roku, niedziela. W telewizji nadawano relację z Wielkiej Orkiestry Świątecznej Pomocy. Licytowano najróżniejsze przedmioty: koszulki piłkarzy, pióro prezydenta, samochód i tak dalej. Masajło ponoć patrzył jednym okiem, nie słuchał. Nagle Poloczek zerwał się podobno z pryczy i zaczął strasznie drzeć. Po prostu wpadł w szał. Chciał nawet rozbić telewizor. Wtedy Masajło zainteresował się programem. Twierdzi, że pokazywali stary naszyjnik ze szmaragdami. Podano nazwisko małżeństwa, które wystawiło go na aukcję charytatywną. Gwałciciel je zapamiętał. Brzmiało Schmidt.

– Schmidt? – upewniła się Weronika. – Jak nasz Johann Schmidt?

Szerszeń pokiwał głową:

– Tak. Ponoć po emisji licytacji tego naszyjnika Poloczek był w strasznych nerwach. Wykrzyczał koledze spod celi, że to cacko należało kiedyś do niego. Masajło nie uwierzył w opowieści zabójcy. Sam przecież kłamał, że siedzi za napad na bank. Tego samego wieczoru wyciągnął jednak Poloczka na zwierzenia. Ponoć ten opowiedział mu o zabójstwie starego Troplowitza z Katowic. Kolia z telewizji była jednym z łupów tego skoku. Poloczek skarżył się, że poszedł kiblować za Żyda, bo jego wspólnik go okradł i wydymał.

– O kurwa – zagwizdał Meyer. – To pewne?

– Na ile można wierzyć takiemu gnidzie – zastrzegł się podinspektor.

– Ale co? – Weronika zmarszczyła brwi, wyjęła papierosa i ze złością spojrzała na kartkę na drzwiach podinspektora. Podeszła do okna. Chwilę obserwowała policyjny parking i nagle krzyknęła: – Ach, rozumiem! O Boże!

– Ach... Boże – przedrzeźniał ją Szerszeń. – Załapałaś wreszcie, kobieto?

– To niemożliwe! – Kręciła głową. – Z tego wynika... Ale nie, to jest zupełnie niemożliwe! Nie wierzę w to!

– W co?

– W to, że Zygmunt Królikowski i Johann Schmidt to ta sama osoba.

– A dlaczego nie? – Szerszeń rozłożył ręce.

– Bo wtedy śmieciowy baron byłby mordercą! – podniosła głos Rudy. – Wspólnikiem zabójstwa Troplowitza. Człowiekiem, który uniknął odpowiedzialności. To jakiś absurd. Ten gwałciciel kłamie!

– A skąd to wiesz? – zdenerwował się Szerszeń. – I co tak bronisz tego Schmidta?

– Wybacz, ale dawać wiarę gwałcicielowi w takiej sprawie... – Machnęła ręką. I nagle jakby doznała olśnienia. – A poza tym to nic nie znaczy. Może Schmidt ten naszyjnik kupił w Niemczech z drugiej, trzeciej czy nawet czwartej ręki. Wszystko legalnie. Wystawił go na aukcji i nie ma nic wspólnego z Poloczkiem, Troplowitzem i... moim ojcem. Cała ta historia kupy się nie trzyma.

– Tak? A kiedy Schmidt wyjechał za granicę? – zaatakował Szerszeń.

Weronika się zamyśliła.

– Na początku lat dziewięćdziesiątych?

Szerszeń wyciągnął kartkę ze stosu na biurku i odczytał.

– W grudniu tysiąc dziewięćset dziewięćdziesiątego czwartego roku na śmieciowisku w Bern pracowało trzynastu Polaków. Edwin Schmidt, ich pracodawca, poręczył za nich i zwrócił się w ich imieniu o pozwolenie na stały pobyt i legalną pracę na terenie Niemiec. Napisał wyraźnie: od trzech lat wykazują się rzetelną pracą. A kiedy dokonano zbrodni na Troplowiztu? – zapytał z chytrym uśmieszkiem. – Sylwester tysiąc dziewięćset dziewięćdziesiąt!

– Ale to absurd – uniosła się znów prokuratorka. – Naginasz fakty. To mógł być każdy. Ile osób tam pracowało? Nie ma tu ani słowa, że chodzi o Johanna Schmidta – upierała się.

– A to, że Schmidt w wywiadach prasowych twierdził, że nie ma rodziny? Królikowski był sierotą. A to, że Schmidt nigdy nie mówił o swojej przeszłości, zanim stał się Niemcem?

– Miał coś do ukrycia – odparowała prokuratorka.

– Na przykład udział w zbrodni – wtrącił Szerszeń zadowolony. – Dlatego ukrył się za nowym nazwiskiem. A to, że tak ochoczo wspierał domy dziecka? Królikowski pochodził z domu dziecka!

– To wszystko poszlaki.

– No dobrze, może to cię przekona. Poloczek powiedział jeszcze gwałcicielowi, że Zygmunt Królikowski, kiedy podrywał dziewczyny, używał niemieckojęzycznej ksywki Koenig, bo lepiej brzmiała.

– I co? Może przedstawiał się jako Król, czyli Koenig?

– Tak, właśnie tak! – krzyknął radośnie podinspektor. – A jak się nazywa jego firma? No jak?

Weronika otworzyła usta ze zdziwienia. Usiadła na krześle.

– Waldek, jesteś szalony... – szepnęła. – Uczepiłeś się tego, choć nie ma to sensu. Nie ma sensu, rozumiesz? Naginasz rzeczywistość, by sam siebie przekonać. To niemożliwe! – powiedziała stanowczo. – Zupełnie nieprawdopodobne, żeby prymitywny zabójca przeistoczył się w prezesa korporacji. Nie wierzę. A nawet jeśli tak było, nigdy by się nie ujawnił. Miał zbyt wiele do stracenia!

– A może właśnie dzięki zrabowanym pieniądzom od Troplowitza stał się śmieciowym baronem? – Podinspektor uśmiechnął się tajemniczo.

– Fantazja cię ponosi... – fuknęła prokuratorka. – Czy wtedy musiałby przez lata pracować jako cieć na wysypisku, żenić się ze starą babą? Czekać, aż jej mąż umrze i zostawi mu majątek. Zastanów się!

– Sam już nie wiem... Może masz rację... – Szerszeń pokręcił głową i nerwowo skubał wąsa. – Bo faktycznie to wszystko mogą być brednie. Hubert, a co ty o tym sądzisz? – Podinspektor dopiero się zorientował, że profiler od dłuższego czasu milczy. Nie włączył się do jego dyskusji z prokuratorką. Nie rzucił nawet słowa komentarza.

Meyer jeszcze chwilę siedział w skupieniu, po czym podniósł głowę i zaczął mówić:

– Jest jeszcze coś, o czym mówiła Borecka. Wcześniej tego nie powiedziałem, bo nie przywiązywałem do tego takiej wagi. Teraz jednak sytuacja się zmieniła. W obliczu tej informacji... Jak by to powiedzieć... Wydaje się kluczowa.

– Co? Mów! To znaczy, niech pan wreszcie powie! – pośpieszyła go prokuratorka.

– Księgowa twierdzi, że włamanie do domu Schmidta miało związek z kolią i monetą, które wystawił na aukcji Wielkiej Orkiestry... To wtedy zaczęły się te anonimowe telefony, dziwni ludzie w firmie, groźby i szantaż... Wtedy Schmidt zaczął zamykać niektóre sprawy przedsiębiorstwa... Bał się.

– Czy wyście wszyscy poszaleli? – Weronika chwyciła się za głowę i wpatrywała w Meyera, który spokojnie mówił dalej. Konkretnie i bez emocji.

– Księgowa twierdzi, że ten naszyjnik był dość cenny. Sygnowany przez dom aukcyjny – osiemnastokaratowe złoto i cztery szmaragdy wielkości dużych rodzynków. Określony na aukcji jako własność małżeństwa Schmidtów, choć Klaudia ponoć nigdy tego cacka nie miała w ręku. Mogła je jedynie oglądać w sejfie lub na zdjęciu. Zresztą z tego, co mówią zarówno Borecka, jak i Poniatowska, ona niewiele mogła. Oprócz naszyjnika na tej samej aukcji Schmidt wystawił też dwudziestomarkówkę z tysiąc osiemset dziewięćdziesiątego roku, której cenę wywoławczą oszacowano na pięćset złotych.

– To nie może być zbieg okoliczności – szepnął Szerszeń i wsadził do ust wykałaczkę. – Księgowa nie wiedziała nic o Poloczku ani tym bardziej o historii z Królikowskim.

– Jeśli więc założymy, że to prawda, że gwałciciel nie kłamie – odezwała się cichym głosem prokuratorka – to może oznaczać, że Johann Schmidt to faktycznie Zygmunt Królikowski.

– Trzeba to sprawdzić – przerwał im Meyer.

– Ale jak? – Kręciła głową, wciąż nie mogąc wyjść z osłupienia. – Mój ojciec nie żyje, jego dawny partner nie trzeźwieje. W aktach nie ma słowa o złotej kolii. Nawet nie wiemy, czy ten naszyjnik rzeczywiście zrabowano z domu Troplowitza. Nie wiemy, czy gwałciciel mówi prawdę ani czy Poloczek nie kłamie i nie wpuszcza nas w maliny.

– Ale księgowa raczej mówi prawdę – westchnął Meyer. – Opowiedziała mi to tylko po to, by pokazać, że Klaudia, żona Schmidta, w tym związku była jedynie papierową figurą. Tylko po to. Proponuję zacząć od Poloczka. To na razie nasz jedyny trop.

– Mamy uwierzyć zabójcy? Na tym chcecie opierać śledztwo? Na słowie takiego człowieka? Nigdy się na to nie zgodzę! – pokrzykiwała Weronika.

Szerszeń uspokoił ją ruchem ręki.

– Poczekaj, Wero. Jedźcie tam. Posłuchajcie, co Lojzik ma do powiedzenia. Jak wrócicie, to się zastanowimy.

Prokuratorka włożyła marynarkę, chwyciła torbę i już była gotowa do wyjścia. Meyer nie ruszał się z miejsca. Być może rozważał, czy to możliwe, by przestępca uciekł z kraju, zmienił nazwisko i rozkręcił interes jako król recyklingu. Bajka dla dorosłych? Trudno uwierzyć. Czasem jednak rzeczywistość przerasta fikcję.

– Może za pierwszy milion trzeba zabić – powiedział wreszcie. Szerszeń wpatrywał się w profilera w niemym oczekiwaniu.

– Nadal jednak nie rozumiem, dlaczego nikt nigdy nie skojarzył

205

go z tą zbrodnią – kontynuował Meyer. – I dlaczego ujawnił naszyjnik. Po co? Przecież to było samobójstwo. Przyznaj, Waldek.

– Nie wiem, może stracił czujność. Każdy popełnia błędy. Najlepsi gracze też – skwitował Szerszeń.

– Chyba że mu na tym zależało. Może chciał kogoś sprowokować?

– Hubert, spróbuj się dowiedzieć, ile kłamstwa jest w rewelacjach Poloczka. Zrób mi ocenę stopnia wiarygodności jego wyjaśnień. Tak jak w przypadku tego pedofila, pamiętasz. Sprawdźcie, może klient ma nierówno pod sufitem. To też możliwe. Niewykluczone, że Lojzik to wymyślił. Trudny rebus. Ale od czego mam ciebie? – Podinspektor uśmiechnął się pod wąsem.

– Może jednak pogadać z tym Zefkiem? – przerwał mu Meyer. – Może coś sobie przypomni.

– Ciężka sprawa. – Szerszeń machnął ręką.

– Dobra, jak będzie trzeba, to go odszukamy – dodał profiler.

– Jak chcesz. To wszystko wygląda mi na misterną koronkę. Jeden fałszywy ruch, a zrobi się supeł nie do rozplątania.

Profiler się uśmiechnął: figury stylistyczne Szerszenia były czasem aż za bardzo finezyjne.

– Ciekawe, czy w domu Schmidta nie ma jakiejś dokumentacji na temat ewentualnych kosztowności, biżuterii. Może Magda, córka Klaudii, wie coś o naszyjniku. Warto by też spytać o inne precjoza i monety, które są w ich posiadaniu – zastanawiał się na głos Meyer.

– Masz rację, podeślę tam kogoś. O takich rzeczach jak kolia ze szmaragdami, którą wystawiono na publiczną aukcję, nie mogła nie wiedzieć. To nie błyskotka, lecz dzieło sztuki. Kiedy ją przesłuchiwano na okoliczność włamania, mówiła dzielnicowemu, że większość takich cacek jest w bankowej skrytce, w Genewie. Mam tu gdzieś adres i nazwisko tego szwajcarskiego urzędnika, osobistego sekretarza, który opiekował się kontem Schmidta.

– Księgowa powiedziała, że ten naszyjnik ze szmaragdami poszedł na aukcji Orkiestry za siedemdziesiąt pięć tysięcy złotych – wtrącił profiler. – Magda musi coś na ten temat powiedzieć.

206

Podinspektor Szerszeń wyciągnął z paczki Meyera papierosa i zgniatał go nerwowo, jakby miał zaraz zapalić. Po chwili włożył go do pudełka.

– Ciekawe... – mruknął. – Przecież gdyby Schmidt wiedział, skąd pochodzi ten naszyjnik, nie wystawiałby go na aukcji, tylko sprzedał pokątnie... Ciekawe...

– Ciekawe to są dopiero wnioski księgowej – stwierdził profiler. – Mówiłem, że po licytacji naszyjnika zaczęły się kłopoty naszego Schmidta. Telefony, dziwni jegomoście, w końcu włamanie. Księgowa dostała polecenie wyczyszczenia kilku kont, zredukowania pełnomocnictw, a przede wszystkim ograniczenia władzy żony w firmie. Powstał też nowy testament, niepotwierdzony notarialnie. Jest jednak ważny, bo był ostatnim dokumentem przed śmiercią Schmidta. Aha, jeszcze dziwna umowa podpisana własnoręcznie przez Klaudię, że zrzeka się wszystkiego oprócz domu, w którym mieszka, i jego wyposażenia. Pod jednym warunkiem – córka Magda będzie jej pełnomocnikiem i nie wolno wymeldować jej do trzydziestego siódmego roku życia.

– Czyli matka miała być zakładniczką córki?

– Mniej więcej.

– Podpisała?

– Na dokumencie jest jej podpis.

– To chyba o tym mówiła ta kelnerka. – Szerszeń jakby coś sobie przypomniał.

– Kto? O czym? – zmarszczył brwi profiler.

– Niejaka Robska. Pracuje w szpitalnym bufecie. Osobiście przyszła donieść na wdowę. Że niby Klaudia zleciła zabójstwo.

– Rozmawiałeś z nią?

– Chwilę, bo nie chciała zeznawać. Wolała n i e o f i c j a l n i e – ostatnie słowo Szerszeń przeliterował z pogardą.

– Dobra. To ja n i e o f i c j a l n i e sprawdzę ją po powrocie – oświadczył Meyer.

– Idziemy? – Zniecierpliwiona Weronika zerknęła nerwowo na zegarek.

– Jeszcze jedno. – Meyer podniósł rękę.

Weronika fuknęła, że wobec tego idzie do toalety, i wyszła z pokoju.

– Głupio mi pytać, Waldek. – Psycholog zwrócił się do Szerszenia. – A nie sprawdziłeś przypadkiem, czy Poloczek nie wyszedł w długi weekend na przepustkę? Może sprawa jest banalnie prosta...

– Jasne, że sprawdziłem. – Podinspektor roześmiał się szczerze. – Zaraz zastanie nas południe, a ja w robocie jestem od szóstej. Niestety, na czas zbrodni ma alibi. Żelazne alibi, najlepsze, jakie może być – kratki.

– Ale bierzesz go pod uwagę?

– Miał czas, by obmyślić zemstę. – Szerszeń uśmiechnął się pod wąsem. – Siedzi siedemnasty rok. W takim czasie każdy może opracować jakiś plan. Choćby był i półmózgiem – zawiesił głos i Meyer był pewien, że stary wyga ma coś jeszcze w zanadrzu. – Zwłaszcza że za dobre zachowanie w marcu wypuścili go na całe trzydzieści godzin. Jakbyś był na jego miejscu, czyli zrobił napad życia i z tego „złotego strzału" nie dostał ani grosza, a po odsiadce kilkunastu lat dowiedział się, że twój wspólnik ma się świetnie, ba... po prostu sra kasą i udaje w telewizji mecenasa uciśnionych, to gul by ci nie skoczył? Nie wkurwiłbyś się?

Meyer musiał się zgodzić ze sposobem rozumowania policjanta.

– Ja na ten przykład wkurwiony byłbym jak cholera – ciągnął Szerszeń. – Więc pytam się ciebie, mistrzu psychologów, co byś na takiej przepustce robił? Poszedł na dziwki, upił się z żałości czy...

– Poszukałbym kolegów i dał zlecenie – dokończył profiler. – Gdybym miał na to pieniądze.

– A gdybyś nie miał?

– To dałbym cynk, że jest kasa do wyjęcia, żeby koledzy zorganizowali sobie robotę, a mnie odpalili działkę.

– I ja tak bym zrobił, gdybym był tym frajerem. Sprawdź więc, czy nie ponosi nas fantazja. I czy włamanie na śniadanie, tydzień przed zabójstwem, nie ma związku z Poloczkiem.

Meyer natychmiast pomyślał o gabinecie Schmidta i pustym biurku Poniatowskiej. Czego szukali sprawcy? Może tajemniczej skrytki? A może danych do otwarcia skrytki w banku szwajcarskim? A może głupcy sądzili, że Schmidt – jak stary Troplowitz – trzyma majątek w żeliwnym sejfie? Nie zdążył jednak podzielić się tą refleksją z podinspektorem, bo w tym momencie znów rozdzwonił się telefon i jak na zawołanie ktoś zapukał do drzwi.

– Żałuję, że sam nie mogę pojechać do Raciborza, ale widzisz, co się dzieje. Zaraz mam ponowne przesłuchanie tego miękkiego jak plastelina mężusia lekarki. Nie możemy odpuścić i tej wersji śledczej. Czy ty wiesz, że ten pojeb chodzi w białych butach? Znasz jakiegoś faceta, co nosi białe buty na słoninie?

– Chyba go nie polubiłeś? – zaśmiał się Meyer.

– Zdecydowanie, ale dziś go przycisnę. Aha, Werka prowadzi jak pirat. Uważajcie.

Kiedy Meyer wyszedł z komendy, Weronika siedziała już w aucie, które zaparkowała tuż przy schodach. Silnik mitsubishi pracował jednostajnie. Opuściła szybę i uśmiechnęła się szeroko na widok Huberta. Profiler gotów był jej wybaczyć wszystkie nieeleganckie odzywki. Zrozumiał też, dlaczego podinspektor Szerszeń ma do niej taką słabość. Nawet w tych okularach Mary Poppins wydała mu się uosobieniem kobiecości. Oczywiście zanim się odezwała.

– Czeka pan na zaproszenie? – rzuciła kpiąco i tym samym zniszczyła zalążek sympatii, jaką do niej poczuł.

Nie gasząc silnika, wysiadła energicznie z samochodu i pomaszerowała w kierunku tylnej części limuzyny, by otworzyć mu przestronny bagażnik. Wrzucając do niego marynarkę i teczkę z dokumentami, kątem oka oceniał jej sylwetkę w dopasowanych dżinsach, wąską talię i ładnie zarysowane biodra. Zastanawiał się, jak w butach na tak wysokich obcasach można prowadzić auto.

Weronika zatrzasnęła klapę bagażnika. I stanęła przy drzwiach pasażera.

– Zapraszam – zwróciła się do niego obcesowo. – Przykro mi, ale nie otwieram mężczyznom.

Meyer przeniósł wzrok z Weroniki na jej auto i wymownie się skrzywił. Diamante było w opłakanym stanie. Tylny zderzak nosił ślady licznych wgnieceń, karoserię miało w wielu miejscach porysowaną i przerdzewiałą. Klamka tylnych drzwi ledwo się trzymała. Kobieta podążyła za spojrzeniem profilera, zerknęła na zwisającą klamkę, podeszła i jednym ruchem wcisnęła ją na miejsce. Ta chwilę się trzymała, ale po chwili zachrobotało i klamka znów wisiała smętnie w powietrzu. Właścicielka auta nie przejęła się tym zbytnio. Brudne ręce wytarła o nogawki dżinsów i wskoczyła kocim ruchem za kierownicę. Meyer zmusił się, by zająć miejsce pasażera. Na welurowej tapicerce w kolorze kości słoniowej było pełno psiej sierści oraz nieokreślonych plam we wszystkich kolorach tęczy. Wszędzie sterty papierów. Nie chciał wiedzieć, od jak dawna piętrzy się ta góra śmieci. Spojrzał na czarne smugi na błękitnych dżinsach prokuratorki i pomyślał, że auto dawno nie widziało myjni. Weronika poprawiła lusterko wsteczne. Meyer odruchowo spojrzał w boczne od strony kierowcy – było pęknięte w połowie. Jak tak można poruszać się po mieście?

Nie miał wątpliwości, że prokuratorka jest niezwykle kobieca. To jednak nie oznaczało, że jest także dobrym kierowcą. Zwłaszcza po tym, co widział na rondzie przed odprawą u Szerszenia. Czy to, że siedzę na miejscu pasażera obok tej kobiety, nie jest błędem?, rozmyślał. Owszem, on sam uważał, że auto służy właścicielowi, nie odwrotnie. Jednak stan, do jakiego prokuratorka doprowadziła swoją limuzynę, przechodził ludzkie pojęcie. Za siedzeniem dostrzegł piłkę w czarne sześciany. Piłka do nogi dla dzieciaka? Czyżby prokurator Rudy miała syna? Nie spodziewał się, że Weronika jest matką.

– Na co pan czeka? Proszę zapiąć pas. Boi się pan pobrudzić? – zakpiła.

Meyer poczuł, że wzbiera w nim irytacja. Nie rozumiał, dlaczego jest wobec niego tak nieprzyjemna. I dlaczego nie zadba o samochód tak, jak dba o te swoje pieprzone buciki.

– Na szczęście nie pracuję w sanepidzie – odciął się.

Ruszyła spod komendy tyłem, znów zbyt gwałtownie. Meyer, przerażony, zastanawiał się, jak na tak wąskiej alejce zamierza obrócić auto. Ale Rudy nie zamierzała jechać przodem. Rozwijała prędkość, wciąż jadąc na wstecznym i posługując się jedynie lusterkiem wewnątrz auta. Kiedy zbliżyli się do szlabanu od ulicy Lompy, jego stopy docisnęły podłoże, jakby wciskał hamulec. Chwycił rączkę przy suficie. Miał ochotę zamknąć oczy, lecz nie mógł pozwolić sobie na ten luksus. Ale ochroniarz, chyba znając zwyczaje prokurator Rudy, zdążył podnieść szlaban na czas i Meyer nie doczekał się spodziewanego huku. Oniemiały patrzył, jak prokuratorka sprawnie pokonuje ulicę Lompy, zawraca na jednym z podjazdów do posesji i płynnie włącza się do ruchu. Musiał przyznać, że mimo brawurowych pomysłów kobieta nieźle panowała nad wozem, lecz podejrzliwość wciąż go nie opuszczała. Czekał na jakiś błąd, który dowiódłby, że lekceważenie zawarte w słowach „baba za kierownicą" jest w pełni uzasadnione, lecz taki się nie pojawiał.

Werka rozparła się nonszalancko w fotelu, lewe kolano oparła o drzwi. Prowadziła prawą ręką, lewą położyła na krawędzi otwartego okna, na tak zwany zimny łokieć. Meyer wciąż kurczowo trzymał rączkę u sufitu. Nagle dostrzegł, że kobieta lewą ręką zdejmuje okulary i kładzie je na półce, prawą zaś zaczyna po omacku szukać czegoś na tylnym siedzeniu. Chciał chwycić kierownicę, ale pomyślał, że lepiej będzie, jak szybko poda jej torebkę. Kobieta, nie zmniejszając prędkości i wciąż patrząc przed siebie, znalazła w niej etui, wyjęła okulary przeciwsłoneczne i założyła je. Miał nadzieję, że szkła w nich są optyczne. Nie wiedział przecież, ile prokuratorka widzi bez korekcji. Werka dokonała tej operacji obojętnie, potem podała Meyerowi torebkę, by odłożył ją na miejsce. Odetchnął z ulgą i uświadomił sobie, że choć chwila grozy minęła, są dopiero na początku drogi.

– Może chciałaby pani, bym poprowadził? – spytał najdelikatniejszym tonem, na jaki potrafił się zdobyć, by jej nie rozdrażnić. Weronika spojrzała wymownie na umiejscowienie jego ręki.

– Proszę się nie bać, automatyczna skrzynia biegów pozwala prowadzić auto bez posiadania wybitnego mózgu. Zresztą wbrew pozorom jestem niezłym kierowcą. Mimo iż kobietą.

– Co do tego drugiego nie mam wątpliwości – westchnął i po raz kolejny przeklął dzień, w którym rozwalił swój wóz na fabryce wafli. Gdyby nie to, jechaliby teraz jego passatem i nie musiałby przeżywać takiego stresu.

Wciąż jej nie ufał, choć wiedział, że jadąc z mężczyzną tak prowadzącym auto, dawno temu czułby się bezpiecznie. Szybko reagowała, miała podzielną uwagę, znała skróty, którymi błyskawicznie omijali korki. Sam nie poradziłby sobie lepiej. Zrobiło mu się głupio, że tak źle ją ocenił.

W aucie panowała cisza. Siedzieli oboje naburmuszeni, nie rozumiejąc właściwie, dlaczego działają sobie na nerwy. Atmosferę mogłoby nieco rozładować radio, niestety, z miejsca, gdzie powinno być, wystawały kable. Profiler postanowił wykorzystać czas podróży na przemyślenie tego, czego dowiedział się dzisiejszego ranka, i przygotowanie taktyki przesłuchania Poloczka.

Godzinę później ich oczom ukazała się ciężka bryła zakładu karnego w Raciborzu. Dwa kolosalne skrzydła okalały parking. Już na nich czekano. Weronika zaparkowała z dala od szlabanu strażniczego. Wyłączyła silnik i na jej twarzy pojawił się uśmiech. Z lubością przeciągnęła się jak kot. Meyer zaś obserwował miejsce, w którym się znaleźli. Znał ten zakład doskonale i nie miał wątpliwości, dlaczego w gwarze więziennej był nazywany po prostu „zamkiem". Budynek przypominał średniowieczne budowle zbrojnych książąt, cały z czerwonej cegły, z wieżyczkami strzelniczymi i maleńkimi okienkami jak w basztach. W centralnym miejscu znajdowała się ogromna brama. Było to jedyne wejście i wyjście z tego przybytku. Więzienie w Raciborzu to jeden z większych zakładów w Polsce. Pracuje tutaj prawie trzysta osób: strażników, wychowawców, psychologów i obsługa techniczno-gastronomiczna. Może pomieścić do tysiąca osadzonych. Od lat nie zarejestrowano tutaj ani jednej próby ucieczki, choć był to zakład dla recydywistów, z oddziałem dla tych najgroźniejszych – z zaburzeniami psychicznymi lub upośledzonych umysłowo. Słowem miejsce, gdzie trafiały najgorsze indywidua. Swoisty czyściec.

W więziennej poczekalni było tłoczno. Zapach potu mieszał się z nieprzetrawionym alkoholem i tanimi perfumami. Kobiety z dziećmi, starsze osoby, dziewczęta wystrojone, jakby wybierały się na dyskotekę, choć dopiero minęło południe. Meyer westchnął ciężko. Trafili na porę widzeń. Znał ten obraz doskonale. Zanim został policjantem i profilerem, przez kilka lat pracował jako więzienny psycholog. To wtedy rozpoczął swoje pierwsze badania morderców. Przychodzili do jego pokoju z nudów, po radę, a czasem by załatwić dodatkowy talon na paczkę czy „miękkie widzenie" z narzeczoną osadzoną w przeciwległym skrzydle zakładu karnego. Przyjmował ich wszystkich. Początkowo był po prostu ciekaw – jacy są. Potem zauważył, że sprawcy po wyroku mają dużą potrzebę rozmowy i wręcz chcą opowiedzieć komuś o zbrodni oraz o tym, jak do niej doszło. Postanowił ich chęci wykorzystać, by zgłębić tajniki zbrodniczego umysłu. Dowiedział się wtedy więcej o psychice sprawców niż z niejednej książki psychologicznej.

W literaturze naukowej natrafił na profilowanie – dziedzinę, którą zajmowali się głównie agenci FBI. Nazywano ich profilerami, ponieważ tworzyli profile – portrety psychologiczne nieznanych sprawców – indywidualne charakterystyki osobowości, które pomagały organom ścigania zawęzić grono podejrzanych.

Po rozmowach z przestępcami Meyer sporządzał szczegółowe notatki. Z czasem stworzył własny kwestionariusz, w którym kategoryzował indywidualne cechy sprawców przestępstw. Nie miał pojęcia, że w tym samym czasie – w 1993 roku, w Stanach Zjednoczonych w Quantico najsłynniejsi profilerzy Robert Ressler[1]

---

[1] Robert Ressler – pułkownik FBI. Specjalizował się w analizie przestępstw brutalnych. Jeden z twórców profilowania. Współtworzył katedrę na uniwersytecie w Quantico, która kształci agentów policyjnych zajmujących się profilowaniem.

i John Douglas[1] zrobili dokładnie to samo. Tyle że oni tworzyli taki kwestionariusz na zlecenie rządu Stanów Zjednoczonych, mieli na to nieograniczone fundusze, a przedmiotem ich badań byli tacy zabójcy jak Ted Bundy, Charles Manson, David Berkowitz czy Arthur Bremer. Ich kwestionariusz stał się podstawą profilowania w Ameryce Północnej. Potem powstał z tego system komputerowy, który funkcjonuje do dziś i ułatwia pracę szeregowym policjantom. Wrzucali na przykład w wyszukiwarkę: wiąże ofiary sznurkiem, zostawia listy do policji, kaleczy zwłoki lub gwałci po śmierci. System odnajdował potencjalnych kandydatów, którzy wykazywali wcześniej podobne zachowania.

Meyer zrobił to samo w Polsce. Niestety, w swojej bazie miał tylko tych, których sam zbadał, bo polska baza behawioralna[2] sprawców nie istniała i do dziś nie istnieje. A przydałaby się zwłaszcza w przypadku zabójców, gwałcicieli i pedofilów, którzy najczęściej działają seryjnie. Pierwszy swój profil Meyer napisał na kartce w kratkę. Ekspertyza liczyła dwadzieścia zdań. Dzięki jego wskazówkom udało się zatrzymać zabójcę dróżniczki z jednej z kopalń w Rudzie Śląskiej. Meyer wskazał, że mężczyzna dobrze znał ofiarę oraz terytorium, na którym działał, ponieważ ukrył zwłoki w miejscu, które mógł znać tylko pracownik kopalni. Doradził, by sprawdzono wyłącznie osoby, które miały związek z elektrycznością w kopalni, ale tego dnia nie pracowały. Z ponad trzech tysięcy ludzi wyłoniono pięciu podejrzanych, z czego trzech miało tej nocy wolne. I właśnie jeden z nich okazał się mordercą. Był to szkolny kolega zamordowanej dziewczyny. Policjanci poszukiwali go przez ostatnie kilka miesięcy. Dopiero wskazówki nieznanego nikomu psychologa więziennego naprowadziły ich na trop. Od tej chwili regularnie zwracali się do niego o pomoc.

---

[1] John Douglas – agent specjalny FBI, współautor książek i scenariuszy filmowych o profilowaniu. Przez wiele lat pracował jako profiler.
[2] Baza behawioralna – system komputerowy zawierający spis sprawców skazanych oraz podejrzanych o dokonanie przestępstw z wizerunkami, dossier kryminalnym i opisem sposobu działania (wiąże ofiary sznurkiem, okalecza po śmierci, ukrywa zwłoki etc.).

Meyer podszedł do dyżurki. Nacisnął dzwonek przy okienku. Wyjął legitymację policyjną. Tłumek momentalnie się odsunął, kilka twarzy wykrzywił pogardliwy grymas. Okienko uchyliło się nie od razu. Profiler dostrzegł jedynie otok czapki i pagon ze stopniem.

– Nadkomisarz Meyer i prokurator Rudy – przedstawił się i podał oficerowi stosowne dokumenty. Funkcjonariusz zanotował ich dane w książce odwiedzających więzienie.

– Za chwilę osadzony zostanie doprowadzony do pokoju widzeń. Dziś nie jest najlepszy dzień, brakuje pomieszczeń. Ale niedługo jedno się zwolni. Muszą państwo zaczekać – wyjaśnił.

– Dobrze, byle nie za długo. Mamy mało czasu – rzuciła prokuratorka.

Meyer widział jej odbicie w lustrze weneckim. W pierwszej chwili jej nie poznał. Znów ściągnęła włosy w ciasny kok, usta miała zaciśnięte, a na białą bluzkę mimo upału włożyła ciemną marynarkę ze stójką ciasno zapiętą pod szyją.

Wzruszył ramionami. Na szczęście tym razem to nie jemu się dostało. Zresztą ten ton pasował do miejsca, w którym się znajdowali. Stanęli przy kracie, ponieważ wszystkie miejsca siedzące były już zajęte. Meyer myślał nad taktyką przesłuchania Poloczka. To on za chwilę będzie musiał wziąć na siebie cały ciężar rozmowy z zabójcą. Prokuratorka miała biernie uczestniczyć w przesłuchaniu, choć wiedział, że jechała na tę rozmowę dobrze przygotowana. Było to dla profilera czymś zupełnie nowym: niewielu oskarżycieli tak angażowało się w swoją pracę. Zwykle, a dotyczyło to zwłaszcza młodych prokuratorów, do których i ją zaliczył, borykał się z kompletnym ignoranctwem, a czasem i ostentacyjnym zaniedbywaniem swoich obowiązków. Ona była inna. Wyczuwał, że tak samo jak on jest oddana swojej pracy. Tym bardziej ciekawiła go ta dziecięca zabawka w aucie. Zastanawiał się, kim jest jej mąż. Ale nie byli jeszcze w takiej relacji, by miał prawo o to zapytać.

Krata co chwila się otwierała i kolejno wchodziły przez nią matki, żony i kochanki pensjonariuszy zakładu. Weronika oparła się o ścianę, zdjęła okulary, schowała je do kieszeni i na chwilę przymknęła oczy. Meyer wpatrywał się w nią jak urzeczony. Na jej twarzy widniała łagodność dziecka, a przecież potrafiła być tak nieprzyjemna. Zastanawiał się, jaka jest naprawdę. Dlaczego wciąż dąży do konfrontacji. Widział jej długie rzęsy, wyraźnie zarysowane kości policzkowe obsypane złotymi piegami. Rozchyliła nieznacznie usta, a po chwili powoli podniosła powieki. Ich spojrzenia się spotkały. W jej jasnozielonych oczach dostrzegł teraz łagodność. Przez chwilę była kobietą, a nie cyborgiem, jakiego udawała. To trwało może sekundę, dwie. Werka zaraz odwróciła wzrok. Jakby się zawstydziła. Uśmiechnął się w duchu, bo widział, że jest onieśmielona. Nadal nie spuszczał z niej wzroku. Teraz jego spojrzenie ujawniało ciekawość.

– Co? – spytała wreszcie i założyła te okropne okulary.

– Nic – odparł z uśmiechem. Mierzyli się wzrokiem. Weronika podejrzliwie zmrużyła oczy, jak kot. Wtedy dodał: – Ma pani piegi.

– Jak jedna trzecia populacji. – Pochyliła głowę. Udawała, że patrzy w jakiś nieokreślony punkt na podłodze.

– W Malezji piegi uważa się za formę pocałunku anioła Smiley – dodał.

Zmarszczyła groźnie brwi. Skąd miała wiedzieć, że profiler czuje słabość do piegowatych kobiet. Wszystkie, które kochał, je miały – nawet Anka, jego była żona.

Rozmowę przerwało kolejne szczęknięcie kraty i głos strażnika zapraszający ich do środka. Hubert puścił prokuratorkę przodem.

– Broń, gaz, telefony komórkowe? – Wskazał plastikową skrzynkę.

Wrzucili tam najpierw swoje wyłączone komórki. Potem Meyer odpiął kaburę ze służbowym waltherem P99 i delikatnie położył na dnie pudełka. Jakież było jego zdziwienie, kiedy prokurator Rudy złożyła w skrzynce glocka, który w przeciwieństwie do jej auta był wypolerowany na błysk. Kiedy szli za strażnikiem na spotkanie z Alojzym Poloczkiem, profiler wsłuchiwał się w odgłos szpilek Weroniki rytmicznie stukających o posadzkę i zastanawiał się, dlaczego ta kobieta nosi broń.

Na spotkanie wyszedł im wychowawca z oddziału, na którym osadzono Poloczka.

– Muszę państwa ostrzec – zaczął konfidencjonalnie. – Osadzony od jakiegoś czasu popadł w pewną przesadę w zachowaniu, powiedziałbym, obsesję. Naszemu księdzu wydaje się to nieco dziwne. Może dlatego, że to nie wiara katolicka tak utemperowała osadzonego, tylko protestancka. Ale zdaniem kapelana, Alojzy Poloczek po prostu wstąpił do sekty.

– Mania religijna? – zainteresował się Meyer.

Okazało się, że trzy miesiące temu do więzienia przyjechał pastor z Kościoła protestanckiego „Spichlerz". W dzisiejszych czasach dopuszczalne są naprawdę niekonwencjonalne sposoby resocjalizowania więźniów. W wielu zakładach niebezpieczni osadzeni mają zajęcia z jogi, ufologii, jakieś terapie dźwiękiem i tak dalej. Wszystko po to, by ograniczyć liczbę prób samobójczych wśród więźniów i zapobiec wzajemnej agresji. Wizyta osoby duchownej, choćby był to przedstawiciel Kościoła zielonoświątkowego, nikogo już nie dziwiła. Na jedno z takich spotkań z pastorem przyszedł także Poloczek. Psycholog więzienny uznał, że może uczestniczyć w nabożeństwie.

– Ale to nie były tylko msze. To były show! – opowiadał z emfazą w głosie wychowawca. – Tańce, śpiewy, wykrzykiwania: „Pocałuj mnie, Jezu" i takie tam. Tylko że większość osadzonych przychodziła na te nabożeństwa, by się rozerwać, po prostu dobrze bawić, a Poloczek uwierzył naprawdę. Między nim a pastorem, który przed laty też siedział i otwarcie opowiadał o tym „wiernym", nawiązała się nić sympatii. Duchowny zapewniał, że Bóg go nawrócił, więc teraz musi spłacić swój dług. To dlatego jeździ po polskich więzieniach i naucza. Na tych spotkaniach padały takie zdania: „Bóg pierdoli, jak zjebałeś sobie życie. Gówno go jara, co zrobiłeś do tej pory. Udowodnij, że nie jesteś jebanym złamasem". Alojz Poloczek w ciągu dwóch miesięcy zmienił się nie do poznania. Wyspokojniał i, wiedzą państwo, zatrudnił się nawet w kuchni. Całkiem dobrze gotuje. Nie chciałbym, żeby znów zaczęły się te jego depresje. Ma za sobą kilka poważnych głodówek. O połykach i innych numerach nie wspomnę. Teraz mamy z nim spokój. Z naszego punktu widzenia – mówię o służbie więziennej – ta jego mania jest zupełnie niegroźna. I nagle pojawiacie się wy... Odgrzebywanie starych spraw może nam tylko popsuć...

– To bardzo ciekawe – przerwała mu prokurator Rudy. – Ale nie przyjechaliśmy tu, żeby terapeutyzować zabójcę, tylko rozwikłać zagadkę pewnej zbrodni. Panie nadkomisarzu, już dość chyba wiemy – zwróciła się do Meyera.

Wychowawca wprowadził ich do pomieszczenia, gdzie miało się odbyć przesłuchanie.

– Kawy, herbaty? – zaproponował. Podziękowali, więc wyszedł bez słowa.

Zanim Meyer zdążył wypalić papierosa, w drzwiach stanął funkcjonariusz wraz z osadzonym. Poloczek nie przypominał mężczyzny, którego zdjęcie Rudy i Meyer widzieli w aktach dziś rano. Mocno przytył i wyłysiał. Zapuścił bokobrody i wąsy, które upodabniały go do ukraińskiego wojaka. Splótł ręce w ciasny koszyczek i przybrał wyraz twarzy godny świętego Franciszka litującego się nad każdym żywym stworzeniem. W oczach przestępcy profiler dostrzegł błysk szaleństwa. Wątpił teraz, czy wszystko, co powie ten człowiek, będzie można uznać za wiarygodne. Przedstawił siebie i panią prokurator, lecz Poloczek nawet na nią nie spojrzał. Meyer wskazał mu miejsce przy stoliku. Uprzedził, że rozmowa nie będzie rejestrowana, i poczęstował papierosem. Mężczyzna odmówił.

– Interesuje nas pana dawny znajomy – zaczął profiler. – Niejaki Zygmunt Królikowski.

– Nie znom takigo – odparł Poloczek.

– A Johann Schmidt?

– Tyż nie.

– Siedemnaście lat temu twierdził pan, że to Królikowski zaplanował napad na Ottona Troplowitza.

– Gybisa. Stawowa trzynaście. Kojarzy pan? – odezwała się poirytowana prokuratorka.

Poloczek zwracał się do Meyera, jakby kobiety nie było w pomieszczeniu.

– Panie, jo jes teros cołkim inny czowiek. Skończyłech z tamtym życiem. I nie chca do niego wracać. To, co kedyś godołech, tego ni ma. Szkoda waszygo czasu.

Meyer milczał, z uwagą przypatrywał się więźniowi.

– Wierzycie w Boga? – zapytał go Poloczek.

– Tak, wierzę – przyznał profiler, choć powinien raczej użyć czasu przeszłego.

– A w jakigo Boga wierzycie?

– W miłościwego i dobrego, który wybacza grzesznikom ich winy. Nie karze, lecz uczy i nagradza. – Meyer patrzył rozmówcy głęboko w oczy. Starał się, by jego twarz nie zdradzała zdenerwowania, choć czuł, że narastało.

– „Zmiłuj się nady mną, Boże, według łaski swojej, według wielkiej litości swojej zgładź występki moje! Obmyj mie zupełnie z winy mojej i oczyść mie z grzechu mego! Ja bowiem znam występki swoje i grzech mój zawsze jest przede mną”[1] – wyrecytował Poloczek.

– Księga Psalmów pięćdziesiąt jeden – dodał profiler, a zabójca, całkowicie zbity z tropu, aż otworzył usta ze zdziwienia.

Także Rudy wyglądała na zaintrygowaną. Chciwie zaciągała się papierosem. Była poważna, lecz gdzieś w kąciku ust błąkał się już kpiarski uśmieszek.

– Jesteście farorzem? – spytał Poloczek. – A może byliście?

– Kiedyś studiowałem Pismo Święte. Jak widać, coś jeszcze pamiętam – odparł Meyer. I szybko dodał: – „Odpowiadając, Jezus rzekł mu: Zaprawdę, zaprawdę, powiadam ci, jeśli się kto nie narodzi na nowo, nie może ujrzeć Królestwa Bożego”[2]. Ewangelia Jana. To chyba o panu?

– Może i tak... Wyznom wom coś. – Pochylił się w stronę Meyera i niemal dotykając jego czoła nosem, szepnął, jakby zdradzał ogromną tajemnicę: – Jo licza na zbawienie. Że ujrza Królestwo Boże.

[1] *Biblia Warszawska*, Ps 51,3–5, Warszawa, opublikowanie pełnego przekładu 1975, Towarzystwo Biblijne w Polsce.
[2] Tamże, J 3,3.

Meyer chrząknął. Bardzo ciekawy przypadek, pomyślał. Zerknął na Weronikę, która dała mu znak oczami, że nic nie umknęło jej uwagi.

– Królestwo Boże... – powtórzył ostatnią frazę.

– Czy nie po to pojawiomy sie na tym ziymskim padole? – Poloczek mówił teraz głośniej, jak na gust profilera zbyt głośno, wręcz teatralnie. Rozplótł koszyczek z rąk i znów pochylił się w kierunku profilera, ale tym razem Meyer nie pozwolił na tak jawne przekraczanie granic intymności. Zmrużył oczy i zacisnął usta. Dał w ten sposób do zrozumienia, że dokładnie słucha, lecz jest sceptyczny. Poloczek odczytał przekaz i odezwał się po raz pierwszy na temat.

– Był czas, że bych błogosławił dzień, w którym Bóg by mi wos przysłoł. Morzyłech o tym. Wziąłbych wreszcie odwet na Królu za te wszyskie lata: „Oko za oko, ząb za ząb". Ale chyba już nie chca zemsta.

– Czyli jednak zna pan Królikowskiego?

Poloczek chwilę wpatrywał się w psychologa, po czym skinął głową.

– Znołech go kupa lat tymu.

– To z nim był pan na Stawowej? – drążył Meyer. Wiedział, że musi poprowadzić rozmowę w innym kierunku. Znał na pamięć jeszcze kilka psalmów, ale niekoniecznie pasujących do treści prowadzonej rozmowy. – Odwet już pan wziął. Ten człowiek przecież nie żyje – zablefował.

Poloczek jakby nie usłyszał. Jakby ta informacja nie zrobiła na nim żadnego wrażenia. Profiler postanowił zagrać va banque.

– A Johanna Schmidta pan kojarzy?

Weronika zamarła w oczekiwaniu na odpowiedź.

– Nigdy nie widziołech żadnego Schmidta! – zdenerwował się Poloczek. – Ale wiym, że to jedna i ta sama osoba. Co wy fanzolicie?

W pomieszczeniu zapadła cisza. Meyer wiedział już, że musi wydobyć z zabójcy więcej. Czuł, że trzyma on w ręku brakujący element układanki. Było to jednak bardzo trudne. Rozmowa przypominała dialog z osobą niespełna rozumu. Profiler nie miał też pewności, na ile wiarygodna jest wersja wydarzeń mordercy.

– Skąd pan wie, że Zygmunt Królikowski i Johann Schmidt to ten sam człowiek? – naciskał.

– Panie, już mówiłech. Próbuja żyć inaczyj, odpokutować swoje winy. Niech Bóg rozliczo tych, co zasłużyli, jo tego robić nie byda. Jo już odpuścił wszyskim ich winy i nie chca teros nikogo osądzać. Jo żech przejrzoł na oczy.

– Panie Poloczek, pana wspólnik nie żyje. Ktoś go zamordował. Wie pan, kto mógł chcieć jego śmierci?

– Wiela ludzi by się znalazło. Nawet som Bóg – odparł osadzony.

Rozmowa z nim powoli stawała się męcząca. Meyer jednak nie zwykł tak szybko składać broni.

– Skoro pan się odciął od wszystkiego, co było, od tego starego życia, to jak pan zamierza odkupić winę? Należy wyznać grzechy. „Bóg jest ucieczką i siłą naszą, pomocą w utrapieniach najpewniejszą. Przeto się nie boimy, choćby ziemia zadrżała i góry otchłań zachwiały się w głębi mórz"[1]. Czego pan się boi? – zawiesił głos i kątem oka zerknął na prokurator Rudy, która wpatrywała się w niego jak zaczarowana.

Poloczek długo milczał. Widać wiele dało mu do myślenia ostatnie zdanie Meyera.

– Panie, czego ody mnie chcecie? – odezwał się wreszcie; może skończyły mu się dyżurne cytaty.

– Proszę dokładnie opowiedzieć, jak to było z napadem na Troplowitza. Zwłaszcza jaką rolę odegrał w tym Król. Powiedział pan, że to ta sama osoba co Johann Schmidt. Ma pan na to jakiś dowód?

– Kusicie mie, a „Niechaj nikt, gdy wystawiony jest na pokusę, nie mówi: przez Boga jestem kuszony. Bóg bowiem nie jest podatny na pokusy ani sam nikogo nie kusi"[2].

---

[1] Tamże, Ps 46,2–3.
[2] Tamże, Jk 1,13.

– „Lecz każdy bywa kuszony przez własne pożądliwości, które go pociągają i nęcą – odpowiedział mu Meyer. – Potem pożądliwość, gdy pocznie, rodzi śmierć".

– O nie, to nie tak szło. Powinno być: „Potem, gdy pożądliwość pocznie, rodzi grzech, a gdy grzech dojrzeje, przynosi śmierć"[1].

– Dawno już nie czytałem Pisma – przyznał się zgodnie z prawdą Meyer. – Chodzi mi o to, że tak naprawdę pan pragnie, bym wszedł w pana przeszłość i odgrzebał demony. Paraliżuje pana strach, nie Bóg. Bóg nakazuje wyznać grzechy. Ukrywając je, nie można narodzić się powtórnie, a to jest teraz pana celem.

Poloczek podniósł rękę, jakby nakazując policjantowi milczenie.

– Nie moga som podjąć taki decyzji – oświadczył. – Musza pogodać z pastorem. Jak wom zależy, to go tu ściągnijcie.

– Ale na przepustkę toby pan chciał wyjść, co? – wtrąciła się wreszcie prokurator Rudy. Była wściekła. – Jeśli pan nam nie pomoże, osobiście ją zablokuję.

Meyer przestraszył się, że Poloczek po takim postawieniu sprawy się wycofa. Ten jednak wyglądał na zdziwionego.

– A pani kto jest? – zapytał.

– Ta pani jest prokuratorem i od jej decyzji wiele zależy – uciął Meyer, lecz ta odpowiedź nie zrobiła na więźniu większego wrażenia. Kobieta, nawet prokurator, w jego mniemaniu zupełnie niewarta była uwagi.

– Gdzie on teraz może być? – ciągnął twardo Meyer.

– Kto? – Weronika pałała już złością. Płatki jej nosa rozchylały się jak u rozwścieczonego byka. Ten złodziej i morderca stawia warunki! A czas płynie. Zanim ściągną tutaj duchownego, minie kilka dni, myślała gorączkowo.

– Pastor – wyjaśnił jej Meyer. Starał się zachować spokój, by zabójca nie zmienił decyzji.

---

[1] Jk 1,14–15.

– Musza pogodać z pastorem – upierał się Poloczek.

Weronika Rudy skinęła głową i wzięła do ręki długopis.

– Nazwisko. Adres tego kościoła.

– Krystian Tyszka. Mieszko tukej, w Raciborzu. Nie znom ulicy, wychowawca wi. Bez pastora nic nie powiym. Azaliż Bóg nie pedzioł: „Nie błądźcie, umiłowani bracia moi"[1]!

– Dość tego – zerwała się Rudy i wyszła, trzaskając drzwiami.

Poloczek nie przejął się zachowaniem prokuratorki.

– Czy nie myśleliście o zmianie wiary? – zwrócił się do profilera poprawną polszczyzną. Meyer, zbity z tropu, powoli odwrócił wzrok od drzwi pokoju widzeń, za którymi zniknęła Weronika, i skierował go na twarz zabójcy. – Dobrze se to rozwożcie – dokończył Poloczek. – Byłby z wos dobry zilonoświątkowiec.

– No to od dziś mówię do pana wielebny – usłyszał, kiedy zamykał za sobą drzwi pokoju widzeń.

Weronika stała w korytarzu i paliła papierosa. Na jej twarzy nie było już ani śladu złości. Zrozumiał, że zagrała ją na potrzeby przesłuchania zabójcy.

– I słusznie, córko. – Uśmiechnął się w odpowiedzi.

– Nie wiedziałam, że profiler musi znać na wyrywki Pismo Święte.

– Nie musi, ale jak widać, każda wiedza się przydaje. – Wzruszył ramionami. Nie miał ochoty wyjaśniać jej, skąd tak dobrze zna Pismo.

– Czy tak głęboko wierzy pan w Boga, by studiować Biblię? – Weronika należała jednak do dociekliwych kobiet. – Oczywiście nie mam prawa o to pytać, ale skąd...

– Dobrze to pani ujęła. Nie ma pani prawa pytać – uciął.

---

[1] Jk1,16.

Być może zrobił to zbyt ostro. Weronika w jednej chwili zamilkła i postanowiła nie dotykać drażliwego tematu. Co sobie jednak pomyślała, tego Meyer nie mógł jej odebrać.

– To ile mamy czasu? Zdążymy dziś przywieźć Kiszkę? – zapytała nagle i zerknęła na zegarek.

– Tyszkę – zaśmiał się Meyer. – A zresztą... Kiszka, Tyszka... Jeśli o mnie chodzi, jestem gotów – zadeklarował.

Czuł przez skórę, że jeśli Poloczek zgodzi się opowiedzieć, jaką rolę w tym napadzie odegrał Królikowski, nie tylko naprowadzi Szerszenia na trop zabójców śmieciowego barona, ale też rozwikła zagadkę nieprawdopodobnej przemiany, której być może dokonał ten biznesmen przed laty. Jeśli oczywiście Królikowski to naprawdę Schmidt. Ten wątek interesował Meyera osobiście. Bo jeżeli doszło do takiej wolty i zabójca zmienił się w szanowanego biznesmena, to musiał być niezwykle sprytny. Profiler zamierzał uczynić wszystko, byle nakłonić Poloczka do zeznań.

– Jeśli tak samo skutecznie omota pan cytatami Kiszkę, jak udało się obezwładnić Poloczka, to wrócimy tutaj, zanim zdąży zmówić różaniec. – Wera poprosiła strażnika, by zaprowadził ją do wychowawcy.

– Zielonoświątkowcy nie odmawiają różańców – sprostował Meyer.

– No to zanim odśpiewa kilka najważniejszych psalmów.

Adres kościoła „Spichlerz" otrzymali bez problemu. Wychowawca zmartwił się tylko, że zamierzają tu jeszcze wrócić.

– Mamy dzisiaj taki młyn. Może lepiej jutro? Byłoby spokojniej – próbował ich przekonywać.

Prokuratorka nie chciała o tym słyszeć. Ruszyła do wyjścia.

Za więzienną bramą oślepiło ich słońce. Zakręciło im się w głowach od świeżego powietrza. Meyer pomyślał, że osoby wychodzące na zewnątrz po odbyciu kary muszą czuć z niczym nieporównywalne szczęście. To jest właśnie smak wolności. Ten moment.

– No, wielebny, Pan Bóg nam teraz nie pomoże – rzuciła Weronika.

Początkowo Meyer nie rozumiał, co kobieta ma na myśli.

– Co się stało? – spytał.

– Chyba nie chce, żebyśmy porozmawiali z samozwańczym pastorem. – Wskazała na swoje mitsubishi diamante, którego przednia szyba przypominała gęsto tkaną pajęczynę. Zamiast opon miało cztery kapcie. Kiedy Meyer podszedł bliżej, dostrzegł podłużne dziury, wyraźnc ślady nacięć. Ten, kto to zrobił, nie trudził się, by ukryć złą wolę. Wielkie gumowe szpary straszyły czeluścią, z której uleciało powietrze.

– To nie Bóg. Tylko jakiś człowiek – oświadczył.

– Takie rzeczy są śmieszne tylko na filmach.

Weronika gwałtownie otworzyła drzwi auta. Drobne kawałki szkła, które jeszcze przed chwilą trzymały się kupy dzięki specjalnym włóknom, rozsypały się na siedzenia. Kobieta odruchowo odsunęła się od wozu i patrzyła na kompletnie już zdewastowane diamante z rozpaczą w oczach. Potem zaczęła krążyć wokół auta, klnąc jak szewc. Kilka razy nawet kopnęła w zniszczone opony.

– Chciałabym cię teraz dorwać, skurwysynu! – wykrzykiwała, choć sprawca nie mógł jej usłyszeć.

Meyer starał się zachować spokój. Był jednak zdenerwowany. Rozejrzał się czujnie. Przez jego głowę przelatywały niepokojące myśli, a dłoń odruchowo wędrowała do kabury. Jeśli ktoś jest tak bezczelny, by przeciąć opony w aucie pod samym nosem więziennych strażników, to musi mu na tym bardzo zależeć. Skąd wiedział, że tutaj jedziemy? Czy w komendzie jest jakiś kapuś?

– O tym jak najszybciej powinien dowiedzieć się Szerszeń – powiedział na głos i natychmiast wybrał numer podinspektora. Usłyszał najpierw kilka sygnałów, a wreszcie telefon odebrał Jacek.

– Tu Meyer. Jest Waldek? – spytał młodego policjanta.

– Nie ma. Od rana dręczył męża lekarki. Wyszedł coś zjeść. Niedługo powinien wrócić. Ale na chwilę, bo potem jedzie na spotkanie z informatorem. Jest jakiś ciekawy cynk z miasta.

– Mam pilną sprawę. Nawet kilka. Powiedz, żeby zadzwonił jak najszybciej. Jest mały kłopot. – Streścił pokrótce sytuację i odłożył słuchawkę. Spojrzał na Weronikę, która ukryła twarz w dłoniach.

– Przepraszam, pani prokurator – zawołał do niej.

Zwróciła się w jego kierunku z twarzą zaczerwienioną od płaczu.

– Nowe opony będą mnie kosztowały tysiąc złotych. Szyba drugie tyle, trzeba ją sprowadzać z zagranicy – jęknęła.

– W Polsce nie ma części do tego krążownika? – Meyer próbował żartem załagodzić sprawę, ale przyniosło to odwrotny skutek. Kobieta wyglądała na załamaną.

– Nie ma. Na dodatek będę musiała naprawić tego gruchota sama – narzekała. – Diamante jest za stare na inwestowanie w autocasco – wyrzuciła Meyerowi, jakby to była jego wina.

Ten zaś zareagował zupełnie nieoczekiwanie. Wkurzyła się, patrząc, jak Hubert pokłada się ze śmiechu.

– To jest takie śmieszne?

– Nie – usprawiedliwił się. – Tylko wychodzi na to, że jedziemy na tym samym wózku.

– Nie da się ukryć... – mruknęła.

– Nie o to mi chodziło. – Hubert uśmiechał się do niej. – Kiedy się poznaliśmy na Stawowej... W nocy miałem wypadek. Też skasowałem swoje auto. Też nie miałem autocasco. I teraz jeżdżę różową landryną. Na pewno ją widziałaś.

– To twoja? – Otarła zapłakane policzki brzegiem dłoni.

Meyer miał ochotę ją przytulić, ale nie starczyło mu odwagi. Zdobył się jedynie na podanie jej chusteczki.

– Ta różowa zabawka należy do mojej byłej żony. Dentysta jej kupił.

– Niezły dentysta. Gdzie przyjmuje?

– W Sosnowcu. To jej nowy mąż. Straszny buc. Ale Anka jest szczęśliwa.

Weronika miała ochotę spytać: „A ty?", lecz nie zrobiła tego.

– Czyli ani ty, ani ja nie mamy już samochodów. – Wyciągnęła do niego rękę. – W tej sytuacji chyba powinniśmy przejść na ty. Werka.

Uścisnął jej dłoń i odparł:

– Hubert.

Stali obok siebie, wpatrując się w zdemolowany wóz.

– Czuję się tak, jakby to mnie ktoś zrobił krzywdę, a nie tej puszce złomu. – Wskazała na samochód.

Hubert dłużej się nie zastanawiał. Odwrócił się i objął ją ramieniem. Nie zesztywniała, nie odsunęła się. Nie dała mu w twarz, czego spodziewałby się jeszcze tego poranka. Wtuliła się w niego całym ciałem. Poczuł, jaka jest wiotka i drobna.

– Nie martw się – powiedział i pogładził ją po włosach, jak dziecko. – Wyjdziemy z tego. Mamy przecież landrynę. Poza tym Waldek obiecał pożyczyć ci auto. Jestem świadkiem! – podkreślił.

Wyczuł stłumiony śmiech w okolicy klatki piersiowej, na której spoczywała głowa Weroniki. Kobieta powoli wyswobodziła się z jego objęć.

– Faktycznie. Zaraz do niego zadzwonię.

– Nie dodzwonisz się. Przesłuchuje. Ale jak tylko wróci do gabinetu, Jacek mu przekaże, że go szukamy. Teraz powinniśmy zawiadomić policję. Znam tu jednego dochodzeniowca. Może ma zaprzyjaźniony warsztat.

Wykręcił numer kolegi. Weronika usiadła na krawężniku. Zamknęła oczy i wystawiła twarz do popołudniowego słońca. Hubert wziął na siebie ciężar wyciągnięcia ich z tej opresji. Zachował zimną krew, ani razu nie podniósł głosu, choć ona całkiem spanikowała. Zaimponował jej.

– Zaraz powinni być z drogówki – zrelacjonował po chwili efekt swoich działań. – Wezwałem też lawetę. Odholujemy twoje auto do warsztatu i pójdziemy coś zjeść. Potem Robert Serenada, mój kumpel z tutejszej dochodzeniówki, podrzuci nas do „Spichlerza". Pogadamy z pastorem. Zanim wrócimy, samochód powinien być naprawiony.

– Która godzina? – zaniepokoiła się.

– Dochodzi trzecia.

– Późno – mruknęła. – Najwyżej wrócimy pociągiem, a jutro pożyczymy samochód Waldka. Właśnie, może do niego zadzwonimy?

– Powodzenia! – rzucił Meyer. – Znasz go przecież... Stare dziwadło. Tyle razy mu mówiłem, żeby sobie kupił komórkę. Upiera się, jakby telefon komórkowy był rodzajem zaraźliwej choroby. Broni się z całych sił. Słyszałem, że Stary dał mu nawet telefon służbowy...

– No i...

– No i wrzucił go do wanny podczas kąpieli. Niby przypadkiem, ale wszyscy wiedzieli, że nie chciał go używać. Komendant się wkurzył... Drugiego już nie ryzykował.

– Waldek znalazłby sposób, żeby go zepsuć.

Śmieli się teraz oboje.

– Teraz ja zadzwonię – zdecydowała.

– Spróbuj, może będziesz miała więcej szczęścia.

– O szczęściu dzisiaj mi nie mów! – Wybrała numer podinspektora.

Kiedy czekała na połączenie z Szerszeniem, Meyer zdążył powiedzieć:

– Jesteś najlepszym kierowcą płci damskiej, jakiego w życiu spotkałem. Choć muszę przyznać, że nieco szalonym.

* * *

Komputer zażądał hasła. Elwira wstukała TymekSkywalker2001. Była to kompilacja imienia syna, ulubionego bohatera *Gwiezdnych wojen* oraz roku urodzenia dziecka. Komputer Michała stał przed nią otworem. Czekała, aż pecet załaduje konfiguracje, i uśmiechnęła się kwaśno: gdyby mąż brał pod uwagę, że będzie kiedykolwiek grzebała w jego laptopie, wprowadziłby kod, którego nigdy nie udałoby się jej złamać. Kiedy się poznali, był przecież informatykiem. To dzięki niej przeflancował się na artystę. Przez lata utrzymywała go, wspierała i motywowała do rozwoju. Imponowało jej, że w pewnym sensie go stworzyła. Kiedyś lekarce nawet nie przyszłoby do głowy, by robić coś tak podłego jak grzebanie w cudzych rzeczach. Szanowała prywatność swoją i innych. Dawniej, nawet gdyby Michał zostawił na stole otwarty list pachnący damskimi perfumami, szalałaby z rozpaczy i niepewności, lecz nie zdobyłaby się na to, by przeczytać go bez jego zgody. Dzisiejszej nocy jednak zmieniło się wszystko. Teraz już działała z premedytacją. To, co odkryła w nocy, było porażające. Wszystkie podejrzenia, jakie miała wobec Michała, sprawdziły się. Było znacznie gorzej. Ale był i pozytywny aspekt tego odkrycia. W miejsce rozpaczy, zagubienia i bezsilności, które przepełniały ją jeszcze wczoraj, pojawiła się wściekłość i chęć działania.

Wspominała wczorajszą noc oraz dzisiejsze przedpołudnie. Taksówkarz dogonił jej zieloną mazdę 626, wyprzedził i czekał, aż kobieta zdecyduje, co robić dalej. Lekarka dostrzegła, kto siedzi za kierownicą jej wozu. Miała wrażenie, że usuwa jej się grunt pod nogami. To był jej mąż. Przecież on siedzi w więzieniu, pomyślała, wpatrując się w oddalającą się postać w jej własnym aucie. Nie mogła się pomylić. Nie zauważył jej, nie zwrócił uwagi na mijającą go taksówkę. Rozmawiał przez telefon, śmiał się. W pierwszej chwili chciała otworzyć okno i wykrzyczeć swoją złość. Zrobić mu karczemną awanturę, wypytać o wszystko. Potem jednak kazała kierowcy jak najdyskretniej śledzić mazdę. Kiedy Michał zaparkował przed nocnym klubem Alien i wszedł do środka, zrezygnowała z usług taksówkarza. Dołożyła mu jeszcze sto złotych.

– Nic nie widziałem, nic nie pamiętam – rzucił kierowca i patrząc na jej zakrwawione dłonie, dodał: – Tylko proszę schować ręce do kieszeni.

Odjechał z piskiem opon. Stała chwilę na ulicy, wpatrując się w drzwi wejściowe klubu, w których zniknął jej mąż, po czym weszła do środka razem z grupą kilku obejmujących się mężczyzn. Była to knajpa dla homoseksualistów. Elwira rozejrzała się po zaciemnionym wnętrzu, utrzymanym w stylistyce Hadesu, i szukała wzrokiem Michała. W świetle stroboskopowych lamp i staroświeckich neonów stylizowanych na amerykańskie dyskoteki z lat osiemdziesiątych trudno było rozróżnić twarze. Na parkiecie wiły się sylwetki mężczyzn obejmujących mężczyzn, całujące się kobiety, często ogolone na łyso albo z licznymi kolczykami. Były też nieliczne pary heteroseksualne, a przy barze siedzieli mężczyźni ze wzrokiem łowców.

Zapaliły się główne światła. Jedna z części lokalu, na wprost baru, została oświetlona niczym scena. A po wijących się schodach zaczęła schodzić postać. Czarne, długie włosy, przerysowany makijaż, boa z piór i sukienka z cekinów ledwie zasłaniająca męskie pośladki. Elwira wiedziała, że za chwilę będzie świadkiem występu drag queen. Kiedy artysta doszedł do prowizorycznej sceny, zobaczyła swojego męża – stał pod samą estradą, krzyczał i najgłośniej bił brawo. Nie wyglądał na osobę zdruzgotaną ani tym bardziej przejętą tym, że jeszcze kilka godzin temu znajdował się w areszcie podejrzany o zbrodnię.

Elwira weszła do toalety, umyła ręce z zakrzepłej krwi i wróciła do sali. Zamówiła sobie drinka i usiadła na stołku barowym. Z tej odległości doskonale widziała Michała i nawet się zdziwiła, skąd w niej tyle spokoju. Co jakiś czas podchodzili do niego mężczyźni i witali się wylewnie. Na jednego zwróciła szczególną uwagę. Był niski, grubawy i łysy. Ubrany w T-shirt w czarno--żółte pasy i dżinsowe rybaczki wysadzane ćwiekami. Sprawiał wrażenie dość obleśnego typa. Sądząc po zachowaniu, był nie tylko kolegą jej męża, ale kimś znacznie więcej.

Kiedy po występie obaj mężczyźni oddalili się w kierunku toalet, poszła za nimi. Jeszcze przed wejściem do ubikacji zaczęli się całować. Zacisnęła rękę na nożu do siekania warzyw. Choć z trudem utrzymywała się na nogach, ciekawość nie pozwalała jej wracać do domu. Mężczyźni spędzili w toalecie prawie pół godziny. Kiedy wyszli, omal nie została zdemaskowana. W ostatniej chwili ukryła się za filarem. Na szczęście knajpa była pełna ludzi, Elwira wtopiła się więc w tłum i obserwowała dalej.

Michał spędził w klubie kilka godzin. Już nie pamiętała, by kiedykolwiek w jej obecności miał tak rozanieloną twarz. Ten gruby, łysawy facet był jego kochankiem. To właśnie tutaj jej mąż spędzał przeważnie wieczory. Kłamał, mówiąc, że pracuje. A większość artystów, o których czasem wspominał, a których nie znała, to byli ludzie z tego środowiska. Tu kryła się odpowiedź na wszystkie pytania, jakie zadawała sobie przez lata.

Michał w trakcie ich małżeństwa odkrył swoją prawdziwą orientację i dlatego, choćby zamieniła się w boską Angelinę, nic by to nie dało. Jej mąż jest gejem.

Było po trzeciej, kiedy mężczyźni opuścili lokal. Wyszła za nimi. Wsiedli do jednej z taksówek stojących przed Alienem. Elwira poczekała chwilę i wzięła następną. Kazała kierowcy jechać za nimi. Zatrzymali się przy Superjednostce, dziwacznym piętnastopiętrowym budynku z lat PRL-u. Elwira miała tam koleżankę. Kiedy ją odwiedzała, Kryśka musiała po nią schodzić i ją odprowadzać, bo lekarka nigdy nie potrafiła sama znaleźć drogi i gubiła się w tym współczesnym labiryncie, gdzie windy zatrzymują się na co trzecim piętrze. Nie odważyłaby się wejść za nimi do tego monstrualnego bloku na żelbetowych nogach, w którym mieszkają tysiące ludzi. Dziś nie miała więc szansy, by dowiedzieć się, w którym z prawie ośmiuset lokali Superjednostki mieszka kochanek Michała...

Poleciła taksówkarzowi, by jechał na osiedle Tysiąclecia do mieszkania jej rodziców. W połowie drogi zmieniła jednak zdanie i kazała się wieźć do Tychów. Bała się, że Michał po wizycie u kochanka wróci do domu. Podała taksówkarzowi adres Nataszy. Nikt inny nie przyszedł jej do głowy.

Natasza zdziwiła się wizytą koleżanki o tej porze. Lekarka jednak już w progu zastrzegła:

– Nic nie mów. O nic nie pytaj. Zdrzemnę się na kanapie, a rano mnie nie ma.

Rosjanka zamierzała skomentować sytuację, lecz zauważyła, że Elwira wydaje się bardziej zrównoważona niż kilka godzin temu. Postanowiła porozmawiać z nią dopiero rano. Elwira nie dała jej jednak takiej szansy. Kilka minut po ósmej po cichu opuściła dom Nataszy. Na lodówce zostawiła jej tylko kartkę z napisem: „Dziękuję. Nie martw się. Zadzwonię".

Wróciła do Katowic pociągiem, zjadła śniadanie w knajpie i rozmyślała. Siedziała tam dość długo, zamawiając kolejne kawy. Zanim się obejrzała, minęło południe. Wyjęła wizytówkę

231

Huberta Meyera. Tylko on wydawał się jej człowiekiem, któremu mogła powierzyć przynajmniej część swoich kłopotów. Telefon profilera był jednak wyłączony. Spróbowała jeszcze kilka razy. Znów to samo. Zdecydowała się zadzwonić do wąsatego podinspektora. Nie był wobec niej miły, lecz nie widziała innego wyjścia. Musiała działać. Bała się wracać do domu, bo tam mógł być Michał. Telefon na biurku Szerszenia odebrał młody policjant. Przedstawiła się i powiedziała, kogo szuka. Kiedy Szerszeń w końcu oddzwonił, spytała:

– Panie podinspektorze, czy mój mąż został oczyszczony z zarzutów?

– Oczywiście, że nie – odparł Szerszeń. Chciał dodać, że także Poniatowska jest wciąż podejrzana, ale tego nie zrobił. Wyjaśnił: – Wczoraj został zwolniony za kaucją. Około czternastej pojawił się mecenas z dokumentem z sądu, który zamienił pani mężowi areszt na dozór policyjny. Między nami mówiąc, sam jestem ciekaw, jak pani to załatwiła?

– Ja? – zdziwiła się. I zaraz pomyślała o łysym z Aliena. To on musiał pomóc Michałowi. – Nawet nie kiwnęłam palcem. Michał wzgardził opłaconym przeze mnie adwokatem. Nie chciał, bym angażowała się w jego sprawy. Zresztą nie wrócił na noc. Nie wiedziałam, że jest na wolności. Dlaczego nikt mnie nie powiadomił? – dodała z wyrzutem.

– Dzwoniliśmy, ale pani nie odbierała. Proszę tak nie robić, bo będziemy musieli panią zatrzymać. Proszę bezwarunkowo być w kontakcie. Inaczej zostanie pani doprowadzona przez konwój – zagroził Szerszeń.

– Przepraszam – szepnęła Elwira. – Nie chciałam utrudniać...

– Czy ma pani jakąś sprawę? – przerwał jej podinspektor. – Oderwała mnie pani od obowiązków. Właśnie trwa dalszy ciąg przesłuchania pani męża. Po jego zakończeniu z pewnością sobie państwo wszystko wyjaśnią. I widzę, że my także musimy porozmawiać. Odezwie się do pani sierżant Barbara Waleska.

– To on jest teraz na komendzie? – upewniła się Elwira.

– Kto?

– Michał, mój mąż...

– Nic pani nie wie? Nie rozmawia pani z mężem?

– Nie zamieniłam z nim ani słowa od... od śmierci Johanna. Mówiłam, że nie wrócił na noc.

– Proszę pani, mam mnóstwo roboty. Nie mam teraz czasu na pogaduszki. Proszę przyjechać, kiedy skończę przesłuchanie.

Odłożył słuchawkę. Elwira nie traciła już ani chwili na siedzenie w lokalu. Wezwała taksówkę i pojechała do mieszkania rodziców. Myślała teraz tylko o tym, by zmienić zamki, ale gdy znalazła się na miejscu, postanowiła wykorzystać czas, kiedy Michał był na policji, by przejrzeć jego komputer. To mogła być jedyna okazja.

Firefox głośnym piknięciem oznajmił, że jest gotów do pracy. Weszła więc w historię najczęściej uczęszczanych stron internetowych. Nie było tam ani jednej, która nie zawierałaby słowa „sex". Przypomniała sobie, co ostatnio sama mówiła studentom na wykładach.

– Odkąd wymyślono komputery osobiste, prowadzenie pamiętnika może być jedynie snobizmem. Laptop dawno zastąpił już brulion. Dziś komputer osobisty mówi o człowieku więcej, niż on sam chciałby nam ujawnić.

Lekarka przejrzała pierwszych siedem portali regularnie odwiedzanych przez męża. Popiół z papierosa spadł na klawiaturę. Nie zareagowała, kiedy sypał się między sześciany z literami, choć wiedziała, że Michał nie znosi takiego profanowania pieczołowicie zadbanego sprzętu. Wpatrywała się w ekran. Klikała w perwersyjne zdjęcia i teksty na ekranie. Większość stron dotyczyła tematyki biseksualnej i gejowskiej. Swoją drogą, dlaczego ona, lekarka seksuolog, nie dostrzegła wcześniej takiej przemiany u swojego własnego męża? Choć wiele na to wskazywało.

Przypomniała sobie teraz rozmowę z Michałem, kiedy to wyznała mu, że chyba się w Johannie zakochała.

– Marzę o nim – mówiła drżącym głosem. – Zawładnęła mną obsesja spotkania z nim, a pojawiające się po zamknięciu oczu fantazje seksualne niszczą moją egzystencję.

Ku jej zaskoczeniu Michał zareagował na to wyznanie spokojnie. Za spokojnie. Teraz już to rozumiała.

– Ty musisz mieć kogoś, kto cię fascynuje. Nie mam o to żalu – powiedział jej wtedy.

Jaka byłam głupia, myślała. Wmawiałam sobie, że takie zachowanie to dowód prawdziwej miłości, że Michał jest taki dojrzały. Usprawiedliwiałam go, sama obarczając się winą za zdradę z Johannem, do której nie doszło. A Michałowi jej wirtualny romans i fascynacja Johannem były po prostu na rękę. Sam miał już kochanka, może nawet kilku, i doskonale wiedział, że Elwira, zaaferowana Johannem, nie dostrzeże jego zdrady.

Nie potrzebowała żadnych wyjaśnień. Była przecież ekspertem w tej dziedzinie. Na co dzień rozwiązywała problemy ludzi, którzy szukali odpowiedzi na te same pytania: Jak to możliwe, że mój mąż sypia z mężczyznami? Czy to znaczy, że jest biseksualny? A może jest homoseksualistą? Kiedy zrozumiał, że interesują go mężczyźni? Dlaczego nie dostrzegłam tego wcześniej? Co teraz będzie ze mną? Jak mam dalej żyć? Jak wchodzić w następne związki? Nigdy nie spodziewała się, że coś takiego dotknie właśnie ją. Zdrada i sprzeniewierzenie się zasadom bolały jak otwarta rana. Była skołowana, zatruta. Czym innym jest wiedzieć i rozumieć te sprawy teoretycznie, a czym innym tkwić w środku, kiedy w grę wchodzą własne emocje i samemu trzeba się odnaleźć w rozpaczliwej sytuacji.

Wreszcie zdecydowała, że chce jak najszybciej zamknąć tę puszkę Pandory. Już miała wyłączyć pecet Michała, gdy wyświetliło się okienko Skype'a. Zobaczyła ikonkę uśmiechniętego mężczyzny w garniturze. Na tym zdjęciu wyglądał inaczej – jak urzędnik czy pracownik banku – stateczny, odpowiedzialny. Ale i tak go rozpoznała. Był to ten sam konus w dżinsach z ćwiekami, którego w nocy widziała z Michałem.

„Cze Melancholique. Jak po wczorajszym? Załatwiłeś w końcu sprawę swojej żoneczki? Kiedy wreszcie będziesz wolny?"

Zrobiło jej się słabo. Serce waliło jak oszalałe. Trzasnęła klapą laptopa. Już nie wiedziała, co jest gorsze. Czy to, że Michał jest gejem i po wyjściu na wolność od razu pobiegł do swojego kochanka? Czy to, że był aresztowany w sprawie o zabójstwo jej niedoszłego kochanka, znalezionego w jej własnym domu?

A może to, co sugerował jego znajomy? Michał naprawdę chciał się jej pozbyć! Mimo tego, co się stało z Johannem. Jej życiu zagraża niebezpieczeństwo! Nagle zrobiło jej się potwornie zimno. Przed oczami pojawiły się czarne mroczki. Skuliła się na podłodze w kącie i jak dziecko specjalnej troski wpatrywała tępo w okno. Szczękała zębami. Chwyciła poduszkę i przytuliła ją do brzucha, jakby ten kawałek materiału z puchem w środku miał wypełnić pustkę po wydarciu z niego wszystkiego, co miała najcenniejsze: Johanna i Michała. Przecież kochała ich obydwóch.

Ale teraz tylko się bała, i to potwornie. To był paniczny lęk, nie niepokój, który towarzyszy człowiekowi, kiedy jedynie przeczuwa coś złego. Ten strach miał realne podstawy. Elwira bała się tak bardzo, że serce podchodziło jej do gardła. Nie była w stanie wyjść z zaczarowanego kręgu czarnych myśli, które wirowały wokół jednego obrazu – sylwetki Johanna siedzącego na krześle z poderżniętym gardłem. Próbowała wyobrazić sobie własnego męża z nożem lub oplatającego taśmą pakową stopy Schmidta. Jedyne, co przyszło jej teraz do głowy, to zadzwonić na policję i opowiedzieć o tym wszystkim.

Waldemar Szerszeń przed trzynastą wyszedł z pokoju, gdzie trwało kolejne przesłuchanie męża lekarki. Kiedy wczoraj podinspektor dowiedział się, że musi go wypuścić na wolność, z trudem pohamował wściekłość. Zamierzał wzywać go na komendę codziennie i pytać wciąż o to samo. W końcu musi pęknąć, planował.

Tym razem jako partnerkę w przesłuchaniu dobrał sobie kobietę – sierżant Barbarę Waleską. Policjantka od razu ustawiła Douglasa do pionu. Był bardziej potulny, niż gdy przesłuchiwał go Szerszeń. Podinspektor utwierdzał się w przekonaniu, że mąż lekarki coś ukrywa. Zostawił Waleską z gogusiowatym designerem spokojny o przesłuchanie. Mógłby właściwie już tam nie wracać, zwłaszcza że miał dziś jeszcze sporo roboty. Jeden z tajnych informatorów zdobył dla niego jakiś kąsek „z miasta". Umówili się na osiemnastą w McDonaldzie przy Stawowej.

Wszedł do swojego gabinetu. Jacek miał dla niego kilka wiadomości. Jedna z nich pochodziła od Poniatowskiej. Lekarka prosiła o pilny telefon. Zadzwonił od razu. Kobieta była podenerwowana. Zachowywała się dziwacznie. Wyglądało na to, że między nią a Douglasem jest coś nie tak. Szerszeń miał ochotę jej powiedzieć, że te sprawy w ogóle go nie interesują. Nie chciał jednak spłoszyć lekarki. Zamierzał ją podejść „na poczciwego glinę" i dowiedzieć się, o co chodzi. A wtedy będę miał haka na gogusia, cieszył się.

Wykręcił numer do Meyera i Rudy, ale nie odbierali. Domyślił się, że są jeszcze w więzieniu. Bardzo był ciekaw, jak im poszło przesłuchanie Poloczka. Po raz kolejny przejrzał podręczne akta sprawy zabójstwa Troplowitza. Interesująca była zwłaszcza ekspertyza medyków sądowych oraz jeden ze śladów, który siedemnaście lat temu nie mógł być zbadany. Śledczy zabezpieczyli na miejscu zbrodni kilka niedopałków, które Szerszeń oddał do ponownej ekspertyzy. Wyniki miały być dopiero za tydzień. DNA wyodrębnione ze śliny na tych petach może pogrążyć Schmidta lub wykluczyć go z udziału w zabójstwie Troplowitza. Czuł narastające podniecenie – rozwiązanie zagadki było blisko.

Szerszeń na próżno wydzwaniał do profilera. Ani on, ani prokuratorka nie odbierali.

– Co wy tam robita, gołąbeczki? – nie mógł sobie odmówić kpiarskich uwag. Na ich telefonicznych skrzynkach zostawił więc kilka wiadomości z prośbą o pilny kontakt. Liczył, że przywiozą jakieś perełki, które posuną śledztwo do przodu.

Burczenie w brzuchu wyrwało go z rozmyślań. Nie może tak warować przy biurku, musi coś zjeść – nie był pewien, o której wróci do domu. Zofia zawsze zostawiała mu pełny obiad – stąd jego nadmierna tusza – ale chciał wykorzystać dziś czas maksymalnie. Zamknął za sobą drzwi i zszedł do policyjnego bufetu. Godzinę później wrócił do gabinetu. Nie zdążył nawet usiąść za biurkiem, kiedy rozdzwonił się telefon. Podbiegł, sądząc, że to wieści z Raciborza. Bardzo się zdziwił, kiedy usłyszał głos seksuolożki.

– Elwira Teresa Poniatowska-Douglas – przedstawiła się. Mówiła dość niewyraźnie, tak że ledwie ją zrozumiał. Podejrzewał, że jest pijana. Chciał zażartować i tak jak ona podać wszystkie swoje imiona, włącznie z tym z bierzmowania: Waldemar Euzebiusz Roman Szerszeń, lecz nie zdążył. – Nie mogę mówić przez telefon – lekarka charczała do słuchawki. – Wykryłam coś strasznego. Nie mogę przyjechać, bo nie mam już ani grosza na taksówkę, a nie dam rady szukać bankomatu. Nie jestem w stanie wyjść...

– Co się stało? Gdzie pani jest?

– Źle się czuję – szeptała. Język jej się plątał. – Jestem w mieszkaniu matki na osiedlu Tysiąclecia – podała adres. – Tylko proszę zachować dyskrecję i nikomu, pod żadnym pozorem, nie mówić o naszym spotkaniu – zastrzegła.

– Proszę pani, to nie randka z kochankiem. Dodzwoniła się pani na policję – zbeształ ją, używając najbardziej oficjalnego tonu, na jaki mógł się zdobyć. – Mam nadzieję, że nie zawraca mi pani głowy jakimiś nieuzasadnionymi obawami albo intuicyjnymi lękami.

– Proszę przyjechać, bateria mi pada... Boję się o swoje życie – dodała. Połączenie zostało przerwane.

Elwira odłożyła słuchawkę telefonu. Jej uwagę przyciągnął ciemny ślad na poduszce, do której wcześniej się przytulała. Podczołgała się bliżej. Miała wrażenie, że to jakiś duży owad lub plama brunatnej substancji przypominającej krew. Serce zabiło jej szybciej, pokonała wstręt i zbliżyła się do poduszki. Okazało się, że to niewielka dziura, która w tym świetle nabrała trójwymiarowego kształtu. Elwira przyglądała się jej z zegarmistrzowską precyzją, zastanawiając się, skąd się wzięła.

Poduszka wciągała ją do swojego wnętrza jak trąba powietrzna. Elwira odlatywała. Zanim zrozumiała, że to ona sama wywierciła ową dziurę, rozważając wyniki własnego miniśledztwa dotyczącego męża, i zanim połączyła to z faktem, że wypiła herbatę ze szklanki postawionej obok komputera, odpłynęła na dobre.

Obrazy przesuwały się przed jej oczami coraz wolniej, klatka po klatce. Mieszały się wątki, bez kolejności zdarzeń i sensu. Wciąż wolniej i wolniej. Nie mając zupełnie wpływu na to, czy wróci, nie wiedząc nawet, czy chce wracać, Elwira osuwała się w niebyt. Nie miała pojęcia, co tak naprawdę wypiła. Była pewna tylko tego, że szklankę zostawił jej mąż. Zawsze wypijała jego herbatę i wyjadała z jego talerza, co cholernie go wściekało.

Szerszenia niepokoiło zachowanie lekarki. Zastanawiał się, czy nie wysłać do niej patrolu. Musiał jednak sprawdzić, jak przebiega przesłuchanie Douglasa. Wszedł do pokoju i przysłuchiwał się rozmowie Barbary Waleskiej z designerem. Nie minął nawet kwadrans, kiedy pilnie wezwano go na rozmowę do komendanta.

– Ten to wie, kiedy zadzwonić – mruknął pod wąsem, ale wykonał polecenie. Przed drzwiami szefa okazało się jednak, że podinspektor musi chwilę zaczekać.

– Połącz mnie z Meyerem – polecił sekretarce.

Dziewczyna próbowała kilkakrotnie.

– Zajęte – oświadczyła bezradnie.

– Okay. Spróbujemy za chwilę.

W tym momencie drzwi się otworzyły i stanął w nich szef:

– Jak tam postępy w śledztwie, panie podinspektorze? – zapytał z przekąsem.

– No świetnie, rewelacja. To prosta sprawa. – Waldemar Szerszeń uśmiechnął się szeroko, a w duchu ucieszył się, że ich rozmowa nie może potrwać dłużej niż godzinę, bo ma umówione spotkanie z informatorem na mieście.

* * *

– Takich dwóch z Załęża przy tym mogło robić. Ale nic nie wiem na bańkę – zastrzegł chudy mężczyzna o wyglądzie oprycha.

Siedział przygarbiony w dżinsowej kurtce i łapczywie zjadał kanapkę. Kapusta pekińska i cebula wysypywały mu się na kartonik z logo baru. Chwytał je palcami i wkładał do ust.

– Nazwiska, adres – zażądał Szerszeń.

Informator wzruszył ramionami.

– Nie znam. Tylko ksywy: Sasza i Bajgiel.

– Sasza? Ten mały rudy, co wygląda jak małpa?

Informator kiwał głową.

– Ten sam. Stara Wacławka, włamanie „na śpiocha"[1].

– Pamiętam. Sam go zamykałem. To on już wyszedł? – zdziwił się Szerszeń.

– Jest na warunkowym.

– A ten drugi? Nie znam.

– Eee, nowicjusz. Też nie znam. Ponoć lubi amfę. Od roboty przez dwa tygodnie ćpał. Tyle towaru nakupił, że nawet jego diler się bał, że chłopak zejdzie, a on straci klienta.

– Proszę, jaki troskliwy.

– Chyba z tego włamu mają.

– Nazwisko dilera. I adres.

Informator podał, a Szerszeń zapisał na serwetce.

– Chcesz colę? – spytał łagodniejszym tonem.

– No – odparł informator.

Szerszeń przesunął w jego kierunku dwadzieścia złotych, a mężczyzna poszedł do kasy. Wrócił, postawił kubek na stoliku, spojrzał wymownie na Szerszenia i uniósł połę zniszczonej kurtki. Za pazuchą miał setkę wódki.

– Przy mnie ani mi się waż – ostrzegł go policjant. – Potem sobie golniesz. Ile tylko dusza zapragnie. Raczej niewiele się dowiedziałeś – dodał niezadowolony. – Myślałem, że coś masz. Zawracanie dupy. Myślisz, że sianem się wykręcisz?

– Bo mam coś innego. Ale nie ma związku z tym włamem do śmieciarza.

– A z czym? – Szerszeń stał się czujny.

Opryszek dostrzegł zainteresowanie policjanta.

– Ale to będzie kosztowało...

---

[1] Włamanie „na śpiocha" – włamanie dokonane podczas snu właścicieli mieszkania/domu.

– Mów, pierdolony skunksie. Zobaczymy, ile ta informacja jest warta. Bo jak znowu zawiedziesz, to wiesz co...

– Półtora miesiąca temu było dziwne zlecenie – natychmiast zaczął informator. – Taki facet szukał kilerów. Normalnie chodził i rozpytywał, jakby chodziło o ekipę remontową. Oferował pięć tysięcy.

– Tanio chciał kupić cyngla... – zdziwił się Szerszeń.

– No i dlatego tylko Pryszczaty się podjął...

Szerszeń wybuchnął gromkim śmiechem, aż ludzie siedzący przy stolikach obok odwrócili głowy.

– Pryszczaty? Przecież to niedojda. Nie wierzę, że udało mu się wreszcie kogoś ocyganić – wydusił podinspektor, kiedy opanował wesołość. – Mów szybko, kto i kogo chciał załatwić za piątaka.

– Kto, to nie wiem. Ale to było zlecenie na babkę. Tę samą, co kupiła dom na Stawowej – odparł opryszek.

Szerszeń nawet nie mrugnął okiem. Jakby ta informacja nie zrobiła na nim żadnego wrażenia, choć było całkiem odwrotnie.

– Ten goguś mówił, że trzeba unieszkodliwić tę panią, jakby to był wypadek przy włamie – ciągnął informator. – Nikt normalny by się nie podjął. Przypał murowany...

– Co dalej?

– Z tego, co wiem, Pryszczaty z Mrówką wzięli od frajera kasę. Ale pitnęli. Nie ruszyli zadkiem. Potem jeszcze go straszyli, że niby w grupie przestępczej są.

– Chyba Babci Lodzi – mruknął Szerszeń, a informator wybuchnął śmiechem i dodał: – Nikt inny by tego nie łapnął. Każdy z miasta wiedział, że to na kilometr pachnie przypałem. Nic więcej nie wiem.

– To się dowiedz, a wtedy może się dogadamy w twojej sprawie. Pojutrze w tym samym miejscu. – Podinspektor wstał od stolika.

Ledwie Szerszeń odwrócił się plecami, mężczyzna w dżinsowej kurtce wyjął zza pazuchy małą flaszkę i wlał nieco z jej zawartości do papierowego kubka po coli.

Meyer odsłuchał wiadomości i się zdziwił. Okazało się, że oni szukają Szerszenia, a on ich. Profiler pokręcił głową. Zupełnie nie rozumiał, jak policjant takiej rangi może pracować bez komórki. Wreszcie zadzwonił na dyżurkę.

– Widziałeś może Szerszenia? – zapytał oficera.

– Wybiegł z komendy. Wyglądał, jakby coś go goniło.

– Gdyby wrócił, przekaż mu, że mieliśmy wypadek i ugrzęźliśmy w Raciborzu. – Meyer rozmyślał gorączkowo, co się mogło stać. – Wrócimy późną nocą. Niech dzwoni o każdej porze. To pilne – dodał, po czym odłożył słuchawkę.

Podszedł do Weroniki, która z rozpaczą w oczach wpatrywała się w mechanika. Sprawa naprawy auta nie wyglądała optymistycznie. Było już bardzo późno, a oni dopiero dotarli do warsztatu. Robert Serenada, kolega Huberta z policji w Raciborzu, obiecał wprawdzie, że osobiście przypilnuje, by znalezienie osoby, która dokonała tej dewastacji, było priorytetem. Nie mógł jednak przyśpieszyć procedury zbierania śladów. Zanim pod więzienie przyjechali policyjni technicy, sfotografowali szkody diamante i zabezpieczyli ślady działania sprawców, minęły ponad dwie godziny.

– Co się dzieje? – zagaił Meyer.

– Klapa. – Mechanik rozłożył ręce. – Nie mamy części. Na dziś go nie zrobimy. Nie wiem, czy w tydzień uda się je znaleźć. Zwłaszcza że pani chciałaby jak najtaniej – zawiesił głos.

Meyer poprosił prokuratorkę na bok i podał jej papierosa. Kiedy go zapalała, oświadczył:

– Nie masz wyjścia. Ściąganie auta do Katowic tylko podroży całą operację.

Pokiwała głową.

– Jedźmy do „Spichlerza" – zaproponowała, widząc zbliżający się radiowóz.

Kierowca pozostał na swoim miejscu, pasażer wysiadł i ruszył w ich kierunku. Był to otyły czterdziestolatek w koszuli w kratę i dżinsach. Robert Serenada wyglądał sympatycznie. Uścisnął Meyerowi dłoń i przedstawił się jego towarzyszce.

– Weronika. Dzięki za pomoc – powiedziała.

– Nie ma problemu. Hubert może liczyć na mnie dozgonnie.

– To ruszajmy. Może chociaż pastora dzisiaj dorwiemy – westchnął Meyer.

Wsiedli do auta.

Kościół o tajemniczo brzmiącej nazwie „Spichlerz" nie miał żadnego szyldu ani najmniejszego oznaczenia, że to świątynia. Wyglądał jak spora willa z betonu. Gdyby nie dostali adresu od więziennego wychowawcy, prawdopodobnie trudno byłoby im go znaleźć. Robert wysadził ich przed wejściem, życząc powodzenia.

– Jakbyście jeszcze potrzebowali pomocy, jestem do usług – zaoferował się.

Furtka była uchylona, więc bez kłopotu dostali się na podwórko. Zaraz w drzwiach pojawiła się otyła kobieta o słowiańskiej urodzie. Miała bardzo ładną i miłą twarz.

– Słucham państwa – usłyszeli zamiast powitania.

– Jesteśmy z policji. Szukamy pastora Tyszki. – Meyer pokazał legitymację.

Kobieta rozłożyła ręce.

– Będzie dopiero w nocy. Nie pomogę państwu.

– Pani jest żoną pastora? – upewniła się Weronika.

Kobieta pokiwała głową. Za jej plecami dostrzegli trójkę brzdąców, które przyglądały im się ciekawie zza spódnicy matki.

– Jeszcze dziś musimy się z nim rozmówić – dodał Meyer.

– Jezus wynagrodzi wam cierpliwość. Pojechał nauczać do Warszawy. Ale jutro rano znajdziecie go w pracy. Zaczyna od szóstej. Przekażę, że go szukacie.

Kobieta nie wykazywała nawet odrobiny zainteresowania, dlaczego policja rozpytuje o jej męża.

– To będziemy z samego rana – zapewnił Meyer. – Mam nadzieję, że wtedy go zastaniemy.

– O nie, nie tu – przerwała mu żona pastora i chwyciła za rękę jednego z malców, który odważył się mocniej wychylić zza jej falbaniastej długiej spódnicy. – Będziecie musieli pojechać do niego na budowę. Pastor zaczyna przed szóstą, pracuje do południa, a potem przyjeżdża do domu na obiad, spotyka się z wiernymi i szykuje do wieczornego nabożeństwa.

– Pracuje na budowie? – upewniła się Weronika.

– Tak, Jezus dał mu zdrowie i siłę fizyczną. Za swoje dzieło na rzecz Boga nie bierze ani grosza, a rodzina musi przecież z czegoś żyć – wyjaśniła kobieta.

– Przecież mąż wróci w nocy. Wstanie przed piątą, żeby pójść do pracy? – Meyer się zdziwił.

– Już tak wiele razy bywało. To łaska boska – odparła kobieta.

Psycholog zapytał, czy może zostawić jej swój numer telefonu. Prokuratorka podała mu kartkę wydartą z notesu i długopis. Zapisał numer na kartce i podał kobiecie.

– Niech Jezus was prowadzi – powiedziała im na odchodne.

Prokuratorka i profiler odeszli niepocieszeni.

– Co teraz? – zapytała Weronika i oboje usłyszeli odgłos, który wydobył się z jej brzucha. – Przepraszam, jestem głodna.

– Zjedzmy coś – zaproponował Hubert. Zanim Weronika odpowiedziała, dodał: – Może zostaniemy w Raciborzu? I tak musimy być tu z samego rana.

– Muszę to skonsultować z szefem – odrzekła, ale psycholog widział, że ta propozycja przypadła jej do gustu. Widać było, że jest już zmęczona.

– To dzwoń. Ja nie muszę. Sam sobie jestem szefem.

– Masz fundusz reprezentacyjny? – zapytała.

Zaśmiał się.

– Chyba żartujesz? Komendant by się przekręcił, gdybym zaproponował coś takiego.

– Zamierzasz sam zapłacić za hotel?

– Nie martw się. Załatwimy to.

– Ja jednak muszę zadzwonić.

Po kilku minutach rozmowy ze zwierzchnikiem wyraźnie się odprężyła.

– Najchętniej zjadłabym żurek, roladę, dwie porcje klusek z sosem grzybowym i kapustę – wyrecytowała.

– Jeśli znajdziemy niezbyt starego schabowego, będzie dobrze – skwitował, po czym wyjął z bagażnika marynarkę i teczkę.

– To cokolwiek. I muszę się napić – oświadczyła.

– Brzmi zachęcająco – przyznał Meyer.

Rozejrzał się za taksówką. Mieli szczęście – nadjechała niemal natychmiast.

Restauracja hotelu Elektryk była niemal całkiem pusta. Kilku żołnierzy hałaśliwie rozprawiało o swoim dowódcy, co drugie zdanie wymieniając jego nazwisko. Po rzędzie butelek na ich stoliku Meyer wywnioskował, że siedzą tu już kilka godzin. Długa sala balowa, która ślady świetności miała dawno za sobą, nosiła miano restauracji. Największą i dominującą jej część zajmowała pusta scena z wielkim papierowym godłem na bordowej poliestrowej kotarze. Kobieta w niewielkim bufecie chyba nie zamierzała podejść do nowo przybyłych gości. W końcu Meyer ruszył po karty, skonsultował z Weroniką, na co miałaby ochotę, i stanął przy ladzie, by złożyć zamówienie. Za jego plecami rozlegały się okrzyki wojskowych.

Werka zdjęła marynarkę i uwolniła włosy. Rozsiadła się przy stole i zatopiła w myślach. Nie dostrzegła nawet, że po chwili do stolika podszedł Meyer:

– Jest tylko kurczak z rożna i frytki – zakomunikował.

Kiwnęła głową.

– Wybornie.

– Już zamówiłem.

Postawił przed nią chłodne piwo, które Werka wypiła duszkiem prawie w jednej trzeciej. Kiedy odstawiła szklankę i otarła usta brzegiem dłoni, roześmiał się. Zgromiła go wzrokiem.

– Jeśli zapytasz, dlaczego zostałam prokuratorem, uduszę cię.

– Nie miałem zamiaru. Choć... – zawiesił głos. Nie spuszczał z niej wzroku. Czuła się jak na uwięzi. – Z taką figurą i urodą widziałbym cię raczej w innej roli.

– Jakiej? – Pomiędzy jej brwiami pojawiła się lwia zmarszczka.

– Choćby aktorki.

– Wolne żarty – ucięła.

W dalszym ciągu wpatrywał się w nią, a figlarny uśmiech nie schodził mu z twarzy. Po chwili, już poważnie, dodał:

– Twoje metody pracy nieco odbiegają od polskiej normy.

– Podobnie jak twoje.

– Jeden – jeden.

– Słuchaj, ten Poloczek... On jest świrem czy tylko udaje? Mam wrażenie, że tracimy czas.

Meyer miał ochotę odpowiedzieć, że przebywanie z nią wcale nic jest stratą czasu, ale ugryzł się w język i odrzekł:

– Jego mania religijna wydaje się prawdopodobna, choć szkoda, że nie znamy sprawy dokładnie.

– Wiadomo.

– Trzeba będzie wszystko konfrontować. To trudniejsze.

– Ja pamiętam to zabójstwo Troplowitza – wyrwało się jej nieoczekiwanie, bo nie zamierzała mu się zwierzać. Teraz zganiła się w myślach i z niechęcią spojrzała na prawie pustą szklankę, która stała przed nią jak wyrzut sumienia. Po chwili jednak postanowiła kontynuować. – Byłam w liceum, kiedy mój ojciec nad nią pracował.

Twarz Meyera pozostała nieruchoma. Jakby nie wykazywał śladu zainteresowania. Spięła się w sobie.

– Jesteś Ślązaczką?

– Rodowitą katowiczanką, od trzech pokoleń – odparła z dumą.

– Tak? – zaciekawił się Meyer. – To rzadkość. A ja jestem góralem.

Zaśmiała się.

– Wszyscy myślą, że jesteś Ślązakiem.

– Tak, scenarzyści... Widziałaś ten cholerny film?

– *Sprawa Niny Frank*?

– Ani słowa więcej. Bez komentarza...

– Okay, okay. Słyszałam, że nie lubisz tego filmu – zaśmiała się Weronika.

Wyglądała teraz jak młoda dziewczyna, nie trzydziestopięciolatka z przedwczesnymi kurzymi łapkami wokół oczu. Jej śmiech był zaraźliwy, więc po chwili napięte rysy twarzy Meyera też się wygładziły.

– Nie chce mi się tego prostować. – Machnął ręką. – A zresztą mój dziadek pochodził ze Śląska. Rozumiem gwarę. Czasami to wygodne.

Zamilkli oboje.

– Mogę cię kiedyś oprowadzić po Katowicach. Dobrze znam historię miasta. Byłam na studiach przewodniczką.

– Chętnie.

– Słuchaj, zabójstwo Troplowitza to była straszna zbrodnia. Ojciec rozmawiał o niej z macochą szeptem, żebyśmy ja i moje rodzeństwo nie mieli koszmarów. Teraz ten Schmidt... To też nietuzinkowa zbrodnia. Wychodzi na to, że zabójstwa śmieciowego barona dokonano w tym samym lokalu. Jakie jest według ciebie prawdopodobieństwo przypadku?

– Ogromne. Nie popadajmy w paranoję.

– To przecież niemożliwe. Czas, miejsce, ofiara, motyw. Poloczek, Królikowski, Schmidt. To jakieś fatum? – wyrzuciła jednym tchem Weronika.

– Jedyne, co łączy te dwie sprawy, to postać Schmidta. Jeśli Poloczek nie wsadza nas na minę. Swoją drogą, przyjrzałbym mu się. I temu pastorowi też. Ale wracając do twojego pytania, takie rzeczy się zdarzają. Rzadko, ale powtarzalność zjawisk, ruch koła historii, siła numerów... Świat według maga.

– Nie rozumiem.

– Innym razem, Werka. Chcesz drugie piwo?

Kiwnęła głową. Meyer wstał od stolika. Marynarkę zawiesił na oparciu krzesła. Kiedy odchodził, nie mogła się oprzeć, by nie przyjrzeć się jego sylwetce. Smukłej, jakby wyciosanej z ciężkiego materiału, a jednak sprężystej. Szerokie plecy nadawały jego postaci kształt odwróconego trójkąta. Szedł lekko zgarbiony. Raczej drapieżnik gotowy do skoku – czujny i nieufny – niż dumny paw. Pod czarnym polo dostrzegła linię łopatek i pierwszy raz poczuła zmysłowe łaskotanie w podbrzuszu. Podobał jej się. Dlatego za wszelką cenę starała się nie dać tego po sobie poznać i udawała cyniczną.

Meyer wrócił z piwem, po czym z apetytem zabrał się za kurczaka z frytkami. Połknął go szybko, a następnie wytarł ręce w serwetkę i wskazał na jej talerz z niemal nienaruszoną porcją.

– Nie jesz?

Pokręciła głową. Meyer przypatrywał się jej chwilę, nieświadomy myśli krążących w jej głowie, po czym pochylił ku niej twarz. Nabrała powietrza i odchyliła się na krześle, z trudem wytrzymując jego spojrzenie. Tymczasem on tylko zmarszczył brew i niedbale wytarł usta. Każdy gest profilera sprawiał, że czuła się coraz bardziej podekscytowana. Chwyciła marynarkę i narzuciła ją na siebie, choć w knajpie panował niemiłosierny upał.

– Przeziębiłaś się? – zapytał z troską, co ją kompletnie rozbroiło.

On z kolei myślał racjonalnie: Nic nie je. Zaraz mi tu zzielenieje i gotowa jeszcze zemdleć. A wtedy – wiadomo – kłopot. Cholera jasna z tymi babami, zaklął w duchu. Spojrzał na nią spode łba, uniósł brew.

Słuchaj, nie musisz się odchudzać. Z taką figurą mogłabyś zjeść i dwie porcje.

Nie mogła uwierzyć – ewidentnie komplement! Tylko jak go rozumieć? Poczuła się jak klacz oceniana na targu przez przyszłego kupca, a jednak połechtało to jej próżność. Może nie jestem mu tak do końca obojętna?, pomyślała. Zbyła uwagę milczeniem, a talerz ostentacyjnie odsunęła. Meyer natychmiast wziął kilka porzuconych przez nią frytek.

– Kradzione lepiej smakują. – Uśmiechnął się tak, że gdyby Werka nie siedziała, z pewnością upadłaby z wrażenia. Po chwili jednak zmroził ją chłodny ton jego głosu, przypominający raczej rozkaz niż niewinne pytanie: – Co wiesz od ojca?

Zesztywniała. Mówił jak generał oczekujący od żołnierza nie tylko zadowalających działań na polu walki, ale i lapidarnego raportu, który wniesie coś nowego do planowanej strategii. Poczuła się zaatakowana.

– No czego dowiedziałaś się od ojca? – ponaglił.

Znów rozkaz generała, znów dostała po nosie. Idiotka! Czuła żal i złość, przede wszystkim na siebie. On jest fachowcem, oczekuje konkretów, a nie rozmazanych wspomnień. Drugi raz w ciągu krótkiego czasu Meyer wprawił ją w stan kompletnego zagubienia, choć nie udało się to nikomu od lat. Po rozwodzie postanowiła, że już nigdy nie dopuści, by facet ją upokorzył. Bardzo dbała o to, by stawiać granice i także w sytuacjach intymnych kontrolowała swoje emocje. Nie traciła zimnej krwi i nie przestawała analizować. Nie pozwalała sobie na zupełny emocjonalny odlot. Wiedziała, że przyjemność trwa chwilę, za to cierpienie z powodu błędnie ulokowanych uczuć uniemożliwi jej normalne funkcjonowanie w pracy i w życiu. Nikt nie zranił jej bardziej niż mężczyźni, w których się zakochiwała. Zdecydowała, że najskuteczniejsza będzie ucieczka. Zresztą nie czuła się na siłach, by teraz rozprawiać o zbrodni na Troplowitzu, a tym bardziej o swoim ojcu. Była kompletnie bezwolna, jak roślina w wodzie poddająca się morskim prądom. Uzbroiła się więc w maskę chłodu. Postanowiła, że będzie zimna jak lód, choć przychodziło jej to z wielkim trudem.

– Niewiele. I drugie niewiele od Waldka. Chciałabym dokładniej przejrzeć akta.

– Tak. Właśnie, Waldek! – Hubert był wyraźnie zawiedziony.
– Zadzwonię.

Znów spróbował połączyć się z Szerszeniem, ale ten nie odbierał.

– To do niego niepodobne – stwierdził.

Werka wzruszyła ramionami i zapaliła papierosa, by zająć czymś drżące ręce.

Profiler zadzwonił jeszcze raz do komendy, a potem do domu Szerszenia. Zofia powiedziała, że mąż wciąż jest w terenie. Miał jednak wrażenie, że się zaniepokoiła. Pod koniec rozmowy dodała nawet, że właściwie od kilku godzin nie wie, co się z nim dzieje. Meyer zasugerował, że prawdopodobnie Waldek jest na czynnościach. To Szerszeniową nieco uspokoiło. Objaśnił jej więc pokrótce własną sytuację i prosił, by przekazała wszystko mężowi, kiedy pojawi się w domu.

– Niech dzwoni o każdej porze. Jesteśmy tutaj uziemieni – dodał.

Bufetowa przyniosła kolejne piwa. Tym razem Wera piła powoli, za wszelką cenę próbując się skoncentrować, ale to jej zupełnie nie wychodziło.

– Nie sądzisz, że Poloczek udaje? – przerwała wreszcie ciszę.

– Nie wiem. Ale chyba nie.

– Wiesz, gdybym była na jego miejscu... Próbowałam to sobie wyobrazić. Wprawdzie nigdy nie wpadłam w manię, ale gdybym siedziała za czyjąś zbrodnię, czy zachowałabym się w ten sposób?

– Jaki?

– No, wybaczyłabym wspólnikowi, który wrobił mnie w morderstwo, i nie chciałabym się odegrać, choćby tak, żeby...

– Opowiedzieć wszystko śledczym? Gadać od rzeczy, byle tylko zamącić?

– Właśnie.

– To mnie akurat nie dziwi. Facet znalazł ujście dla swoich emocji, uciekając w religię. On już nie ma potrzeby dzielenia się tym, co wie. Pamiętaj, to nie on sam, tylko jakiś jego były fumfel nam zakapował. Wyświadczył Poloczkowi niedźwiedzią przysługę.

– A może on wykorzystuje Boga, by się zasłonić przed nami?

– Dlatego trzeba przyjrzeć się Kiszce-Tyszce.

Werka się roześmiała.

– Pastor może być groźny?

– Może mieć na niego duży wpływ. – Meyer wyprostował plecy i ziewnął. – Nie znamy go, nie wiadomo, za co siedział. Nie wiem, jakiej klasy szulerem jest Poloczek, ale nie cierpię znaczonych kart, a taką właśnie talię dostaliśmy.

Jeszcze chwilę porozmawiali i wreszcie zdecydowali się rozejść do pokojów. Kiedy wspinali się schodami na górę, Weronika zawstydziła się swoich myśli przy stole. Miała wrażenie, że się pomyliła. Hubert zachowywał się wobec niej szarmancko, ale jak się zorientowała, taki miał po prostu sposób bycia. Był przystojny i nie musiał się zbytnio starać, by wzbudzać zainteresowanie kobiet. Ich pokoje sąsiadowały ze sobą.

– Dobranoc – powiedziała, nie patrząc na Huberta, i natychmiast włożyła klucz do zamka.

Chciała jak najszybciej znaleźć się w swoim łóżku. Klucz jednak nie pasował do zamka. Drzwi do pokoju Meyera stały już otworem. Nie wszedł jednak do środka, widząc, jak Weronika mocuje się z kluczem. Nie zamykając swoich drzwi, podszedł do niej i spróbował go przekręcić. Klucz ani drgnął. Zerknął na numer pokoju i blaszkę przy kółeczku. Ósemka. Wszystko się zgadzało. Pochylił się i spróbował jeszcze raz.

– Recepcjonistka chyba się pomyliła. – Odwrócił głowę w jej stronę. Jego twarz znalazła się na wysokości jej twarzy. Zastygł w tej pozycji. Weronika poczuła, że zrobiło się jej gorąco, ale nie odwróciła wzroku. Patrzyli na siebie. Podniósł rękę i odgarnął kosmyk jej włosów z policzków. Dopiero wtedy przymknęła powieki. – Pójdę wymienić, nigdzie nie odchodź – odezwał się.

– Ciekawe, dokąd miałabym pójść? – szepnęła.

– Wejdź do mnie. – Wskazał na drzwi. – Zaraz wracam.

* * *

Winda znów nie działała i Michał Douglas musiał iść schodami. Nie znosił tej okolicy. Na osiedlu Tysiąclecia w Katowicach mieszkały tysiące ludzi. Przed trzepakami i ławkami wysiadywała młodzież. Pozostali uwięzieni w swoich kajutach tępo wpatrywali się w telewizory, zagłuszając w ten sposób potrzebę autentycznego życia. Telewizja zabija osobowość, mawiał. I tylko ze względu na Elwirę i charakter jej pracy zgodził się na postawienie w salonie pudła wielkości wspaniałego akwarium. Tymek spędzał przed nim nieraz całe godziny. Elwira jeszcze dłużej. On sam wolał zamknąć się w swoim pokoju z piwkiem i czytać. Głównie książki historyczne. Uwielbiał wyobrażać sobie, jak on poprowadziłby akcję i jakich błędów w konkretnej bitwie można by było uniknąć. Miał swoich ulubionych dowódców. Na przykład taki Anders. Wieszają na nim psy, a przecież gdyby nie on, finał pod Monte Cassino mógłby być zupełnie inny. Nigdy nie uwierzy tym maluczkim, którzy plują na pomniki jego ulubionego generała.

Wdrapanie się na jedenaste piętro nikomu jednak nie przychodzi łatwo. Choć Michał był wysportowany, około siódmej kondygnacji dostał zadyszki. W końcu całkiem niedawno spędzał wyjątkowo owocnie czas w toalecie klubu Alien. Uśmiechnął się na samo wspomnienie tych zdarzeń. Niestety, jego kochanek miał mało czasu. Dziś w nocy wylatywał do Portugalii, do centrali banku, w której pracował jako jeden z menedżerów niższej rangi. Choć wykorzystali każdą minutę, Douglas czuł niedosyt. Te kilka szybkich numerków tylko pobudziło jego apetyt. Zatrzymał się przy małym okienku z kratą i niewielkim sztucznym kwiatkiem oraz firanką we wzór Horacio, by odpocząć, i zaczął rozpamiętywać.

– Jednak jestem sentymentalny – stwierdził półgłosem i powąchał swoje dłonie. Pachniały spermą. W ustach też czuł jeszcze jej smak. Miał nadzieję, że Elwira wypiła podsuniętą jej miksturę i śpi. Nie miał sił ani ochoty odpowiadać na jej pytania, którymi prawdopodobnie by go zasypała. Przeciągnął dłonią po swoich włosach, tak jak to lubił robić jego kochanek – na samym czubku zawsze je chwytał i z całej siły unosił do góry, by zadać mu ból. Ta pieszczota była tylko wstępem do ich ostrych gierek. Jeszcze niedawno sam nie wiedział, że tak kręci go ostrzejszy seks. Kiedy o tym myślał, poczuł narastające podniecenie. Ruszył do góry, by jak najszybciej znaleźć się w mieszkaniu i zrobić to, na co teraz miał największą ochotę. Twardniejącemu penisowi zaczynało brakować miejsca w spodniach.

Gdy wreszcie dotarł do mieszkania teściów, czuł, że eksploduje. Trzęsły mu się ręce, kiedy otwierał drzwi. W mieszkaniu panowała ciemność. Odetchnął z ulgą. Wszystko szło po jego myśli. Szybko, nie sprawdzając, gdzie jest żona i czy śpi, wszedł do łazienki, ściągnął spodnie, stringi i wyjął trochę oboIały, lecz wciąż sprawny członek. Rozstawił szeroko nogi, zerknął na niego troskliwie i opierając się o lustro, zaczął nim poruszać coraz szybciej. Napięcie powoli ustępowało przyjemności, a potem rozkoszy zbliżającego się spełnienia. Nie kierowała nim żądza, raczej pragnienie ulgi. Choć wszystko trwało nie więcej niż cztery minuty, te doznania były bardzo silne. Pod koniec naprawdę stracił kontakt z rzeczywistością i teraz liczyło się jedynie znalezienie ujścia dla tego podniecenia.

Był tak skupiony na tym co robi, że nie zwrócił uwagi na skrzypienie drzwi, nie słyszał kroków ani nie dostrzegł, że ktoś zapalił światło w korytarzu, który nawet w środku dnia sprawiał wrażenie ciemnego. Wreszcie osiągnął orgazm. Kiedy wodospad spermy wytrysnął, opryskując ubranie i umywalkę, do której bezskutecznie próbował trafić, krzyknął jak ranny lew. Potem oparł się o ścianę i powoli osunął się na ziemię. Nieśpiesznie otworzył oczy. Przed nim, w strużce światła z otwartych drzwi łazienki, stała postać.

W pierwszej chwili się przestraszył. Był przekonany, że zamknął nie tylko zamek w drzwiach wejściowych, ale także drzwi do łazienki, w której się onanizował. Minęła chwila, zanim rozpoznał, że stoi przed nim podinspektor Waldemar Szerszeń. Patrzył wprost na Michała, a na twarzy miał pogardę. Na rękach trzymał Elwirę. Była bezwładna i nie dawała znaków życia.

– Wkładaj gacie – rozkazał podinspektor, z trudem łapiąc oddech. Wejście na jedenaste piętro dało mu się we znaki.

Michał otworzył usta ze zdziwienia i chciał coś powiedzieć.

– Ona schodzi. – Szerszeń huknął na niego, aż Douglasowi zadźwięczało w uszach. – Nie mamy czasu na wzywanie karetki. Odpalaj silnik i podjedź pod samą klatkę.

Michał posłusznie ruszył po schodach za podinspektorem, który głośno sapał z wysiłku. Elwira, choć drobna, wydawała się dotkliwym ciężarem dla niemłodego już mężczyzny z nadwagą, jakim był Szerszeń. Douglas dogonił go, kiedy gliniarz dotarł już do ósmego piętra. Próbował mu pomóc – odebrać ciało żony – ale funkcjonariusz spojrzał na niego jak na robaka i rzucił:

– Jeśli ona zejdzie, obiecuję, że nie wyjdziesz z pierdla do końca życia. Gwarantuję to – za nią i za śmieciowego króla.

8 maja – czwartek

Szli po grząskim błocie. W kałużach rozmiękczonej drogi przeglądało się poranne słońce. Zapowiadał się kolejny gorący dzień. Orzeźwiający wietrzyk łaskotał zachmurzone oblicza Werki i Huberta. Minęli rząd metalowych baraków i prowizoryczne boisko do piłki nożnej. Do przejścia pozostał im już niewielki dystans. Kiedy droga zmieniła się w wąską ścieżkę, Hubert puścił Weronikę przodem. Prokuratorka rozgrzana szybkim marszem zdjęła marynarkę. Szedł kilka kroków za nią i obserwował jej wyprostowaną sylwetkę, długą szyję i biustonosz widoczny pod półprzezroczystą bluzką. Weronika bez wahania zatapiała swoje szpilki w grząskim podłożu, choć ciężko jej było pogodzić się z faktem, że po tej wyprawie buty nadadzą się już tylko do śmietnika. Po chwili jednak zatrzymała się, przykucnęła i podwinęła przydługie dżinsy, by nie uwalały się w błocie. Meyer pomyślał, że zrobiła to specjalnie, by mógł podziwiać jej szczupłe pęciny i wyobrażać sobie jeszcze więcej fragmentów jej ciała. Uśmiechnął się w duchu, choć powinien być niezadowolony. Sprawa zabójstwa Johanna Schmidta pojawiła się nieoczekiwanie i nie wyglądało na to, by czynności miały się szybko zakończyć, a zaległości w związku z innymi sprawami rosły z każdym dniem. Teraz jednak nie chciał się tym martwić. Pierwszy raz od tygodni porządnie się wyspał. Nie

253

dręczyły go ani koszmary dotyczące niewyjaśnionych spraw, nad którymi pracował, ani osobiste kłopoty. Wstał rześki i spokojny, zanim zadzwonił ustawiony na godzinę siódmą budzik. Czuł pozytywną energię. Cieszył się, że jest na świeżym powietrzu. Zaczął nawet pogwizdywać.

– Ale ci wesoło. Tylko pozazdrościć – mruknęła Rudy.

Nie odezwał się. Co miał jej odpowiedzieć? Że od dawna nie czuł się tak wolny? Że czuje się szczęśliwy? Jakby urwał się z nudnych zajęć i poszedł na wagary. Co by sobie o nim pomyślała?

– Nie jesteś zbyt rozmowny. Czy ty czasem mówisz coś o sobie? – Weronika miała widać odmienny nastrój.

Ona z kolei nie zmrużyła oka. Kręciła się na wielkim hotelowym łóżku do świtu, paliła jednego papierosa za drugim i rozmyślała. O przesłuchaniu zabójcy, które, miała nadzieję, wniesie coś do sprawy, o własnym ojcu i jego historii, o kamienicy przy Stawowej, a przede wszystkim o Meyerze. Szerszeń powiedział jej, że psycholog jest tak oddany pracy, bo nie ma innego wyjścia. Jego pierwsze małżeństwo rozpadło się kilka lat temu. Powód? Zdrada. Weronika aż podskoczyła, kiedy usłyszała to słowo. Spróbowała się uśmiechnąć, by Szerszeń nie zorientował się, że Hubert interesuje ją bardziej niż inny kolega z pracy.

– No tak, banał – mruknęła.

– Ale Meyer długo po niej nie rozpaczał – kontynuował Szerszeń opowieść. – Zanim sąd orzekł rozwód, Hubert spotkał swoją studencką miłość, Kingę. I zostali już razem. Wydawała mi się trochę szalona, choć muszę przyznać, że miała niezwykły umysł.

– Co robiła? – Werka poczuła się dziwnie, rozmawiając o prywatnych sprawach Meyera. Starała się zachować spokój i nie dać po sobie poznać, co naprawdę czuje. – To znaczy... kim ta kobieta była? Jest właściwie. Przecież ona żyje...

Szerszeń spojrzał na nią przeciągle i już wiedziała, że została zdemaskowana. Waldek, choć nie grzeszył zbytnią empatią, takie niuanse wyczuwał w mig, niczym pies gończy. Był w końcu detektywem, mistrzem w przesłuchiwaniu. Stary wyga doskonale wie, co się ze mną dzieje, pomyślała z rozpaczą. Odwróciła wzrok, co jednak tylko upewniło podinspektora w podejrzeniach.

– No tak... – zawiesił głos i wsadził do ust wykałaczkę. – Bo ona, jak by to powiedzieć... Niektórzy mówią, że zwariowała, ale to nie to. Nie wiem, jak się nazywa ta jej choroba. Coś z neuroprzekaźnikami. Ma stany kompletnego bzika, a potem jest normalna.

Remisje? – zmarszczyła brwi prokuratorka. Poczuła się idiotycznie. Ona myśli o seksie, a Meyer jest w tak tragicznej sytuacji. Koszmar. Jezu, jaką jestem idiotką, zganiła się w duchu. Nabrała powietrza i spytała:

– Schizofrenia?

– Nie, no co ty. To bym zapamiętał.

– To co jej dokładnie jest?

– No mówię przecież, że jest w klinice w Bostonie. Tam ją leczą. Jakiś tajemniczy przypadek. A zresztą myślisz, że od Huberta dowiesz się czegoś poza tym, co powie w chwili słabości?

– A tych nie ma za wiele – dodała.

– Właśnie – przyznał jej rację Szerszeń. – Ja tam jej nie lubiłem. Dla mnie była trzepnięta, zanim pojawiły się te nawroty. Ale szkoda mi Meyera. Ona jest dla niego ważna. To taka jedyna miłość w życiu. Niektórzy faceci są sentymentalni. A może to obsesyjne poczucie odpowiedzialności? Każdy na jego miejscu dawno położyłby na niej krzyżyk, ale nie on. Opiekował się nią, załatwiał lekarzy. Ze stoickim spokojem znosił jej różne wybryki. Bo początkowo go oszukiwała. Zaprzeczała, że jest chora. Nie chciała się leczyć. Mówiła, że wie, co jej jest. To miał być jakiś znak, by dokończyła swoje badania. Wreszcie nie poddała się operacji. Podpisała stosowne oświadczenie...

– Co? – Weronika nie była pewna, czy dobrze usłyszała. Była skołowana. Na sam dźwięk imienia Kinga było jej niedobrze. Nie potrafiła jednak ukryć wzburzenia. – Dlaczego miałaby wiedzieć lepiej od lekarzy, co jej jest?

– Kinga była doktorem czy docentem w Instytucie Psychologii Stosowanej Uniwersytetu Jagiellońskiego. Zajmowała się badaniem mózgu. Specjalizowała się w przekaźnikach neuronów czy innych pierdoletów. Chodziło o możliwości szybkiego przyswajania informacji i miała jakieś nowatorskie metody. Dla Meyera przeniosła się do naszego śląskiego instytutu. Przyjęli ją z otwartymi ramionami. Ponoć jest jedynym naukowcem w Polsce, a i jednym z niewielu w Europie, którzy mają takie osiągnięcia. Ale nie pytaj jakie, bo nie wiem.

– Wow! – gwizdnęła Rudy. – Brzmi nieźle.

– Wciąż miała jakieś granty z zagranicy. Była ceniona. Jeździła do Anglii, na zaproszenie uniwersytetu w Keele.

– Gdzie?

– Keele. Meyer pokazywał mi w komputerze. Zresztą kilka razy byli tam razem. I do Szwajcarii non stop wyjeżdżała, chyba do Lozanny. W Stanach też była. Werko, ja nie rozumiałem połowy rzeczy, o których ona mówiła. Miała łeb jak sklep. Jeśli o mnie chodzi, nie wytrzymałbym z taką babą ani dnia. – Uśmiechnął się do Weroniki. – Dla mnie liczy się coś innego.

– Wiem, żeby siedziała w domu i gotowała.

– No właśnie!

– E tam, gadasz – żachnęła się Werka. – A twoja Zofijka?

– No widzisz, gdyby nie to pieprzone równouprawnienie, nasze małżeństwo byłoby zdecydowanie bardziej udane. Nie musiałbym sam prać sobie skarpet. A mój autorytet wystarczyłby jej, by składać hołdy i nie przerywać, kiedy mówię, zwłaszcza przy gościach.

Werka wybuchnęła śmiechem.

– A, o to chodzi? Urażona męska duma?

– Gdyby siedziała w domu, wszystko byłoby prostsze, i dla mnie, i dla niej. U Meyera też. Kinga nigdy nie ugotowała mu obiadu. Jednej kanapki nawet mu nie zrobiła! – Podinspektor był wyraźnie oburzony. Na żonę Meyera, na własną, na wszystkie żony w tej komendzie i w promieniu tysiąca kilometrów. A najbardziej na feministki, które – w jego mniemaniu – były wszystkiemu winne. Weronika przeczuwała, w jakim kierunku zmierza ten monolog. – Oglądają te seriale, te wszystkie *Seksy w mieście*, *Mody na sukces*, *Rancza*, teleturnieje. I teraz wszystkie chcą nosić spodnie – ciągnął Szerszeń. – A potem mają pretensje, że facet nie ma się jak wykazać. Zamiast robić obiady i sprzątać, idą do pracy, żeby udowodnić nam, że strzelają i gonią przestępców szybciej niż faceci. Niedługo będą specjalne lodówki do trzymania kosmetyków, pianek na powieki, paznokcie, grube uda. Czy te mazidła się czymś w ogóle różnią? – Szerszeń już się nie hamował. Popłynął, wsiadł na swojego konika.

Weronika wiedziała, że nie obędzie się bez narzekań na gejów, lesbijki i prostytutki.

– Ja sama używam do tego lodówki – świadomie dolała oliwy do ognia.

– O nie! Po tobie się nie spodziewałem. A jedzenie?

– Jem na mieście.

– Tak jak wszystkie lesbijki. Jak myślisz, skąd się wzięła ta dewiacja? Nie rozumiem, żeby baba z babą... A zresztą nawet normalne nie dają facetom się wykazać. Może to dlatego uciekają w gejostwo.

– W co?

– No, w pedalstwo. Dziś chyba tylko prostytutki trzymają się zasad. I dziwisz się, że chodzimy na kurwy. W ich towarzystwie możemy poczuć się jak stuprocentowe samce.

– Pozory. Przecież one są uległe do czasu, aż wyjmiesz portfel. Waldek, ale ty, na kurwy? Nie wierzę...

– Tego nie powiedziałem. Szerszeń uśmiechnął się tajemniczo. – Nie muszę, znam te wszystkie dziewczyny. Wciąż je przesłuchuję. A zresztą... one przynajmniej nie udają... Większość facetów ma takie życie jak ten, co mu żonę porwali.

Prokuratorka zmarszczyła brwi.

– Nie rozumiem...

– Nie znasz? – rozpromienił się Szerszeń. Aż się palił, żeby opowiedzieć Weronice ten dowcip.

– No już, opowiadaj – zachęciła go, czym częściowo odkupiła swoje winy za lodówkę z kosmetykami.

– Więc mężowi zaginęła żona. Kamień w wodę! On szaleje: wydzwania na policję, pogotowie, szuka po szpitalach, dręczy rodzinę i znajomych. Nic. Po dwóch dniach wpada do domu i słyszy w kuchni hałas. Zagląda i co widzi? Jego żona krząta się, przygotowując mnóstwo kanapek. „Kochanie, od zmysłów odchodzę, co się stało, gdzie byłaś, pół miasta cię szuka!" – pyta zatroskany. „Ach, skarbie, nie uwierzysz... – odpowiada żona. – Porwało mnie kilku facetów, zawiozło na chatę i przymusiło do seksu: seks w pojedynkę, dwójkami, trójkami, orgie... pozycje z przodu, od tyłu, afrodyzjaki, gadżety, mówię ci – koszmar! I tak przez cały tydzień!" Mąż się dziwi: „Zaraz, zaraz, jaki tydzień? Nie było cię dwa dni?"... „No tak, ale ja wpadłam tylko po kanapki!" I takie właśnie są niektóre kobiety. Ma taka dobrego męża, ale orgii się jej zachciewa – skomentował podinspektor.

Kiedy Weronika przestała się śmiać, wrócił do tematu żony Meyera. Uśmiech na twarzy prokuratorki zastygł.

– Ona zaczęła mieć te stany wycofania, traciła kontakt z rzeczywistością, robiła dziwne rzeczy. W pewnym momencie zaczęło to zagrażać jej życiu. Hubert w kółko się martwił, czy ona sobie czegoś nie zrobi. Ponoć mieli powykręcane wszystkie klamki z okien, pochowane noże i takie tam. No, a teraz jest w Bostonie, w klinice.

– I co, wyleczą ją? – zapytała Weronika z drżeniem w głosie.

Szerszeń wzruszył ramionami.

– Ona nie chce się leczyć. Zgodziła się, by badali jej przypadek. To bardzo rzadka choroba. Jak by to powiedzieć, poświęciła się dla nauki, jej ciało za życia jest poddawane eksperymentom. Jej mózg właściwie... Leki uśmierzają tylko ból. Ponoć systematycznie zwiększają jej dawki.

– To straszne.

Szerszeń pokiwał głową.

– Oni się pobrali, kiedy była już chora. Meyer zdecydował się na to, choć wiedział, że nigdy nie stworzy z nią normalnego związku. Zaraz po ślubie gwałtownie jej się pogorszyło i zawiózł ją do tego Bostonu. Niedługo minie rok. Rzadko się widują. Jak dla mnie, ten związek to fikcja.

– Jak ona wygląda? – wyszeptała Werka.

– Wysoka, piegowata, czerwone włosy. W życiu takich nie widziałem. Ponoć naturalne.

– Była piękna? – spytała Werka i odważnie podniosła głowę.

Szerszeń wpatrywał się w nią chwilę w milczeniu, aż wreszcie odpowiedział:

– Niektórym się podobała. Miała w sobie coś kosmicznego. Była magnetyczna.

Prokuratorka nie spodziewała się takiej odpowiedzi. Zmarszczyła brwi i zastanowiła się, dlaczego ten surowy policjant użył takiego epitetu. Magnetyczna, to słowo jeszcze długo pozostało w jej głowie. Wciąż jednak nie mogła sobie wyobrazić żony Meyera. Myślała tylko, że to wszystko, ta historia, taka kobieta – idealnie do niego pasuje. Nie mógł znaleźć sobie nikogo zwyczajnego, bo sam jest wyjątkowy.

W nocy Weronika przypomniała sobie tę rozmowę i roztrząsała, czy w tym całym melodramacie nic ma przerysowań. To wszystko było nieprawdopodobne. Potem płakała. O niej nikt nigdy nie powiedział nic takiego. Magnetyczna. To słowo mieściło w sobie wszystkie komplementy. Rozpamiętywała swoje nieudane związki. Rozpaczała: dlaczego na jej drodze nie stają tacy mężczyźni jak Meyer. Kiedy w końcu udało jej się zasnąć, zadzwonił Hubert. Martwił się, by nie zaspała. Zerwała się na równe nogi, słysząc w słuchawce jego głos. Na dodatek sprawiał wrażenie wesołego i wypoczętego. Jakby nie była szósta, lecz co najmniej dziesiąta rano. Zwlokła się z łóżka, z trudem zbierając myśli, pijana z niewyspania, z kacem nikotynowym w ustach. W lusterku zobaczyła swoje zapuchnięte odbicie demaskujące jej zmęczenie oraz udrękę. Poczuła żal, a potem wściekłość. Na siebie, na pragnienia, które nie miały szans się spełnić. Nie w obliczu takiej tragedii.

Teraz rozpamiętywała noc, walcząc uparcie z sennością i zawrotami głowy. Dwie kawy, które w siebie wlała, nie zdały się na nic. Przed oczami wirowały jej mroczki, a głowa pulsowała. Trzymała się prosto tylko z jednego powodu – obok był Meyer.

Jego obecność działała na nią mobilizująco. Do tego stopnia, że nie zwracała uwagi nawet na błoto, po którym zmuszeni byli stąpać. Nagle zatrzymała się i gwałtownie odwróciła, tak że na nią wpadł. Chwycił ją w talii, by nie straciła równowagi i nie runęła w tę breję pod nogami. Spojrzała na niego bardziej zaskoczona niż zaniepokojona. Zatrzymał jej wzrok i szelmowsko się uśmiechnął. Dostrzegł, że na moment uroczo rozchyliła usta. Przez chwilę wyglądała jak przestraszona dziewczynka, a nie zarozumiała służbistka, którą próbowała jeszcze przedwczoraj odgrywać. Urocza, pomyślał. I farbowana. Przypomniał sobie, jak kilka lat temu jeden z jego kolegów – policjant z Nowego Jorku, który przyjechał na konferencję do Katowic – zadał mu pytanie: „Czy w Polsce wszystkie kobiety mają blond włosy?". Była to nadzwyczaj trafna uwaga. Jak teraz spostrzegł, włosy Weroniki też nie są naturalne. Swoją drogą, ciekawe, czy takie jeszcze się gdzieś zdarzają. Jednak odkrycie mikroskopijnych marchewkowych odrostów tuż przy skórze sprawiło, że wydała mu się bardziej ludzka. Uśmiechnął się na samą myśl, że Weronika jest naprawdę rudzielcem, a on przecież uwielbiał kobiety o czerwonych włosach. Tylko dlaczego się ich wstydzi, zastanawiał się.

– Przepraszam – szepnęła.

Spojrzał na nią raz jeszcze. Wiosenne słońce wyeksponowało na jej twarzy piegi. Makijaż nie był w stanie ich ukryć. Ogarnęła go błogość. Nieśmiały uśmiech błąkał mu się w kąciku ust, bo zrozumiał coś jeszcze. W jej oczach przez moment dostrzegł głęboki smutek, jakieś wołanie o pomoc. Chwilę później gwałtownie odwróciła wzrok i zacisnęła usta. Czy to właśnie tę tajemnicę próbowała ukryć, udając nieprzyjemną? Z czego ten smutek się bierze?, zastanawiał się. Wyzwolił ją z uścisku. Natychmiast odsunęła się na bezpieczną odległość. Odchrząknęła i wskazała palcem zakończonym krótko obciętym paznokciem bez lakieru.

– To tutaj. Jesteśmy.

Na wielkiej tablicy ze zdjęciem projektu architektonicznego widniała nazwa firmy budowlanej i adres, który dopiero miał się pojawić w spisie administracyjnym.

Rozmiękczona ścieżka, którą przeszli, doprowadziła ich do wielkiego dołu, w którym uwijało się kilku robotników. Każde auto osobowe natychmiast by się w nim zakopało. Powstawało tu osiedle dla klasy średniej. Na razie jednak nie przypominało w niczym wizualizacji na billboardzie przy szosie. Kręcili się tu mężczyźni umorusani w białym cemencie, którzy dopiero stawiali fundamenty.

– Pan Tyszka? – krzyknął do nich Meyer, ale żaden nie zareagował. Za to jak na zawołanie przyśpieszyli pracę.

– Tyszka to pan? – Wskazał jednego z nich na chybił trafił. Wąsacz pokręcił głową i spojrzał na ścianę lasu. W jej głębi stał idealnie wpisujący się w leśną atmosferę drewniany domek. On także nie przypominał projektu, który widzieli na reklamie przy głównym trakcie. W pobliżu domku nie zauważyli jednak nikogo.

– Poczekaj tu – powiedział Meyer do Weroniki, a ta z ulgą usiadła na palecie materiałów budowlanych.

Ściągnęła but i uważnie oglądała zniszczony obcas. Hubert obszedł budynek dookoła, ale nie było w nim żywej duszy. Już miał wrócić do robotników stawiających fundamenty nowoczesnego osiedla, kiedy usłyszał głos. Podniósł głowę i dostrzegł postać mężczyzny. Wystarczył rzut oka i natychmiast domyślił się, że to właśnie jego szukają. Tyszka wyraźnie odróżniał się od pozostałych robotników.

– Krystian Tyszka? – krzyknął profiler, by się upewnić.

Brodaty mężczyzna skinął głową.

– Policja, proszę zejść na dół. Mam pilną sprawę.

Mężczyzna kiwnął ręką, jakby dawał do zrozumienia, że słyszał rozkaz, ale potrzebuje chwili. Uderzył kilkakrotnie ręką w belkę dachu, którą właśnie mocował. Meyer nie mógł w to uwierzyć. Ten człowiek do wbijania gwoździ używa własnej dłoni, nie młotka. Profiler stał oniemiały. Zastanawiał się, co kryje przeszłość pastora i za co ten gladiator został przed laty skazany.

Po chwili Tyszka stał naprzeciwko niego. Meyer był wysokim mężczyzną. Rzadko zdarzało mu się, by ktoś patrzył na niego z góry. Tymczasem Tyszka przewyższał go nie o głowę, ale o co najmniej dwie. Hubert poczuł się dziwnie. Stąd wywodzą się kompleksy niskich ludzi: całe życie muszą podnosić głowę, by z kimś porozmawiać. Może dlatego są tak ambitni. Całe życie udowadniają każdej napotkanej osobie, że należy traktować ich z szacunkiem. Tyszka z pewnością nigdy nie miał tego problemu. Prawdopodobnie niezwykle rzadko zdarzało się nawet, by spotykał kogoś o podobnym wzroście. Był po prostu olbrzymem. Na dodatek wyróżniały go nie tylko wzrost i plecy w rozmiarze XXL, lecz także bujne, kędzierzawe owłosienie. Tłuste czarne loki wiły się jak spirale wokół jego ogorzałej twarzy. Do tego nosił długą brodę niczym Chrystus. Kontrast stanowiły niezwykle jasne, świetliste oczy nawiedzonego człowieka.

– Słucham pana – zagrzmiał basem kosmaty olbrzym.

– Jestem psychologiem policyjnym. Nadkomisarz Hubert Meyer. – Wyciągnął rękę i nie czekając na odpowiedź, kontynuował: – Mamy mało czasu. Przyjechałem, przyjechaliśmy, tam jest pani prokurator… – Wskazał na Weronikę, która wpatrywała się w nich w niemym oczekiwaniu. – Krótko mówiąc, chodzi o Alojza Poloczka.

Olbrzym naprężył się, przez co wydawał się jeszcze większy.

– Coś się stało?

– Musimy z nim porozmawiać. Doszło do zabójstwa. Jego zeznanie mogłoby nam pomóc znaleźć mordercę.

– Czy Alojz ma coś z tym wspólnego? – Wyglądało na to, że pastor naprawdę się zaniepokoił.

– Nie wiem. Ale musimy z nim porozmawiać o sprawie, za którą został skazany, a on mówi, że Bóg…

– Teraz chce być dobrym człowiekiem – przerwał Meyerowi olbrzym.

– Tylko że my potrzebujemy jego wiedzy, a jego religijna mania nie pozwala mu zeznawać.

– Jaka moja w tym rola?

– Tylko pan go do tego przekona.

– To niemożliwe. – Tyszka wzruszył ramionami.

Meyer nie potrafił podać żadnego innego argumentu. Czuł, że olbrzym jest niechętny i nie zamierza im pomagać. Spojrzał na Weronikę, która zorientowała się, że pojawił się problem, i szybko ruszyła w ich kierunku.

– Czy Poloczek należy do waszego kościoła? – spytała, z trudem łapiąc oddech.

Pastor zerknął na nią i odparł trochę zniesmaczony:

– „Spichlerz" to nie kościół, lecz zbór. Nasze zgromadzenie... Nie, Alojz nie należy do nas. Nie musi. Wystarczy, że zmienił swoje życie. Nie to, że nie chcę wam pomóc, tylko teraz pracuję, a potem mam spotkania z wiernymi, przygotowujemy kwestę i jeszcze nabożeństwo wieczorne... Może jutro rano?

– To wszystko wiemy. Pana żona nam wyjaśniła – weszła mu w słowo Rudy. – Widzi pan... Nie znam się na Piśmie Świętym, nie podam żadnego cytatu z Biblii, ale u nas Pan Bóg radził pomagać bliźnim. A jeśli chodzi o tę sprawę, to dokonano brutalnej zbrodni. Musimy znaleźć zabójców. To nie jest kwestia wyboru. Oni muszą ponieść karę – mówiła szybko, nie dając Tyszce czasu do namysłu i nie czekając, aż pastor wejdzie w dyskusję na temat wiary.

Meyer widział, że obrała dobrą strategię. Tyszka najpierw chciał zaprotestować, ale kiedy go zagadała, zrezygnował z tego planu. Słuchał jej wyrozumiale, jak ksiądz słucha spowiadającej się grzesznicy. Wtedy Werka wyciągnęła najcięższe działa – swoją kobiecość – i dodała błagalnym tonem:

– Panie Krystianie, w panu nasza jedyna nadzieja. Tylko pan może przekonać Poloczka. On w pana wierzy.

Twarz pastora pozostała nieruchoma. Nie drgnął w niej żaden mięsień. W końcu, jakby zmęczony słuchaniem, westchnął ciężko i wytarł wielkie ręce o roboczy kombinezon na szelkach. Podkoszulek, który miał na sobie, był mokry od potu.

– On wierzy w Boga, nie we mnie – odrzekł wreszcie.

Widać jednak było, że Weronika strzeliła celnie.

– Proszę z nami jechać – poprosiła.

Nagle uświadomiła sobie absurdalność tej prośby. Spojrzała na Meyera, szukając u niego ratunku. Zrozumiał ją bez słowa, zmarszczył brew i zaczął rozglądać się wokół rozpaczliwie. Nie mieli auta. Zanim na piechotę wydostaną się z tej głuszy, miną kolejne dwie godziny. Nie daj Boże, pastor zapragnie się przebierać... Czas ich gonił.

Olbrzym zaś nie odpowiadał. Nie mówił „tak", ale też nie powiedział definitywnie „nie". Myślał i myślał. Widać w jego wielkiej głowie ten proces zachodził dłużej. Może rozważał wszystkie za i przeciw, może zastanawiał się, jak im odmówić.

Zadzwoniła komórka Weroniki. Prokuratorka odebrała i słuchała dłuższą chwilę. Po drugiej stronie aparatu ktoś bardzo długo mówił podniesionym głosem. Twarzy Rudy odzwierciedlała jej emocje. To wznosiła oczy ku niebu, to zaciskała usta, wydymała wargi, pocierała czoło ręką, kopała w kamień leżący na ziemi, aż wreszcie odezwała się stłumionym stanowczym głosem:

– Nie mogę rozmawiać. Jestem w pracy.

Ktoś dalej perorował, a ona słuchała. Meyer wpatrywał się w nią i czuł, że stało się coś nieprzyjemnego. Był pewien, że gdyby to była błahostka, nie odebrałaby telefonu w takiej sytuacji. Nie wiedział jednak, czego dotyczył problem: pracy czy jej życia prywatnego. Obstawiał raczej to drugie. Nie należał do wścibskich osób, lecz teraz w napięciu oczekiwał, aż Weronika zakończy rozmowę z kimś, kto miał dla niej bardzo złe wieści. W pewnym momencie oddaliła się od nich na bezpieczną odległość. Obaj milczeli i wpatrywali się w jej postać. Doskonale usłyszeli groźbę wypowiadaną świszczącym szeptem.

– Jeśli jeszcze raz w środku nocy przyjedziesz pod mój dom i będziesz mnie zadręczał, odstrzelę ci łeb, obiecuję. Wszyscy będą wiedzieli, że zrobiłam to w obronie koniecznej. Mam gdzieś twoje znajomości! Zatrudnię twojego najlepszego kumpla i wiem, że mi nie odmówi opieki prawnej. Po tym, co zrobiłeś, nienawidzi cię bardziej niż ja. Mam nadzieję, że się rozumiemy.

Osoba po drugiej stronie się rozłączyła.

* * *

– Jaki jest jej stan? – zapytał lekarza Waldemar Szerszeń i zamarł w oczekiwaniu.

W słuchawce zapanowała cisza. Wykorzystał tę chwilę, by chwycić karton z kefirem, który na jego biurku zajmował dzisiejszego ranka honorowe miejsce. Po wczorajszych wydarzeniach nie wytrzymał i upił się tak, że dzisiaj miał koszmarnego kaca. Ledwie zwlókł się z łóżka.

– Zważywszy na to, ile substancji psychoaktywnych zażyła, jest bardzo dobrze – odrzekł lekarz.

– Jej życiu nie zagraża niebezpieczeństwo? – upewnił się podinspektor, walcząc z okropnym bólem głowy, który rozsadzał mu czaszkę.

– Stan jest stabilny i zakładamy, że się poprawi.

Mam nadzieję, że mój też, pomyślał.

– Ale wciąż jeszcze nie odzyskała przytomności? – spytał.

– Będziemy ją obserwować – obiecał lekarz.

– Proszę mnie informować.

Szerszeń delikatnie odłożył słuchawkę. Dziś każdy dźwięk głośniejszy od szeptu zadawał mu ból. Chwycił się za głowę i pomyślał, że to ironia losu. Obie kobiety Schmidta leżą teraz na jednym oddziale. Obie nieprzytomne. Na dodatek nie wiedział, jak do tego doszło. Kiedy zapytał lekarza o przyczynę zapaści Poniatowskiej, usłyszał jedno słowo: clonazepam. Szerszeń nie musiał prosić lekarza o wyjaśnienia. Doskonale znał tę nazwę. To popularny i niezbyt drogi medykament do kupienia na receptę w każdej aptece. Głównie bywa stosowany u chorych na padaczkę. Ma też działanie przeciwlękowe i usypiające. Narkomani często wspomagają się „pestkami klonu"[1] na głodzie. Jedna, dwie tabletki nie powodują u zdrowej osoby żadnego uszczerbku prócz uczucia senności. Ale nie całe opakowanie! Lekarz powiedział Szerszeniowi, że prawdopodobnie tyle musiała połknąć kobieta, żeby mieć we krwi tak dużą zawartość benzodiazepin[2]!

---

[1] „Pestki klonu" (w slangu osób uzależnionych) – clonazepam; także: dorota, dorotka, efka, erki, piguły, rolki, ziomki.

[2] Benzodiazepiny – leki o działaniu uspokajającym, przeciwlękowym, nasennym. Clonazepam jest pochodną benzodiazepiny.

Podinspektor rozumiał już, dlaczego dzwoniąc do niego, mówiła tak bełkotliwie. Sugerowała wyraźnie, że boi się o swoje życie. Nie wzięła więc sama tych tabletek. A kto bywał w mieszkaniu oprócz niej? Tylko Michał Douglas, jej mąż. Czy to on jej podał śmiercionośną miksturę? Skąd wiedział, że clonazepam w dużych ilościach i po zmieszaniu z alkoholem upośledza zdolności psychofizyczne, usypia, a nawet powoduje utratę przytomności? Poniatowska bowiem oprócz tej pochodnej benzodiazepiny zażywała też inne środki psychotropowe zapisane jej przez lekarkę. Prawdopodobnie ta mieszanka leków i alkoholu spowodowały jej stan. Miała duże szczęście, że Szerszeń wczoraj wieczorem dotarł na czas. Elwira mogła już nigdy się nie obudzić. Bo jej mąż po wyjściu z przesłuchania miał inne priorytety niż rozmowy z żoną. Na wspomnienie Douglasa onanizującego się w łazience Szerszeń poczuł obrzydzenie, choć naprawdę niewiele było rzeczy, które mogły wzbudzić w nim to uczucie.

Teraz jednak uświadomił sobie coś zdecydowanie gorszego. Sprawa śmieciowego barona zaczęła go przerastać. Nitki tego śledztwa rwały się i wymykały mu z rąk. Nie panował nad pojawiającymi się wciąż nowymi wątkami tej sprawy. Sam zaś miał wrażenie, że stoi w martwym punkcie, szuka po omacku i wciąż błądzi. Czuł, że opuszczają go siły. Nowe informacje powiązane ze śmiercią Schmidta wyskakiwały jak króliki z kapelusza iluzjonisty. Szerszeń nie cierpiał takich niespodzianek. Muszę się wziąć w garść. Działać!, postanowił. Na wczoraj zaplanował na przykład przesłuchanie córki Schmidta, lecz z powodu wieczornej reanimacji Elwiry Poniatowskiej spędził pół nocy w szpitalu, a drugie pół na piciu do lustra. Czynności związane z Magdą Wiśniewską wciąż na niego czekały.

Dopiero dziś rano dostał też wiadomości od Meyera i Rudy, którzy musieli zostać w Raciborzu. Kiedy dyżurny przekazał mu, co się stało z autem Weroniki, zaniepokoił się. Kapuś, to była jego pierwsza myśl. Natychmiast wykręcił numer Meyera. Hubert na szczęście odebrał po pierwszym sygnale. Niestety, Szerszeń prawie go nie słyszał. W tle rozlegał się okropny huk, jakby prokuratorka i profiler stali przy taśmie produkcyjnej na terenie jakiejś fabryki. Szerszeń ledwie to wytrzymywał.

– Jedziemy właśnie do więzienia. Poloczek ma manię religijną. Nie chciał zeznawać, liczymy, że pastor jego kościoła go przekona. – Meyer, przekrzykując hałas, próbował naświetlić sytuację, w jakiej się znaleźli.

– Prawie nie słyszę. Powodzenia – odparł Szerszeń i z ulgą się rozłączył.

Zdecydował, że o przygodzie z Poniatowską opowie im po powrocie. Kiedy wychodził z gabinetu, pierwszy raz od długiego czasu pożałował, że nie ma komórki. Nie mógł przecież wciąż siedzieć za biurkiem. Musiał pojechać do mieszkania Schmidta – przesłuchać jego pasierbicę. Ile rzeczy wiedziałbyś wcześniej, gdybyś miał przenośny telefon?, jakiś diabełek w głowie ewidentnie z niego kpił. Szerszeń nie byłby jednak sobą, gdyby zaraz nie odgonił tej niesfornej myśli i po raz kolejny nie utwierdził się w przekonaniu, że z tak błahego powodu nie będzie przecież zmieniał zasad. Przy swoim biurku znów posadził Jacka i rozkazał mu zapisywać wszystkie wieści.

– Co ma wisieć, nie utonie – oświadczył młodemu policjantowi, który nie zrozumiał, o co chodzi, więc tylko pokiwał głową. Widział przecież, że dziś podinspektor jest cierpiący, wolał nie pytać o nic więcej.

– Dwadzieścia po dwunastej. – Weronika Rudy sprawdziła godzinę w komórce. – Późno.

Mówiła podniesionym głosem, próbując przekrzyczeć huk silnika wywrotki, którą dojechali z placu budowy do zakładu karnego. To okazało się najszybszym sposobem, by się tam dostać. Prokuratorka była zaniepokojona. Pomiędzy jej brwiami pojawiła się bruzda.

– Ja tu wysiądę i zacznę załatwiać nasze wejście na oddział. W trybie wyjątkowym. A pan zaparkuje – wydała polecenie pastorowi, który zatrzymał pojazd przy krawężniku.

Meyer musiał wyjść z kabiny, by prokuratorka wydostała się na zewnątrz. Szarmancko podał jej rękę i pomógł bezpiecznie stanąć na twardym gruncie. Zanim jednak Weronika wygramoliła się z wozu, wprost wpadła w jego ramiona. I nie odsunęła się, lecz oparła całym ciałem, aż zakręciło mu się w głowie.

– Przyholuj go za chwilę. Boję się, żeby nie nawiał. Jakoś mu nie ufam... Spróbuję, może da się załatwić pomieszczenie z lustrem weneckim. Chciałabym wiedzieć, czy zaczną się naradzać. Do końca życia nie darowałabym sobie takiego błędu – szepnęła mu do ucha i prawie biegiem ruszyła do bramy więzienia.

Meyer z powrotem wsiadł do wywrotki i ruszyli.

– Czy wy żyjecie ze sobą? – krzyknął pastor, bo warkot silnika uniemożliwiał normalną rozmowę.

Meyer najpierw chciał udać głuchego, ale po chwili się zreflektował. Tyszka jest wprawdzie niewykształcony, ale nie głupi. A na pewno bardzo sprytny. Lepiej mieć go po swojej stronie. Zwłaszcza że wcale nie musi im pomagać.

– Co pan ma na myśli? – odkrzyknął pytaniem na pytanie.

– Czy to pana kobieta?

– Nie, w żadnym wypadku!

Chciał oczywiście zapytać, dlaczego kosmaty olbrzym tak sądzi, ale wiedział, że to pociągnie za sobą dalsze pytania. A to przecież on jest tutaj od zadawania pytań.

– Co pan sądzi o Poloczku? Długo się znacie? – próbował zmienić temat.

– Słaby – mruknął Tyszka.

– Co? Nie słyszę.

– Jest słaby – krzyknął Tyszka głośniej. – Ale nie zły. To znaczy nie jest zły do końca. Nikt zresztą nie jest. Bóg zawsze daje nam kolejną szansę. Wiem, czego ode mnie oczekujecie, ale nie dokonam cudu.

– Jeśli nie będzie chciał, to nikomu nie powie – przyznał profiler.

– Zrobię, co w mojej mocy – obiecał pastor.

– Okay. – Meyer skinął głową. – Dziękuję panu.

Tyszka się uśmiechnął i na moment jego nawiedzone oczy stały się prawdziwe – diaboliczne. Meyer poczuł zimne dreszcze na karku. Koniecznie muszę zbadać jego przeszłość, myślał, kiedy parkowali i olbrzym skupiał się na ustawieniu wywrotki tak, by nie zatarasować nią całego wyjazdu z parkingu. Z dojściem do więziennej bramy zajęło im to prawie kwadrans. Weronika już na nich czekała po drugiej stronie kraty. Była uśmiechnięta. Najwidoczniej załatwiła wszystko, tak jak planowała. Dzięki temu będą mogli słyszeć i obserwować rozmowę Poloczka z pastorem. Nagle olbrzym pochylił się w kierunku Meyera, wzrokiem wskazał Weronikę i oświadczył świszczącym szeptem:

– Niezwykła z niej dziewczyna, choć z dużym potencjałem mroku.

Meyerowi wydawało się, że do niego mrugnął. Nie był tego pewien, bo liczne kosmyki włosów opadały olbrzymowi na oczy. A może to był tik nerwowy? Dopiero wtedy spostrzegł, że Tyszka ma pod pachą żółtą reklamówkę z krzykliwym logo Biedronki. Kiedy trzasnęła krata i strażnik otworzył ją na oścież, pastor wyjął z torby Biblię i przybrał poważny wyraz twarzy. Po diabolicznym spojrzeniu nie było już ani śladu.

Waldemar Szerszeń kilkakrotnie naciskał dzwonek przed fortecą, jaką okazała się posiadłość Schmidta. Przez domofon nikt nie odpowiadał. Zajrzał więc w szparę między furtką a ogrodzeniem i dostrzegł biały budynek. Rozejrzał się, na ile pozwalała na to „przysłowiowa dziura w płocie", i stwierdził, że chyba faktycznie nikogo w środku nie ma. Zaniepokoił się. Z tego, co mówił Meyerowi dzielnicowy, który przesłuchiwał Magdę w sprawie jej alibi na czas dokonania zbrodni na jej ojczymie, była to dziewczyna niezbyt rozgarnięta, niezaradna i raczej potrzebująca opieki. Martwił się, czy i tej babie nie przyszło do głowy nic głupiego. Ratowanie trzeciej kobiety z otoczenia Schmidta byłoby ponad jego siły. Zwłaszcza dzisiaj. Wziął już dwa środki przeciwbólowe, ale wciąż czuł, jakby lokomotywa toczyła się wokół jego czaszki. Jeszcze raz nacisnął klamkę furtki. Zamknięte. Przyłożył ponownie oko do szpary pomiędzy furtką a ogrodzeniem, gdy zaskoczył go damski głos do złudzenia przypominający gdakanie kury.

– Ładnie to tak podglądać?

Odwrócił się i dostrzegł kobietę ubraną zbyt uroczyście jak na tak wczesną porę dnia. Na nogach miała dziwne buty na nieprawdopodobnie wysokiej platformie, które wyglądały raczej na ortopedyczne. Zupełnie nie pasowały do sukni z dekoltem, krótkiej peleryny z falbankami oraz krzykliwej biżuterii, którą kobieta była obwieszona jak choinka. Była młoda, lecz ten strój sprawiał, że wyglądała jak stara ciotka. W ręku miała białą torebkę w jakieś kolorowe wzorki. Podobne modele nosiły przesłuchiwane przez niego kobiety lekkich obyczajów. Zmierzył ją wzrokiem i wyciągnął legitymację.

– Podinspektor Szerszeń. Komenda Wojewódzka Policji w Katowicach.

Pogardliwy uśmieszek natychmiast znikł z twarzy kobiety, a zamiast niego pojawił się niepokój. Szerszeń miał nawet wrażenie, że cofnęła się kilka kroków.

– O, przepraszam – wyjąkała wreszcie. – Jestem sąsiadką tych państwa... – Wskazała płot. Zawiesiła głos, bo z tych państwa jedno już nie żyło. Kobieta jednak nie należała do strachliwych. Zaraz odzyskała rezon. – To jeden z ładniejszych domów w dzielnicy i prawdopodobnie w całym regionie. Było tu już jedno włamanie, więc Magda prosiła mnie, żebym rzuciła okiem, czy nikt się nie kręci. A ja mam dużo czasu... Raz dziennie robię sobie spacer po okolicy z Rilkym.

Szerszeń dopiero teraz spostrzegł małego łysego psa, który spokojnie zmieściłby się nie tylko w jej okropnej białej torebce, ale i w kieszeni jego kurtki. Śniadanie podeszło mu do gardła. Starał się jednak zachować spokój. Miał nadzieję, że uda mu się siłą woli opanować odruch wymiotny. Przeklinał swoją obowiązkowość. Gdyby pospał kilka godzin dłużej, nie musiałby teraz cierpieć.

– Tak? – Stanął na baczność i wyciągnął notes. Kazał kobiecie podać nazwisko, adres zamieszkania, rok urodzenia. – Gdzie jest teraz pani Magda?

– Jak to gdzie? – zdziwiła się sąsiadka. – W pracy.

– W jakiej pracy? To ona pracuje?

Szerszeń pociągnął wąsa. Praca zupełnie nie pasowała mu do osobowości dużego dziecka, jak określali tę dwudziestoczteroletnią kobietę wszyscy, którzy mieli z nią kontakt.

– Tak, od dwóch lat – odparła sąsiadka rezolutnie. – I muszę przyznać, że świetnie sobie radzi, zwłaszcza po śmierci ojca. No, właściwie z matką też nie wiadomo, jak będzie... To ciężka sytuacja. Nie spodziewałam się, że Magda tak szybko się pozbiera... Kiedy dowiedziała się o zabójstwie, była w kompletnej rozsypce. Musiałam u niej nocować, wciąż płakała.

– Tak, tak – mruknął Szerszeń i podniósł rękę, by jej przerwać.

O tym wszystkim wiedział. Nie mógł słuchać piskliwego głosy tej kobiety. Już się zorientował, że to jest właśnie sąsiadka w futrze, o której mówił Meyer. To ona została z Magdą, kiedy Klaudia pojechała zidentyfikować zwłoki męża. Wyglądało na to, że sąsiadka faktycznie ma czasu aż nadto i by go zagospodarować, chętnie by sobie z kimś pogadała. Ale nie ze mną. I nie teraz, pomyślał. Nie miał do stracenia ani chwili. Musiał wreszcie przesłuchać pasierbicę śmieciowego barona.

– Gdzie ona pracuje? – zapytał.

Sąsiadka spojrzała na niego, jakby miał na sobie skafander ufoludka.

– W Koenig-Schmidt.

– Co? W firmie ojca?

Sąsiadka pokiwała głową.

– A w jakim charakterze?

– Jest prezesem zarządu spółki.

Szerszeń gorączkowo przerzucał kartki notesu, aż wreszcie schował go do kieszeni. Bardzo się starał, by sąsiadka nie dostrzegła, że ta informacja po prostu zwaliła go z nóg.

– Od dawna?

– Od dwóch lat, mówiłam. Ale prezesem jest od dnia śmierci ojca, czyli od trzech dni. Formalnie. Tak napisał w testamencie. W razie nagłej choroby uniemożliwiającej sprawowanie funkcji

271

lub gwałtownej śmierci. W ten sposób zabezpieczył się, by nikt prócz Magdy nie mógł zasiąść na jego stołku. A tak naprawdę to Magda zajmuje jego gabinet dopiero od wczoraj – tłumaczyła sąsiadka.

Zaskakująco szybko się pozbierała jak na taką ofermę, zauważył Szerszeń.

– Schmidt zawsze twierdził, że to ona przejmie po nim schedę – trajkotała tymczasem kobieta. Im dłużej mówiła, tym jej głos stawał się coraz bardziej piskliwy. – Już wcześniej pomagała ojczymowi we wszystkim. A od dwóch lat była tam oficjalnie zatrudniona. Dostawała całkiem niezłą pensję. Dopóki jednak on był u władzy, wszyscy traktowali ją raczej jak asystentkę szefa niż następczynię. Zresztą nikt oprócz Schmidta w nią nie wierzył. Nawet ona sama. Teraz to się musiało zmienić. Magda nie miała wyjścia. Przedsiębiorstwo nie może działać bez szefa.

– A kim pani jest z wykształcenia? – zapytał Szerszeń niecierpliwie.

– Nie skończyłam studiów – odrzekła radośnie sąsiadka. – Przez dwa lata studiowałam administrację na Uniwersytecie Śląskim. Tam się z Magdą poznałyśmy. Ona zaczęła te studia, bo nie dostała się na kierunek, który sobie wymarzyła, ale po roku udało jej się zdać egzamin i się przeniosła. To jednak wystarczyło, że się polubiłyśmy. Zwłaszcza że ja zaraz wyszłam za mąż i zamieszkałam niedaleko... O tam. – Pokazała starą willę obrośniętą bluszczem.

Ciekawe, kim jest twój mąż, sprytna sroczko. I ile ma lat, przemknęło podinspektorowi przez myśl.

– Co w takim razie studiuje Magda Schmidt? – zapytał.

– Studiowała. Prawo. W styczniu tego roku otrzymała tytuł magistra. Obroniła się z najwyższą oceną.

– Już skończyła? – upewnił się Szerszeń.

– Była jedną z najzdolniejszych studentek. Skończyła ekspresowo, choć zaczęła z opóźnieniem. I nie używa nazwiska ojczyma, tylko własnego – Wiśniewska. Większość ludzi nie ma pojęcia, że jest córką tego Schmidta i odziedziczyła po nim fortunę.

– To po to skończyła wcześniej studia? Żeby móc pracować u ojca?

– Chyba tak. Jest bardzo ambitna.

– Dziękuję. Bardzo mi pani pomogła.

Szerszeń szybko wsiadł do auta i ruszył w kierunku Sosnowca. Myślał teraz tylko o tym, by sprytnie ominąć korki. Chciał jak najszybciej znaleźć się na ulicy Roździeńskiego, gdzie mieściła się siedziba przedsiębiorstwa śmieciowego barona, i zobaczyć nową panią prezes na włościach.

Dziewczyna w recepcji Koenig-Schmidt Sauberung & Recycling sp. z o.o. była ubrana w przepisowy granatowy kostium, na głowie miała dziwną czapeczkę, jak stewardesa, i wzorowo wykonywała swoją pracę. Kiedy Szerszeń pojawił się przed pulpitem i okazał swoją legitymację, nie mrugnęła nawet okiem. Wskazała mu miejsce dla oczekujących – wygodne beżowe fotele wokół szklanego stolika na metalowych nóżkach, po czym zaproponowała kawę. Skinął głową i zanim parująca filiżanka stanęła przed nim, recepcjonistka miała już dla niego nowiny.

– Pani prezes ma spotkanie z radą nadzorczą. Prosiła, by poczekał pan kilka minut. Zrobią przerwę i wtedy pana poproszę.

Rozsiadł się wygodnie i trawił wszystkie informacje dotyczące Magdy, które zburzyły jej dotychczasowy wizerunek nieudacznicy i „dużego dziecka". Rozejrzał się wokół. Firma mieściła się w starym industrialnym budynku, ale w środku zadbano o nowoczesny wystrój. Tak przynajmniej ocenił, rozglądając się po poczekalni. Wnętrze było estetyczne, ale chłodne. Ani jednej rośliny, ściany idealnie białe, pozbawione ozdób. Tylko na jednej z nich, nad recepcją, umieszczono wielkie złote litery i logo firmy. Wydawało się, że poza kobietą za pulpitem i Szerszeniem nie było tu nikogo. Wstał i podszedł do ciężkich metalowych drzwi wejściowych.

– To jest wejście do hali – poinformowała recepcjonistka.

– Niestety, nie wolno tam wchodzić bez uprzedzenia. Chyba że ma pan nakaz. Chodzi o przepisy sanitarne...

Pokiwał głową i zanotował w myślach jej szybką reakcję. Ponownie usiadł w fotelu i podniósł do ust filiżankę, ale była pusta.

– Jeszcze kawy? A może herbaty, wody? – Dziewczyna zareagowała natychmiast.

Pokręcił głową. Chyba że macie gorący żurek, pomyślał.

Metalowe drzwi skrzypnęły i do pulpitu recepcjonistki podszedł mężczyzna około trzydziestki. Dość wysoki blondyn, o sympatycznej twarzy, lecz sprytnych, rozbieganych oczkach. Był ubrany w dżinsową kurtkę i T-shirt w kolorowe paski. W ręku miał kluczyki do auta.

– Cześć, Żan – zwrócił się do dziewczyny z szerokim uśmiechem. – I gdzie moja prezesówna? Znów się guzdra?

Recepcjonistka spłoniła się i strategicznie milczała. Mężczyzna rozejrzał się po pomieszczeniu i dopiero wtedy dostrzegł Szerszenia, który obserwował sytuację.

– Wojtku, będzie trochę spóźnienia. Pan także czeka na Magdę – dodała ciszej.

– Aha. – Mężczyzna wyglądał na wyraźnie spłoszonego. – Policja? – zadał pytanie szeptem. Szerszeń bardziej się tego domyślił, niż usłyszał.

Recepcjonistka skinęła głową i wróciła do swoich zajęć.

– Zawołasz mnie, kiedy pani prezes będzie już gotowa.

Trzydziestolatek jak oparzony odwrócił się na pięcie, a do ust nerwowo włożył sobie papierosa. Drugą ręką szukał po kieszeniach zapalniczki. Określenie „pani prezes" powiedział z naciskiem. Szerszeń nie był pewien, czy zawierało kpinę, czy to wzmocnienie było przeznaczone tylko dla jego uszu. By przykryć nim brak szacunku, jakim się zdradził, sądząc, że oprócz Żan i niego nie ma w pomieszczeniu żywej duszy. Szerszeń zastanawiał się, kim jest Wojtek i dlaczego pozwala sobie na takie uwagi. Pracownicy firmy niechętnie zapewne przyjęli do wiadomości nowinę, że poważnym przedsiębiorstwem ma zarządzać dwudziestoparolatka, co gorsza, córka śmieciowego barona, jeszcze do niedawna przez wszystkich lekceważona.

Wstał z fotela i podszedł do recepcjonistki.

– Gdzie tutaj można zapalić? – odezwał się najsłodszym głosem, na jaki potrafił się zdobyć.

– Tam jest palarnia. Kierowca prezesa właśnie tam poszedł. Może pan także zapalić przed wejściem. Są popielniczki – odparła.

Szerszeń wyjął z kieszeni wykałaczkę i włożył ją między zęby. Nie zamierzał wcale palić, lecz przyjrzeć się Wojtkowi. Kiedy otworzył drzwi palarni, miał wrażenie, ze mężczyzna zbladł na jego widok.

– Można? – spytał i przybrał pozę dobrotliwego wujka.

– Proszę. – Wojtek wskazał miejsce na parapecie i zaciągnął się papierosem.

– Pan jest znajomym pani Magdy? – zapytał, uśmiechając się, choć papierosowy dym powodował mdłości.

Kierowca wpatrywał się w niego chwilę, po czym odparł zmieszany:

– Raczej nie. Choć teraz spędzam z nią dużo czasu. Odkąd została szefową...

– I jak się panu tutaj pracuje?

– Bardzo dobrze. Porządna firma. Płacą na czas, całkiem nieźle. Jak dla mnie, bomba – odparł wesołkowato. Widząc stoicki spokój na twarzy policjanta, dodał: – Wcześniej pracowałem w pogotowiu. Sam pan rozumie: praca na zmiany, w stresie, do tego nisko płatna. Tutaj dla mnie jest raj.

Teraz Szerszeń zareagował tak, jak mężczyzna się spodziewał. Po chwili jednak uśmiech na twarzy policjanta zamarł. Wojtek się zaniepokoił.

– A znał pan też Johanna Schmidta? – padło pytanie.

– Oczywiście. To on mnie zatrudnił.

– Jakim był szefem?

– Bardzo dobrym. – Mężczyzna udzielił odpowiedzi, jakby stał przed tablicą w szkole. – Bardzo... – dodał.

– Lepszym niż Magda?

– No, tego nie da się porównywać. Ja tylko prowadzę auto...

– Ale słucha pan także, co się dzieje. Może pan nie mówi, ale wiele wie...

– O nie, nauczyłem się, że im mniej wiem, tym lepiej dla mnie – odparł błyskawicznie.

Szerszeń zamilkł i wpatrywał się w niego w skupieniu, po czym wskazał na papierosa.

– Chyba pet się panu tli.

Mężczyzna aż podskoczył. Szybko zgasił nadwęglony filtr w popielniczce.

– Pracował pan drugiego maja? – w tym momencie zapytał Szerszeń.

– Byłem już raz przesłuchiwany. Spisano z tego protokół.

– Tak?

Mężczyzna zamilkł. Był wyraźnie zdenerwowany. Szerszeń wpatrywał się w niego z uwagą i nie wypowiedział ani słowa.

– Pan Schmidt zwolnił mnie około czternastej. Stwierdził, że sam będzie prowadził auto. – Kierowca odwrócił wzrok. Zaraz też pośpieszył z wyjaśnieniem. – Źle się czułem, a on miał jakieś prywatne sprawy do załatwienia. Chyba nie chciał przyzwoitki.

– Gdzie to było? Jakie prywatne sprawy?

– Nie wiem, ale on chyba miał... kochankę. Tak tylko podejrzewam. Nie wiem nic na pewno... Zaparkowałem na placu Szewczyka. I tam się rozstaliśmy. Pojechałem do znajomej z dawnej roboty.

– Oddał mu pan kluczyki?

– Nie, miał swoje. Ja mam drugi komplet.

Ich rozmowę przerwało pukanie do drzwi.

– Panie podinspektorze, zapraszam. Pani prezes prosi – powiedziała recepcjonistka.

Szerszeń miał wrażenie, że Wojtek odetchnął z ulgą. Przy samym wyjściu odwrócił się i zapytał:

– Pana nazwisko?

– Rosiński – odparł kierowca. – Wojciech Rosiński.

– Z przyjemnością ponownie przestudiuję pańskie zeznanie.

* * *

Siedzieli tylko we trójkę: Szerszeń, Meyer i Rudy. Profiler i prokuratorka dwie godziny temu weszli do gabinetu podinspektora. Weronika na jego widok aż się cofnęła. Wyglądał okropnie. Jakby przez jedną dobę postarzał się o kilka lat. Pod oczami miał worki, białka oczu były zaczerwienione, a cera ziemista. Prokuratorka i profiler zrelacjonowali przebieg przesłuchania Poloczka, a Szerszeń poinformował o nocnej wyprawie po Poniatowską i dzisiejszej wizycie u córki Schmidta. Meyer w milczeniu przeglądał akta sprawy zabójstwa Troplowitza. Wcronika piła kolejną kawę i zapalała kolejnego papierosa. Zastanawiali się, jak powiązać oba zabójstwa dokonane w Kaiserhofie przy Stawowej, by śledztwo ruszyło do przodu. Wokół nich leżały kartki, na których zapisywali krótkie charakterystyki osób występujących w każdej ze spraw. Oprócz tego pełno było luźnych fiszek z pytaniami, które rodziły się podczas tej narady. Właściwie wyczerpali wszystkie hipotezy śledcze. Wciąż nie mogli wyjść z impasu. Od jakiegoś czasu w gabinecie Szerszenia panowała cisza.

– Z zeznań Poloczka wynika, że napad na Troplowitza plan nowali aż cztery miesiące. Musieli go obserwować. – Podinspektor po raz kolejny zaczął ten sam wątek.

– Już to przerabialiśmy. Naprawdę nie mam siły. Chcę iść do domu – stęknęła Werka i oparła głowę na dłoni.

Szerszeń spojrzał na nią z wyrzutem. Jakby pójście do domu cokolwiek zmieniało, pomyślał. A na głos dodał:

– To idź. Kto cię tutaj trzyma? Jesteś prokuratorem. I tak zrobiłaś aż nadto.

Zadziałało natychmiast. Prokuratorka nadęła się i natychmiast skupiła na tym, co mówił:

– Żaden z nich nie mieszkał w tej okolicy. Doskonale jednak znali zwyczaje dentysty, wiedzieli, że w sylwestra będzie w domu – do tego nie wystarczy zwykła obserwacja, choćby trwała miesiącami. Musieli mieć wtykę. Poloczek i Król, czyli, jak zakładamy, nasz Schmidt, musieli mieć kogoś, kto dał im cynk i ułatwił wejście. Trzeba tego kogoś znaleźć.

– Według Poloczka wszystko ogarniał Królikowski. – Meyer podjął wątek rzucony przez Szerszenia. – Ponoć ktoś dostarczał mu informacji. Poloczek dokładnie nie wie, kto to ani jak Król zbierał dane. Wiedział tylko, że wchodzą na legendę.

– Może trzeba odszukać świadków, którzy przewijali się w sprawie? Może Poloczek albo Królikowski mieli jakieś kobiety? Trzeba by do nich dotrzeć – zasugerowała nieśmiało Werka.

– Chyba żeś z byka spadła. A po co? – żachnął się Szerszeń.

– Faceci zwierzają się swoim kobietom... – ucięła.

– Ty myślisz, że ja nie mam co robić? Czy zdajesz sobie sprawę, co proponujesz? Weryfikację wersji wydarzeń jakichś panienek z Rudy? To już wolę pijaków i lamusów maglować. A zresztą to o kant dupy potłuc. Wszyscy się wyprowadzili, choćby do najgorszych bloków. Minęło siedemnaście lat! Nie zamierzam ich szukać po domach opieki, a tym bardziej po noclegowniach dla bezdomnych. Nawet jeśli była taka panna, pary nie puści. Nie ma interesu. Ani słowa nie piśnie – wkurzył się Szerszeń. Był jeszcze bardziej zły niż zwykle, cały czas czuł, jak ból głowy rozsadza mu czaszkę.

– Ale to nie jest taka zła koncepcja... – wtrącił Meyer.

– Hubert, kiedyś nie było profilerów i inaczej się prowadziło śledztwa. Liczyły się twarde dane, a nie jakieś przypuszczenia. Jakby jakaś dziewczyna miała z tym związek, siedziałaby za współudział. Nikogo oprócz Poloczka i Królikowskiego nie brano pod uwagę. Sprawdziłem to. Chcecie, to sami szukajcie igły w stogu siana. Ja, wybaczcie, nie jestem w pionie archeo – obruszył się Szerszeń i nerwowo skubał wąsa.

– Pamiętam, że kiedy ojciec pracował nad tą sprawą, było tam dużo takich niewyjaśnionych wątków.

– To wiemy – mruknął Szerszeń. – Tylko jakich dokładnie? Werka wzruszyła ramionami.

– Nie pamiętam. Skąd mam wiedzieć? Nie sądziłam wtedy, że będę pracować jako prokurator przy trupie Schmidta. Słuchajcie, a może odszukać tę gosposię? Ona była chyba spokrewniona z Troplowitzem?

– Jaką gosposię? – Szerszeń złapał się za głowę.

– Tę pomoc dentystyczną.

Szerszeń kręcił głową na znak dezaprobaty, po czym zwrócił się do profilera:

– To jakieś bzdury. Przypomnij pani generał, że to ja prowadzę dochodzenie. I żadnej gosposi szukać nie mam czasu!

Meyer siedział zamyślony.

– Nie wiem, mówię to, co pamiętam – broniła się prokuratorka. – I nie złość się, to nie moja wina, że jesteś zmęczony. Jak mi w końcu pokażesz akta, to może ją odszukam. Może intuicyjnie... – dodała na wdechu, bojąc się gromiącego wzroku Szerszenia.

– Chyba oszalałaś, córko mandaryna – odburknął podinspektor.

– Co ci się stało, że tak się na mnie wyżywasz? – jęknęła.

– Cicho już. Nie kłóćcie się. – Meyer próbował załagodzić ich sprzeczkę. – Proszę, sama zobacz. – Podał jej akta i poprosił, by Szerszeń w tym czasie jeszcze raz opowiedział, co przydarzyło się lekarce.

– Trzeba było przepłukać jej żołądek, ot co. Nałykała się prochów, które popiła dużą ilością alkoholu. Omal nie zeszła. Przyjechałem w samą porę. A ten jej mąż... Hebanowa klata, jebany artysta-onanista. Słuchajcie, on mi się coraz mniej podoba. Po tym wszystkim musiałem się napić. Nawet Zośka to zrozumiała.

– Wiem, wiem. – Meyer wybuchnął śmiechem, a Rudy mu zawtórowała. Już zrozumieli, dlaczego Szerszeń jest taki wściekły.

– Masz kaca? – Prokuratorka musiała się upewnić.

– Moja panno, prawdziwi mężczyźni kaca nie miewają – pouczył ją Szerszeń z bladym uśmiechem. – Mnie po prostu wódka zaszkodziła. Pewnie była podrabiana. – I kontynuował: – No, w każdym razie wszystko skończyło się nadzwyczaj korzystnie. Lekarz mówi, że Elwira Poniatowska teraz śpi. Była ponoć trochę przestraszona. Może i dobrze, zacznie wreszcie gadać. Jak żyję, tego się nie spodziewałem... Dwie kryzysowe narzeczone na tym samym oddziale... I Elwirka, i Klaudia – koleżanki z jednej paczki. Za kochankiem do grobu... – szydził.

– Kiedy będzie można z nią porozmawiać? – zapytał Meyer.

– Z kim? – westchnął podinspektor.

– Z Poniatowską.

– Jutro rano. Też się tam wybieram – odpowiedział. – A ty dokąd? – zwrócił się do Weroniki szykującej się do wyjścia.

- To biorę. - Wskazała na akta, które miała już pod pachą. - Idę do domu. I tobie też radzę. Wyśpij się. W takim stanie nic nie zdziałasz. Zresztą, jak mogłeś siadać za kółko... - Pokręciła głową.

- Z naszej trójki tylko ja mam teraz auto! - Szerszeń nie przejął się jej przytykiem.

- O, wypraszam sobie. Ja je mam - odparła i zaraz dodała: - Obiecałeś. Ale wezmę je jutro.

- Werko - zatrzymał ją Meyer. - Słuchaj, a w sprawie twojego auta... - Prokuratorka zastygła w oczekiwaniu. - Robert przejrzał wczoraj taśmy z więziennego monitoringu. Ma już tych dwóch młodzików, którzy mogli przeciąć opony w diamante. Mówią, że dostali pięć stów za tę robotę. Wiedzieli, że będziemy w pierdlu co najmniej godzinę.

- Dziękuję. A powiedzieli, kto im to zlecił? - zapytała twardo.

- Jeszcze nie. Ale chyba masz jakiegoś kapusia w prokuraturze. Oni wiedzieli, że tam jedziemy. Ja nie mówiłem nikomu.

- Tutaj wszyscy wiedzieli, to nie była tajemnica. No i w pierdlu - zasępił się Szerszeń.

- Jest jeszcze jedna możliwość... - Rudy zawiesiła głos i pomyślała o byłym mężu. Krew odpłynęła jej z twarzy. - Skurwiel - szepnęła. - Daj znać, jakby się czegoś dowiedzieli. W co wątpię. - Wyszła bez pożegnania.

Meyer i Szerszeń spojrzeli na siebie.

- Co jest grane? - zapytał profiler.

- Ona ma męża, adwokata. Straszna z niego szuja.

- Co jej zrobił?

- Stary, czego nie zrobił... - Szerszeń machnął ręką. - Przede wszystkim odebrał dziecko, a nie chce dać rozwodu. Ona źle to zniosła. Uciekła w pracę. Chyba ją czymś szantażuje. Uwikłał ją w jakąś grubszą sprawę. Werka nie chce zdradzić jaką. Mówi, że śmierdzi pudłem na kilometr i dlatego nie chce tego ruszać. Czeka na coś. Nie wiem, o co chodzi. A co ty się tak wypytujesz? Spędziliście wczoraj tyle czasu i nie mogłeś się dowiedzieć? Ty, profiler? - Podinspektor pokiwał palcem.

280

– E, tam. – Meyer udał, że nie słyszy kpiny w głosie podinspektora. I zaraz dodał: – Waldek, musisz mi pomóc.

– Ja tobie? – zdziwił się Szerszeń i syknął, bo drzazga ze zjedzonej prawie w całości wykałaczki utkwiła mu w szczelinie między zębami. Kiedy się z tym wreszcie uporał, dodał z emfazą: – Guła[1] jesteś, ot co! Ja, stary człowiek, mam cię uczyć! Wziąłbyś ją na kawę, zaprosił na tańce. Ja nie wiem, jak to się teraz robi. Ona cała się rumieni na twój widok! Ty myślisz, że nie mam oczu? A u Werki widzę to naprawdę pierwszy raz.

Meyer poderwał się z krzesła.

– Co ty, Waldek, mi dupę zawracasz! Jestem żonaty, nie pamiętasz? – oburzył się.

Szerszeń otworzył usta ze zdziwienia.

– Chodziło mi o landrynę Anki – ciągnął Meyer już spokojniej. – Spierdolił się ten silniczek. Niby japońska fura, a szajs. Dentysta widać przyoszczędził. Woda mi zalała tapicerkę... No co ci będę mówił. Wyglądam jak alfons w tym resoraku. Muszę ten dach zamknąć, a sam nie dam rady. We dwóch musimy iść.

– Aaa, taka zamiana. – Szerszeń pokiwał głową i chwycił karton z kefirem. Wziął porządnego łyka, po czym spojrzał tęsknie na karton i zdecydował się zabrać lekarstwo ze sobą. – No to chodźmy, załatwimy sprawę.

Kiedy wyszli z gabinetu i znaleźli się w windzie, tak że Meyer nie mógł uciec, by nie słuchać, Szerszeń znów zaczął swoje.

– To świetna dziewczyna. Dobre geny, wdała się w ojca. Rudi był honorowy. Ona też taka jest. Sama cię nie zaczepi jak Mariolka i inne. Nie wlezie ci do łóżka, choć pewnie by chciała. Jak będziesz dalej świętoszkiem, to ci uschnie i tyle będziesz miał. Czy ja ci każę się z nią żenić? Ale należy ci się coś od życia.

– Swatką zostałeś? – zaśmiał się Meyer.

– Nie swatką, tylko mam gały i się patrzę. Widzę ciebie i widzę ją. Widzę, co jest.

– Daj spokój.

---

[1] Guła (w gwarze śląskiej) – niedorajda, ciamajda.

– To co? Przyjrzysz się jej? Jakiś spacer, kawa? Nic zobowiązującego...

– Zobaczymy... Ale odpierdol się już ode mnie.

– No, to rozumiem! – Podinspektor klasnął w dłonie. – Konia trzeba trzymać za uzdę, a mężczyznę za słowo. – I wymaszerował z windy zadowolony, bo drzwi właśnie się otworzyły.

Niebo było czyste, więc pink nissan micra nie zajmował honorowego miejsca pod dachem, tylko stał na samym końcu parkingu.

– Śliczna furka. Cukiereczek – skomentował Szerszeń z uśmiechem. – A Claudia Schiffer była do kompletu?

– Tak, i paczka gumy balonowej – burknął Meyer.

Otworzył wóz i nacisnął przycisk, który teoretycznie miał otwierać dach. Rozległo się ciche bzyczenie.

– Może zapal silnik – doradził podinspektor. Stał krok od auta z miną brygadzisty i założonymi rękami.

Meyer włożył kluczyk do stacyjki i przekręcił. Potem nacisnął auto open roof. Dach się nie zamykał.

– Lepiej byś pomógł – mruknął.

– A co ja mogę zrobić?

– Tam są jakieś instrukcje. – Meyer wskazał Szerszeniowi schowek, a sam wysiadł i podszedł do bagażnika.

– Ale silnik ładnie pracuje – usłyszał stłumiony głos Szerszenia, który wyjął prawie wszystko, co znajdowało się w skrytce.

– Silnik jeden, cztery. Co najwyżej punto wyprzedzę.

– Dentysta kupił Ani samochód na zakupy. To się nazywa małżonek – zaśmiał się Szerszeń. W ręku miał plik książeczek.

– Która to?

– A ja wiem? – Meyer wyciągnął z bagażnika butelkę z jakimś płynem i uparcie szorował brunatne plamy od keczupu. One jednak zamiast znikać, rozmazywały się w wielkie salwadory.

– Jeszcze będę musiał jechać na myjnię! – Hubert jęknął.

– *Draai de ont... ste... king op ON* – wydukał podinspektor.

– Co? – Meyer podniósł głowę.

– *Open alle ramen.*

– Waldek, co z tobą?

– Czytam twoją instrukcję – wyjaśnił Szerszeń rozpromieniony. – *Druk de schakelaar van... de automatische... dak opening Auto Open Roof op de stand open of gesloten... Draai de onsteking schakelaar op de blokeer stand.*

– Przestań! Czytaj po polsku!

– To ty nie znasz tego języka? – Szerszeń spoważniał.

– Skąd niby mam znać? – skrzywił się Hubert. – To chyba eskimoski.

– Ale, Hubert... – Szerszeń zawiesił głos, po czym wybuchnął gromkim śmiechem. – Tu nie ma innej.

– Jak nie ma! Anka nie zna żadnego prócz ojczystego. Musi być!

Hubert wyskoczył z samochodu i wyrwał z rąk Szerszenia książeczkę. Szybko przerzucał jej kartki.

– Faktycznie – stwierdził zrezygnowany, wpatrując się w kolorowe obrazki i podpisy w tym obcym języku. Z nienawiścią rzucił instrukcję na siedzenie auta.

Szerszeń znów wziął ją do ręki.

– Spokojnie. Open to wiadomo. – Waldek nie tracił zapału. – I wiesz, ten eskimoski jest trochę podobny do niemieckiego... *Houd gedurende* dziesięć *seconden*. To chyba znaczy, że przez dziesięć sekund...

– Co przez dziesięć sekund? Co mam, kurwa, robić przez dziesięć sekund? – podniósł głos Mcycr.

Szerszeń postawił na bagażniku karton z kefirem i podszedł do profilera.

– Słuchaj, a nie ma jakiegoś innego klucza oprócz tego do stacyjki?

Hubert wsiadł do wozu i nie gasząc silnika, obejrzał kluczyki.

– Jest taki mały, nie wiem do czego. – Obracał go w rękach, a potem próbował wcisnąć w metalową dziurkę w kokpicie.

– Nie można awaryjnie zamknąć dachu, będąc w środku. – Szerszeń zaczął się wymądrzać. – To musi być gdzieś indziej. W jakimś durnym miejscu... Gdzieś, gdzie nigdy byś na to nie wpadł... Może tu. – Wskazał na kuper auta.

Meyer wysiadł z wozu, stanął za samochodem i pod zderzakiem dostrzegł metalową klapkę.

– Tu wyraźnie jest napisane, że trzeba zacząć od bagażnika – ucieszył się Szerszeń.

– Dobra, McGyverze. Co dalej?

– *Draai de sleutel in de...* – literował wciąż podinspektor.

– *Tegenovergestelde richting van de... wijzers van de klok en open de bagage klep.*

Meyer spojrzał na zegarek. Tak dużo czasu zmarnowali, a nadal nie było wiadomo, czy uda się zamknąć ten dach.

– Tu chyba chodzi o to, żeby usunąć ciśnienie hydrauliczne – oświadczył Szerszeń z powagą.

– Co? A skąd niby to wiesz? – Meyer wykrzywił się pogardliwie. – Jaka hydraulika? W dachu? Toś mi pomógł... – Machnął ręką zrezygnowany.

– Przytrzymaj jeszcze raz ten przycisk. – Szerszeń wskazał profilerowi auto open roof.

Hubert posłusznie wykonał polecenie. Szerszeń usiłował przekręcić kluczyk, ale stawiał opór, wtedy spróbował w kierunku odwrotnym niż ruch wskazówek zegara. Nagle odskoczyła klapa bagażnika i dach zaczął się wysuwać. Obaj wpatrywali się w mydelnicę jak urzeczeni. Nie zauważyli, że podczas zamykania dachu pudełko po kefirze z impetem wpadło na tylne siedzenie. Szerszeń zdołał tylko zabrać rękę, ratując ją przed zgnieceniem.

– Jak to zrobiłeś? – zapytał Meyer, kiedy landrynkowy kabriolet znów zmienił się w pudrową mydelniczkę.

– Łatwizna... – Szerszeń wzruszył ramionami i skrzywił się na widok skaleczenia na przegubie. – Ale więcej tego gówna nie otwieraj.

* * *

Po wyjściu z komendy Weronika nie miała ochoty wracać do domu. Mieszkanie wydało jej się przeraźliwie puste. Tak jak puste i beznadziejne wydało się jej własne życie. Była w takim nastroju, że widziała tylko swoje porażki. A walka, którą jeszcze za życia ojca wypowiedziała złym ludziom, przypominała jej teraz walkę z wiatrakami. Śmieszną i nieważną w obliczu tego, co naprawdę istotne. A co jest istotne?, zapytała siebie.

Poznanie Meyera uświadomiło jej, że jest okropnie samotna. Od dawna żaden mężczyzna nie poruszył tak jej wyobraźni. Postanowiła przejść się do prokuratury spacerkiem. Wierzyła, że praca, jak zawsze, okaże się najlepszym lekarstwem na smutek. By choć na chwilę oderwać się od rozmyślań na temat Meyera, postanowiła zająć się tym, co teraz jest naprawdę ważne. Porównaniem spraw zabójstw Ottona Troplowitza i Johanna Schmidta.

Do starej sprawy przesłuchano bodaj całą okolicę. Wszyscy sąsiedzi mówili o tym samym: Otton Troplowitz był bardzo ostrożny, nieufny nawet wobec znajomych, a obcych do mieszkania nie wpuszczał. Nie utrzymywał bliskiej więzi z rodziną. Miał obsesję, że bracia i kuzyni tylko czyhają na jego majątek. Właściwie regularnie bywała u niego jedynie Hildegarda Zielosko, gosposia i pomoc dentystyczna. Jedna z sąsiadek podejrzewała, że Hildę i Ottona przed laty łączyło coś więcej niż relacja pracodawca–gospodyni, lecz nie miała dowodów. Sylwester Zielosko, mąż Hildy, i jej dzieci nigdy nie potwierdzili tej wersji. Zresztą Otton był dziwakiem, nastawionym na gromadzenie bogactwa. Spisał ponoć testament, w którym cały swój majątek przekazał jednej z żydowskich fundacji charytatywnych. Po jego śmierci nigdy jednak dokumentu nie odnaleziono, a spadek odziedziczyli znienawidzeni przez niego krewni.

Weronika, czytając stare protokoły, sporządzane odręcznie, w niektórych miejscach podarte i wyblakłe, miała wrażenie, że porusza się po omacku. Nie znalazła niczego, co można by było połączyć ze sprawą śmieciowego barona. Przejrzała notatki służbowe z okresu przed zabójstwem – lakoniczne informacje o wezwaniach policji przez Troplowitza, bo wydawało mu się, że ktoś chce go okraść, i przyszło jej do głowy, że ten człowiek cały czas żył w strachu. Jakie to smutne, pomyślała. Miał fortunę i nie mógł się nią cieszyć, bo wciąż drżał o swoje życie. Właściwie wyczekał taką śmierć.

Z akt wynikało, że cała dzielnica wiedziała o „skarbie" dentysty. Był jednym z lepszych fachowców w Katowicach, a w tamtych czasach taki zawód był na wagę złota. Przeczytała jeszcze raz raporty z przesłuchań świadków, zeznających o walizce pełnej waluty, którą Troplowitz nosił ze sobą. Wszystko, co mówił Szerszeń, się zgadzało: mocował ją łańcuchem do ręki, sam skonstruował specjalne zapięcie. Chwalił się, że prędzej mu odetną rękę, niż wyrwą walizeczkę. Tylko dlaczego tak się z nią afiszował?, zastanawiała się prokuratorka.

Jeszcze raz przestudiowała protokół medyków sądowych. Zdziwiła się, jakimi prymitywnymi metodami wtedy pracowano. Obrażenia i przyczyna śmierci Ottona Troplowitza zostały opisane jednak dość dokładnie. Weronika stwierdziła, że Poloczek wiedział o chorobie ofiary. O jego astmie i o tym, że zakneblowanie go może doprowadzić do śmierci. Kiedy jednak wspominała dzisiejsze spotkanie z zabójcą, wątpiła, czy ten człowiek sam przygotowałby tak precyzyjny plan napadu. Nawet jeśli wybrał ofiarę i czas akcji, musiał mieć kogoś, kto dostarczał mu informacji o Troplowitzu.

Hilda? Prokuratorka się zamyśliła. Nie, raczej nie uwiódł gosposi, była w wieku jego matki. Ale może miała córkę? A może jakaś sąsiadka z kamienicy przy Stawowej miała córkę? To musiała być młoda dziewczyna. Jak ją znaleźć? Szerszeń miał rację. To szukanie igły w stogu siana. Bez sensu. Przeglądała kolejno dokumenty, lecz ani w akcie oskarżenia, ani nawet w uzasadnieniu wyroku nie znalazła wzmianki o gosposi. Prokuratorka nie była pewna, czy Hildę w ogóle przesłuchiwano.

– Ciekawe – powiedziała na głos. Sprawdziła raz jeszcze. O Hildegardzie nie było ani słówka. Nie stawała też przed sądem jako świadek. – Bardzo ciekawe i podejrzane. – Weronika przygryzła wargi. – Muszę ją znaleźć. Trzeba koniecznie ją przesłuchać. Może coś pamięta? Może powie coś o młodej dziewczynie, która siedemnaście lat temu mieszkała na Stawowej, a która miała chłopaka z półświatka... Takie rzeczy sąsiedzi wiedzą.

Przewertowała kolejny plik pożółkłych dokumentów, aż trafiła na notatkę służbową dotyczącą zakładu dentystycznego

Troplowitza. Policjant powoływał się na zeznanie Hildegardy Zielosko, która zapewniała, że mężczyzna nie miał żadnych długów. Był rzetelny i wykonywał protezy na czas. To wszystko. Tylko jedna kartka. I prawie żadnych danych o gosposi. W nawiasie obok jej nazwiska protokołujący policjant wpisał jednak adres: Ruda Śląska, ulica Feliksa 5. Weronika nie była pewna, czy to adres Hildegardy. Przecież z Rudy Śląskiej pochodzi Poloczek! Może to ma jakiś związek?, dedukowała.

Obawiała się jednak, że Hilda nie będzie zbyt wiarygodnym świadkiem. Pierwszy dowód do podważenia przez obronę. Jest teraz stara, o ile jeszcze żyje. W takim wieku ludziom miesza się rzeczywistość z fantazjami i przypuszczeniami. Nawet jeśli Hilda pomagała zabójcom – świadomie bądź nie. Ale prokuratorka nie miała nic innego. To był jedyny trop i to jej własny, znaleziony bez pomocy Szerszenia i Meyera. Chciała go pociągnąć. Ciekawiło ją zresztą, jak potoczyły się losy gospodyni po śmierci Ottona Troplowitza. Czy nie zauważono u niej nagłego przypływu gotówki? Uruchomiła internet i w mapach Google odszukała Rudę Śląską. Ulicy Feliksa nie było.

– No tak. Znów pudło – westchnęła zrezygnowana. Wstała, zapaliła papierosa i chodziła w tę i z powrotem, mówiąc do siebie. – Minęło tyle lat. Nazwę ulicy mogli zmienić! Trzeba to sprawdzić. Ruda Śląska to bardzo rozległa miejscowość. Nie ma sensu jechać tam i rozpytywać mieszkańców. Może spytać kogoś z urzędu miasta? Albo znaleźć takiego, kto mieszka lub pochodzi z Rudy?

Usiadła z powrotem przy biurku i zaczęła usuwać spamy ze swojej skrzynki mejlowej. Dawno już nie odczytywała poczty, więc w skrzynce znajdowało się bardzo dużo wiadomości. Pomiędzy reklamami samochodów, biur podróży i sposobów na powiększenie swojego „dicka", natrafiła na mejl od starego znajomego. List został wysłany z Naszej Klasy, portalu, w którym wszyscy są jedną wirtualną rodziną. Wysyłają sobie zdjęcia dzieci, żon, psów, kotów i najnowszych samochodów, a w jego przypadku także świeżo odfoliowanej kosiarki, która „ma taką moc, że wycina nawet niesforne krzewy".

Weronika skrzywiła się z niesmakiem. Pamiętała tego chłopaka ze szkoły. Miał na jej punkcie obsesję. Sputnik – przezwisko wzięło się z tego, że kursował całymi godzinami w okolicy jej domu, licząc, że „przypadkiem" ją spotka. Był tak zdeterminowany w zalotach, że wreszcie zgodziła się pójść z nim na jego studniówkę. Brr... Wzdrygnęła się na samo wspomnienie. I jednocześnie po raz setny podziękowała Bogu, że uratował ją przed związkiem z tym człowiekiem. Ale teraz Sputnik odnalazł ją i zapraszał do grona swoich znajomych na portalu. W pierwszej chwili chciała kliknąć w link „odrzuć zaproszenie", potem jednak przeczytała kilka słów, jakimi zachęcał ją do nawiązania kontaktu. Używał młodzieżowego języka: spox, w porzo, dozo, narka, buźka.

Co za pojeb. Nic się nie zmienił, pomyślała Weronika. I nagle doznała olśnienia. Chwyciła leżące na biurku akta, przewertowała je i znalazła adres Hildy. Notatka służbowa była naprawdę lakoniczna. Widać funkcjonariusz śpieszył się lub nie przywiązywał wagi do zeznań tego świadka. Tak, notatkę sporządzono, kiedy już mieli Poloczka, upewniła się, sprawdzając daty. Zauważyła, że ulica Feliksa widniała w notatce dwukrotnie. Za każdym razem przy nazwisku gosposi. Nie pomyliła się. Taka ulica istniała. Może funkcjonariusz miał przykaz z góry, że notatka z rozmowy z gosposią Troplowitza to jedynie formalność i Hilda nie będzie już potrzebna? Wpisywał więc dane „na szybko", byle była podkładka, że czynności wykonano. To dlatego użył skrótu. Jak dziś młodzież skraca wyrazy. Wpisał samo imię – Feliks, pomijając nazwisko – Dzierżyński.

Bingo! Tak mogło być!

– No to jesteśmy w domu – ucieszyła się. – Wystarczy ustalić, jak nazywa się ta cholerna ulica po zmianach.

Podeszła do okna i wyciągnęła się, by rozprostować kości. Była naprawdę z siebie zadowolona. Zapomniała o niedawnych sentymentalnych rozterkach i cieszyła się, że może działać. Czuła adrenalinę, która znów napędzała ją do życia.

Kiedy jednak usłyszała trzaśnięcie drzwi, odruchowo położyła rękę na kaburze z bronią. Jednym ruchem odpięła zatrzask, by uwolnić dostęp do pistoletu. Potem zganiła się w myślach za zbyt pochopną reakcję. Usprawiedliwiła to zmęczeniem. Przecież jest w firmie, tutaj nie można wejść ot tak, jedynie przez bramkę. Jest portier, który legitymuje wszystkich z dowodu osobistego. W pracy oprócz niej prawdopodobnie nie ma już nikogo. Usłyszała stukot podkutych butów i znajome kroki. Tknęło ją, serce podeszło do gardła.

– Niki – szepnęła.

Cała spięła się w sobie. Nagle stukot ucichł. Czekała. Bała się i jednocześnie czuła podniecenie. Zapięła marynarkę, ale rękę wciąż trzymała tak, by móc szybko wyciągnąć broń. Była gotowa na kolejne starcie. Dziś nie da się wziąć na tarczy. Drzwi się rozchyliły i do pokoju z radosnym okrzykiem wbiegł chłopiec w wieku około siedmiu lat.

– Mama!

Werka poczuła ulgę. Zniknęło całe napięcie. Z trudem opanowała łzy szczęścia. Roześmiała się i w biegu podniosła małego do góry. Wykręcili razem kilka piruetów. Chłopiec wtulał się w nią, a ona nie mogła wydusić ani słowa.

– Mamusia znów wygląda jak śmierć na chorągwi – oświadczył mężczyzna zamiast powitania.

Choć zdanie było złośliwe, dziecko z pewnością nie odczytało jego słów jako krytyki czy naigrawania się. Weronika wiedziała, że mąż przygadał jej tylko po to, by wyprowadzić ją z równowagi. Postanowiła być cierpliwa. Znieść wszystko. Nie wiedziała przecież, jak długo potrwa spotkanie z dzieckiem. Czy synek zostanie z nią na jeden, dwa czy trzy dni, a może Niki zabierze go za kilka minut. Przytuliła małego mocniej i spojrzała ponad jego ramieniem na męża. Był jak zwykle w nieskazitelnym czarnym garniturze i pod krawatem. Wyprostowany, dumny, barczysty. Przekonany o swoim uroku osobistym i charyzmie. Włosy miał zaczesane do tyłu i przylizane brylantyną. Zdjął okulary przeciwsłoneczne i zmrużył drapieżnie czarne oczy. Twarz wykrzywił w okrutnym uśmieszku. Zauważyła, że był opalony, jakby wrócił właśnie z wakacji. Choć go szczerze nienawidziła, musiała przyznać, że jest w świetnej formie. Wciąż wyglądał jak model z reklamy.

– Przemyślałaś sprawę? – zapytał. W jego głosie słyszała skrywaną agresję.

– Tylko po to przyszedłeś? – wysyczała. – Jeśli tylko po to, żebym wzięła na siebie kolejny przekręt, nic z tego.

– O, mamusia dziś nie w humorze – zakpił.

– Co ty sobie wyobrażasz! – podniosła głos. – Zniszczyłeś mój wóz. Śledzisz mnie. Sądzisz, że uda ci się mnie nastraszyć? Może naślesz na mnie swoich kolegów z mafii?

– Ty naprawdę jesteś nienormalna – odparł Niki z kontrolowanym spokojem. Każde słowo wypowiadał z namaszczeniem, uśmiechając się pogardliwie. Po czym z udawaną słodyczą zwrócił się do syna: – Mamusi się pogorszyło. Musimy ją oddać na leczenie.

– Ty parszywy draniu. Ty s... – z trudem powstrzymała się, by nie nazwać go dosadniej. Cała się trzęsła. Synek w jej ramionach wybuchnął płaczem. Zaczęła go uspokajać. – Już dobrze. Dobrze. Przepraszam.

– I co narobiłaś, idiotko? – wycedził Niki przez zęby. – Zawsze go zdenerwujesz. Idziemy. Babcia się tobą zajmie.

Wyrwał syna z jej objęć.

– Mama! Mama! – krzyczał rozpaczliwie chłopiec. – Ja nie chcę tam iść. Chcę zostać z mamą.

– Zostaw go, ty skurwielu. To moje dziecko! Jak możesz!

Ale mąż jej nie słuchał. Złapał chłopca w pasie i choć dzieciak wierzgał nogami i płakał, odwrócił się i wyszedł z gabinetu. Weronika rzuciła się do drzwi. Gotowa była uderzyć męża czymś ciężkim. Gdyby nie trzymał ich syna, prawdopodobnie wymierzyłaby do niego ze swojego glocka i nie zawahałaby się nacisnąć spustu. W tym momencie chciała tylko, by nie żył. Przepełniała ją wściekłość. Pokonała ją jednak w sobie. Podbiegła do syna, ucałowała go w czoło i powiedziała szeptem, choć serce jej pękało.

– Syneczku, wkrótce się zobaczymy. Obiecuję! Nie płacz, już dobrze.

Wróciła do gabinetu, osunęła się bezwładnie na podłogę i płakała bezgłośnie, nasłuchując, jak stukot kroków się oddala.

Kiedy całkiem ucichły, nie była już w stanie się powstrzymywać. Leżała na podłodze i wyła z rozpaczy. Chciała umrzeć. Nie mogła nic zrobić. Nic. Dziecko wreszcie uwierzy ojcu, że ona jest wariatką. Przecież Niki nigdy nie krzyczy. To jej zdarza się podnieść głos. Chłopiec nie rozumie, dlaczego ona się tak zachowuje. Jak ma mu wyjaśnić, że to oznaka kompletnej bezsilności. Że jest zakładniczką jego ojca. A on przecież kocha swojego tatę. Gdyby zaczęła źle mówić o ojcu, znienawidziłby ją. Czuła się jak w potrzasku, jakby miała ręce w imadle i nie mogła zrobić żadnego ruchu.

Wreszcie zabrakło jej sił, by płakać. Poczuła pragnienie zemsty. Przepełniała ją nienawiść. Za każdym razem, kiedy sytuacja się powtarzała, planowała, że któregoś dnia po prostu porwie syna i zniknie. Niki nigdy jej nie znajdzie. To nic, że jej mąż Wiktor Nikitorowicz, znany w światku przestępczym jako Cwany Niki, jest nadwornym obrońcą wszystkich pluskiew i larw, których ona jako prokurator próbuje wsadzić za kratki. Dziś jednak przeszedł samego siebie. Spotkanie z synkiem trwało może ze trzy minuty. Wiedziała, po co to zrobił – by cierpiała. Pokazywał jej w ten sposób, że wciąż ma ją w garści. I Weronika nigdy nie odważy się donieść o oszustwie bankowym, którego jej mąż kiedyś dokonał przy pomocy gangu Windykatora. Choć już nie była jego żoną, nie miało to znaczenia. Na stosownych dokumentach widniały nazwiska ich obojga. To oznaczało, że musiałaby wziąć połowę odpowiedzialności za przekręt na siebie. Nie to ją jednak powstrzymywało, tylko groźba utraty syna. Niki straszył ją, że nigdy więcej nie zobaczy Tomka. Dlatego godziła się na wszystkie jego warunki. Wiedziała, że jest obserwowana przez jakichś dziwnych typów. Jedyne, co mogła zrobić, to zachować czujność. Postarała się o pozwolenie na broń i regularnie bywała na strzelnicy.

– Co za podły skurwiel! – Podniosła głowę. Skoro nie udało się jej zastraszyć przez uszkodzenie wozu, wytoczył najcięższe działa. Ich syna. Zagrał dzieckiem bez skrupułów. Jak zabawką.

* * *

Meyer wsiadł do auta i ruszył do domu. Obiecał Szerszeniowi przygotować analizę wiarygodności zeznań Poloczka. Najpierw postanowił spisać wszystko na gorąco, tak jak słyszał. Potem w oddzielnym pliku zaznaczał swoje uwagi i sugestie. Na koniec stawiał pytania i konfrontował wszystko z resztą materiału dowodowego lub informacjami zebranymi osobiście. Wiedział, że tego procesu nie da się przyśpieszyć. Te trzy różne analizy były mu potrzebne, by poukładać myśli i ustalić priorytety. Wiedział też z doświadczenia, że po zakończeniu pracy wnioski nasuną się same.

Ekspertyza pierwsza

Alojz Poloczek był zaniepokojony naszym ponownym przyjazdem. Pastor przekonał go jednak do tego, by z nami porozmawiał. Tyszce zajęło to ponad godzinę, ale okazał się skuteczny. Obserwowaliśmy ich spotkanie przez lustro weneckie. Pastor mówił mało. Zaledwie kilka zdań. Potem wspólnie czytali Biblię. Modlili się. Poloczek zadawał pytania, a Tyszka w odpowiedzi czytał mu cytaty z Pisma Świętego. Baliśmy się, że zaczną ustalać jakąś wersję. A także, że ten świr w ostatniej chwili się wycofa. Ale nie. Tyszka wyszedł zlany potem. Jego kosmata głowa była cała mokra. Ocierał czoło kraciastą chustką. Gdy pastor wyszedł, Poloczek od razu przeszedł do rzeczy. Tym razem nie musiałem wykazywać się wiedzą z Pisma Świętego. Miałem wrażenie, że modlitwa z pastorem, jego obecność, uspokoiła osadzonego. Kazałem mu opowiedzieć, jak wyglądał napad.

Mówił, że stał tylko na czatach. Plan Króla był taki, że wejdą do mieszkania Gybisa tuż przed północą. Był sylwester, wszyscy zajęci świętowaniem.

– Nikt nie zwróci uwagi na dwóch robotników – przekonywał Królikowski. – Nikt nie usłyszy wysadzania sejfu, bo w tym czasie w mieście wybuchną setki, tysiące, miliony petard i zimnych ogni.

I tak się stało. Strzelało całe miasto.

Byli gotowi na robotę już około ósmej. Zygmunt Król mówił podobno Poloczkowi, że to będzie ich „złoty strzał". Dlatego jeśli zajdzie potrzeba, unieszkodliwią Gybisa.

Włączył nagranie wyjaśnień Poloczka:

„Miołech stracha. To nie była moja piyrszo robota, ale wiedziołech, że fanty mają być gigant. Wszyscy wiedzieli, że Gybis nosi stale przy sobie walize z walutom. Mówili, że mo kasa i nie wiy, co z nią robić. Wiadomo było, że on jes szpyndlikorz[1] i trzymo szmal w domu. Kupowoł różne cynne rzeczy. Czasami płacili mu nie pieniędzmi, ino jakimiś błyskotkami. Lubił na przykład stare monety. Czasami broł biżuteria, ale rzadko. Ni mioł żadnyj kobiyty, której mógłby to dać. Mówiło się tyż, że lubi takie różne kościelne cacka. Kupowoł je czasem od złodziei. Takie słuchy chodziły. Nikt dokładnie nie wiedzioł, co Gybis mo w swoim sejfie ani ile tego szmalu jes. Ale wiadomo było, że jes po co pójść.

Zdecydowali my się, kedy po mieście rozeszła się plotka, że Gybis kupił dwudziestodolarówka z tysiąc dziewięćset trzydziestego trzeciego roku. To była bardzo rzadko moncta i warto jakoś siedym okrągłych baniek. Tak nom pedzioł kupiec, tyn co jom zamówił. Na rynku były zdajsie tylko dwie. Jedna zarekwirowali ostatnio u jakigoś niemieckiygo kolekcjonera, a drugo mioł mieć Gybis. Najsampiyrw my nie wierzyli. Potym Ziga zaczął dokładnie niuchać i pedzioł nom, że wchodzimy gównie po ta dwudziestodolarówka. Mioł na nia kupca. Nie bezpośrednio, przez innygo kumpla, kiery pedzioł, że tamtyn klient obiecuje nom za ta moneta trzy bańki i że pomoże nom citnąć[2] za granica. To była jakoś ważno fisza[3]. Reszta go nie interesowała. Ani błyskotki, ani waluta, ani te cacka z kościoła, co je Gybis kupowoł. Wszysko miało być nasze. Ziga mówił, że ustawimy sie roz na zawsze. Że nie bedziemy musieli robić do końca życia.

Torby wziąłech od ojca i szwagra. Załatwiłech kombinezony. Miołech kumpla, co pracowoł na grubie jako elektryk. Doł w łapa zaopatrzeniowcowi. Nie chcioł za to dużo i o nic nie pytoł. Doł nom dynamit do wysadzania tuneli. Wystarczyłoby do rozwalynia coły

---

[1] Szpyndlikorz (w gwarze śląskiej) – sknera.
[2] Citnąć (w gwarze śląskiej) – uciec.
[3] Fisza (w gwarze śląskiej) – figura, ważna postać, VIP.

kamienicy. Ziga przygotowoł ładunek tak, żeby nie przesadzić. Jo sie na tym nie znom. On wiedzioł o Gybisie prawie wszysko. O tym, jak dugo jes w robocie, kedy przychodzi gosposia, gdzie trzymo te wszyskie swoje skarby i że w sylwestra bydzie w domu, bo nigdy nigdzie nie chodzi. On był taki troche smutas i odludek.

Wszysko zajęło koło godziny. Myślołech, że kipna[1], tak żech sie boł. Czekołech na dole. Wykurzyłech cało paczka, a tyn nie schodził. Ludzie łazili tam i z powrotem. Żałowołech, że nie wziąłech żadnyj flaszki. Tak mi sie chciało gorzoły. Dobrze, że żech pociągnął kapka przed robotom. Takżech sie trząsł, że o mało co nie narobiłech w galoty. Kiedy wreszcie Ziga zloz na dół, był wściekły jak pieron.

– Niy ma tyj pieprzonyj monetki – pedzioł. Otworzył torba i zoboczyłech, że w środku som różne piniądze, jakieś kety[2], bojtliki[3] z błyskotkami. Aż mi się w gowie zakryńciło. – Zobocz. Som tylko take małe, ale to chyba nic nie warte.

Doł mi tako rusko. Malutko była, z jakimś carym. I drugo niemiecko, dwudziestomarkówka.

– To ze złota? – spytołech.

Kiwnął gowom i doł mi jeszcze kilka dolarów. Chyba z dziesiyńć. I polskich troche. Do kieszeni mi napakowoł.

– A tu mosz dla swoji baby abo sprzedosz. Wybier som. – Wyjął taki mały pierścionek z gówkom kobiyty. Kiedy zacząłech go oglądać, popchnął mnie i pedzioł: – Teros ty pudź tam i som posznupej[4]. Jo nie wiym, kaj ona może być, ta cynno moneta. Bez nia niy momy co wracać, łeb nom urżnom.

No i żech poszed. Nie wiedziołech, że stary Gybis już zdążył kipnąć. Poszedłech. Wszysko było rozpirzone. Byłech w środku może z pół godziny. Tam dopiyro żech sie kapnął, że Ziga zabroł już wszysko i że mie wykiwoł. Wtedy ruszyłech na złomanie karku, byle citnąć stąd jak najszybciyj. Jakoś babka mnie widziała,

---

[1] Kipnąć (w gwarze śląskiej) – umrzeć.
[2] Kety (w gwarze śląskiej) – łańcuchy.
[3] Bojtliki (w gwarze śląskiej) – torebki.
[4] Posznupać (w gwarze śląskiej) – poszukać.

darła sie, co jo zrobił tymu starymu Gybisowi. I że wezwała gliny. Wyleciołżech na ulica, Ziga zniknął. Nigdy żech go już nie widzioł. Potym mnie przymkli i wszysko na mnie zwalili. Powiedziołech, jak było, bo żech sie boł, że ci ważni, co robote nagrali, mnie znajdą. Jo nie wiedziołech, że pójda siedzieć za mokro robota. Skądżech mioł wiedzieć, że tyn idzie ukatrupić starygo Gybisa. Dopiyro w kiciu żech sie kapnął, że on zabroł ta moneta i dlatego zbudowoł tako fortuna.

Ta keta[1] poznołech w telewizji. Kiblowołech wtedy już tu w Raciborzu. Taki jedyn tyż oglądoł te fanzoły. Wielko Orkiestra czy coś takiygo. Jo na górnyj pryczy, on na dolnyj. I najpiyrw żech sie nie kapnął, ale jak pokazali ta keta, tako samo jak mnie wtedy Ziga doł, coś mi zaświtało. Potem pedzieli, że właścicielkom jest jakoś baba. Miała nazwisko zagraniczne, niemieckie. Zapamiętołech je: Schmidt.

Skoczyłech i omal nie rozwaliłech telewizora. Byłech wściekły jak pieron. Fanzoliłech coś bez synsu. Godołech mu, że to miała być moja keta. I że jo niewinnie za gowa Gybisa siedza, a tamtyn ciul żyje jak król".

Ekspertyza druga

- Poloczek z najdrobniejszymi szczegółami opowiada, jaki plan miał Zyga Król. Był więc dokładnie wprowadzony.
- Poloczek i Królikowski pierwszy raz pracowali razem.
- Twierdzi, że Królikowski wziął go sobie na wspólnika.
- Między nimi była spora różnica wieku. Poloczek był starszy od Królikowskiego o siedem lat.
- To Poloczek, a nie Królikowski miał doświadczenie w napadach. Poloczek był już karany.
- Poloczek twierdzi, że to Królikowski zaplanował napad.
- W mieszkaniu Gybisa zabezpieczono linie papilarne Poloczka, a nie Królikowskiego.
- Wie dokładnie, co było w torbie Króla/Schmidta, choć twierdzi, że ten pokazał mu łup tylko przez chwilę.

---

[1] Keta (w gwarze śląskiej) – także naszyjnik.

Pytania

- Czy na „złoty strzał" zabiera się niesprawdzonego wspólnika? Po co?
- Jak to możliwe, że 36-letni złodziej przyjął rolę pomocnika i podporządkował się 29-latkowi, na dodatek niedoświadczonemu?
- Skąd pomocnik tyle wiedział o monetach, cennych precjozach, walucie?
- Jak to możliwe, że pomocnik rozpoznał naszyjnik i monetę, skoro widział je przez moment (odchylenie wieczka torby)?
- Jak to możliwe, że pomocnik tyle wie o planie napadu, a potem nie jest dopuszczony do jego realizacji?
- Czy możliwe jest, że niedoświadczony złodziej nie zostawia śladu, a stary wyga – złodziej i włamywacz, który wie, że to jego „złoty strzał" – jest na tyle nieostrożny, że zostawia palucha?

Meyer podrapał się po brodzie, wstał od biurka. Otworzył okno i powiedział do siebie:

– A może było całkiem odwrotnie, panie Poloczek. Może to pan byłeś wodzem, a Królikowski pomocnikiem? A może młody wcale tam nie wchodził? Może to, co opowiadasz, jest prawdą, jednak z innym podziałem ról? Tobie zaś wydawało się, że mówiąc o szczegółach, których nie musiałeś opowiadać, będziesz bardziej wiarygodny? Kreowałeś się na pomocnika, który jedynie stoi na czatach. Ale wiedziałeś więcej niż przywódca. Miałeś nawet przekonującą teorię, co Król zrobił z łupem.

I co tak naprawdę między wami zaszło? Gdzie jest ta nieszczęsna dwudziestodolarówka? Czy została sprzedana? Kto wziął walizkę z pieniędzmi? I jak udało się Zygmuntowi Królowi wyjechać za granicę? Kto mu pomógł i dlaczego? A może myślałeś, Alojz, że wydymasz młodego naiwniaka, a tak naprawdę on wydymał ciebie i to twoja główna bolączka? Jaki masz teraz plan?

Hubert zamknął oczy i pomyślał, że podobnie jest ze sprawą zabójstwa Johanna Schmidta. Tutaj też wszystko wygląda zupełnie inaczej niż na pierwszy rzut oka. Teraz był pewien, że trzeba znaleźć kogoś z otoczenia dentysty, kto jeszcze żyje i coś pamięta. Może przypomni sobie okoliczności, które rzucą na sprawę nowe światło. Trzeba dotrzeć do policjanta, który pracował z ojcem Weroniki. Trzeba odnaleźć gosposię albo kogoś z rodziny Ottona Troplowitza. Miał ochotę zajrzeć do akt sprawy, ale wzięła je Weronika.

Zerknął na zegarek. Nie było tak późno. Kilka minut po dwudziestej. Wykręcił jej numer, ale w trakcie realizowania połączenia zrezygnował. „Przejrzałaś już te akta?" – napisał jej w esemesie. Nie odpowiedziała. Zszedł na dół do kuchni, żeby coś przekąsić. Wrócił z kanapkami na górę i, by nie tracić czasu, zajął się pisaniem profilu do zupełnie innej sprawy. Właśnie dzięki precyzji i nieprawdopodobnej podzielności uwagi mógł tak dobrze wykonywać swoją pracę.

Kiedy Meyer skończył opinię na temat pedofila z Częstochowy, wrócił myślami do sprawy Johanna Schmidta. Królikowski albo uciekł z kraju bez walizki Gybisa, albo wykazał się wręcz nieprawdopodobną jak na niespełna trzydziestolatka siłą woli. Bo jak inaczej wytłumaczyć, że przez lata pracował na wysypisku śmieci, a wreszcie ożenił się ze starą Niemką? Czy ktoś, kto posiada fortunę – nawet jeśli dobrze schowaną – musi robić takie rzeczy? Musi pracować jako nocny stróż albo brać za żonę podstarzałą wdowę? To była raczej desperacja.

I jeszcze jedno. Poloczek próbuje go chyba oszukać. Może to nie z powodu nazwiska skojarzył ten naszyjnik, może to wymyślił na poczekaniu, specjalnie dla nich, żeby zaciemnić obraz. Wiedział, że nie sprawdzą, bo i jak. Schmidt nie miał krewnych. Czy coś innego zwróciło uwagę Poloczka? Ale co? Jak prymitywny złodziej tak błyskawicznie pojął, że Schmidt, potentat recyklingu, jest jego kolegą sprzed lat, z którym zaplanował napad na Troplowitza?

A może ktoś mu tę myśl podsunął? Postarał się, by Poloczek, chcąc zemścić się na byłym wspólniku, pomógł w zabójstwie

Johanna? W tej układance brakowało jednego ogniwa. Osoby łączącej Poloczka z ludźmi z kręgu Johanna Schmidta. Kogoś, kto wiedział o zbrodni na Gybisie siedemnaście lat temu i wciąż ukrywa się w otoczeniu śmieciowego barona.

Jego rozmyślania przerwał sygnał przychodzącej wiadomości. „Mam pomysł" – odpisała mu Weronika. A po chwili jeszcze: „Możemy pogadać?". Wyszedł na schody prowadzące do domu i wybrał jej numer. Odebrała po kilku dzwonkach.

Umówili się pod hotelem Silesia.

– Możemy zaliczyć obiecany spacer – dodała Rudy.

Meyer zaraz zszedł do garażu i odpalił silnik landryny. Już miał ruszać, ale zmienił zdanie. Wrócił do domu, wszedł do łazienki i skropił włosy czarnym Polo. Kiedy kilka minut później znów siedział w micrze i jechał w kierunku Katowic, pomyślał z uśmiechem, że spełnia właśnie obietnicę daną Szerszeniowi. Umówił się z Weroniką na randkę.

* * *

Zaparkował przy alei Korfantego i piechotą ruszył w kierunku hotelu Silesia. Po chwili dołączyła do niego Rudy. Była bez okularów, rozpuszczone włosy luźno opadały na ramiona. Sukienka była idealnie dopasowana do jej figury, na ramiona miała narzucony cienki sweterek. Na nogi włożyła klapki na niebotycznie wysokich obcasach. Zastanowił się, jak będzie wyglądała wycieczka i ile Werka wytrzyma w tych butach.

– Witaj. – Uśmiechnął się.

– Cześć – odparła.

Była smutna. Choć próbowała ukryć pod makijażem cienie pod oczami, dostrzegł, że coś ją trapi.

– Coś się stało? – spytał.

– Nie, nic... – odrzekła, ale to tylko upewniło go, że się nie myli. Werka zaraz zaczęła mówić. – Wiesz, stoimy w miejscu, gdzie zaczęły się Katowice, serce Górnego Śląska.

Wskazała na wielki napis „Biura do wynajęcia" na budynku zajmowanym przez PZU.

Meyer rozejrzał się wokół.

– Trudno to sobie wyobrazić.

– Zamknij oczy – doradziła mu. Meyer posłusznie przymknął powieki. – Wyobraź sobie, że tego wszystkiego nie ma – zaczęła opowieść. – Nie ma wstrętnych peerelowskich wieżowców z płyty, nie ma linii tramwajowej, nie ma pseudorynku ani dworca. Jest tylko leśna głusza. Słyszysz szum drzew, a w miejscu, gdzie stoisz, woda obmywa ci stopy.

– Co? – Hubert natychmiast otworzył oczy. – Taka poezja to nic dla mnie.

– Właśnie w tym miejscu, w leśnej głuszy, kilka wieków temu płynęła Rawa – zaśmiała się. – Przywiodła tu pewnego przedsiębiorczego człowieka, który założył kuźnicę.

– Tutaj, przy Korfantego dwa? – upewnił się Meyer.

– Dokładnie tu – potwierdziła. – Bogucki, bo tak się nazywał ten człowiek, wykarczował kawałek lasu i zbudował prymitywną kuźnicę. Spiętrzył wodę i powstał staw. Zaczął wydobywać rudy żelaza. Nieopodal szybko postawiono karczmę. A jak była karczma, zaczęli się pojawiać i osiedlać ludzie. Chodźmy. – Chwyciła go za rękę.– To dlatego ta ulica nazywa się Stawowa. Rzeka szła właśnie tak. – Werka odwróciła się i powiodła ręką od hotelu Silesia, przez katowicki rynek, w kierunku Stawowej. Nagle zatrzymała się w miejscu. – Używasz wody toaletowej? – zdziwiła się.

– Tak – odparł z miną, z której nie można było zupełnie niczego wyczytać.

– Po co? – Prokuratorka przybrała minę detektywki. – Przecież nic nie czujesz.

– Użyłem jej... z próżności.

– Tak? – Weronika uśmiechnęła się szelmowsko. – A jak to się stało, że straciłeś węch?

– Nie ma o czym mówić. Przechodziłem zapalenie zatok. – Machnął ręką. – Wdała się infekcja i przestałem cokolwiek czuć.

– Zupełnie nic nie czujesz?

– Nic.

– A jakbym najadła się ryby z cebulą?

– Nic.

– Duuużo cebuli. I czosnku. I paczka papierosów. I setka wódki... – licytowała.

– Nic nie pomoże, nie poczuję – roześmiał się. – Tak mnie nie odstraszysz.

– Szkoda... – westchnęła.

– Ale inne zmysły mi się wyostrzyły...

– Tak? A jakie? – zainteresowała się.

– Na przykład smak. Odkąd nie mam węchu, uwielbiam pikantne potrawy.

– Ale jak można jeść bez zapachu?

– Można. Przyzwyczaiłem się. Choć czasem, kiedy coś bardzo mi smakuje, proszę, by mi opowiedziano, jak pachnie. To, że jest słodkie, gorzkie, ostre – wiem. Ale jak pachnie, już nie pamiętam. Niemniej utrata węchu okazała się błogosławieństwem w pracy. Mogę sobie siedzieć na miejscu zbrodni, ile dusza zapragnie.

– Skoro nic nie czujesz, to kto kupuje ci wody toaletowe?

Meyer zesztywniał.

– Tę dostałem od żony.

Weronika nie odpowiedziała.

– Ta rzeka, Rawa – odwróciła się do niego tyłem i kontynuowała opowieść – płynęła tędy przez całe stulecia. Zresztą wciąż tu jest. Płynie pod tym chodnikiem, pod tymi budynkami. Komuniści zamurowali ją po wojnie. A tu w czasach pruskich był piękny staw i trasa spacerowa. Kaiserhof znajdował się w centralnym miejscu. Z bajecznym widokiem na wodę.

Ruszyli spacerkiem w kierunku rynku.

– Potem, wiadomo – ciągnęła Weronika. – Kuźnia, karczma, zjeżdżający ludzie, wreszcie powstała osada. A tam – wskazała w stronę parku Kościuszki – pod koniec osiemnastego wieku powstała pierwsza kopalnia węgla. Imienia Beaty.

– Beaty?

– Wtedy przedsiębiorcy nazywali je imionami żon albo córek. Kiedy odkryto metodę wyrabiania stali z użyciem węgla, kopalnie i huty powstawały jak grzyby po deszczu. To miejsce ściągało ambitnych i żądnych bogactw. Jak w Ameryce na Dzikim Zachodzie. Może stąd bierze się śląski etos pracy? Bo przecież ten region tworzyli specyficzni ludzie. Pracowici i ambitni. To był raj dla przedsiębiorców. Wielu ludzi zrobiło błyskotliwe kariery – od pucybuta do milionera. Jednym z nich był Franz Winckler.

– Kto? Nie znam człowieka.

– To założyciel Katowic. Dzięki niemu z wioski przeobraziły się w miasto. Doprowadził tu kolej. Region szybko stał się potęgą gospodarczą. Śląsk miał wtedy charakter europejski. Obok siebie w zgodzie żyli ludzie różnych kultur i wyznań.

– Dziś nie byłoby to możliwe.

– Katowice to w ogóle ewenement w skali światowej. Wyobrażasz sobie, że to wielkie miasto powstało zaledwie w ciągu pięćdziesięciu lat? Licząc od dnia, kiedy Nottebohm, słynny architekt, opracował plan zabudowy. Wytyczył dwa znaczące miejsca: rynek i obecny plac Wolności, które łączyła reprezentacyjna ulica Trzeciego Maja.

– Zaraz, a co z tym Wincklerem? Jakaś dramatyczna historia z trupem w tle? – przerwał jej Meyer.

– Przeciwnie. – Uśmiechnęła się. – To był niesamowity człowiek. Sam dorobił się fortuny. Skończył szkołę górniczą w Tarnowskich Górach i przybył tu, wietrząc wielkie pieniądze. I zrobił je. Pomógł mu też ożenek z najpiękniejszą i najbogatszą wdową na tym terenie. Nazywano ją Różą Śląska.

– Faktycznie gość był łebski – wtrącił Meyer z przekąsem.

– To nie tak, jak myślisz... Winckler był zarządcą jednej z kopalń Franciszka Aresina. Kiedy ten zmarł, ożenił się z wdową po nim, Marią, która słynęła z urody. Ale Franz nie był wtedy biedakiem. Małżeństwo zwielokrotniło tylko jego majątek. To pozwoliło na kupienie kolejnych kopalń. Nie mógł jednak wszystkim zarządzać sam. Mianował więc dyrektorem kolegę ze szkoły górniczej, niejakiego Grundmanna.

– Werka, dość!

– Poczekaj. – Weronika wskazała hotel Katowice przed pomnikiem Powstańców. – Tam Winckler postawił pałacyk.

Jednopiętrowy budynek, w którym mieściła się siedziba jego przedsiębiorstwa. On przetrwał nawet wojnę.

– To co się z nim stało?

– Rosjanie go zburzyli w ramach walki z systemem. A był piękny, w archiwum miejskim są zdjęcia.

Przechodzili właśnie przez ogromny plac, kiedy Weronika zapytała:

– A wiesz, dlaczego w Katowicach nie ma rynku?

– Przecież to jest rynek. – Meyer wskazał na tabliczkę.

– No tak, ale nie ma ratusza, pięknych kamienic wokół, jak na przykład we Wrocławiu czy w Krakowie.

– No właśnie, dlaczego?

– Pod koniec wojny sowieccy żołnierze zajęli budynki wokół rynku. W jednym z nich znajdował się skład monopolowy. Tam urządzili swoją siedzibę sztabu. Pili dotąd, aż zabrakło trunków, a w tym czasie dokonywali różnych szaleństw.

– Kozacka fantazja?

– Na przykład podpalili rynek. Wszystko spłonęło. Do gołej ziemi.

Meyer i Weronika minęli rynek i znaleźli się na skrzyżowaniu ulic Staromiejskiej i Świętego Jana.

– Jestem głodny, może gdzieś usiądziemy? Nie bolą cię już nogi? – zapytał Hubert.

– Nie, dlaczego – odparła. Ale po chwili zreflektowała się: – Nudzisz się? Jeśli chcesz, możemy gdzieś usiąść.

– Nie, opowiadasz bardzo ciekawie. Po prostu martwiłem się o twoje stopy. – Wskazał na jej obcasy.

– Spokojnie – zaśmiała się. – Spójrz tutaj. – Na tabliczce wmurowanej na figurce świętego Jana można było odczytać rok 1816. Oboje przykucnęli. Rudy mówiła dalej: – W tym miejscu były rogatki. To jest autentyczna figura, ale wróciła tutaj dopiero dziesięć lat temu. Całą wojnę przeczekała w szopie rolnika z Brynowa. Gdyby jej nie ukrył, już by jej nie było.

Hubert dostrzegł, że w świetle gazowych latarni twarz Weroniki mieni się drobinkami złota.

– Skąd ty to wszystko wiesz? – zapytał.

Wzruszyła ramionami.

– Mówiłam ci, dorabiałam sobie na studiach jako przewodnik wycieczek.

– Kiedy opowiadasz o tym mieście, jesteś taka miła... – Pochylił się w jej stronę.

– Słucham? – udała zdziwioną.

Poprawiła ręką kosmyk, który wciąż opadał jej na twarz, i Hubert dostrzegł, że drży jej ręka. Zbliżył się do niej jeszcze bardziej, a ona uchyliła się gwałtownie. Usłyszeli trzask i Weronika straciła równowagę. Meyer pochwycił ją w ostatniej chwili. Jej sukienka podsunęła się do góry, odsłaniając uda. To bardziej zainteresowało Huberta niż przyczyna trzasku. Złamany obcas dostrzegł dopiero wtedy, kiedy Weronika podniosła do góry zniszczony but.

– No to koniec spaceru – ucieszył się. – I mam pretekst, by wziąć cię na ręce i zanieść do najbliższej knajpy.

Ku jego zdziwieniu roześmiała się.

– Jakoś dojdę – bąknęła i kuśtykając, ruszyła w kierunku Staromiejskiej. – Ale będziesz musiał podwieźć mnie do domu. Przyjechałam tramwajem.

– Masz fart jak nikt. Czy jeździłaś kiedyś landrynkową mydelniczką?

9 maja – piątek

Halina Borecka po nocnym siedzeniu przy internetowej ruletce miała zwyczaj spać do południa. Przeważnie wyłączała komórkę, lecz tym razem musiała zapomnieć. Sygnał telefonu gwałtownie wyrwał ją z objęć Morfeusza i księgowa była jeszcze bardzo zaspana, kiedy po omacku chwytała leżący przy łóżku aparat. Otworzyła jedno oko i zerknęła na wyświetlacz. Wybudziła się momentalnie. Niebieski pulpit telefonu migał wyraźnie: Johann Schmidt, Johann Schmidt, Johann Schmidt... Przetarła oczy i wpatrywała się w nazwisko swojego byłego pracodawcy.

Po kilku dzwonkach komórka ucichła. Borecka zerknęła na elektroniczny zegar na nocnej szafce. Dochodziła siódma. Spała więc zaledwie cztery godziny. Jeszcze chwilę leżała w łóżku, przekręcała się z boku na bok, udając, że to wszystko się nie wydarzyło, kiedy usłyszała pojedynczy sygnał. Dzwoniący pozostawił wiadomość w skrzynce głosowej. Księgowa wstała i zataczając się z niewyspania, weszła do łazienki. Próbując umyć zęby, zbierała myśli. Telefon znów zaczął dzwonić. Ruszyła w kierunku dręczącego ją aparatu i nacisnęła przycisk z zieloną słuchawką.

– Halo? – szepnęła. Usłyszała znajomy głos. Jej grube cielsko opadło na łóżko. – To ty... – Jej ton zdradzał teraz zniecierpliwienie i wrogość. – Chyba coś ustaliłyśmy. Miałaś nie używać tego aparatu. Z pewnością jest na podsłuchu – warknęła.

Osoba po drugiej stronie mówiła chwilę i twarz Boreckiej momentalnie się zmieniła. Irytację zastąpiło zaniepokojenie. Przed oczami jej pociemniało.

– W takim razie trzeba się pośpieszyć – odparła łagodniej.
– Przyjedź wieczorem. Tam gdzie zwykle. Nie! Ja wezmę. Wszystko mam, pieczątki też. I nie dzwoń, oni przecież sprawdzą billingi. Wyłącz, do cholery, ten telefon! Ale już!

Teraz już z werwą ruszyła do łazienki. Po drodze chwyciła z szafy pierwsze lepsze ubrania i zwinęła je pod pachą. Nagle zmieniła zdanie. Zdecydowała, że poranną toaletę przełoży na później. Gwałtownie, jakby czas ją gonił, zaczęła zdejmować z półek segregatory i wyjmować z nich koszulki pełne dokumentów, faktur, umów i potwierdzeń. Najwyraźniej nie mogła czegoś znaleźć, bo po chwili ręce zaczęły jej się trząść i na chybił trafił przeglądała kolejne akta. Po kilku minutach na podłodze piętrzyła się całkiem pokaźna sterta papierów.

Borecka co rusz zerkała na zegarek, pocierała czoło, nerwowo drapała się po głowie. Włosy sterczały jej na wszystkie strony, okulary zaszły mgłą. Wreszcie zasapała się i usiadła w samym środku pobojowiska. Sięgnęła po cygaretki i zapaliła jedną z nich. Zaciągnęła się kilka razy. Jej wzrok padł na pudło, które miała na najwyższej półce. Uśmiechnęła się zadowolona. Dokumenty, których szukała, musiały znajdować się właśnie tam. Z cygaretką w ustach weszła do kuchni i chwyciła taboret. Obiema rękami ścisnęła go mocno, bo ze starości rozjeżdżały mu się nóżki, i postawiła obok szafy z dokumentami. Nie dostrzegła, że jedna z nóg wylądowała na foliowych koszulkach, z których wcześniej wyjęła dokumenty.

Śpieszyła się. Chciała jak najszybciej znaleźć ten konkretny plik z rzędami cyfr. Z impetem wspięła się na taboret. Kiedy jej wielkie cielsko oparło się całym ciężarem na niestabilnym meblu, nóżka oparta na rozsypanych koszulkach wysunęła się z siedziska. Borecka zachwiała się i runęła na podłogę jak długa. Zapalony papieros wypadł jej z ust na stertę dokumentów. Spadła tak niefortunnie, że lewa noga podwinęła się i została przygnieciona przez sto kilogramów wagi. Księgowa usłyszała głośny trzask. Jej ciałem wstrząsnął potworny ból. Krzyknęła. Z oczu popłynęły łzy. Zacisnęła zęby. Czekała, aż ból osłabnie. On jednak narastał. Noga w kolanie napuchła momentalnie niczym balon. Ze strachu serce podeszło księgowej do gardła. Nie mogła poruszyć ani lewą, ani prawą nogą. Nie była już w stanie zniszczyć tych dokumentów, choć powinna to zrobić jak najszybciej. Wiedziała, że jeśli wpadną w niepowołane ręce, nie wyjdzie z więzienia do końca życia.

* * *

Budynek, w którym przed laty mieszkała Hildegarda Zielosko, wołał o pomstę do nieba. Ulicę Feliksa Dzierżyńskiego przemianowano na Mięsną, dlatego Weronika z trudem ją odnalazła. Okolica nie wyglądała najciekawiej. W enklawie familoków ludzie patrzyli na nią nieufnie. Czuła na plecach ich spojrzenia. Zanim prokurator Rudy odnalazła Mięsną 5, podeszło do niej kilka osób i zagaiło o drobiazgi. Wiedziała, że w ten sposób zaspokajali swoją ciekawość.

Rozejrzała się. Tu wszystko pozostało jak przed laty. Czas się zatrzymał. Tyle że to, co kiedyś było chlubą i chwałą Śląska, dziś zmieniło się w koszmarny relikt przeszłości. Kiedyś w familokach nie trzeba było zamykać drzwi na klucz, bo sąsiedzi pilnowali nawzajem swojego dobytku. Pomagali sobie i wspierali się. Mieszkańcy dbali o czyste obejścia, przed budynkami zakładali kwiatowe rabatki. Plac zabaw umiejscowiony w samym środku robotniczego osiedla kiedyś pewnie pełen był roześmianych dzieci. Teraz karuzele pordzewiały, po huśtawkach zostały jedynie smętnie zwisające łańcuchy, a dzieciaki skupiały się obok skrzywionego trzepaka. Wszystko było tu czarne od kopalnianego smogu. Bieda wyglądała z każdej kiedyś czerwonej cegły, z których zbudowano te budynki. Mieszkali tu najbiedniejsi i najprymitywniejsi ludzie – klienci opieki społecznej i urzędów dla bezrobotnych. Każdy, kto miał trochę oleju w głowie, uciekł stąd dawno temu.

– Pani jest z zagranicy?

Podbiegła do niej rezolutna sześciolatka. Wyglądała na całkiem rozgarniętą, choć była umorusana, a stan jej odzieży pozostawiał wiele do życzenia.

– Mieszkasz tu? – Rudy wskazała klatkę budynku obok.

Dziewczynka pokręciła głową. Odwróciła się i pokazała trzeci budynek z rzędu. Bawiące się na podwórku dzieciaki nawet nie udawały, że kopią pomarańczową gumową piłkę, tylko wpatrywały się w obie z nieskrywaną ciekawością.

– Tu nikt nie mieszko – szczebiotała mała. – Tylko stary Huzik, ale dziś chyba i jego ni ma.

– Gdzie twoja mama? – zainteresowała się prokuratorka.

Mała wzruszyła ramionami.

– A co?

Weronika żałowała, że nie ma żadnych cukierków, które z pewnością rozsupłałyby język małej. Wsunęła rękę do torebki i wyciągnęła plastikowy długopis.

– Chcesz? – Pomachała jej przed oczami.

Dziewczynka niezbyt się nim zainteresowała. Wskazała natomiast kolczyki prokuratorki.

– To chcę.

Rudy zamurowało. Oburzona roszczeniowym zachowaniem sześciolatki uznała targi za zakończone i odwróciła się na pięcie. Skierowała się do klatki, w której – jak zakładała – mieszkała przed laty Hilda Zielosko. Mała jednak nie odpuściła.

– Może być ten długopis. – Wyrwała go prokuratorce z ręki i pobiegła w kierunku zbieraniny dzieciaków.

Weronika dostrzegła starsze osoby siedzące na placyku pomiędzy pomalowanymi na biało pniami martwych drzew. Po chwili znów zobaczyła sprytną smarkulę, choć sądziła, że ta uciekła. Dziewczynka prowadziła w jej kierunku kobietę piersiastą, przedwcześnie posiwiałą. Nie wyglądała na jej matkę, raczej na babkę. Może przez swój ubiór – była zakutana w kilka warstw spódnic, a na to włożyła falbaniasty fartuch w kwiaty.

– Co paniusia od nas chcy? – Matko-babka podparła się pod boki. Była nieufna i nawet nie wysilała się na sprawianie pozorów, że Weronika jest w rudzkich familokach mile widziana.

– Długo tu pani mieszka? – odpowiedziała Rudy pytaniem. Starała się być grzeczna, choć wzbierała w niej irytacja.

– A kto pyta?

Weronika postanowiła zataić, że jest prokuratorem. Czuła, że jako osoba prywatna dowie się więcej.

– Nazywam się Rudy. Szukam znajomej, Hildegardy Zielosko. Kojarzy pani?

Kobieta kręciła głową.

– Tu Zielosków jak psów – odparła. – Mnie się pyzy gotują. Co jeszcze chcy?

– Mieszkała tutaj. – Weronika wskazała budynek z pordzewiałą tablicą: Mięsna 5.

– Ty jesteś z policji czy jak? – Matko-babka zmrużyła podejrzliwie oczy.

Dziewczynka przysłuchiwała się rozmowie z pewnej odległości. Dopiero spojrzawszy na małą, Weronika zrozumiała, o co chodzi. Wyciągnęła z kieszeni dziesięć złotych i podała kobiecie. Ta bez słowa schowała banknot za pasek od fartucha.

– Hilda już dawno wyzionęła ducha. Zaraz po tym, jak zabili tego, co u niego robiła.

Weronika zaniemówiła. To dlatego w aktach nie było jej przesłuchania. Wszystko nagle stało się jasne. Kobieta umarła, zanim osądzono Poloczka.

– Na co?

– Mówili, że na serce. Ale kto ich tam wi. Tam idź. – Wskazała alejkę prowadzącą do budynku z kolorową markizą. – W sklepie przesiaduje Sylwek. Żył z Hildą. Ale od niego wiele się nie dowiesz. A o Troplowitza nie pytaj, bo się znerwi i fanzolić bydzie. Spytaj o Karinę. To ich dzioucha. Przyłazi czasym. Daje mu pieniądze, jedzenie. Pańcia, taka jak ty. Stydzi się ojcowizny. Ale nie taka zła, jak o starym Sylwku pamięta.

– On pije? – dopytywała się Weronika Rudy.

– A kto tu nie pije, pani! – Kobieta rozłożyła ręce.

– Dziękuję – powiedziała prokuratorka.

– Idź z Bogiem. – Odchodząc, chuchnęła w banknot, który dostała od Werki.

Weronika ruszyła w kierunku markizy. Myślała o tym, co o Rudzie opowiadał jej Meyer. Choć to śląskie miasto było niewielkie, z powodu makabrycznych zbrodni, do jakich dochodziło na jego terenie, porównywano je do Nowego Jorku. Zdarzały się tu one zdecydowanie częściej niż gdzie indziej. Wytrzewione zwłoki, pokrojone ciała, wielokrotne brutalne gwałty, przestępstwa seryjne, najpodlejsze czyny pedofilskie i zbrodnie na tle urojeniowym. Jakby miasto generowało najbardziej mroczne i odrażające zachowania ludzkie. Ewenement Rudy Śląskiej ciekawił nie tylko Meyera, lecz także zagranicznych psychologów współpracujących z policją. Tę tajemnicę próbowano nawet rozwikłać na ostatnim Forum Psychologii Śledczej w Londynie, na które zaproszono profilera. Weronika nie była na tych seminariach ani nie czytała pracy Meyera, którą przygotował specjalnie na forum. Wiedziała tylko to, co sam jej powiedział.

– Wielka anonimowość życia. Bieda na granicy ubóstwa. Niski lub praktycznie żaden poziom wykształcenia. Duże nagromadzenie ludzi na terenie zróżnicowanym architektonicznie. Ruda pełna jest poindustrialnych tworów – pokopalnianych labiryntów, wyrobisk, mieszkalnych pustostanów. Jest rozległa i rozproszona. Raczej zlepek miejsc do mieszkania niż zwarte miasto. Do robotniczych osiedli zjeżdżali ludzie z całej Polski. Nie znają się od pokoleń, lecz od kilkunastu, a nawet kilku lat. Nie nauczyli się budować więzi społecznych i nie przekazują takich mechanizmów zachowań swoim dzieciom. Przez to, że nie mają poczucia przywiązania do miejsca, nie identyfikują się ze społecznością, w której zmuszeni są funkcjonować. Są wykorzenieni. To rodzi w nich frustrację, nieufność i sprawia, że stają się łatwymi ofiarami. Mieszkańcy Rudy nie dostosowali się też do nowych realiów gospodarki rynkowej. Dlatego po upadku kopalń kwitnie tu bezrobocie, alkoholizm. Zachowania niezgodne z prawem nie są piętnowane. Granica moralności jest przesunięta o wiele dalej, niż ma to miejsce w normalnych społecznościach. To wszystko generuje agresję i ułatwia przestępcom działanie, a także zacieranie śladów. Po odkryciu zwłok zwykle nikt nic nie wie, nikt niczego nie widział. A jeśli brakuje świadków, to i informacji na temat ofiary – wyjaśniał profiler.

Wtedy Weronika nie potrafiła sobie wyobrazić, o czym mówił. Teraz jednak, kiedy znalazła się wśród familoków i widziała mieszkających tu ludzi, zaczynała wczuwać się w tutejszą atmosferę. Dawniej to miejsce było z pewnością magiczne. Ale dziś to cmentarz żywych ludzi, którzy przegrali swoje życie, bądź takich, którzy nigdy nie wierzyli, że mogą w nim cokolwiek zmienić. Wyczuwała negatywne napięcie, co budziło jej obawy. Czuła niepokój, który dopada człowieka na widok cienia w ciemnym zaułku. To nie był strach, ale przeczucie niebezpieczeństwa, które może być zarówno wytworem wyobraźni, jak i bezpośrednim zagrożeniem. Weronika postanowiła, że kiedy tylko zdobędzie jakieś dane o Hildzie Zielosko, za żadne skarby nie pojawi się tu więcej sama. Miała nadzieję, że kabura z bronią nie jest widoczna pod marynarką. Nie chciała nikogo sprowokować. Odruchowo poklepała się po biodrze. Poczuła wibracje telefonu zapowiadające połączenie. Odebrała, zanim komórka zaczęła dzwonić.

– Gdzie jesteś? – zapytał Waldemar Szerszeń.

– W Rudzie Śląskiej – odparła i rozejrzała się wokół.

– Pracujesz? – upewnił się podinspektor.

– Tak. To nie jest raczej miejsce na spacery. Potem ci opowiem – rzuciła półgłosem.

– Mamy obrazki zrabowane z mieszkania lekarki.

– Gdzie?

– Te największe znaleziono w kontenerze na dworcu PKS. A trzy mniejsze były oparte o budynek dworca. No i mamy jeszcze dwa kombinezony ubrudzone krwią. Jak się znalazły obrazki, to przesialiśmy pobliskie kontenery. Bingo. Właśnie pojechały do badania. Mam nadzieję, że ekspertyza wykaże zgodność z krwią Johanna Schmidta.

– Kurwa... Kombinezony! – weszła mu w słowo prokuratorka. – Wszystko jasne. To dlatego nikt nie zauważył mężczyzn w zakrwawionych ciuchach!

– Mógłbym sobie szukać świadka do śmierci. Na robotę włożyli kombinezony, a po wszystkim je zdjęli. Wyszli na ulicę w normalnych ubraniach, bez kłopotu wmieszali się w tłum. A teraz zgadnij, jakie logo było na odzieży roboczej... – Szerszeń zawiesił głos.

– To jakaś zgaduj-zgadula? Mów! – popędziła go.

– Koenig-Schmidt...

– Nie...

– Tak. Mam też paluchy na obrazkach i trochę śladów biologicznych. I jeszcze coś...

– Zatrzymałeś kogoś? – wypaliła niecierpliwie.

– Tak – odparł z dumą Szerszeń. – Mam dwóch. Jeden już się przyznał do włamania do Schmidta, a drugi ptaszek... No cóż, jak mu trochę poskubiemy piórka, też się przyzna.

– Mogli dokonać także zbrodni?

– Na popołudnie drugiego maja mają alibi. Ale pracujemy nad tym.

* * *

Elwira Poniatowska najpierw usłyszała głosy krzątających się wokół niej ludzi i śmiech dziecka. Nie otwierając oczu, zastanawiała się, gdzie jest. Przez myśl przebiegło jej, że budzi się z koszmarnego snu. Johann żyje, jej mąż nie jest gejem ani nie pragnął jej śmierci. Poczuła czyjąś rękę na swoim czole. Podniosła powieki. Pochylał się nad nią Michał. Z jej piersi wydobył się rozpaczliwy krzyk. Mąż próbował ją uspokoić, coś do niej mówił, lecz nie słuchała. W panice próbowała strząsnąć z siebie jego dłonie.

– Zostaw mnie. Ratunku! – wrzeszczała. Michał był jednak głuchy na jej rozpaczliwe wołanie.

Szarpała się tak gwałtownie, jakby posiadła nieludzką siłę, aż wyrwała wenflon z grzbietu dłoni. Natychmiast podbiegł do niej młody policjant. Chwilę później pojawiła się pielęgniarka. Policjant z Michałem trzymali wijącą się z przerażenia seksuolog, podczas gdy pielęgniarka próbowała ponownie założyć pacjentce wenflon. Elwira uspokoiła się, dopiero kiedy usłyszała głos Huberta Meyera. Wyglądał na zaniepokojonego jej dziwnym zachowaniem.

– Proszę nas zostawić samych – rzucił w kierunku wszystkich obecnych w pomieszczeniu.

Policjant i pielęgniarka posłusznie skierowali się do wyjścia. Michał Douglas stał jednak wciąż w tym samym miejscu, wpatrując się w Meyera i swoją żonę z miną zbitego psa.

– Pan przede wszystkim. – Psycholog zwrócił się do Douglasa lodowatym tonem.

Mąż lekarki ze spuszczoną głową wyszedł na korytarz.

Elwira zwinęła się w pozycji embrionalnej i cicho płakała.

– Musimy porozmawiać – zwrócił się do niej Hubert.

Kobieta podniosła głowę i pokiwała głową.

– Chcę stąd wyjść – stęknęła, jakby mówienie sprawiało jej ból.

– Wkrótce tak się stanie. Ale nie w tej chwili. Jest pani osłabiona i lekarze nie radzą opuszczać szpitala do czasu, aż będą znane wyniki wszystkich badań.

Wiedział od lekarzy, że jej życiu nie zagraża niebezpieczeństwo. Widział jednak jej przerażenie. Cała drżała.

– Muszę stąd wyjść – powtórzyła głośniej i chwyciła go za rękę jak dziecko rozpaczliwie szukające pomocy.

Profiler zachował stoicki spokój, choć coraz bardziej niepokoił się jej stanem. Ujął dłoń lekarki, ścisnął ją, by dodać otuchy, i rzekł ciepłym głosem:

– Musi pani wszystko mi opowiedzieć. Co się stało? Dlaczego próbowała pani popełnić samobójstwo?

– Nie! – Elwira zaprzeczyła stanowczo i prawie usiadła. Była jednak osłabiona i zaraz ponownie opadła na poduszkę. – Nie! – dodała zrezygnowana. – Niech pan wezwie lekarza i zabierze mnie stąd. Może mnie pan aresztować. Wszystko mi jedno. Ja już wiem, wszystko wiem. Opowiem wszystko. On chciał mnie zabić!

– Kto? – Meyer zmarszczył brwi.

– Mój mąż. Michał. Próbował już kolejny raz. Za trzecim razem z pewnością mu się uda.

* * *

312

Weronika po niewielkich schodkach weszła do sklepiku z żółtymi markizami. Pachniało proszkiem do prania i kiełbasą. Pomieszczenie było niewielkie i z pewnością odwiedzali je wszyscy mieszkańcy okolicy. Można tu było kupić mydło i powidło. Na parapecie niezbyt czystego okna wystawowego siedzieli mężczyźni popijający piwo. Bacznie ją obserwowali. Czuła się jak intruz, który znalazł się przypadkiem na cudzym terytorium. Na pierwszy rzut oka widać było, że nie należała do ich świata. Wiedziała, że choćby z tego powodu jest na straconej pozycji. Tutaj nie dowie się niczego. A już na pewno nie na taki temat. Jej mózg pracował szybko. Gorączkowo zastanawiała się, jaki fortel zastosować, by rozwiązać języki lokalnym pijaczkom i dowiedzieć się czegoś o Hildzie Zielosko. Inaczej cały jej dzisiejszy wysiłek, ten trop, na który sama wpadła, zaprowadzi ją donikąd.

– Dzień dobry – zwróciła się do pijaczków na parapecie. Na powitanie wybrała swój najbardziej uroczy uśmiech, który topił najtwardsze serca.

Mężczyźni tylko zamruczeli. Tak jak się spodziewała, nie zrobiło to na nich żadnego wrażenia. Ale w dalszym ciągu obserwowali ją spode łba czujni niczym wilki. Podeszła do lady, kupiła bajgla i oranżadę, po czym zaczęła łgać jak najęta.

– Chciałabym kupić tutaj mieszkanie. A właściwie kilka. Podoba mi się ta dzielnica, wygląda jak lofty w Nowym Jorku. Czuję tu energię do pracy.

W sklepiku nawet muchy przestały brzęczeć. Faceci pod oknem zaniemówili i wpatrywali się w nią jak w obrazek.

– Tak sobie wymarzyłam, by otworzyć tu studio – ciągnęła i miała wrażenie, że w oczach mężczyzn pojawiły się dwukrotnie przekreślone litery S, symbol amerykańskiego dolara.

Jeden z nich, najbardziej zaniedbany i niewątpliwie najstarszy, aż otworzył usta ze zdziwienia. Weronika raz jeszcze posłała mu szeroki uśmiech. Tym razem przypieczętował jej słowa.

– A które się pani podoba? – odezwała się sprzedawczyni.

Prawdopodobnie od ręki sprzedałaby jej swoje lokum, włącznie ze sklepikiem. Byle tylko wyjechać jak najdalej stąd i już nigdy nie oglądać tych samych gąb, nie słuchać wciąż tych samych historii.

– Miałam taką koleżankę, znajomą właściwie. Nie wiem dokładnie, jak miała na nazwisko. Ale wspominała, że jej matka ma tutaj mieszkanie. Pomyślałam, że ją odszukam. Ona mówiła, że obok są dwa lokale i po wyburzeniu ścian mogłabym mieć studio z wielkimi oknami. Chodzi o to, żeby wpadało przez nie dużo światła. W pracy malarza to podstawa. Słońce jest Bogiem, mawiał William Turner, prekursor impresjonizmu. Światło daje też inspirację... – Sama się zdziwiła, jak łatwo idzie jej odgrywanie roli ekscentrycznej artystki.

– To kiero chałpa[1] byście chcieli kupić? – przerwał jej jeden z siedzących na parapecie. – Kiero to mo być? Tu cołki zidlung[2] jes do sprzedanio. Kożdy jedyn dum.

Wszyscy, włącznie z ekspedientką, zarechotali. Atmosfera się rozluźniła. Werka przekroczyła niewidzialną granicę, już była w ich gronie. Już widzieli siebie i swoje dzieci wyjeżdżające stąd złotym bmw. Prokuratorka wiedziała, że zrobią wszystko, byle tylko kupiła ich mieszkanie. Teraz musiała zagrać precyzyjnie. Nie może pozwolić sobie na poufałość. Zmieniła ton na bardziej oficjalny i wyrecytowała:

– Numer pięć. Budynek numer pięć i mieszkanie Hildegardy Zielosko.

Po jej słowach zapadła cisza. Mężczyźni wymienili między sobą spojrzenia.

– Sylwek... – Jeden z nich szturchnął sąsiada siedzącego na samym końcu parapetu; wyglądał na mało rozmownego. – No, godej!

– Chodź ze mnom, dziołszka.

Prokuratorka zaczęła żałować tej farsy, lecz nie wiedziała, jak wybrnąć z sytuacji. Ruszyła za staruszkiem, który mimo stanu upojenia przemieszczał się dość żwawo. Widać dawka alkoholu, jaką miał w organizmie, była optymalna i naturalna. Po drodze kilka razy splunął pod nogi.

---

[1] Chałpa (w gwarze śląskiej) – mieszkanie, lokal.
[2] Zidlung (w gwarze śląskiej) – osiedle.

Zaskrzypiały drewniane drzwi, poczuła zapach moczu i stęchlizny. Zrozumiała, że wszystko, co mówiła, było dla nich jak manna z nieba. Nagle znalazła się wariatka, która zachwyca się takimi ruderami. Wzdrygnęła się, widząc schody, po których mieli wejść na górę. Nie widziała bardziej ciemnych i zapuszczonych budynków. Łatwiej byłoby je zrównać z ziemią i postawić nowe, niż przebudowywać. No, chyba że ktoś chciałby tutaj zrobić ciemnię fotograficzną. Byłaby idealna, pod warunkiem że ten ktoś – jak Meyer – nie miałby węchu. Na każdym półpiętrze znajdowały się drzwi nieco mniejsze niż te do mieszkań. Skojarzyła, że za nimi muszą być toalety do wspólnego użytku dla lokatorów całego piętra.

Mężczyzna otworzył drzwi do mieszkania. Było niewielkie. Widziała umywalkę, kaflowy piec kuchenny.

– Ile dosz za tyn hasiok, dziołszka[1]? – Uśmiechnął się bezzębnie staruszek.

Weronika zbaraniała.

– A ile chciałby pan dostać?

– Tak po prowdzie, to bych chcioł tu łostać do końca. Ale jak sypniesz geldem[2], to moga pomyśleć. I pogodać z mojom frelkom[3]. Przydź jutro. Po połedniu. Kara zawsze mie odwiedzo w soboty, to i jutro bydzie.

Weronika zrezygnowana pokiwała głową.

– Ale, czekej, dziołszka! – Starzec chwycił ją za rękę. – Może dosz dycha zaliczki na piwo?

Pośpiesznie wyciągnęła z kieszeni banknot dwudziestozłotowy i wcisnęła człowiekowi jak jałmużnę. Była pewna, że nie odważy się pojawić tutaj następnego dnia. Spaliłaby się ze wstydu. Miała już dość tego teatru. Ki diabeł mnie podkusił, zganiła się w myślach. Kiedy jednak dała mu pieniądze, poczuła rodzaj ulgi. Staruszek zaś przysiadł na stołeczku. Teraz to

---

[1] Ile dosz za tyn hasiok, dziołszka? (w gwarze śląskiej) – ile proponujesz za tę norę, dziewczyno?
[2] Geld (w gwarze śląskiej) – pieniądze, gotówka.
[3] Frelka (w gwarze śląskiej) – córka.

on – szczęśliwy z powodu nieoczekiwanego przypływu gotówki – uśmiechał się do niej. Marzył zapewne o czymś mocniejszym niż najtańsze piwko sączone dziś z kolegami.

– Co się stało z pana żoną? – zagaiła, myśląc, że będzie to takie kurtuazyjne pytanie na odchodne.

– Hilda? – Jego oczy były zamglone. – Już nie żyje. Kupa lot.

– Wypadek?

– Nie. – Pokręcił głową. – Una zwyczajnie umarła. Medyki pedzieli, że miała szlaganfal[1]. Tu żech jom znaloz. – Wskazał miejsce koło pieca. – Po prawy strunie była cołkiym sztywno. Jak krankwagyn[2] przyjechoł, już było po niyj.

– Chorowała wcześniej?

– A kajże, pani! Nigdy. To była silno baba. Robiła u takigo jednygo, Troplowitz się nazywoł, co dziyń jeździła banom[3] do Katowic. Mie to nerwowało. Nie chciołech, żeby robiła u obcych. Godołech ji, że styknie nom tego, co jo zarobia na grubie. A una tam do tego Gybisa jeździła i bez to całe nieszczyńście. Ludzie godali, że nom ściongnoł na gowa te wszyskie kłopoty. Bez niego tu tyla policaji się krynciło, aż mi było wstyd. Ludzie godali, że... No, ale to już kupa lot, ni ma co rozprawiać. Może szlukniemy[4] po jednym? – zapytał nagle.

Prokuratorka pokręciła głową.

– Chętnie, ale ja samochodem. Niech pan sobie naleje – dodała wspaniałomyślnie.

Staruszek tylko na to czekał. Kiedy opróżnił szklankę z wiśniówką, stał się jeszcze bardziej rozmowny.

– A potym jeszcze te kłopoty z Karą. Zresztą jom znocie, to wiycie, jak było.

– Nie wiem o niej zbyt dużo – bąknęła Weronika i poczuła, jak pąsowieje. I była zła, bo tych wszystkich informacji nie będzie mogła wykorzystać. Nie ma pewności, czy starzec nie

---

[1] Szlaganfal (w gwarze śląskiej) – udar mózgu.
[2] Krankwagyn (w gwarze śląskiej) – pogotowie, lekarz.
[3] Bana (w gwarze śląskiej) – pociąg.
[4] Szluknąć (w gwarze śląskiej) – wypić.

konfabuluje po alkoholu, a jednak nie potrafiła wyjść. Czuła, że nadarza się okazja, by wyciągnąć z niego jeszcze więcej.

– No przeca zabić się chciała. Zostawił jom tyn absztyfikant[1], a una już była brzuchato. Matka szlag trafił. Jo żech ni mioł sił. Trocha żech piuł, no bo nie szło tego wydzierżyć. Potym przijechała moja szwestra[2]. Nasze ślunskie baby som mocarniejsze niż chopy. Coś tam pomaglowały i było po kłopocie. Jo żech ino doł kasa. Ta moja frelka jeszcze pora razy próbowała się sznitać[3]. Ale gryfno[4] była, to żech my jom gibko[5] wydali. Sama chciała... Byłech rad, że się trafił tyn galant[6], bo mogła zostać bez chopa. No i potym wyjechali do Rajchu[7] i rzodko przyjeżdżała. Potym wrócili do Polski, to przychodziła czasami. Przyniesła jakieś bambetle[8], trocha jedzenio, pora złotych. Cieszyłech się, że dobrze się mo. Bo dobrze miała. Taki chop ji się trafił. Czasym mi tu ryczała, że jom pierze[9], że zazdrosny, że robi chaja[10] o bele co. I że ji nie przaje[11]. Chciała nawet tu zostać, alc żch pedzioł – poszłaś z chałpy, to siedź i szanuj chopa. Jes jaki jes, ale to twój chop. Patrz, jako świynto[12] kobiyta była twoja matka. No i jakoś się dogodali. Siedzom razem, ale nie godajom ze sobom. A una założyła firma. Niedaleko, na rogu. – Wskazał palcem na okno. – Rzeźniczo. Cóś tam przi pazurach robi i mo solarium. Takie jakieś fanzoły[13], ale trocha geldu z tego jes. I teros jes pani tako jak ty, ino bajtli[14] ni może mieć. Coś tam sfajali[15]

---

[1] Absztyfikant (w gwarze śląskiej) – narzeczony, chłopak.
[2] Szwestra (w gwarze śląskiej) – siostra.
[3] Sznitać (w gwarze śląskiej) – ciąć, podcinać sobie żyły.
[4] Gryfna (w gwarze śląskiej) – ładna.
[5] Gibko (w gwarze śląskiej) – szybko.
[6] Galant (w gwarze śląskiej) – elegancik.
[7] Rajch (w gwarze śląskiej) – Niemcy.
[8] Bambetle (w gwarze śląskiej) – rzeczy, ciuchy.
[9] Prać (w gwarze śląskiej) – bić.
[10] Chaja (w gwarze śląskiej) – awantura.
[11] Prżać (w gwarze śląskiej) – kochać.
[12] Świynta (w gwarze śląskiej) – święta.
[13] Fanzoły (w gwarze śląskiej) – głupstwa, byle co.
[14] Bajtle (w gwarze śląskiej) – dzieci.
[15] Sfajać (w gwarze śląskiej) – popsuć.

przy tyj skrobance. Szkoda, ale co zrobić. Przydź jutro, to pogodocie o geszefcie[1] – dokończył historię ziewaniem.

Rudy miała wrażenie, że staruszek przysypia, więc po cichu opuściła mieszkanie. Zastanawiała się, czy będzie jutro pamiętał, z czym do niego przyszła i o czym rozmawiali. Dotarła do auta. Próbowała sobie wyobrazić Karinę. Zakładała, że będzie szczupłą kobietą, która od lat stosuje diety, by wyglądać młodziej, opaloną na mahoń, o włosach tlenionych na platynę. W obcisłych dżinsach, białych kozakach i bluzce w panterkę. Wyrachowaną i umiejącą doskonale liczyć. Sprytną, z uśmiechem łasicy na twarzy.

Ciekawość zwyciężyła uprzedzenia i Werka ruszyła pod wskazany przez Sylwestra Zielosko adres salonu Kariny. Stała, wpatrując się w Studio Paznokci Karo, lecz nie zdecydowała się wejść do środka. Zaplanowała, że najpierw porozmawia z Kariną w mieszkaniu jej ojca. W salonie, na własnym terytorium, córka Hildy będzie zamknięta i wycofana. Zwłaszcza że znudzone klientki salonu nastawią uszu, żądne sensacji. Werka nie dowie się niczego. To oznaczało, że prokuratorce kroiła się wycieczka do Rudy Śląskiej w sobotnie przedpołudnie.

* * *

Popołudniowe słońce paliło Szerszenia w kark, kiedy po raz siódmy okrążał pieszo niewielki skwerek na osiedlu Paderewskiego. Kolejny raz minął sąsiadkę niezbyt pieszczotliwie zwaną przez mieszkańców blokowiska „ORMO czuwa" – bo chyba na stałe była przymocowana do parapetu okna na parterze i wiedziała wszystko, co się działo w okolicy. Znowu ukłoniła mu się z jadowitym uśmiechem, jakby widziała go po raz pierwszy. Miał ochotę zakląć, a kundla, który pałętał mu się pod nogami i nie chciał się załatwić, narażając go na wstyd, kopnąć w to chuderlawe ciałko, by poleciał jak pershing do jeziorka.

Szerszeń już prosił Fafisa, już błagał, już mu rozkazywał, ale to włochate chuchro zupełnie go nie słuchało. Mało tego,

---

[1] Geszeft (w gwarze śląskiej) – interes, biznes.

policjant był niemal pewien, że Zośka wysłała go na ten spacer z zemsty, a przed wyjściem umówiła się ze swoim pupilem, by ten nie raczył zrobić tej pieprzonej kupy. Podchodził do kolejnego krzaczka, obwąchiwał go dokładnie, jakby naprawdę miał węch, po czym odchodził, nie oddawszy ani kropli moczu, o tym drugim nie wspominając. Szerszeń był pewien, że żona porozumiała się z Fafisem i oboje się na nim odgrywają. To miała być kara za to, że Szerszeń wczorajszej nocy wrócił bardzo późno, zapomniał o wymianie oleju w jej aucie, a co gorsza walił do drzwi w środku nocy w towarzystwie śpiewającego Stefana, który przywlókł go do domu na plecach, bo podinspektor nie był w stanie iść o własnych nogach. Zofia jak zwykle nie powiedziała ani słowa; ani wczorajszej nocy, ani dziś rano. Jest przecież kobietą pełną równowagi wewnętrznej, medytującą o każdym brzasku. Nie mogła zniżyć się do poziomu jego i Stefana, pijaków, którzy wykorzystają każdy pretekst, by się napić.

Nie rozumiała, że zatrzymanie Bajgla i Saszy, dwóch podejrzanych w sprawie Johanna Schmidta, naprawdę zasługuje na kilka kropli alkoholu więcej. Bajgiel się przyznał do wykonania roboty, a Sasza powoli pęka. Szerszeń z niecierpliwością czekał na wyniki analizy porównawczej, która wskaże, czy byli 2 maja w mieszkaniu lekarki i dokonali zbrodni na Schmidcie. Niestety, obaj twierdzili, że cały długi weekend majowy spędzili na libacji alkoholowej w jednej z załęskich melin, które zresztą Szerszeń dobrze znał. Zaczęli pić w święto pracy, a zakończyli w poniedziałek o dwunastej. Z doświadczenia jednak wiedział, że zeznania alkoholików to alibi łatwe do podważenia. Dlatego całkiem poważnie podejrzewano ich nie tylko o włamanie do domu Schmidta, ale także o zbrodnię.

Bajgiel i Sasza pracowali razem od dawna. Wymuszali haracze, dokonywali włamań i drobnych rozbojów. Mieli „kłyszę"[1] rosyjskiego gangu. Jak się okazało, już od dłuższego czasu pozostawali pod obserwacją policji. Wcześniej nie brano jednak pod uwagę ich udziału w żadnym zabójstwie. Szerszeń był

---

[1] Mieli „kłyszę" (z ros.) – byli pod opieką.

niemal pewien, że dobre przesłuchanie załatwi sprawę. Już przyznali się do włamania do domu Schmidta. Liczył więc, że wkrótce wydadzą też osobę, która zleciła zbrodnię. Przynajmniej jeden z nich zacznie sypać. Stawiał na Bajgla, ponieważ był młodszy i nie miał rodziny. Kobieta Saszy była w czwartym miesiącu ciąży, co zdecydowanie komplikowało sprawę, jeśli chodzi o rzucenie kotwicy, jak profiler nazywał technikę motywowania przestępców, by współpracowali z policją.

Szerszeń miał już dość tej sprawy. Komendant wojewódzki oczekiwał, że w ciągu najbliższych dni przyniesie mu zabójców na tacy, a dopiero potem zajmie się szukaniem zleceniodawcy.

Wczoraj ze Stefanem rozwalili Bajgla, młodszego i bardziej strachliwego włamywacza. Mniej doświadczonego w przesłuchaniach, który niemal od razu wysypał, że robotę naraił im „koleś z odsiadki". Nie wiedział, jak się nazywa, ale rozpoznał go na zdjęciach. Kiedy wskazał im tego gościa, Szerszeń omal nie podskoczył z radości. To był Poloczek – zabójca Ottona Troplowitza. Nareszcie wszystko zaczynało się układać.

Fafis wyrwał Szerszenia z rozmyślań głośnym jazgotaniem. Mężczyzna zmarszczył brwi i pochylił głowę, żeby nikt z przechodniów nie mógł go rozpoznać. Nagle brązoworudy york – syn amerykańskiego czempiona i laureat międzynarodowych wystaw (wart tysiąc pięćset złotych, których Szerszeń do dziś nie odżałował) zerwał się ze smyczy i pobiegł w kierunku auta, pod którym prawdopodobnie siedział kot. Waldemar Szerszeń jak oniemiały patrzył na sprzączkę od smyczy. To chuchro chyba siłą woli rozerwało metalowy zaczep. Nie mogło być inaczej, pomyślał.

Nie zamierzał jednak ani biegać za yorkiem ani go gorączkowo poszukiwać. Obserwował psa z bezpiecznej odległości – na tyle daleko, by jakiemuś spacerowiczowi nie przyszło do głowy, że on, Waldemar Szerszeń, jest posiadaczem tej karykatury zwierzęcia. Odruchowo włożył rękę do kieszeni i wyciągnął z niej kokardkę, którą zapobiegliwie zdjął z mikrej czaszki yorka, by uniknąć szyderczych uśmieszków sąsiadów. Schował ją szybko i nagle w samym rogu wyczuł zapalniczkę. Poczuł silną potrzebę nikotyny. Rozejrzał się i pod jedną z klatek dostrzegł młodego chłopaka. W mgnieniu oka znalazł się obok niego. Ten na widok Szerszenia natychmiast schował papierosa za siebie. Wszyscy w dzielnicy wiedzieli przecież, że Szerszeń to glina, na dodatek z sekcji zabójstw. Patrzył na policjanta z trwogą.

– Daj jednego – mruknął podinspektor.

Chłopak zastanawiał się przez chwilę, po czym wydobył z kieszeni paczkę cameli. Podinspektor dawno tak się nie czuł. Odwrócił się na pięcie i ruszył w kierunku samochodu, pod którym przepadł Fafik. Trzęsącymi się dłońmi zapalił camela. Papieros nie zemdlił go. Przeciwnie – smakował jak nigdy dotąd. Szerszeń poczuł przyjemną ulgę i błogość. Kiedy się zaciągał, doznał olśnienia. Wiele wątków zaczynało się wyjaśniać.

Bajgiel zeznał, że to Poloczek zlecił im włamanie do Schmidta. Dostarczył danych, adres, kod wejściowy. Zapewniał, że nie będzie kłopotów, bo dom Schmidta powinien być pusty. Poloczek spotkał się z nimi tylko jeden raz. Szerszeń wiedział dlaczego. Po wydaniu zlecenia Poloczek grzecznie wrócił do paki. Włamywacze twierdzili, że wszystkie informacje, polecenia, a także gotówkę za włam odbierali z dworcowej skrytki. Bajgiel zeznał, że raz przyszedł godzinę wcześniej, skrytka była pusta. Postanowił więc poczekać i przysiadł na kebab w barze naprzeciwko.

Szerszeń zatrzymał się i jeszcze raz odtworzył w myślach wczorajsze przesłuchanie:

– Żarcie było podłe, ale z głodu zjadłem całą porcję – opowiadał włamywacz. – Zamówiłem piwo, potem kolejne i jeszcze jedno... Nudziłem się. Ludzie łazili w tę i z powrotem, jak to na dworcach. Pojawiło się kilka naprawdę niezłych dup. Myślałem, czy to zawodowe kurwy, czy tylko blachary. Prawdę mówiąc, wolę profesjonalistki. Zwłaszcza jedna była niezła. Ostra żyleta. Nie miałem szans, żeby do niej startować.

Z nudów obejrzał Teleexpress w telewizorze umieszczonym pod sufitem baru. Dopiero kiedy program się kończył, spojrzał na skrytki. Tę kobietę dostrzegł, kiedy zamykała boks, po czym szybko odeszła. Zerwał się i ruszył w kierunku skrytek. Otworzył swoją i poczuł ulgę. W środku była reklamówka w paski, a w niej gotówka. Nie wątpił, że to ona ją zostawiła. Niestety,

Bajgiel nie zapamiętał jej twarzy. Zeznał tylko, że była „taka zwyczajna". I szła, dziwnie wykrzywiając nogi, jakby było jej niewygodnie iść na obcasach. Nie zastanawiał się, czy kobieta współpracuje z Poloczkiem i dlaczego. Bo i po co? Był zadowolony. Załadował forsę do kieszeni kurtki, reklamówkę wyrzucił do kosza i wyszedł z dworca. Po drodze kilka razy beknął, ciesząc się, że nieświeży kebab się przyjął.

Dziś rano Szerszeń próbował dowiedzieć się czegoś więcej o tajemniczej kobiecie. Pytał, jakie miała włosy, sylwetkę, w co była ubrana? Ale Bajgiel niewiele pamiętał. Podinspektor był wściekły. Sądził, że Bajgiel nieudolnie próbuje ukryć zleceniodawcę. O rozmiarze biustu żylety rozwodził się prawie kwadrans. O kobiecie zaś, która zostawiła w skrytce pieniądze za włamanie, nie potrafił powiedzieć prawie nic. Przesłuchanie ciągnęło się całymi godzinami i Szerszeń wreszcie musiał przyznać, że więcej z Bajgla nie wyciągnie. Z niechęcią przyjął do wiadomości, że kobieta zastosowała świetny kamuflaż. Swoistą czapkę niewidkę, która pozwoliła jej wmieszać się w tłum. Pokazywał podejrzanemu zdjęcia Klaudii Schmidt, Elwiry Poniatowskiej i wreszcie Haliny Boreckiej. Na widok tej ostatniej Bajgiel skrzywił się i odrzekł jednoznacznie:
– Za gruba. Tamta była wysoka, chuda i... taka nijaka.
Teraz Szerszeń już rozumiał. Jak mogłem to przeoczyć?, wyrzucał sobie. Gotów był teraz jechać do komendy i wezwać Bajgla na ponowne przesłuchanie. Wiedział już, o kim zapomniał. Jaka kobieta mogła przejść niezauważona, a jednocześnie jest powiązana ze śmiercią Johanna Schmidta? Jego pasierbica, Magda, która najwięcej zyskuje na jego śmierci. W tym momencie rozległ się pisk i lament kobiety, która wyskoczyła z auta jak oparzona.
– O Boże, Boże...
Szerszeń podbiegł w tamtym kierunku i znieruchomiał. Z ukochanego psa Zofii została tylko miazga. Lamentująca kobieta przejechała Fafisa prawym kołem, zwierzak nie zdążył nawet szczeknąć. Szerszeń nie wiedział, co robić. Nie był w stanie

wydobyć z siebie słowa. Był pewien jednego. Zanim rozpacz pogrąży Zofię w niebycie, dosięgnie go jej długotrwały, najgorszy z możliwych gniew – uparte milczenie. Ciche dni były tym, czego nie znosił w ich małżeństwie najbardziej. I Zofia o tym wiedziała.

* * *

Na tyłach szpitala znajdował się niewielki skwerek. W to zaciszne miejsce Meyer zaprowadził Elwirę. Choć lekarka ledwie stała na nogach, uparła się, że musi z nim porozmawiać na osobności. Przysiedli po dwóch przeciwległych stronach ławki. Pomiędzy nimi zmieściłyby się jeszcze ze trzy osoby. Wyglądali jak dwójka szpiegów udających, że się nie znają. Kobieta siedziała w przeciwsłonecznych okularach. Czasami popłakiwała. Wyglądała na starszą, niż była, ze względu na przeraźliwą chudość i brak makijażu. Urody nie dodawała jej szpitalna piżama. Meyer był poruszony, słuchał z uwagą. Lekarka mówiła już ponad godzinę. Nie pozwoliła mu nagrywać, więc rejestrował wszystko w pamięci. Rzadko jej przerywał. Czasem notował coś na żółtych karteczkach, z którymi się nie rozstawał.

– To tajemnica lekarska – podkreśliła Poniatowska. – Myślałam, że nigdy nie złamię danego mu słowa.

Teraz ich rozmowa przebiegała zupełnie inaczej niż za pierwszym razem. Meyer jednak wciąż nie był pewien, czy Elwira znów nie odgrywa jakiejś roli.

– To, co powiem, nie może być użyte jako dowód – zaznaczyła oficjalnym tonem. – Mówię to panu jako psychologowi. Chcę, by pan wykorzystał tę wiedzę do dalszego śledztwa, lecz nigdy, przenigdy nie zeznam tego w sądzie. Po prostu nie mam dowodów. Niczego nie weryfikowałam. Całą sprawę znam wyłącznie z relacji Johanna. To, co mi powiedział, może być prawdą albo konfabulacją – podkreśliła.

Meyer doskonale rozumiał punkt widzenia Elwiry. Początkowo sądził, że zacznie opowiadać o swojej miłości do śmieciowego króla, ale zaskoczyła go. Z każdym słowem coraz bardziej wciągał się w jej opowieść.

Poznali się z Johannem trzy lata temu. Na terapię przyprowadziła go Klaudia. Widziały się tylko ten jeden raz, ale Elwira doskonale ją zapamiętała. Pielęgniarka nie była może klasyczną pięknością, a jej gust pozostawiał wiele do życzenia, lecz była dość zgrabna, a z jej twarzy biły ciepło i dobroć. Wobec Johanna była opiekuńcza i oddana. Reagowała na każdy jego grymas. Prawdziwa Matka Teresa. Elwira nie potrzebowała rozmawiać z Klaudią, by zorientować się, że jest w Johannie zakochana do szaleństwa i że to jej bardziej zależy na tym związku niż jemu. Wtedy jeszcze nie byli małżeństwem, lecz już mieszkali razem na Kilińskiego. Na pierwszym spotkaniu dotyczącym leczenia Johann głównie milczał. To Klaudia opowiadała o jego ekscesach. O tym, co wyprawiał, co musiała znosić w związku z jego nałogiem.

– On jest seksoholikiem – oświadczyła z przekonaniem.

– To nie jest takie oczywiste – zaprotestowała lekarka. – Takie wnioski można wysnuć, dopiero kiedy pozna się szczegóły. Problemy z seksualnością przybierają różne formy. Załóżmy, że pani mąż rzeczywiście jest seksoholikiem. Da się go wyleczyć, ale nie dlatego, że pani tego chce lub lekarz. Proszę nie mieć złudzeń – oświadczyła Elwira i ostrzegła: – On sam musi chcieć, bo wymaga to od niego ogromu pracy. Seksoholizm, jeśli to rzeczywiście pana dotyczy, to jeden z trudniejszych nałogów do leczenia. Nie wystarczy odstawić, nie można odstawić. Niektórzy zachowują abstynencję seksualną, a mimo to nie są trzeźwi wobec lubieżności. Można być także „pijanym seksualnie na sucho". Chodzi tu o fantazje, które rozwijają się w głowie chorego. Problem dotyczy także pani, jako małżonki, która jest współuzależniona. Terapia pozwoli na poznanie zupełnie nowych mechanizmów funkcjonowania. Najważniejsze jest jednak dotarcie do źródeł problemu. Seksoholizm bowiem to jedynie skutek, efekt traumy bądź deficytu, jaki człowiek ma w sobie. Jedynym warunkiem rozpoczęcia terapii jest pragnienie pacjenta, aby powstrzymać lubieżność i osiągnąć seksualną trzeźwość. Niemniej z tego, co państwo mówią, śmiem wątpić, że jest to klasyczne uzależnienie od seksu, choć z pewnością ma pan ewidentny problem w tej sferze. Rzecz w potrzebie władzy i dominacji, a nie poczuciu winy. Może to być najzwyklejsza nadpobudliwość seksualna, którą łatwo zniwelować farmakologicznie. To wszystko omówilibyśmy szczegółowo na terapii. Mam więc podstawowe pytanie. Czy pan chce się leczyć?

Schmidt podniósł wzrok i wzruszył ramionami.

– Nie wiem.

– Proszę to dokładnie przemyśleć. – Lekarka wyjaśniła pokrótce, jak miałaby wyglądać terapia. Na zakończenie podała mu wizytówkę. – Jeśli się pan zdecyduje, umówimy się na konkretny termin. Bez pani – wskazała na Klaudię.

Schmidt zastanawiał się dwa tygodnie, ale wreszcie zadzwonił.

– Nie wiem, czy chcę się leczyć... – zawiesił głos. – Ale chciałbym się spotkać. Dopiero wtedy podejmę ostateczną decyzję.

Poniatowska wyczuwała, że ten pacjent jest człowiekiem o wielkiej charyzmie. Nie była pewna, czy poradzi sobie z jego niezwykle silną osobowością. Na dodatek bała się, że pod wpływem terapii pojawią się u niego problemy psychiczne, choćby depresja, która uniemożliwi mu normalne funkcjonowanie w pracy.

– Na to nie mogę sobie pozwolić. Tylko firma trzyma mnie przy życiu – zastrzegł przedsiębiorca.

Terapię zaczęli od relacji Johanna z Klaudią.

– Nie szanował jej, a wręcz nią pogardzał – opowiadała Poniatowska. – Wciąż mówił o jej interesowności, choć według mnie była ostatnią osobą, którą można było o to podejrzewać. Na to, co ona przy nim znosiła, nie zgodziłaby się żadna inna kobieta. Jednocześnie wiedział, że oprócz niej nie ma nikogo, kogo obchodziłby jego los. Był jednak zbyt skupiony na sobie, by docenić jej miłość. Ożenił się z nią nie dlatego, że po terapii zaczął darzyć ją uczuciem. Był z Klaudią ze względu na jej nieślubną córkę – Magdę. Miał wielką słabość do tej dziewczyny. Jego uczucia do niej były zaskakująco czyste. Najpierw podejrzewałam seksualną fascynację młodym ciałem. Kiedy jednak zobaczyłam ją i miałam okazję obserwować ich relację, zrozumiałam, że to coś zupełnie innego. Naprawdę traktował Magdę jak córkę. Trząsł się nad nią jak nad jajkiem. Nie pozwalał nikomu powiedzieć ani jednego złego słowa. Tylko on dostrzegał w tej zahukanej dziewczynie coś, czego inni nie widzieli. Przyznaję, jest nieprzeciętnie inteligentna, choć nie robi takiego wrażenia. Myślę jednak, że łączyło ich coś więcej. Rodzaj wrodzonej drapieżności na życie. Spryt i zmysł do interesów. U niego było to wyraźnie widoczne, u niej jeszcze ukryte pod maską nieporadności i kompleksów. Choć nie była jego biologiczną córką, łączył ich ten dar natury. To dlatego zatrudnił ją w swoim przedsiębiorstwie. Ufał jej w stu procentach. Liczył się z jej zdaniem. Pomagała mu w wielu trudnych kwestiach, zwłaszcza gdy skończyła studia. Nie mogłam wyjść z podziwu, jak ta kobieta się zmieniała, kiedy zaczynali z Johannem mówić o interesach. Zobaczy pan, ona wkrótce dokona także fizycznej metamorfozy. To typ człowieka, który potrzebuje dużo czasu, by dojrzeć i z poczwarki zmienić się w motyla. Ale zrobi to. Na pewno.

Meyer zastanowił się nad uwagami Elwiry na temat Magdy. Uznał, że to jedno z istotniejszych spostrzeżeń, jakimi lekarka podzieliła się z nim dzisiejszego popołudnia. Rozumiał także, dlaczego małżeństwo Schmidtów było takie dziwne.

– Johann przez swój nadmierny popęd omal nie stracił firmy – ciągnęła opowieść Elwira. – Owszem, popadał w różne stosunki seksualne z różnymi kobietami, lecz od razu się zorientowałam, że nie był seksoholikiem. Nie miał z powodu swoich ekscesów najmniejszego poczucia winy. Niczego nie żałował. Był graczem, zdobywcą, który idzie po trupach, nie licząc się z niczym. Dlatego traktował partnerki instrumentalnie, jak przedmioty. Był idealnym klientem agencji towarzyskich. Miał w notesie numery kobiet gotowych przyjechać na każde zawołanie. Notorycznie molestował młode sekretarki. Kilka kobiet groziło mu, że oskarży go o gwałt, ale on twierdził, że same go prowokowały. „Pies nie weźmie, jak suka nie da", mawiał. Gdy poczuł żądzę, nieważne były wiek, wygląd i pozycja kobiety. Musiał zaspokoić swoją potrzebę. A po fakcie bywał obcesowy, chamski, a nawet agresywny. Historię gwałtu na hostessie już pan zna.

Meyer potwierdził skinieniem głowy.

Za leczenie Johanna Elwira zabrała się z werwą. Postawiła sobie za cel go uzdrowić. Z jej punktu widzenia było to prawdziwe wyzwanie. Czuła, że to jeden z kluczowych momentów w jej karierze – może teraz wypełnić przysięgę Hipokratesa, jaką składała, kiedy wchodziła do zawodu. Już na samym początku terapii zorientowała się, że choroba Schmidta nie jest standardowa. Nie był seksoholikiem, ale miał naprawdę poważny problem. Zamierzała wykorzystać ten przypadek kliniczny w swojej habilitacji. Po wielu miesiącach spotkań odkryli przyczynę jego zaburzeń. Schmidt wreszcie zrozumiał, dlaczego jest właśnie taki, choć początkowo nie chciał się z tym pogodzić. Pojął, że jego problem z seksem wynika z kompleksów i braków. A także, że do tego stopnia żył w zakłamaniu, aż wyparł z pamięci wszystkie trudne i wstydliwe elementy. Wydobywanie ich ponownie do świadomości wiele go kosztowało.

– Był sierotą. Nikt nigdy nie kochał jego, więc i on nie potrafił kochać. Nie wiedział, jak to jest.

Elwira starała się to wszystko wyjaśnić Meyerowi jak najbardziej klarownie. By zrozumiał zachowanie Schmidta, musiała opowiedzieć psychologowi tyle, ile wiedziała na temat dzieciństwa i młodości przedsiębiorcy.

Początkowo traktował seks jako zemstę na matce, która go porzuciła. Nie mógł pamiętać jej twarzy. To jego podświadomość wygenerowała ją w sennych koszmarach, które dręczyły go całe życie. Matka nie dała mu nawet szansy, by jakaś rodzina go adoptowała. Mogła po porodzie w szpitalu podpisać zrzeczenie się praw rodzicielskich, dzięki czemu uchroniłaby go przed tułaniem się po domach dziecka. Tymczasem porzuciła go pod kościołem w dwudziestostopniowy mróz tuż po narodzinach i uciekła. „Suka" – tylko tak o niej mówił. Ojca nie znał. Trafił do sierocińca w Rudzie Śląskiej. Potem kolejno przenosili go do innych przytułków, bo sprawiał kłopoty wychowawcze. Wreszcie znalazł się w poprawczaku za kradzieże i pobicie. Wplątał się w złe towarzystwo.

– Nie rozumiał niczego, co było związane z emocjami – kontynuowała opowieść Elwira. – Relacje damsko-męskie to był dla niego czysty zwierzęcy seks. Atawistyczny, fizyczny, wymiana płynów ustrojowych. Nie znał uczucia miłości ani bliskości. Bał się tego. Był wyprany z jakichkolwiek uczuć. Akceptował jedynie biznes. Wierzył, że ludzie nie potrafią być altruistami i łączy ich jedynie interes. Nie emocjonalne dawanie i branie, lecz symbioza wynikająca z obopólnych korzyści. Wychodził z założenia, że jeśli jest przy forsie, ma prawo posiadać kobiety, jeśli pieniędzy nie ma, nawet żadnej nie pragnie. Dlaczego zdecydował się na ślub z Klaudią? Ubzdurał sobie, że ta kobieta jest z nim dla pieniędzy, i tylko takie wyjaśnienie jej poświęcenia był skłonny akceptować. Jej miłości nie rozumiał. Wściekał się, kiedy podczas awantur ona wyznawała mu miłość, podczas gdy on upokarzał ją i wyzywał od najgorszych. Uważał, że to rodzaj emocjonalnego szantażu.

– Miał naprawdę pokręconą osobowość – stwierdziła terapeutka, zaciskając usta. A jednocześnie przyznała, że w trakcie tych czternastu miesięcy, bo tyle trwała terapia, ona sama dostrzegła w nim ciepło. Poczuła nikłą sympatię. – Zrozumiałam, że jego agresja bierze się z panicznego strachu. Przed ludźmi i związkami. Czasem mówił jak mały chłopiec, który się złości, że nigdy nie miał kolejki z prawdziwego zdarzenia. Lecz nie chodziło o kolejkę, tylko o niespełnione marzenie, by tata i mama po prostu go przytulili.

W połowie leczenia próbowała mu wyjaśnić, że Klaudia jest największym szczęściem, jakie spotkało go w życiu.

– Szczęście, jeśli kiedykolwiek mogłem je mieć, odrzuciłem przed laty. Nic tego nie wróci – odparł jej wtedy.

– Wobec tego kobietę, która jest u pana boku, powinien pan traktować jak lekarstwo – poradziła mu. – Nie może pan doprowadzać do nagromadzenia napięcia, które sprawia, że musi pan swoją nieodpartą potrzebę załatwić tu i teraz. W tym momencie.

Że nieważne, jak uprawia pan seks, z kim i gdzie. Że dopóki nie rozładuje pan napięcia, nie liczy się pan z okolicznościami ani z oporem partnerki. Stąd tak wiele odrażających agresywnych aktów seksualnych, które ma pan na koncie. Proszę się cieszyć, że Klaudia wciąż chce z panem być – mówiła.

Klaudia to wszystko znosiła w imię miłości i współczucia. Był wobec niej wulgarny, często ją odtrącał, w sypialni zachowywał się brutalnie. Przetrwała najtrudniejszy etap wychodzenia z choroby. Kiedy zrozumiał, jak ją krzywdził, zaczął się kontrolować. Przy okazji leczenia Schmidt pozbył się także innych nałogów – alkoholu i hazardu.

– Tak zwykle jest, że nałogi idą w parze. Nie ma jednego, lecz cały wachlarz. Jeden zastępuje lub uzupełnia drugi. Tak było i w tym przypadku – mówiła lekarka.

Kiedy Johann wyszedł z nałogu, Klaudia w nagrodę za swoją wierność i cierpliwość została jego żoną. Ale po, wydawałoby się, tak intratnym zamążpójściu jej sytuacja materialna nie zmieniła się ani trochę. Choć to dzięki jej poświęceniu Johann utrzymał firmę i jeszcze ją rozwinął. Wydawałoby się, że wszystko w jego życiu wróciło do normy. Nic bardziej mylnego. Swoje dziwactwa ujawniał teraz w inny sposób. Popadł w skrajne skąpstwo. Do mistrzostwa doprowadził swoje makiaweliczne manipulacje. Zwłaszcza wobec żony. Lekarka była raz ze Schmidtami w restauracji. Johann pokrył rachunek za siebie i Elwirę, żonie zaś oświadczył:

– Nie masz na obiad, zamów sobie herbatę.

– Poczułam ciarki na plecach – przyznała Poniatowska. I dodała, że zaczęła w pełni rozumieć, jak ciężkie życie miała z nim Klaudia.

Ze wszystkim musiała sobie radzić sama. Nie mogła liczyć na żadną pomoc w kwestii finansowej. Schmidt obsesyjnie dzielił wszystko na „swoje" i „jej". Na przykład dom należał do niego, ale to Klaudia miała zapełniać lodówki i dbać o czystość. Choć kobieta ciężko pracowała, nie pozwolił jej na zatrudnienie gosposi. „W głowie ci się przewraca. Mieszkasz tu, nie płacisz czynszu. Chociaż sprzątaj!" – torpedował jej propozycję. Kobieta zmuszona była więc wciąż pracować w szpitalu jako szeregowa pielęgniarka. Pensja wystarczała jej na zakupy żywności i podstawowe opłaty. Do tego sprzątała ten ogromny budynek.

– Pożegnaliśmy się. Oczywiście, gdyby mnie potrzebował, w każdym momencie mógł wrócić na terapię. Jednak uważałam, że jest moim największym sukcesem terapeutycznym – wspominała seksuolożka.

Minął kolejny rok. Dla Elwiry bardzo owocny. Zrobiła doktorat i habilitację. Stała się sławna. Już nie musiała przyjmować pacjentów w Centrum Psychiatrii w Katowicach. Częściej bywała w telewizji niż na oddziale uzależnień. Napisała piątą książkę o seksie. W połowie 2007 roku wydawca zaproponował jej, by zrobiła coś o uzależnieniu od seksu.

– Seks zawsze się sprzeda. A nałogowy seks to temat na czasie. Chwytliwy, choć w Polsce wciąż jeszcze tabu. Wstrzelilibyśmy się w niszę – przekonywał.

Elwira natychmiast pomyślała o Johannie. To właśnie jemu chciała zaproponować opisanie przeżyć. Ona zajęłaby się fachową oceną tych zdarzeń.

Nic tak ludzi nie zbliża do problemu, jak możliwość utożsamienia się z bohaterem, przekonywała samą siebie. Zadzwoniła do Schmidta. Niestety, numer telefonu okazał się nieaktualny. Znalazła stronę jego firmy w internecie i napisała mejl do pracy. Odpisał po kilku dniach. Odmówił kategorycznie: „Jak pani śmie składać mi taką propozycję?".

Odpuściła. Znała go przecież. Wiedziała, że takiego człowieka, jeśli czegoś nie chce, nie ma sensu urabiać. W tym czasie dobrze jej się wiodło, mieli z Michałem pieniądze. Mąż naciskał, żeby je zainwestować. Powiedział, że jest taka kamienica przy Stawowej z pięknymi wykuszami. Kupili Kaiserhof. Michał przygotowywał plan przebudowy budynku. To była jego nowa zabawka, wyżywał się artystycznie. Była z niego dumna. Odłożyła w czasie książkę i zajęła się innymi sprawami. Wtedy dostała mejl od Johanna.

– Przepraszał, że się uniósł. Prosił o wybaczenie, bo przecież tyle mi zawdzięcza. Odpisałam, że nie musimy pisać żadnej książki, bo jestem zajęta: kupiłam kamienicę i zaczynam ją remontować. Następnego dnia zadzwonił znowu. Już wtedy zastanawiałam się, dlaczego zmienił zdanie. Upewnił się, czy to na pewno Stawowa trzynaście, i nalegał, by ją obejrzeć. Umówiliśmy się na miejscu – opowiadała Elwira.

Lekarka przerwała i poprosiła profilera o kolejnego papierosa. Zapaliła i kontynuowała. Meyer słuchał, rejestrując każdy podany fakt. Po głowie zaś krążyły mu myśli. Czy to możliwe, żeby historia zatoczyła takie koło? Czy ta kamienica sama go zawołała, by w niej zginął? By klątwa mogła się dopełnić? Kto i kiedy ją rzucił?

Schmidt zatrzymał się przed budynkiem i oświadczył:
– Byłem tutaj kiedyś. Bardzo dawno temu – powiedział.
Lekarka wpatrywała się w niego zaintrygowana.
– Znał pan tu kogoś?
– Kiedyś w tym budynku... Tak, znałem tutaj kogoś... – Nagle przerwał.
Spojrzała na niego przenikliwie.
Ale on nie chciał kontynuować. Zmarszczył krzaczaste brwi i dodał:
– Może kiedyś opowiem.
Kiedy znaleźli się w jej mieszkaniu, Schmidt podszedł do okna i zapytał, do kogo należy mieszkanie piętro niżej.
– Do mnie. Pod szóstką urządzam swój gabinet. Teraz jest tam remont – wyjaśniła. – Cała kamienica jest moja. Nie udało się wykwaterować Hasiukowej. Ale jak wyremontujemy lokale, trzeba będzie się tym zająć. Na razie mamy plan rewitalizacji kamienicy, a Michałowi siedzi na głowie architekt miejski, który musi przyklepać każdą zmianę, każde wyburzenie ścianki. To zabytek – podkreśliła lekarka.
Poprosił, żeby zaprowadziła go do lokalu, który adaptuje na gabinet.

– Zmieniło się tu – oświadczył po zapaleniu światła.

Jego oczom ukazał się plac budowy. Elwira ochoczo zaczęła wyjaśniać, jakie ściany zostały wyburzone, a co zdecydowali się zostawić. Obszedł wszystkie kąty, wrócił do salonu i obserwując przez okno balkonowe ruch uliczny, oświadczył:

– Jeśli nadal chcesz, napiszemy książkę.

Dopiero teraz, wspominając tę sytuację, lekarka uświadomiła sobie, że był bardzo poruszony. Wtedy zdziwiła się, że po prostu przeszedł z nią na „ty". Ale ucieszyła się, że zmienił zdanie na temat książki. Sądziła, że zauroczyło go miejsce, w którym mieliby się spotykać. Potem jednak był w jej gabinecie tylko raz. W marcu pokłócili się z Klaudią i lekarka dała Johannowi klucze, by mógł tam przenocować.

Pracując nad książką, porozumiewali się ze sobą głównie przez mejle, Skype'a i telefon. Czasem zapraszał ją do restauracji Latawiec, która znajdowała się przy alei Roździeńskiego, w pobliżu jego firmy.

Opisywał najbardziej bulwersujące sytuacje oraz swoje uczucia, kiedy borykał się z chorobą. Jego impresje ją zdziwiły. Okazał się wnikliwym obserwatorem własnych zachowań i potrafił w poruszający sposób je relacjonować. Nie spodziewała się, że zrobi to tak sugestywnie. Czuła, że książka tylko ugruntuje jej sławę. Weszła w nią całą sobą. Zwłaszcza że zupełnie nieoczekiwanie Johann zaczął rozgrywać z nią swoją grę. Początkowo tego nie dostrzegła, choć była przecież ekspertem. Potem już zupełnie straciła czujność. Ponieważ wciąż mówili o seksie, ta atmosfera jej się udzieliła.

– Nasza relacja szybko przerodziła się w wirtualny związek. Teraz myślę, że Johann od początku chciał mnie uwikłać. Bym na własnej skórze poczuła, co znaczy paść jego ofiarą. To była jedna z jego gierek. Bawił się ludźmi i ich emocjami. Wykorzystywał mnie, manipulował. A ja? Sama już nie pamiętam, kiedy się w nim zakochałam – przyznała lekarka.

Pisali tę książkę prawie rok. W tym czasie spotykali się rzadko, ale mieli ze sobą stały kontakt. Elwira nie była w stanie ogarnąć rozumem tej fascynacji. Kiedy Johann przekonał się, że jest mu oddana i gotowa w każdej chwili pójść z nim do łóżka, odsuwał ją i karmił się jej cierpieniem. Odrzucał ją i trzymał na dystans, po czym znów się zbliżał, doprowadzając do szaleństwa. Elwira nie pamięta, ile nocy przepłakała, ile razy czuła się zrozpaczona, ile razy pragnęła zerwać tę relację. Ze zgrozą uświadomiła sobie, że nie potrafi. Powiedziała mu, że jest w nim zakochana. To wyznanie bardzo go rozbawiło. Wiedział o tym, zanim ona sama się zorientowała.

Wtedy rozpoczął naprawdę ostre gry. Na przykład wysyłał jej zdjęcia swojego członka we wzwodzie, obsceniczne listy, składał perwersyjne propozycje. Mówił o tym, co jako uzależniony rzeczywiście robił. Elwira poczuła się jak w pułapce. Zrozumiała też, że go nie wyleczyła. Poniosła dotkliwą klęskę zawodową. Oszukał ją. Wprawdzie nauczył się kontrolować fizycznie, jednak lubieżne fantazje wciąż rozwijały się w jego głowie. Wiedziała, że nią manipuluje, bawi się jej emocjami i sprawia mu to perwersyjną satysfakcję. W jego chorym umyśle była ofiarą. Była najtrudniejszym celem do zdobycia, a jednak on z łatwością go osiągnął.

Elwira zastanawiała się, do czego to ich doprowadzi. Wszystko analizowała i wiedziała, że musi z tym skończyć. Emocje jednak dryfowały w zupełnie inne rejony. Była tym przerażona i zafascynowana jednocześnie. W połowie lutego tego roku zaproponował jej spotkanie w Latawcu. Rzadko się spotykali, więc pobiegła jak na skrzydłach. Kiedy przyszła na miejsce, okazało się, że Schmidt siedzi tam z Klaudią. I choć lekarka znała jego stosunek do swojej połowicy, początkowo odgrywał rolę wzorowego, choć autorytarnego męża.

– Wobec mnie zaś był zimny jak lód – podkreśliła lekarka. – Jakby chciał dać do zrozumienia Klaudii, że jesteśmy tylko znajomymi. Z trudem powstrzymywałam się od płaczu. Zranił mnie dotkliwie. Doskonale o tym wiedział. Siedziałam sztywna, jakbym połknęła kij od szczotki. W pewnym momencie wstałam i pożegnałam się z nim i jego żoną, która też nic z tego nie rozumiała. Nie mogłam znieść ich fałszywej sielanki. Uśmiechnął się podstępnie i powiedział: „Poczekaj chwilę. Magda bardzo chciała z tobą porozmawiać. Ona tak cię podziwia. Za chwilę tutaj będzie". Tak też się stało. Zmusił mnie do jałowej konwersacji, a potem odprawił je obydwie. Kompletnie nie rozumiałam, o co chodzi w tej kolejnej gierce, których było naprawdę wiele – opowiadała Elwira.

Kiedy tylko żona i pasierbica oddaliły się od stolika, pochylił się, zamarkował gest jak przy pocałunku. Elwira omal nie zemdlała z wrażenia.

– Prawdopodobnie tylko ty jedna mnie znasz – zaczął przebiegle. Poczuła się doceniona. Przepełniała ją euforyczna radość. Po chwili jednak błogi nastrój prysł. Schmidt mówił dalej świszczącym, złowieszczym szeptem: – Otworzyłem się przed tobą. Nie przed kobietą, lecz przed lekarzem, który sądzi, że mnie uzdrowił. Ale tak ci się tylko wydaje. Wciąż nie jestem zdrów. Tak naprawdę jestem zepsuty do szpiku kości. To, co wiesz, jest tylko wierzchołkiem góry lodowej. – Przerwał. Elwirę wcisnęło w krzesło. Nie była w stanie się poruszyć. Nie miała czasu zastanowić się nad tym, dlaczego Klaudia i Magda zostały odprawione, bo znokautował ją słowami: – Jeśli chcesz dowiedzieć się więcej, zostań. Jeśli nie, droga wolna. – Włożył do ust papierosa i spojrzał na nią wyzywająco.

– Jak miałam odejść? – zapytała Meyera Poniatowska. – Czy pan by odszedł?

Meyer nie odpowiedział. Wpatrywał się w lekarkę i czekał na dalszy ciąg. Czuł, jak słońce przypieka go w skronie. Tymczasem lekarka skuliła się w sobie, jakby było jej bardzo zimno. Drżała. Psycholog podał jej swoją marynarkę. Kobieta otuliła się ciepłym tweedem i przytoczyła opowieść Schmidta o czasach jego młodości.

– Wtedy nie podejrzewał, że zostanie potentatem recyklingu – wyjaśniła. – Był kimś zupełnie innym. Nazwisko też miał inne.

– Jakie? – zapytał Meyer i wstrzymał oddech.

– Królikowski – odparła lekarka. – Ale mówili na niego Król. Zyga Król. Spróbuję jak najwierniej przytoczyć jego słowa…

Kiedy miałem dwadzieścia parę lat, przepełniała mnie mania wielkości. Byłem pełen buty. Chciałem mieć wszystko i szybko. Bycie kimś oznaczało dla mnie tylko jedno – być bogaty. Pieniądze wydawały mi się jedynym skutecznym sposobem na odmianę losu. Byłem gotów sprzedać za to duszę, oddać życie. Technikum nie skończyłem. W drugiej klasie przestałem chodzić do budy. Nie chciało mi się uczyć ani pracować. Harówa mnie mierziła. Tych, którzy stawiali na wykształcenie i pracę, miałem za frajerów. Wierzyłem, że jestem stworzony do innych rzeczy. Moi kumple to byli ludzie „z miasta": drobni złodzieje, cwaniaczki, ale i nieobliczalne zabijaki, co za krzywe spojrzenie wyciągają kosę. Aspirowałem do nich. Chciałem być zły, najgorszy. W ich towarzystwie czułem się dobrze. Doceniali mnie. Nie traktowali jak wyrzutka. Większość z nich miała podobne życiorysy. Sieroty albo dzieci z patologicznych rodzin, które nigdy nie zaznały miłości. Kilka razy wzięli mnie na robotę. Sprawdziłem się. Potem sam znalazłem lokal go ogolenia. Dobrze ten włam zaplanowałem, postawiłem kumpla na czatach. Udało się. W jeden wieczór zdobyłem tyle fantów, że miałem hajsu na trzy miesiące. Leżałem przez ten czas bykiem i byłem szczęśliwy. Myślałem: „Jestem taki spryciarz, co wykiwał suki[1], i będę to robił dalej".

Najpierw nie musiałem nikomu robić krzywdy. Brałem się tylko za drobne włamania, ewentualnie kradzieże kieszonkowe. Aż wreszcie przypadkiem wziąłem udział w ulicznym pobiciu na tak zwaną dziesionę[2]. Zrabowany łup dzielono wedle zasług. Zagrało we mnie pragnienie posiadania więcej. Byłem zachłanny i głupi. Zacząłem coraz bardziej ryzykować i stałem się agresywniejszy. Popisywałem się przed kumplami swoim bestialstwem. Chciałem mieć ze wspólnego łupu jak największą część. Wkrótce poznałem Alojza Poloczka. To był doświadczony złodziej, siedział już w kryminale. Respektowałem jego przywódczą rolę, a jemu to schlebiało. Był mi trochę jak starszy brat.

---

[1] Suki (w gwarze więziennej) – policja.
[2] Dziesiona (w gwarze więziennej) – według dawnego kodeksu karnego art. 210 oznaczał rozbój, napad na ulicy i kradzież.

Podpatrywałem, jak obserwował ludzi, jak zbierał informacje. Chodziliśmy razem na drobne roboty, a on zawsze sprawiedliwie dzielił się łupem. Byłem zadowolony. Zwłaszcza że Alojz wciąż mówił o „złotym skoku", który wkrótce zrobimy.

Zmieniałem w tamtym czasie dziewczyny jak rękawiczki. Seks bardziej bawił mnie, niż podniecał. I dawał władzę. Nie angażowałem się i czułem się silny. Skończyłem dwadzieścia osiem lat, kiedy na jakiejś imprezie poznałem śliczną dziewczynę. Miała na imię Karina. Nie skończyła jeszcze siedemnastu lat, ale wyglądała na starszą. Umówiłem się z nią kilka razy. Któregoś wieczoru, kiedy odprowadzałem ją do domu, przyuważył nas Poloczek. Zaczął o nią rozpytywać, robić niewybredne uwagi. Kiedy spytał, czy jest dobra „w te klocki", sam nie wiem, dlaczego się oburzyłem.

– My tylko rozmawiamy – odpowiedziałem mu, choć nie była to prawda.

Karina pozwalała się całować, dotykałem jej biustu. Nic więcej między nami nie zaszło. Traktowałem ją jednak inaczej niż dotychczasowe dziewczyny. Łączyło nas wspólne marzenie. Karina chciała wyrwać się z familoków. Wyjechać z Rudy, mieć pieniądze. We mnie widziała tylko tego, kto może jej to ułatwić. Wyczuwałem jej wyrachowaną naturę. Była taka jak ja, choć bardzo młoda. Rozumiałem ją i doceniałem jej trzeźwą ocenę sytuacji. Jej z kolei imponowało, że należę do półświatka. Dawałem jej w prezencie fanty z włamów. W Rudzie nie bardzo mogliśmy się spotykać. Ojciec jej pilnował. Na mój widok reagował potokiem wyzwisk. Pożyczałem więc od kumpla MZ-kę i w tajemnicy przed starym Kariny jeździliśmy po Śląsku. To była MZ-ka dwieście pięćdziesiąt[1], wtedy wielki szpan.

Karina często odwiedzała swojego wuja, który mieszkał w samym centrum Katowic. Tak naprawdę Otton Troplowitz nie był jej krewnym, ale Karina tak go traktowała i zwracała

---

[1] MZ ETZ 250 – największy i najszybszy jednoślad produkowany na przełomie lat 80. i 90.

się do niego „wujku Otto". Stary bardzo ją lubił. Obiecał, że kiedy wyjdzie za mąż, podaruje jej w posagu złoty naszyjnik ze szmaragdami, który kupił kiedyś dla ukochanej kobiety. Te sentymentalne historie zupełnie mnie nie interesowały, ale złotym naszyjnikiem bardzo się zaciekawiłem.

– Ile jest wart?

Wzruszyła ramionami.

– Jest stary, z osiemnastokaratowego złota i z prawdziwymi kamieniami.

Zacząłem rozpytywać o tego bogatego wuja. Karina bardzo chętnie o nim opowiadała. Mówiła, że Troplowitz ma w domu istny skarbiec.

– A może by go... – Pokazałem rękami, że chciałbym okraść sejf, a Gybisa zabić.

Momentalnie się odsunęła.

– Jego? Nigdy! Jeślibyś to zrobił... Jeśli wujkowi cokolwiek się stanie... Koniec z nami – krzyknęła. Zdziwiłem się. – Ten majątek i tak będzie należał do mnie – dodała po chwili z chytrym uśmiechem błąkającym się w kąciku ust. Wtedy zrozumiałem. Ona miała inny plan. – Otton obiecał zapisać mi wszystko w testamencie. Jeśli zmieni zdanie, dowiesz się o tym pierwszy.

– W porządku, włos mu z głowy nie spadnie – obiecałem i tego samego wieczoru pierwszy raz poszliśmy do łóżka.

Wynajmowałem norę od handlarki żurem śląskim. Nie mogłem zaprosić tam dziewczyny. Namówiłem kolegę, by pożyczył mi mieszkanie. Tej dziewczyny zazdrościli mi wszyscy. Była z niej naprawdę klawa laska, choć zdawałem sobie sprawę, że ona nie robi niczego, jeśli nie dostrzega w tym korzyści. Jej życie to była szkoła gastronomiczna, matka, ojciec i wujek, którego często odwiedzała. Poza forsą nie miała wielkich ambicji: chciała mieć męża, dzieci i dobre życie. Oboje byliśmy materialistami i to nas łączyło. Nie nazywaliśmy naszej relacji miłością. Zresztą ja wtedy nie myślałem o tym, co będzie jutro. W tym czasie jednego dnia przymierałem głodem i żebrałem o papierosa, innym razem miałem forsę i szaleliśmy. Często w łóżku z Kariną

337

rozprawialiśmy, jakby to było, gdyby Gybis nagle umarł i zosta-
wił jej w spadku cały majątek.

   – *Bylibyśmy bogaci – zapewniała mnie.*

   W moich uszach te słowa brzmiały tysiąc razy lepiej, niż gdy-
by mówiła: „kocham cię". Traktowałem ją jak swoją kobietę. To
był burzliwy związek. Kilka razy biłem się o nią. Innym razem
to jej się dostawało. Aż wreszcie pokłóciliśmy się śmiertelnie.
Ktoś doniósł mi, że Karina spacerowała z innym mężczyzną.
Próbowała mi wszystko wyjaśnić:

   – *Nic między nami nie zaszło! To tylko kolega.*

   Ja jednak wiedziałem swoje. Uważałem, że moja kobieta
nie ma prawa spojrzeć na innego. Jest przecież moja. Moja! To
była kwestia własności, nie uczuć. Uderzyłem ją kilka razy
w twarz i wyzwałem od szmat, kurew. Nie dlatego, że mnie
zraniła. Chodziło o pokazanie, kto tu rządzi. Tak postępuje
prawdziwy facet, myślałem.

   Karina zaniosła się płaczem, a po chwili podniosła głowę
i wyznała:

   – *Kocham cię.*

   Uznałem, że to chwyt poniżej pasa. Przecież ona jest taka
jak ja. Twarda, nieczuła, niezdolna do sentymentów, myśla-
łem w gorączce. Dopiero teraz poczułem się zdradzony. Sprze-
niewierzyła się naszym niepisanym zasadom. Seks seksem,
interes interesem, ale nie było mowy o miłości! Poczułem
się słaby i obciążony odpowiedzialnością, której wcale nie
chciałem.

   – *Nie pierdol głupot – odparłem. – Wszystko między nami*
skończone.

   Wykorzystałem jej spacer z kolegą jako pretekst do ucieczki.
Bałem się uczuć – jej i swoich... Sądziłem, że oznaczały słabość.

   Kiedy przestałem się spotykać z Kariną, miałem znacznie
więcej czasu. Większość wolnych chwil spędzałem z Poloczkiem.
Któregoś razu opowiedziałem mu o wuju Kariny. Byłem drink-
nięty i tak mi się wymsknęło.

   – *Żal trochę tej dziołchy. Mógł mi się trafić niezły posag – do-*
dałem.

– A co? Spodziewała się spadku z Reichu? – zakpił Poloczek.

– Co ty tam wiesz – żachnąłem się. – Jej wujo ma w domu skarbiec. Obiecał jej kilka błyskotek w dniu ślubu. Opowiadała mi o tym.

– Co taki stary pryk może mieć? Najwyżej kilka kalesonów i trochę waluty pod pierzyną. Na flaszkę nie starczy.

– Durny ty. To dentysta.

– Ja bym dupcył tę babę, a posag sam sobie wziął – zaśmiał się Poloczek. – Kto ci broni?

Pokręciłem głową.

– Nie mogę.

Poloczek bardzo zainteresował się sejfem. Pytał o dokładny adres Troplowitza, co ma i gdzie.

– Gybis z walizką waluty to jej wujo? – upewnił się złodziej i aż klasnął w ręce z radości. – Ty idioto! Musisz się z nią pogodzić. Wyciągniesz z niej wszystko. Zrobimy Troplowitza na szaro. Do końca życia nie będziesz pracować. Wiesz, ilu się na niego czai, a ty masz taki dostęp... – Alojz był w euforii.

– Ty mi Gybisa nie ruszaj! – uniosłem się. Byłem już całkiem pijany i wyciągałem pięści do bójki. Poloczek zrozumiał od razu.

– Nie było tematu – mruknął, a ja mu uwierzyłem.

Przez najbliższy tydzień codziennie dopytywał się, czy już wybaczyłem Karinie. Ta jego nagła troska wydawała mi się podejrzana, lecz poskutkowała. Nie zdawałem sobie sprawy, jak tęskniłem za tą dziewczyną. Wmawiałem sobie, że chodzi o seks, urozmaicenie nudy, lecz było w tym coś więcej. Karina była mi bliska. Spotkaliśmy się, a ona mi wybaczyła nawet bicie. Znów byliśmy razem.

Pamiętam, spadł właśnie pierwszy śnieg tysiąc dziewięćset dziewięćdziesiątego roku, kiedy Poloczek zdradził, że ma cynk na „złoty strzał" i potrzebuje wspólnika. Zaznaczył, że łup będzie duży i dlatego, jak trzeba, świadków się usunie.

– Nikt nas nie znajdzie – zapewniał. – Mam już pasera, który zajmie się fantami. Błyskotki i starą monetę biorę ja, bo *wykumałem ten włam. Znalezioną gotówką podzielimy się od razu. Sześć do czterech – obiecał.*

Byłem oszołomiony. Poloczek załatwił wszystko. Kombinezony, torby hydraulików, ja miałem tylko zorganizować trotyl do rozwalenia sejfu. Poloczek kiedyś krótko pracował w kopalni. Zajmował się wysadzaniem tuneli, więc wiedziałem, że poradzi sobie z najtrudniejszym zadaniem – otwarciem sejfu. Sam przygotował odpowiedni ładunek i zapalnik. Zdziwiłem się, kiedy powiedział:

– Ty do chałpy nie wchodzisz. Sprawa jest grubo i trza zaufanego pomocnika na czatach, żeby przypału nie było – wyjaśniał.

– Ale jak sam wysadzisz sejf? – zainteresowałem się. – I do kogo idziemy?

– O mnie się nie martw. Pilnuj lepiej swoja dupa – odparł.

Coś mnie tknęło.

– Ale do Gybisa nie idziemy, co?

Pokręcił głową i zaczął zapewniać:

– No przycyż, że nie. I nie interesuj się tak. Dolę dostaniesz, a im mniej wiesz, tym lepiej dla ciebie. Młokos z ciebie. Możesz wydać nas sukom.

Zbytnio się więc nie dopytywałem. Ale sprawa była tajemnicza i rósł we mnie niepokój. Poloczek starał się mnie uspokoić. Mówił, że wszystko jest proste. Wchodzimy do lokalu w sylwestra, kiedy właściciela nie ma w domu, bo świętuje nadejście Nowego Roku. On wywala sejf, ja stoję na czatach. Mam dać znak, jakby coś się działo. Potem znikamy.

Trzy tygodnie przed robotą nie spotykałem się z Kariną. Powiedziałem jej, że to naprawdę poważne włamanie, a ona wydawała się to rozumieć. Mimo to rano w Wigilię pojawiła się pod moim domem. Zdenerwowałem się, że za mną łazi. Wybiegłem z domu i zaciągnąłem Karinę w ciemny zaułek pomiędzy budynkami.

– Co tu robisz? – syknąłem.

Uśmiechnęła się smutno. Na widok jej porcelanowej cery, długich jak firanki rzęs i wydatnych ust zrobiło mi się jednak ciepło na sercu. Chciałem zaraz ją przytulić, roztoczyć wizję dobrobytu i obiecać, że już niedługo stąd wyjedziemy. Wszystko popsuła, kiedy nagle się rozryczała. Wkurzyła mnie. Nie wiedziałem, co zrobić z beczącą babą.

– Co się stało? – spytałem niezbyt miłym tonem.

– Jestem w ciąży – wydukała.

Zbaraniałem. To wszystko komplikowało. Była za młoda. Mogłem pójść siedzieć za molestowanie nieletniej. A co z naszą ucieczką? Ciąża? Bachor? Bety? I mamy zostać do końca życia tutaj? W tym bajzlu? To wszystko nie mieściło mi się w głowie.

– Po Nowym Roku załatwię sprawę. Mam pieniądze. Nie martw się – zapewniałem ją.

– Ale ja chcę urodzić – płakała. – Pobierzmy się.

Teraz naprawdę się przestraszyłem. Nie chciałem się wiązać. W każdym razie nie teraz. Masz za swoje, pomyślałem. Miłości ci się zachciało.

– Zobaczymy, zobaczymy – obiecywałem niezbyt przekonująco. Patrzyła na mnie z błaganiem w oczach. – Słuchaj – dodałem najdelikatniej, jak potrafiłem. – Teraz nie możemy się spotykać. Muszę coś załatwić. Po Nowym Roku wrócimy do tematu.

Wiedziałem, że mi nie uwierzyła. Znałem ją doskonale. W jej oczach była wściekłość i rozpacz. Rzuciła się na mnie z pięściami. Była przekonana, że zostawiam ją samą.

– Będzie dobrze. Nie martw się – powiedziałem, choć sam w to nie wierzyłem.

Myślałem tylko, jak od niej uciec. Przyszła nie w porę. Byłem wystarczająco zdenerwowany robotą, a tutaj jeszcze taki klops. Ta dziewczyna była mi wtedy przeszkodą. Chciała mnie zatrzymać, w tej biedzie, w tych familokach. Zobaczyłem siebie, jak niańczę niechciane dziecko i żyjemy jak wszyscy, a od tego przecież zamierzałem uciec. Dlatego, kiedy uczepiła się mnie i zaniosła płaczem, odepchnąłem ją i odszedłem. Zostawiłem ją na tym padającym śniegu, w ciemnym zaułku. Nawet się nie odwróciłem. Przez następny tydzień biłem się z myślami. Wreszcie zdecydowałem: po robocie znikam, zaczynam nowe życie. Bez niej i jej brzucha. Karina próbowała jeszcze kontaktować się ze mną. Codziennie wystawała pod moimi oknami. Udawałem, że mnie nie ma. Kilka razy nocowałem u kumpli, prosiłem, by mnie kryli. Po pijoku zerżnąłem jakieś dwie, których nie pamiętam. Aż nadszedł wielki dzień trzydziestego pierwszego grudnia dziewięćdziesiątego roku. Wierzyłem, że tego dnia wypełni się moje przeznaczenie. Bałem się, lecz nie miałem nic do stracenia. Poloczek zapewniał, że wszystko pójdzie jak z płatka.

– Wszystko rozplanowałem. Łatwa sprawa. Najważniejsze to dostać się do mieszkania frajera – powiedział.

Mieliśmy załatwiony transport. Mucha miał dostać swoją dolę za podwiezienie na robotę i zaczekanie na nas. Poloczek miał rozwalić sejf i splądrować chałupę. Moja rola była banalnie prosta. Miałem odwracać uwagę, grzebiąc w skrzynce gazowniczej na dole, i gwizdać, gdyby działo się coś nieoczekiwanego. Oczyma wyobraźni widziałem te tony złota, które stamtąd wyniesiemy. Wszystko wydawało się bajecznie proste. Łyknęliśmy na odwagę. Niewiele, żeby zachować przytomność umysłu.

Kiedy ruszyliśmy, coś mnie tknęło. Najpierw pomyślałem o puszce z pieniędzmi. A jeśli już po nie nie wrócę? A potem do głowy przyszła mi Karina. Zrobiło mi się głupio, że tak ją wykorzystałem i zostawiłem. A jeśli urodzi i podrzuci bachora pod jakiś kościół, jak matka mnie?... Zacząłem się łamać. Nie byłem do końca przekonany, czy chcę ją porzucić. Zbliżaliśmy się do centrum Katowic. Ile razy tędy spacerowaliśmy, myślałem.

Kiedy Mucha zatrzymał starego fiata przy placu Szewczyka, nie mogłem uwierzyć w ten zbieg okoliczności. Zobaczyłem Kaiserhof – kamienicę, w której mieszkał wuj Kariny. W jednej chwili wszystko stało się jasne. Zimny pot oblał mi czoło. Wysiedliśmy z auta, a Mucha odjechał. Zrozumiałem, dlaczego Poloczek nie wszystko mi mówił. Wyciągnął ze mnie informacje, a teraz będzie mu na rękę, jeśli się wycofam. Cały łup będzie jego. Cały skarbiec Troplowitza!

– Idziemy do Gybisa – stwierdziłem i zamachnąłem się. Poloczek poślizgnął się i upadł na ziemię.

– Nie, no co ty – zaśmiał się nerwowo, lecz wiedziałem, że kłamie. Bał się, że znów go uderzę.

To był dla mnie przełomowy moment. Są takie w życiu każdego. Wtedy nie byłem tego świadomy. Decyzja, jaką podjąłem, przewróciła wszystko do góry nogami. Wiedziałem już, kogo Poloczek chce okraść. I to, że staruszek raczej nie opuszcza domu. Spojrzałem na drugie piętro kamienicy i przełknąłem ślinę. Gybis był u siebie. To oznaczało, że Poloczek zamierza nie tylko obrabować, ale i zabić wuja Kariny. Odchyliłem klapy skórzanych toreb, jakie wzięliśmy dla kamuflażu, a potem na łup. Nie było w nich noża, pałki ani pistoletu. Tylko rolka taśmy klejącej i wełniane rękawiczki. Odetchnąłem.

– Idziemy. – Poloczek wskazał Kaiserhof.

– Sam idź – warknąłem. – Nie dotknę tej mokrej roboty. Nie na wuju Kariny!

I nagle olśniło mnie, że Poloczek od początku liczył, że się wycofam, kiedy dowiem się, kto ma być ofiarą. Wtedy nie musiałby dzielić się łupem. Ruszyłem więc w kierunku kamienicy.

– Nic z tego, nie ucieknę – zapewniłem go. – Zrobię tak, jak ustaliliśmy. – Poloczek uśmiechnął się półgębkiem, wtedy dodałem twardo: – Nie pozbędziesz się mnie tak łatwo. Za wystawienie tej roboty należy mi się nie sześć do czterech, ale pół na pół.

– A jużech myśloł, że trzęsidupa z ciebie. Niech bydzie. Zuch, moja krew! – Poklepał mnie po plecach. Nacisnął przycisk domofonu z numerem sześć. – Awaria. Gaz się ulatnia na drugim piętrze. Proszę natychmiast otworzyć! – powiedział zdecydowanym tonem.

Po chwili usłyszeliśmy brzęczek i Poloczek ruszył schodami na górę.

Mogłem jeszcze uciec, wezwać policję. Ostrzec wuja Kariny. Nie zrobiłem nic. Co gorsza, zażądałem swojej doli – wszedłem w to. Zgodziłem się na wszystko, co mogło się wydarzyć. Nawet na zabójstwo, choć wiedziałem, kim Troplowitz był dla Kariny. Stałem na czatach i denerwowałem się jak nigdy w życiu. Uświadomiłem sobie, że to ja podsunąłem Poloczkowi pomysł z obrobieniem Troplowitza. On zaś podstępnie wykorzystał mnie do zbierania danych. Wszystko przygotował. Gdyby mi wcześniej

343

powiedział, nigdy bym się nie zgodził, próbowałem się usprawiedliwić. Ale teraz jest już za późno. Jeśli wszedłeś między wrony, musisz krakać tak jak one... Nagle zacząłem się zastanawiać, co pomyśli Karina, kiedy Gybis zostanie obrabowany, a co gorsza – zginie. Będzie pewna, że od początku planowałem ten napad i tylko dlatego ją w sobie rozkochałem. Pomyśli, że uciekłem, bojąc się ciąży. Pomyśli, że to ja zabiłem jej wuja – włosy zjeżyły mi się na głowie z przerażenia.

Poloczek długo nie wracał. Udawałem, że manipuluję przy skrzynce gazowej, choć nikt nie zwracał na mnie uwagi. Zewsząd rozlegały się odgłosy petard. Spośród wielu wystrzałów rozpoznałem jeden, silniejszy. To oznaczało, że Poloczek dobrał się do sejfu. Ucieszyłem się. Wszystko będzie dobrze. Troplowitza obrobimy, z Kariną wyjedziemy. Jak będą pieniądze, może i urodzi to dziecko. Jakoś to będzie.

Kwadrans później zszedł Poloczek. Był rozpromieniony. Pokazał mi pękatą torbę. Zanim zdążyłem cokolwiek powiedzieć, wcisnął mi do ręki jakieś monety.

– Są stare – zapewnił. – Dużo warte.

Do kieszeni napakował mi garść zgniecionych banknotów. Najpierw oniemiałem, potem chciałem tańczyć ze szczęścia. Dał mi jeszcze pierścionek i jakieś pudełeczko. Wewnątrz była złota kolia z zielonymi kamieniami. Z wrażenia omal nie padłem trupem.

– Ni mom tej piprzonej dolarówki – wysyczał mi do ucha Poloczek. – Tera ty idź. Drugie piętro. Drzwi mosz otwarte.

Popchnął mnie na schody. Nie myślałem. W rękach miałem fanty. Wbiegłem na górę, miałem do pokonania kilka schodów i stanąłem jak wryty. Naprzeciwko mnie stała kobieta, która wrzeszczała:

– Policja! Zabili Troplowitza. Ludzie! Morderca!

Nie zastanawiałem się. Zawróciłem. Kiedy znalazłem się na dole, Poloczka już nie było. Rozejrzałem się wokół, zagwizdałem, ale usłyszałem tylko głośne śmiechy świętujących ludzi. Pobiegłem na róg, gdzie miał czekać Mucha. Auta nie było. Nikogo nie było. Wystawili mnie. W jednej chwili zrozumiałem, że taki był plan. Dokładnie taki. W oddali słyszałem już jazgot radiowozów. Rzuciłem się do ucieczki. Wskoczyłem na estakadę prowadzącą do dworca. Ale główne drzwi budynku były zaryglowane. Wróciłem na ulicę Trzeciego Maja. Minął mnie radiowóz, nawet nie zwolnił. Nie mogłem uwierzyć we własne szczęście. To nie mnie gonili. Pewnie jechali do noworocznej rozróby.

Wiedziałem, że nie mam co wracać do swojej nory. Nie myślałem już o Karinie ani o martwym Troplowitzu, tylko o sobie. W głowie kołatały mi słowa Poloczka: „złoty strzał" i „usuniemy świadków". Kobieta na schodach wyraźnie krzyczała: „morderca". Najpierw chciałem się ukryć w jakiejś piwnicy, lecz zrezygnowałem. Tam zaczęliby poszukiwania. Na powrót do domu i odzyskanie gotówki, którą odkładałem tyle miesięcy, nie było już szans. Cały mój majątek mieścił się teraz w jednej kieszeni. Zakląłem, bo było tego zdecydowanie mniej niż w mojej puszce na czarną godzinę.

Zastanawiałem się, co dalej. Starałem się iść normalnym krokiem, by nie zwracać uwagi. Dotarłem do wiaduktu. Zdziwiłem się, że na torach stoi pociąg. Zwykle wiadukt był pusty. Pociągi z hukiem przejeżdżały tędy w minutę. Wspiąłem się na nasyp, bo pociąg wydał mi się świetną kryjówką. Lokomotywa znajdowała się daleko. Nawet jeśli siedział w niej maszynista, nie był w stanie mnie dostrzec. Ale dostanie się do wagonu nie było takie proste. Drzwi nie chciały odskoczyć. Kolejne też. Poddały się dopiero w czwartym wagonie. Z trudem je odsunąłem. Wskoczyłem. Zostawiłem niewielką szparę, by cokolwiek widzieć, i ukryłem się w rogu wagonu. Miałem szczęście. Myślałem, że wejdę tam tylko na chwilę, by zdjąć kombinezon. Bo zakładałem, że będą szukali człowieka w takim stroju.

Opróżniając kieszenie, intensywnie myślałem, co robić dalej. Jak dotrzeć do domu w Rudzie Śląskiej? Chciało mi się pić, sikać, palić. Wszystko naraz. Miałem tylko dwa papierosy, bo prawie całą paczkę wypaliłem pod domem Troplowitza. Kombinezon miałem zsunięty do kolan i mocowałem się z butami, kiedy lokomotywa szarpnęła i pociąg ruszył. Runąłem jak długi. Drzwi zatrzasnęły się z hukiem. Nie wiedziałem, dokąd jedzie ten towarowy. Jak się wydostanę? Może odstawiają go na bocznicę? Zaraz będą go kontrolować. Jestem w pułapce. Znajdą mnie. Już po mnie, myślałem.

Wsłuchiwałem się w stukot kół i odniosłem wrażenie, że nabiera prędkości. Postanowiłem sprawdzić, dokąd ten pociąg zmierza. Chciałem rozsunąć drzwi. Bez skutku. Rozświetliłem ciemność zapalniczką. Nie było żadnej zasuwy, klamki czy uchwytu. Uświadomiłem sobie, że nie da się otworzyć ich od środka. Postanowiłem czuwać i wyskoczyć, kiedy tylko nadarzy się okazja. Przecież nie będzie jechał w nieskończoność... Ale pociąg jechał i jechał. Było mi okropnie zimno, lecz jednostajny stukot działał usypiająco. Przykryłem się kombinezonem i zasnąłem.

– Erwachst du! Faule Schweine[1]! – obudził mnie głos mężczyzny mówiącego po niemiecku. Jego twarz szczelnie okrywała biała maska ze sztywnego materiału.

Przerażony, zerwałem się na równe nogi. Wagon był otwarty, słońce mnie oślepiało. Smród, jaki unosił się w powietrzu, był nie do zniesienia.

Przetarłem oczy i wpatrywałem się w mężczyznę, nic nie rozumiejąc.

– Zur Arbeit[2]! – rzucił i wcisnął mi do ręki maskę ochronną oraz rękawice.

Nie odezwałem się ani słowem. Założyłem kombinezon i wychyliłem się z wagonu. Byłem na wysypisku śmieci. Zobaczyłem ludzi w kombinezonach, z maskami na twarzach, grzebiących w śmieciach. Stanąłem obok nich do pracy. Wciąż się bałem. Przerzucaliśmy plastikowe butelki, oddzielaliśmy folię od papieru, szkło od metalowych puszek. Choć nie widziałem sensu w tym sortowaniu, zaangażowałem się całkowicie. Nie wiedziałem, czy nagle nie przyjdą mnie aresztować. Ale do wieczora nie zdarzyło się nic takiego. Podczas przerwy nie miałem co zjeść.

---

[1] *Erwachst du! Faule Schweine!* (niem.) – Wstawaj! Leniwa świnia!
[2] *Zur Arbeit!* (niem.) – Do roboty!

Jeden z robotników podzielił się ze mną fasolą z puszki. Zamierzałem uciec, jak tylko się ściemni, ale nie zrobiłem tego ani tej, ani następnej nocy. Okazało się, że większość pracowników tego wysypiska to ludzie bez przeszłości lub tacy, którzy chcieliby o niej zapomnieć – jak ja. Nikt tu nikogo nie liczył. Dostawaliśmy pieniądze do ręki, zresztą marne grosze. Mnie to jednak odpowiadało. Więcej – nie mogłem uwierzyć w swoje szczęście.

Wkrótce dowiedziałem się, gdzie jestem i dla kogo pracuję. Znajdowałem się na największym niemieckim wysypisku, w okolicy Bern. A firma, która była podwykonawcą na zlecenie szwajcarskiego koncernu recyklingowego, zatrudniała nas na czarno, by zaoszczędzić. Oprócz mnie pracowali tu ruscy, Hindusi, kilku żółtków. Tylko paru Niemców, wyglądali jednak na całkiem zdegenerowanych. Może byli bezdomni? Prawie ze sobą nie rozmawialiśmy. Choć warunki życia i pracy były upiorne, a pieniądze starczały ledwie na jedzenie i kilka piw każdego wieczoru, byłem zadowolony.

Po miesiącu zacząłem czuć się swobodniej. Którejś niedzieli odważyłem się nawet pójść na festyn w Bern. Usłyszałem ludzi mówiących po polsku. Przyjrzałem im się. Wyglądali na turystów – zamożnych, dobrze sytuowanych. Czułem się przy nich brudny i głupi. A jednak nie mogłem się powstrzymać, by nie słuchać, o czym mówili. Była wśród nich dziewczyna – wysoka brunetka o porcelanowej cerze. Przypominała mi Karinę, choć była od niej starsza i brzydsza. Podszedłem. Zapytałem, kiedy wracają do Polski.

– Pojutrze – odparła.

Była zaskoczona, że jestem Polakiem. Obrzuciła mnie pogardliwym spojrzeniem. Musiałem wyglądać jak ostatnia łajza. Spytałem, czy mogłaby z Polski wysłać list do mojej dziewczyny. To podziałało. Jej twarz się zmieniła. Umówiliśmy się, że wrócę z przesyłką w ciągu dwóch godzin.

– Dłużej nie będę czekała – zastrzegła.

Musiałem jak najszybciej dostać się do swojej przyczepy. Pod podłogą ukryłem wszystkie fanty, które dał mi Poloczek. Od przyjazdu nie dotykałem ich ani nie oglądałem. Bałem się, że *ktoś to przyuważy i mnie okradnie. Ale tego dnia wszyscy byli na festynie. Otworzyłem skrytkę. Wyjąłem pierścionek z kameą i zawinąłem w folię. Na kartce napisałem kilka słów: „Nie tak miało być. Nie chciałem. Byłaś dla mnie ważna". Nie podałem adresu ani nazwiska nadawcy. Ryzykowałem, że Polka nie wyśle tego pod wskazany adres. Nie miałem pewności, czy nie otworzy listu, jak zorientuje się, co zawiera, i zachowa pierścień dla siebie. Wręczając przesyłkę, przyjrzałem się jej jednak i uznałem, że tego nie zrobi. Była zadbana, dobrze ubrana i wysławiała się, jakby miała wyższe wykształcenie. To nie był typ ludzi, z którymi miałem do czynienia na co dzień. Ona była normalna. Nigdy się nie dowiedziałem, czy Karina dostała pierścionek. Nigdy więcej jej nie zobaczyłem. Nie wiem, co stało się z naszym dzieckiem. Czy ono żyje, czy Karina żyje.*

Dużo później dowiedziałem się, że Poloczka złapali i skazali za zabójstwo Troplowitza. Nigdy nie próbowałem się z nim kontaktować. Zadbałem o to, by zmienić tożsamość, i ukryłem się pod nowym nazwiskiem. Ale wiedziałem, że popełniłem wielki błąd. Tej nocy z dziewięćdziesiątego na dziewięćdziesiąty pierwszy rok przekreśliłem wszystko, całe swoje życie. Karina wracała do mnie w nocnych koszmarach. Za późno zrozumiałem, że była jedyną osobą, do której coś czułem, i było to uczucie odwzajemnione. Do końca życia będę żałował, że tak ją skrzywdziłem. Nigdy sobie tego nie wybaczę.

– Nie wiem, czy ta historia zdarzyła się naprawdę – przyznała Elwira.

Meyer i Poniatowska chwilę milczeli, wpatrując się w budynek szpitala. Lekarka siedziała nieruchomo. Nie zwracała uwagi na latające wokół ich twarzy natrętne meszki. Wreszcie się odezwała:

– Ale to tłumaczyłoby, dlaczego Schmidt miał takie problemy w sferze emocjonalnej i seksualnej. Ta kobieta, jej odrzucenie. Skazanie jej i swojego potomka na łaskę i niełaskę losu. Nigdy nie dowiedział się, co się z nią stało. Czy sobie poradziła, czy stoczyła się albo zginęła wraz z jedynym dzieckiem, jakie miał. Zbrodnia, ucieczka... To wszystko było jego piętnem. Żył, a był jak martwy. Często powtarzał, że nie boi się śmierci. Czekał na nią. Powtarzał, że będzie dla niego wybawieniem. I się doczekał – dodała cicho.

– Zrobiło się zimno. Chodźmy. – Meyer chwycił ją pod ramię i poprowadził do wind szpitala.

– Nie chcę tu zostać. – Spojrzała na niego błagalnie. – Proszę mnie stąd zabrać, panie Meyer... Mogłabym przenocować dziś u pana? Jutro zniknę, nie sprawię kłopotu. Obiecuję.

Meyer spiorunował ją wzrokiem.

– Pani Elwiro – zaczął spokojnie, lecz stanowczo. – Jeszcze dziś rano była pani nieprzytomna. Pod żadnym pozorem nie może pani opuścić szpitala. To niebezpieczne.

– Doskonale wiem, co jest dla mnie niebezpieczne. Dlaczego pan wciąż nie chce uwierzyć, że to ja miałam zginąć? Nie Johann. Boję się. Naprawdę umieram ze strachu. – Rozpłakała się.

Meyerowi nawet nie drgnęła powieka. Z trudem krył wzburzenie.

– To niemożliwe. Jest pani w kręgu podejrzanych.

Lekarka zwiesiła głowę. Psycholog zaprowadził ją do sali, w której miała przebywać przez najbliższe kilka dni. Kiedy położyła się na łóżku, poprawił jej poduszkę.

– Funkcjonariusz pilnuje sali. Nic pani nie grozi – dodał, by ją uspokoić.

Wychodząc, zgasił światło. Polecił pilnującemu ją policjantowi, by nie wpuszczał nikogo, dopóki nie skontaktuje się z podinspektorem Szerszeniem, a ten nie wyrazi zgody.

Ruszył korytarzem, lecz w ostatniej chwili skręcił, wszedł do gabinetu ordynatora i uprzedził go, że Elwiry nikt nie może odwiedzać.

– Pod żadnym pozorem – zastrzegł.

Chwilę jeszcze rozmawiali o stanie zdrowia lekarki.

– Będziemy mieć oczy i uszy otwarte – obiecał ordynator.

– O wszystkim będę informować na bieżąco. Mam tu telefony. – Pokazał wizytówkę Szerszenia.

Idąc do auta, Meyer zastanawiał się nad nieprawdopodobnym życiorysem śmieciowego barona, który – miał już pewność – był bezkarnym przestępcą, Zygmuntem Królikowskim. Nacisnął pilot centralnego zamka micry. Chwycił za klamkę i zdziwił się. Drzwi były zamknięte. Czyżby znowu szwankowała elektronika?, pomyślał ze złością. Nacisnął przycisk raz jeszcze i usłyszał trzy piknięcia. W pośpiechu zostawił otwarte drzwi! Odetchnął z ulgą, że nikt tego nie zauważył. Dopiero Anka zmyłaby mu głowę, gdyby ukradli różową landrynę.

* * *

Koc był upstrzony dziurami od papierosów, śmierdział i miał kolor kaczych odchodów. Był jednak jedyną rzeczą, jaką Szerszeń zdobył do okrycia się w tak krótkim czasie. Nie chciał nawet myśleć, ile osób wcześniej przykrywało się nim w policyjnym areszcie. Podinspektor spojrzał na swój wędkarski plecak. W jego kieszeniach było pełno spławików i spinningu na krasnopiórki. Był mistrzem w łowieniu tych ryb. Żaden młokos mu nie dorównywał. Teraz jednak na nic mu cały osprzęt do wędkowania, skoro Zofia wystawiła go za drzwi, tak jak stał. Była zrozpaczona tym, co stało się z jej Fafisem. Szerszeń nie rozumiał, jak można przedkładać psa nad męża, który znosił jej dziwactwa od lat. Te wszystkie medytacje, doskonalenia osobowości i feng shui na nic się zdały. Zofia powiedziała tylko dwa słowa:
– Wynoś się!
Co miał robić? Chwycił sztormiak z wieszaka, wędkarski kapelusz, plecak ze zwiniętą pod klapą karimatą. Wyszedł z domu, wrzucił wszystko na tylne siedzenie starego volvo 740 i ruszył do komendy. Portier trochę się zdziwił, widząc go z marsową miną i w pełnym rynsztunku na połów. Nie miał tylko wędek, kosza na złowione sztuki i sieci. Podinspektor Szerszeń to doświadczony glina, być może mu do czegoś taki kamuflaż potrzebny, pomyślał. Szerszeń otworzył swoją klitkę kluczem, którego prawie nigdy nie oddawał, zrzucił manatki na podłogę i już bez skrupułów zapalił papierosa. Wydmuchał dym, ode-

tchnął ciężko i pomyślał, że właściwie niczego więcej do szczęścia mu nie trzeba.

– Stara baba jeszcze na kolanach przyjdzie prosić, bym wrócił – powiedział na głos, żeby się nieco pocieszyć.

Rozłożył na podłodze karimatę i wyciągnął się, wkładając pod głowę zwiniętą kurtkę zamiast poduszki. Wtedy okazało się, że nie ma się czym przykryć. Przydałby się jakiś koc. Zszedł więc na dół do magazynu przy celach zatrzymań i ze sterty ułożonych w kostkę koców wyciągnął ten, który wydał mu się najczyściejszy.

Nie mógł jednak zasnąć. Był zły, a kiedy Szerszeń był zły, nie mógł sobie znaleźć miejsca. Wstał i z akt wyciągnął zdjęcia z sekcji zwłok Johanna Schmidta. Przyglądał się zadanym ciosom, kilkakrotnie czytał opisy. Potem wyjął plan architektoniczny budynku i wreszcie mieszkania, w którym zamordowano Schmidta. Michał Douglas dostarczył policji dokładny opis zmian, jakie wprowadził w kamienicy przy Stawowej. Szerszeń miał wrażenie, że wyburzono tu wszystkie ściany oprócz nośnej. Pomyślał, że taki rozkład ułatwił sprawcom zamordowanie Schmidta. Nagle zapragnął wejść tam jeszcze raz i na własne oczy odtworzyć przebieg zdarzeń. Przemyśleć, jak działali zabójcy Schmidta i Troplowitza. Chwycił telefon i wykręcił numer do prokuratorki.

– Wiesz, która jest godzina? – wychrypiała. Najwyraźniej ją obudził.

– Od kiedy dwudziesta druga to noc? A ty co? Zasypiasz po dobranocce? – zaśmiał się i wyłuszczył jej, jaki ma plan.

Weronika ziewnęła prosto do słuchawki.

– Nie ma mowy. Nigdzie nie idę. Jest piątek wieczór. Zajmij się rodziną, żoną, psem...

– Chciałbym, ale wypierdoliła mnie z domu – mruknął podinspektor. – Został mi tylko plecak i kilka spławików. Wędki już nie zdążyłem zabrać. A pies zdechł.

– Co? – Weronika natychmiast się rozbudziła. – Co ty gadasz? Żarty sobie stroisz? Pijany jesteś czy jak?

– Oj, Wenero, Wenero. Ty masz tylko taką ksywę, a serce gołębie. Inne to są dopiero czarownice, mówię ci. Zofia ubzdurała sobie, że specjalnie tego psa zabiłem. Wprawdzie nie ukrywałem, że go nie cierpię, ale żeby zaraz ukatrupić?

– Zofia wyrzuciła cię z powodu psa? Po tylu latach? – zdziwiła się prokuratorka. – Przykro mi, Waldek...

– Daj spokój. Lepiej daj nakaz przeszukania lokalu.

– Człowieku, zlituj się. Nie teraz!

– A co, masz randkę? Z kim? – dopytywał się policjant.

– Jaką randkę? – obruszyła się Weronika. – Dopiero co wróciłam z Rudy Śląskiej. Znalazłam Karinę.

– Kogo?

– Dziewczynę Królikowskiego. Jutro do niej idę. Na razie nie ma o czym mówić – ucięła prokuratorka i odruchowo pstryknęła włącznik telewizora.

Na ekranie pojawił się Hugh Grant namiętnie całujący w strugach deszczu atrakcyjną brunetkę. Weronika słuchała Szerszenia i usilnie starała się przypomnieć sobie, jak nazywa się ta aktorka. Czy ona jest magnetyczna? I co to właściwie znaczy?, myślała.

– Wero, trzeba tam wejść. Muszę coś sprawdzić. Chodź ze mną – naciskał Szerszeń.

– Nic z tego. Właśnie oglądam komedię romantyczną i nie mam ochoty na żadne łażenie po trupiarniach. Jutro znów dyżur. Jeszcze się nachodzę – odburknęła.

Przekomarzali się tak jeszcze kilka minut, aż Szerszeń skapitulował.

– Dobra, miłego wieczoru z telewizorkiem – nie mógł się powstrzymać od sarkazmu.

Weronika odłożyła słuchawkę, lecz nie słyszała już rozmów bohaterów filmu. Migające obrazy drażniły ją. Chwyciła pilota i wyłączyła telewizor. Decyzję podjęła w jednej chwili. Wciągnęła dżinsy, włożyła tenisówki i ruszyła do auta. Liczyła, że Szerszeń będzie jeszcze w komendzie. Zamierzała zadzwonić do niego po drodze.

Hubert Meyer dojechał do swojego domu. Wysiadł z auta, by otworzyć bramę wjazdową. Dopiero wtedy dostrzegł na tylnym siedzeniu samochodu obcy koc. Zbliżył twarz do szyby i zobaczył, że pod nim ukrywa się Elwira Poniatowska. Wsiadł do auta i przyjrzał się lekarce. Leżała zwinięta w pozycji embrionalnej, a jej ciało poruszało się w rytm regularnego oddechu. Spała. Meyer zastanawiał się, jak dostała się do wozu. Skąd wiedziała, że to jest jego auto?

Zresztą nieważne. Poniatowska nie może tutaj zostać. O tym natychmiast powinien dowiedzieć się Waldek, pomyślał profiler.

Po rozmowie z Weroniką podinspektor Szerszeń spojrzał na karimatę i zatęchły koc, potem na akta, aż wreszcie wydobył z notatek służbowych przesłuchanie Magdy, pasierbicy Schmidta. Przeczytał je kilkakrotnie i zastanowił się, w jaki sposób ta uładzona osoba, jaką jawiła się z protokołu, mogłaby współpracować z takimi bandziorami jak Bajgiel i Sasza. Jak nawiązałaby z nimi kontakt? Jak by rozmawiała? Jak wreszcie zleciła włamanie? Ten wizerunek nie pasował ani do starej Magdy, ani do nowej – pani prezes Koenig-Schmidt Sauberung & Recycling sp. z o.o., która trzyma pełną władzę nad przedsiębiorstwem nie gorzej od ojca. Może więc jednak Magda odgrywała jakąś rolę we włamaniu, a potem i zabójstwie? Czy ta kobieta mogłaby być tak podła? W swojej karierze widział tyle ludzkich przemian, był świadkiem tylu zaskakujących metamorfoz... Niewiele zdołałoby go zdziwić.

Wykręcił numer do Huberta. Profiler długo nie podnosił słuchawki, a kiedy wreszcie odebrał, mówił szeptem.

– Halo! Halo! – Szerszeń tymczasem krzyczał do aparatu, jakby ktoś go obdzierał ze skóry. – Hubert! Halo!!!

– Ciszej, Waldek, bębenki mi pękną. Nie jestem głuchy.

– Aha. Dobrze – odetchnął z ulgą podinspektor. – Czy ty też jesteś w kinie?

– Waldek, co ty pierdolisz? Nie byłem w kinie od studiów – obruszył się Meyer. – Chyba że zaliczasz pokazy slajdów na moich wykładach. Ale tam raczej nie ma fabuły. Krwawe, mało fotogeniczne fakty.

– Słuchaj, trzeba przeszukać dom Schmidta i dostać się na Stawową.

– Teraz? – Meyer sprawiał wrażenie rozkojarzonego. – Nie mogę. Mam pasażera na gapę. Byłem dziś w szpitalu u Poniatowskiej. Zabrałem ją na spacer. A teraz znalazłem ją u siebie w samochodzie. Śpi. Trzeba ją odstawić z powrotem do szpitala. Właśnie miałem do ciebie dzwonić. Zrób coś...

Szerszeń nie odezwał się. Profiler słyszał tylko głuchy odgłos przełykania. Był pewien, że podinspektor wypija resztki kawy, a fusy zostają mu na wąsach. Po chwili usłyszał oddech policjanta, jakby wydychał dym z płuc.

– Ty palisz? – zdziwił się psycholog.

– Skoro śpi, to nie grzeszy. – Policjant zignorował uwagę o paleniu. – Połóż ją u siebie, zamknij drzwi. Nigdzie nie będzie bezpieczniejsza niż w twojej fortecy. Przecież ty nawet klamki masz powykręcane z okien. To co? Przyjedziesz? Jak nie, ruszam na akcję z Weroniką – oświadczył i odłożył słuchawkę.

Zadowolony wyciągnął nogi i położył je na biurku, jak to robią kowboje w westernach. Uśmiechnął się do siebie. W ciągu kwadransa będą tutaj oboje. Wenera, przeklinając, Meyer, licząc na rewelacje. Najważniejsze to zdyscyplinować stadko, pomyślał Szerszeń. Był przekonany, że jest prawdziwym kapelmistrzem. Kiedy minęło dziesięć minut, zaczął zbierać się do wyjścia. Otworzył okno, żeby z gabinetu zniknął dym. Nie znosił zasypiać w śmierdzącym wnętrzu, a przecież to właśnie tutaj spędzi dzisiejszą noc. Nie wiedział tylko, kiedy ona się zacznie.

Meyer próbował obudzić lekarkę, ale ta jedynie zabełkotała i zapadła w jeszcze głębszy sen. Psycholog westchnął ciężko, wziął ją na ręce i przeniósł na sofę. Zdziwił się, że tak niewiele waży. Wpatrywał się w nią jeszcze chwilę. Oddech miała miarowy. Wyglądało na to, że śpi głęboko. Okrył ją pledem, zasłonił okna. Potem wszedł na poddasze, gdzie miał swój pokój do pracy. Wylogował komputer, leżące na biurku notatki z przesłuchań świadków schował do teczki, którą wsunął do szuflady. Żałował, że szafki ani pokoju nie może zamknąć na klucz. Choć zakładał, że Poniatowska raczej nie będzie grzebała w jego biurku, wolał dmuchać na zimne. Przed wyjściem jeszcze raz spojrzał na śpiącą Elwirę i pomyślał, że to właśnie ona jest najbardziej tragiczną postacią w galerii znajomych Johanna Schmidta.

Drzwi zamknął na klucz. Był przekonany, że kobieta nie wydostanie się stąd, dopóki on nie wróci. Chyba że otworzy drzwi wytrychem lub przejdzie spiżarnią do garażu. Ale nie sądził, by zdecydowała się na którąś z tych opcji. Wyszedł, nie gasząc światła na ganku.

W chwili gdy uruchamiał silnik auta, lekarka podniosła głowę. Oczy miała otwarte. Poczekała, aż przyzwyczają się do ciemności, a kiedy tylko zaczęła rozróżniać kształty sprzętów znajdujących się w pomieszczeniu, odrzuciła pled na podłogę. Przeciągnęła się i ruszyła w kierunku schodów na poddasze, do gabinetu profilera.

* * *

– Cześć dziewczyny jak maliny i chłopcy z bombowca – powitał Huberta i Weronikę Waldemar Szerszeń, kiedy niemal jednocześnie pojawili się na dziedzińcu komendy. Oprócz nich nie było tam nikogo. Podinspektor zaś promieniał szczęściem przywódcy stada. – To wycieczka ze mną – zaordynował wesoło, widząc ich ponure miny. – Ciachu, ciachu i po strachu – dodał.

– Idziemy na robotę? – mruknęła Weronika i zerknęła porozumiewawczo na profilera.

Zerwał się chłodny wiatr. Prokuratorka pożałowała, że nie wzięła ciepłego swetra, i skuliła się, przestępując z nogi na nogę. Meyer zaproponował swoją marynarkę. Pokręciła przecząco głową i odwróciła twarz.

– Mistrzowska robótka – zaśmiał się Szerszeń.

Ustalili, że pojadą dwoma autami. Szerszeń razem z Weroniką, a Meyer za nimi.

– Po co? – dopytywał się psycholog.

Podinspektor wyjaśnił im, co policyjny technik od telekomunikacji wyłuskał z billingów.

– Już od następnego dnia po odkryciu zwłok Schmidta Magda Wiśniewska i księgowa kontaktowały się ze sobą kilka razy dziennie. Nie byłoby w tym nic dziwnego, tyle że Magda korzystała z telefonu Schmidta. Nie wiedziała biedaczka, że aparat był na podsłuchu. Za dwie godziny przekażą sobie ubiegłoroczne sprawozdanie finansowe Koenig-Schmidt, które nie może wpaść w ręce pozostałych udziałowców.

– Co jest w tym sprawozdaniu? Dlaczego jest takie kompromitujące? – spytała prokuratorka.

– To dowód przekrętu, który zamierzał przeprowadzić Schmidt, ale nie zdążył, bo został zamordowany.

– O la, la – skwitowała. – To dlatego nie chciałeś mówić przez telefon.

Szerszeń już otworzył usta, by jej wyjaśnić, lecz Meyer odezwał się pierwszy.

– Wychodzi więc na to, że Borecka kłamała jak z nut. Twierdziła, że przekręt jest nie do udowodnienia.

– I tak by było – wtrącił się podinspektor. – Mieli jednak pecha. Wczoraj do firmy przyjechał facet, który wpłacił trzy i pół miliona złotych w ramach umowy przedwstępnej za zakup przetwórni makulatury w Chełmku. Zaniepokoił się tym, że prezes Koenig-Schmidt nie żyje, a transakcja nie została dopięta. Przedsiębiorca jest więc w plecy trzy i pół bańki, a nie może wejść do przetwórni, ponieważ wciąż nie jest pełnoprawnym właścicielem. Nowa pani prezes, czyli córka Schmidta, obiecała mu wprawdzie dokończenie transakcji, ten jednak wolał nie czekać. Spotkał się z jednym z udziałowców i wszystko wyszło na jaw.

– To znaczy co? – dopytywała się prokuratorka.

– To, że Schmidt nie skonsultował tego z udziałowcami, samowolnie opylił fabrykę. Działał za ich plecami. Wbrew prawu. Dlatego zgromadzenie wspólników zażądało sprawozdania za ubiegły rok. Trzęsą się ze strachu, do jakich transakcji jeszcze doszło, o których nie wiedzieli. Skonsultowałem to z prawnikiem zajmującym się spółkami handlowymi i wyjaśnił mi, że Schmidt mógł bez porozumienia ze zgromadzeniem wspólników podejmować decyzje dotyczące transakcji do miliona złotych. A przetwórnię makulatury sprzedał za siedem baniek. To ponoć bardzo okazyjna cena. Facet sądził, że zrobił wielki dil.

– Czyli się przeliczył. Już nie odzyska tych pieniędzy?

– Sądownie z pewnością. Na razie jednak ma niezły klops. Forsa jest zamrożona, a przetwórnia w Chełmku wciąż należy do Magdy Wiśniewskiej – odparł Szerszeń.

– To dlatego Schmidt pojechał z Magdą na weekend do Chełmka dwudziestego szóstego i dwudziestego siódmego kwietnia, pięć dni przed śmiercią. – Profiler myślał głośno.

– Myślałam, że Koenig-Schmidt to jednoosobowy zarząd. Wydawało mi się, że Johann Schmidt miał w tej firmie nieograniczoną władzę. – Weronika nie wszystko rozumiała.

– Owszem – przyznał jej rację Meyer. – Schmidt był jednoosobowym zarządem. Wybranym przez zgromadzenie wspólników, a właściwie figurantów, którzy nie wtrącali się w działanie firmy za życia śmieciowego króla. Bo i po co? Czerpali zyski, nie robiąc zupełnie nic. A przedsiębiorstwo przynosiło niemałe dochody. Było kurą znoszącą złote jaja. Wszystko jednak zmieniło się po śmierci Schmidta. Formalnie miał pakiet większościowy, ale należało do niego tylko sześćdziesiąt procent udziałów. Oprócz niego w spółce było jeszcze czterech wspólników. Mieli dwadzieścia, dziesięć, siedem i trzy procent udziałów. Jeśli więc Schmidt zaciągnął zobowiązanie wobec klienta i sprzedał przetwórnię makulatury w Chełmku za siedem milionów złotych, wspólnicy powinni dostać odsetki z zysku wedle uposażenia. Nie dostali z tej transakcji ani grosza. Rozumiesz?

– Czyli ich okradł? – upewniła się prokuratorka.

– Właśnie. Z punktu widzenia prawa to kradzież. Jak widać, natura złodzieja w nim zwyciężyła... Tyle że teraz robił skoki na dużo większą skalę. Sądzę, że ten przekręt to niejedyny popis możliwości śmieciowego barona, choć pewnie jeden z ostatnich. Borecka mówiła, że Schmidt już cztery miesiące przed śmiercią zaczął wyprowadzać z firmy pieniądze. Ponoć na jego konto w szwajcarskim banku przelała kilka miliardów żywej gotówki.

– No dobrze. Ale przecież w takiej firmie każdy przelew musi być rejestrowany. Nie można ot, tak sobie przelać pieniędzy na prywatne konto...

– Dlatego właśnie Schmidt założył fundację na rzecz domów dziecka, zatrudnił w Niemczech PR-owca i doradcę, takiego berlińskiego Tymochowicza kreującego wizerunek, oraz budował Sentex, kolejną fabrykę: spółkę córkę zajmującą się recyklingiem plastiku. Na domy dziecka wpłacał wprawdzie jakieś kwoty, PR-owca też kilka razy opłacił. Gros pieniędzy było jednak księgowane na Sentex. Firma zaś buduje się już drugi rok i poza fundamentami hali nie widać na tym polu nic więcej. Borecka twierdzi, że większość faktur była fikcyjna, a pieniądze księgowano jako zakup materiałów budowlanych, pensje robotników, maszyny, linie technologiczne i tak dalej... Były wyprowadzane z Koenig-Schmidt jako koszty. Potem żywą gotówkę śmieciowy baron wpłacał na konto w Genewie.

– W sprawozdaniu finansowym te wydatki są spisane dokładnie. Wspólnicy wydali zgodę na budowę Sentexu, zatrudnienie PR-owca i działalność charytatywną. Jeśli zdecydują, że chcą to wszystko sprawdzić, sprawa wyjdzie na jaw. Przez ostatnie lata do niczego się nie wtrącali i nie śledzili jego ruchów. Nie wiadomo, czy już wcześniej nie robił im takich numerów.

– A co z radą nadzorczą? – zapytała Weronika. – Przecież w każdym takim przedsiębiorstwie musi być organ sprawdzający.

Teraz odezwał się Szerszeń.

– Rada to byli trzej koledzy Schmidta. Wczoraj po południu Magda miała z nimi spotkanie. Widać także domagają się wyjaśnień. Wszystko tutaj zaczyna śmierdzieć. Dlatego Borecka i Magda chcą zniszczyć niektóre dokumenty. Inne zaś sfałszować. Na tym właśnie musimy je nakryć – dodał.

– Nie wystarczy nakaz przeszukania firmy Schmidta? Po co ta zabawa? – zdenerwowała się Weronika. – Wszystkie dokumenty są pewnie w szafie pancernej i należy je zabezpieczyć.

– Gdyby tak było, dziecko, dawno już byśmy mieli je na widelcu – westchnął Szerszeń. – Podejrzewam, że wszystkie lewe papiery trzymają w jakimś scjfic. Nic wiemy, gdzie są oryginały ani co dokładnie zamierzają zniszczyć księgowa z nową prezes. Zaoszczędzimy sobie czasu, jeśli nakryjemy je na gorącym uczynku. Zwłaszcza że są tak nieostrożne i mówiły o tym przez telefon Schmidta.

– Gdzie się umówiły? – zapytał Meyer.

– Cholera wie. – Szerszeń wzruszył ramionami. – Tam, gdzie zwykle. To najsłabszy punkt dzisiejszego programu. Musimy śledzić tę małą i obserwować dom księgowej. Może się okazać, że pojawią się nicprzcwidzianc okoliczności. Dlatego potrzebuję was obojga. Ruszajmy. Mamy tylko godzinę.

– Nie mogłeś wysłać jakiegoś aspiranta? – narzekała Weronika, lecz posłusznie wsiadała do wozu. – A jakbym miała męża? Myślisz, że puściłby mnie na takie szpiegowanie?

– Kochana Wenerko... – zwrócił się do niej Szerszeń pieszczotliwym głosem.

– Nie mów tak do mnie – obruszyła się. – Prosiłam cię tyle razy. To wstrętne.

– Dobrze już, dobrze, droga Weroniko. – Pogładził ją po włosach jak córkę. – Wiem przecież, że masz męża, ale on ci niczego nie może zabronić. W każdym razie jeśli chodzi o śledztwo. A zresztą, nawet gdyby mógł, i tak byś go nie posłuchała...

– Prowadź, wodzu! – Meyer rzucił niedopałek papierosa pod nogi i ruszył w kierunku różowej landryny.

– On zamierza tym jechać? – jęknęła Werka i wskazała na nissana pinka. A potem krzyknęła do Meyera: – Z pewnością pozostaniesz niezauważony...

– Nie wiesz, że pod latarnią najciemniej? – Robił dobrą minę do złej gry, by zachować resztkę męskiej dumy. – Ale jak chcesz, chętnie się zamienię. Niewiele brakowało, a przyjechałbym

359

tramwajem. Dentysta już przebiera nogami, żeby mi ten cukierek odebrać.

Weronika spojrzała na podinspektora.

– Czy to jest gang Olsena?

– Ciesz się, że udało nam się zatrzasnąć wieko tej mydelnicy – odparł. – Nie było łatwo. Ale są i dobre strony.

– Jakie?

– Znam już trochę holenderski...

– O, to popisz się... – zachęciła go.

– *Draai de ontsteking op ON*.

– Co to znaczy?

– Przekręć kluczyk w stacyjce.

– Urocze.

– A takie: *Laat de scakelaar los*.

– Może słowo wyjaśnienia?

Szerszeń zawahał się, a potem odparł:

– Masz oczy jak gwiazdy.

– I usta jak maliny – dodała ze śmiechem. Po chwili jednak spoważniała. – Ale tak właściwie to dlaczego chciałeś, żebym jechała z wami? Po co jestem wam potrzebna?

– Nie mam pewności, czy to wszystko nie jest jakimś zwidem. Już nic w tej sprawie nie wiem... – Szerszeń po raz pierwszy mówił szczerze. – Co trzy głowy to nie jedna. A poza tym... Nie mam komórki.

– To o to chodzi? Jezu! Czy ty zdajesz sobie sprawę, jak tym oślim uporem utrudniasz życie sobie i wszystkim naokoło? Może w końcu kupisz sobie telefon!

– Na razie nie mam gdzie mieszkać, na co mi telefon... – rzucił, wsiadając do auta.

– Tym bardziej by ci się przydał. Już w ogóle nie będzie z tobą kontaktu. A może weźmiemy krótkofalówki?

– Czyś ty rozum postradała? W jakim ty świecie żyjesz? – Podinspektor wydawał się wyraźnie oburzony. – To nie zabawa w podchody.

– Podchody? Jakie podchody? – W tym momencie z prawej strony podjechał do nich nissan pink.

Szerszeń otworzył okno i rzucił do Meyera:

– My jedziemy do córki Schmidta, a ty do Boreckiej na Paderewskiego. Jesteśmy w kontakcie.

Weronika podniosła swój telefon i pokazała psychologowi.

– Jutro idziemy z Waldkiem do salonu i osobiście kupię mu takie urządzenie.

– Po moim trupie – zaprotestował Szerszeń.

Zanim Meyer skręcił na osiedle Paderewskiego, chwilę jechali obok siebie. Potem zaczęli ścigać się na jezdni. Niestety, nissan Meyera, nawet rozwijając największą prędkość, nie był w stanie dogonić diamante. Rudy czuła tę przewagę 2,3-litrowego silnika i bawiło ją to. Pozwalała profilerowi zbliżyć się, po czym gwałtownie odjeżdżała, zostawiając go w tyle. Nagle Szerszeń wyjął z przepastnej kieszeni kurtki świecący lizak. Zamachał przez okno Meyerowi i w taki oto sposób zarządził spokój na drodze.

– Zachowujecie się jak dzieci – skomentował.

– Wziąłeś więc z domu same najcenniejsze rzeczy: spławiki, sztormiak wędkarski i lizak policyjny? – upewniła się.

– Cicho, dziewczyno, świeża rana. – Mówiąc to, Szerszeń nie wyglądał na zasmuconego. Przeciwnie.

Weronika też czuła się swobodnie. Jakby jechali na piknik za miasto, a nie na zatrzymanie podejrzanych. Ulice były opustoszałe, więc zaraz znaleźli się w willowej dzielnicy. Zatrzymali się na Kilińskiego, dwie posesje od domu Schmidta. W oknie paliło się światło.

– Teraz bym coś zjadł – oświadczył Szerszeń i poklepał się po brzuchu.

– Poczekaj, wyjmę kanapki, gotowane jajka i termos z herbatą – powiedziała Weronika, a Szerszeń spytał:

– Naprawdę?

– Chyba żartujesz – roześmiała się. – Kiedy miałabym to wszystko przygotować?

– To dlatego w Stanach na każdym rogu jest kiosk z hamburgerami. Ci gliniarze wciąż siedzą pod cudzymi domami – zaczął policjant.

– Przestań, bo robię się głodna.

– No właśnie, czasem powinnaś zjeść coś sensownego. Wyglądasz jak kościotrup.

– Kościotrupy są teraz w modzie – żachnęła się. – Zresztą mam wystarczająco dużo sadełka. Przytyłam ostatnio.

– Gdzie? – żachnął się Szerszeń. – Ja mam wrażenie, że ci się schudło. I to, niestety, wszędzie – westchnął, patrząc na jej biust.

– Ty, seksisto! – Uderzyła go planem miasta. – Nie wiem, dlaczego tak cię lubię – dodała i odebrała dzwoniący telefon.

– Hubert. – Nacisnęła zieloną słuchawkę i oddała aparat Szerszeniowi.

Policjant trzymał ją z dala od ucha. Przez to słabo słyszał i wydzierał się na całe gardło.

– Tak, już jesteśmy. Nic się nie dzieje!

Weronika ostentacyjnie zakryła dłonią prawe ucho. Szerszeń nie zwracał na nią uwagi.

– Chyba Boreckiej nie ma w domu. Okna są ciemne. Dzwoniłem domofonem. Będę jeszcze próbował.

– Spokojnie. Jeśli księgowa wyszła, Magda nas do niej doprowadzi. Damy ci cynk – zarządził Szerszeń.

W tym momencie w domu Schmidta zgasło światło. Po chwili usłyszeli łoskot odsuwanej bramy. Z posesji wyjechało auto. Oboje pochylili głowy, kiedy ich mijało. Za kierownicą siedziała Magda Wiśniewska. Ruszyli za nią. Jechali w bezpiecznej odległości. Kilka razy omal jej nie zgubili.

– Idę o zakład, że pojedzie na Paderewskiego – oświadczył Szerszeń.

– I przegrałbyś – mruknęła Weronika i gwałtownie przyśpieszyła, bo auto Magdy zamiast skręcić w kierunku osiedla, gdzie mieszkała księgowa, jechało dalej.

Werka i Szerszeń spojrzeli na siebie zdziwieni.

– W ciągu ostatnich dwóch dni jadę tędy po raz kolejny – powiedziała. – A może... – zawiesiła głos.

– Co? – ponaglił ją Szerszeń.

– Nie, to głupie. – Prokuratorka próbowała wymigać się od odpowiedzi.

– Nic w tej robocie nie jest głupie. Mów – polecił podinspektor.

– Może ona jedzie do Rudy...

Faktycznie kwadrans później minęli znak.

– Ruda jest dziwna, niepokojąca... – zauważyła, kiedy mijali zaułki, kopalnie, osiedla.

– Normalne miasto, co ty gadasz – obruszył się Szerszeń.

– Nie widzę tutaj nic nadzwyczajnego. Filmów się naoglądałaś.

Magda nie prowadziła najlepiej. Weronika, mając wolną prawą rękę, bo skrzynia biegów pracowała sama, paliła papierosa i rozmawiała z Szerszeniem o samochodach: ile pali takie auto, ile litrów mieści bagażnik, czy opłaca się je przerabiać na gaz. Rozmowa była nudnawa, ale ile można gadać o sprawie śmieciowego barona? Potem zeszli na dziwne zachowanie małżonki podinspektora. Weronika była przekonana, że jutro przyjdzie do komendy i zacznie go przepraszać, a przez najbliższe kilka miesięcy codziennie będzie miał na obiad flaki i golonkę. A już roladę z kluskami na pewno.

– Tylko jak ci będzie zbywać, przynoś do pracy. Mnie takich smakołyków nikt nie robi – mówiła. – A, i koniecznie kup jej nowego psa.

– O nie! – zaprotestował Szerszeń. – Nie wydam tylu pieniędzy na kolejnego kudłacza! Toż to lepiej mieć złotą rybkę.

Policjant wciąż był nabzdyczony i nie czuł ani trochę wyrzutów sumienia.

– Ciężki z ciebie typ – skomentowała Weronika i nagle przyhamowała. Zbyt późno zorientowała się, że Magda zwolniła i zbytnio zbliżyłaby się do jej auta.

– Co ty robisz, dziewczyno? – pouczył ją zaraz Szerszeń.

Na szczęście Magda ich nie dostrzegła. Wyglądało na to, że miała poważne problemy z orientacją w terenie. Zatrzymywała się kilka razy i rozpytywała o drogę. Prokuratorka i policjant nie wiedzieli, czego szuka. Stawało się coraz bardziej prawdopodobne, że śledzona kobieta wreszcie zauważy diamante jadące za nią od Katowic.

Meyer dzwonił już kilkakrotnie.

– Tutaj nic się nie dzieje – narzekał.

Wreszcie Szerszeń wspaniałomyślnie pozwolił mu podjechać na stację i kupić sobie hot doga oraz papierosy.

– I kup dla nas – krzyknęła Rudy. – Jestem głodna jak wilk.

Wreszcie Magda znalazła poszukiwany adres. Parter i pierwsze piętro długiego jak jamnik budynku zajmowały drobne firmy oraz małe sklepiki. Na wyższych kondygnacjach były mieszkania. W jednym z lokali na parterze mieścił się salon odzieży używanej, fryzjer, solarium, studio paznokci i salon kosmetyczny. Wszystkie okna były ciemne, lecz Magda pewnie zatrzymała auto, wysiadła z wozu i ruszyła w tym kierunku.

– Co ona? – wychrypiał Szerszeń. – Do fryzjera, o tej porze?

Kiedy kobieta zbliżyła się do Studia Paznokci Karo, drzwi się uchyliły i dziewczyna wślizgnęła się do środka. W pomieszczeniu zapaliło się światło. Werka i Szerszeń zaparkowali zbyt daleko. Nie mogli dostrzec, ile postaci jest wewnątrz ani co tam robią.

– Kurwa, co jest grane? – Szerszeń przykleił się do szyby.

– To nieprawdopodobne... Przyjechała do Kariny... – szepnęła Weronika, wpatrując się w szyld salonu. – One są w zmowie!

– Co? Kto? O co, do cholery, chodzi? Kto z kim? – awanturował się Szerszeń.

Jego wiązankę przekleństw przerwał dzwonek telefonu.

– Ty, co jest grane? – krzyczał do profilera podinspektor.

– Ciszej, Waldek... – prosiła go Weronika.

– Może trzeba jechać przeszukać mieszkanie Magdy. – Szerszeń nie przejmował się prośbami Weroniki. – Jak to nie będziesz się włamywał! Jak to czekać! Ale ja wiem, czego szukać! Wiem! Jak to czego? Dwudziestodolarówki.

Teraz Weronika patrzyła na Szerszenia nic nierozumiejącym wzrokiem. W pewnej chwili pociągnęła go za rękaw.

– Jest! – oświadczyła.

Oboje spojrzeli w tamtym kierunku. Magda wyszła z salonu w swoim stylu. Zupełnie niezauważona, jakby nosiła czapkę niewidkę.

– Halo, halo. Co się tam dzieje? – Meyer próbował się czegoś dowiedzieć.

– Zaraz oddzwonię – syknął Szerszeń i rzucił komórką w Weronikę, która już ruszyła za Magdą. Zerknęła na wyświetlacz i nacisnęła czerwoną słuchawkę.

– To trzeba wyłączać – podkreśliła. – Uspokój się. I powiedz, o co chodzi z tą monetą.

– Chyba ty masz mi co nieco do powiedzenia. Gadacie z Meyerem o jakiejś Karinie, o jakiejś zmowie i tylko ja nie wiem, co jest grane. A wydawało mi się, że prowadzę to śledztwo – dodał obrażony.

Teraz Magda jechała do samego centrum. Przejechała ulicą Mickiewicza, Słowackiego, koło dworca i skręciła w Świętego Jana. Na chwilę zniknęła im z oczu. Wiedzieli, że śledzenie jej w tych małych jednokierunkowych uliczkach będzie bardzo utrudnione. Wreszcie Werka zaryzykowała – zamiast kluczyć z Magdą, zrobiła skrót i znaleźli się na Dworcowej.

– Bingo – krzyknął Szerszeń, kiedy kilkaset metrów dalej zauważyli auto Magdy, która stanęła niemal w poprzek, zajmując kilka miejsc parkingowych.

Podinspektor kazał prokuratorce zaparkować w sporej odległości, pod samym starym dworcem. Widzieli doskonale, jak Magda biegnie niemal całkowicie wygaszoną Dyrekcyjną.

– Co tam jest? – Weronika wskazała neobarokową kamienicę z czerwonej cegły.

– Sklep z futrami – odpowiedział Szerszeń.

– Nie tu, tam dalej. W tym domu z aniołami – wskazała Weronika.

– Nie widzę bez okularów. – Podinspektor wzruszył ramionami i wyciągnął rękę. – Pożycz swoje.

Weronika pokiwała głową z politowaniem.

– Na pewno ci pomogą. Zamiast okularów wziąłeś spławiki... – mruknęła. Wychyliła się z okna samochodu i dodała: – Tam jest chyba jakaś speluna.

– Tam nie ma żadnej knajpy, mówię ci – upierał się Szerszeń. – Co najwyżej w prywatnym mieszkaniu. A wydawałoby się, że to dziewczyna z dobrego domu. – Po chwili jednak potargał wąsa. – Albo faktycznie jakaś mordownia, albo... lipa.

– Co?

– Nielegalna knajpa, agenturka, nie mam pojęcia. Jeszcze tydzień temu byłem nieopodal na zdarzeniu i tego tu nie było. Śmierdzi mi to jak cholera.

– To twój teren, a nie wiesz, co się tu dzieje? – zaśmiała się Weronika i przechyliła do tyłu, sięgając po glocka.

– Co ty kombinujesz? – zaniepokoił się Szerszeń.

– Jak to co? Wchodzimy. Sprawdzimy, co tam dają.

– Ja nigdzie nie idę. – Szerszeń założył ręce. – A co ja tam będę szedł, jak widzę, że jest ciemno, a po ćmoku nie dają, chyba że w zęby...

– Wobec tego idę sama. – Zacisnęła usta. Wyjęła broń z kabury, przeładowała ją i schowała ponownie.

– Sama? – jęknął podinspektor.

– A z kim? Nie mamy radia, nie wezwiemy posiłków. A zresztą, co mi się może stać?

– Czekaj – powstrzymał ją policjant. – Myślę.

– To szybciej, panie Olsen. Bo nam ptaszek ucieknie z klatki... – Opadła na siedzenie. Nie przestawała jednak wpatrywać się w drzwi, w których zniknęła Magda. Zastanawiała się, co tam jest, jak tam wejść, czy jest hasło? Żadnego szyldu, okna pozasłaniane. – Trzeba iść – powiedziała. – Sam mnie tu ściągnąłeś. Chciałeś je złapać na gorącym uczynku, a teraz tchórzysz?

– Filmów się naoglądałaś... I to amerykańskich! Dzwoń do Meyera i czekamy. – Szerszeń złapał ją za rękę. – Nigdzie nie idziesz. To nie jest, kurwa, żaden thriller.

– Ale nie wiemy, z kim się spotyka – naciskała Werka. – Najpierw w Rudzie, teraz tutaj. Wszystko to dziwne, nie sądzisz?

– Meyer dotrze, to pójdziemy.

– Czyli sama nie dam rady? – zaperzyła się. – Przecież tylko się rozejrzę, do nikogo nie będę strzelać.

– To jest n i e b e z p i e c z n e! – Szerszeń dokładnie wyartykułował każdą zgłoskę. – Nie mogę cię narażać. Pomyśl o dziecku!

Weronika, słysząc te słowa, nieco ostudziła swój zapał.

– Dobra, to ja pójdę – skapitulował Szerszeń i niezdarnie zbierał się do wyjścia.

– Żartujesz chyba... – roześmiała się prokuratorka na cały głos. – Ty nie możesz iść!

– A dlaczego? – obruszył się Szerszeń.

– Spójrz na siebie! – Odchyliła zasłonkę od słońca, w której było wielkie lusterko.

Szerszeń wpatrywał się w nie i czuł narastającą złość.

– Picprzysz, Wera! – huknął. – Ty możesz, a ja nie? O co ci chodzi?

– Zaraz zobaczą, że jesteś gliną. Nie ma takiej możliwości! – westchnęła Werka i jednym ruchem otworzyła drzwi. Na siedzenie rzuciła swoje okulary. – Pamiętaj, biorę komórkę i spluwę – zakomunikowała. – Obserwuj drzwi.

– Nie idź, Werko – poprosił Szerszeń. – Poczekajmy na Huberta.

– Tylko zerknę. Jeśli coś będzie się działo, spadam. A ty grzej silnik.

– No... dobra. – Minę miał jednak nietęgą, bo męska duma nie pozwalała mu się przyznać, że nigdy nie jeździł samochodem z automatyczną skrzynią biegów. – Wracaj szybko – szepnął jej na odchodne i dodał, choć nie mogła tego usłyszeć:

– I bądź ostrożna.

Werka ruszyła w kierunku kamienicy. Dopiero kiedy podeszła bliżej, zauważyła niewielkie zielone drzwi. Budynek był ze starej poczerniałej przez lata cegły, w niektórych miejscach łuszczącej się jak skóra chorego człowieka. Myślała, co zrobić, by nie wyglądać oficjalnie. Rozpuściła włosy i przeczesała je dłonią, by nabrały puszystości. Przygryzła wargi, by wydały się karminowe. Szła, przesadnie kołysząc biodrami, jakby była na lekkim rauszu. Zapukała, wybijając tylko sobie znany rytm. Serce podeszło jej do gardła, kiedy drzwi się uchyliły, a ze szpary wychyliła się głowa ochroniarza. Był muskularny, lecz niski, znacznie niższy od niej. Na sobie miał obcisłą koszulkę, która eksponowała jego napompowane muskuły.

– Cześć, kotku – zniżyła głos do chrapliwego szeptu i uśmiechnęła się szeroko. Ochroniarz na jej widok zmarszczył brwi i już zamierzał zamykać drzwi, kiedy nagle schwyciła go za koszulkę, pozorując upadek. Ten gwałtowny ruch spowodował urwanie jednego guzika od jej koszuli, która rozchyliła się, odsłaniając dekolt. Był na tyle głęboki, że widać było jej czerwony stanik.

– Jakie bicepsy – szepnęła i czknęła teatralnie. Kołysała się przy tym, jakby stała na łódce na pełnym morzu. Mężczyzna wpatrywał się w nią skołowany. – Co jest, przystojniaku? Nie mów, że potrzebuję biletu. – Wydęła wargi. Po czym wyciągnęła papierosa, włożyła go do ust i czekała, aż ochroniarz poda jej ogień.

Zbity z tropu osiłek natychmiast zaczął szukać zapalniczki. Kiedy zaciągnęła się papierosem, zadzwoniła jej komórka. Udawała, że jej nie słyszy. Dzwonek narastał. Adrenalina dodała jej odwagi. Lekko uderzyła biodrem ochroniarza i właściwie taranując go wypiętym biustem, wdarła się do środka.

– Ciao. – Machnęła ręką i posłała mu całusa.

Szła na miękkich nogach dość długim i zaciemnionym korytarzem, licząc się z tym, że w każdej chwili osiłek może ją powstrzymać. Bała się, że chwyci ją z tyłu i odstawi na ulicę. Ale nie zrobił nic. Szła w kierunku, skąd dochodził gwar, który z każdym krokiem narastał.

Kiedy znalazła się wewnątrz, odetchnęła z ulgą. Lokal był pełen ludzi. W pierwszej sali, mordowni z barem, na wysokich stołkach siedziało kilka osób. Farba odłaziła ze ścian, nikt nie zatroszczył się o wyszukany wystrój. Jeśli jutro wyniesiono by stoliki, te kilka szafek, na których ustawiono alkohol, blat jak z masarni i beczki z piwem, nikt by się nie domyślił, że kiedykolwiek mieściła się tutaj knajpa. Kobiet nie było tutaj zbyt wiele. Niemal sami mężczyźni w wieku dojrzałym, raczej biednie odziani, z wygłodniałymi, skupionymi twarzami. Czuła na sobie ich ciekawskie spojrzenia. Wiedziała, że ma naprawdę niewiele czasu, by znaleźć Magdę i Borecką, jeśli w ogóle tutaj były. Komórka znów wibrowała na jej biodrze. Stanęła pod ścianą i odebrała telefon, bacznie obserwując wszystko wokoło.

– Tak? – spróbowała przekrzyczeć gwar i głośną muzykę.

– Co się dzieje? – zapytał Meyer i nie czekając na jej odpowiedź, wyrzucił: – Już wszystko wiem. Borecka nie dojedzie na spotkanie. Jest w szpitalu. Straciła przytomność. Dopiero gdy się ocknęła, zadzwoniła po pogotowie.

– Jesteśmy na Dworcowej – relacjonowała Weronika. Mówiła szybko, starając się przekazywać konkretne informacje. – Szerszeń siedzi w wozie. Jakby co, jestem w lokalu obok kamienicy z aniołem. Przyjedź jak najszybciej. – Rozłączyła się.

Ruszyła przed siebie, rozglądając się na boki i wypatrując Magdy. Ale dziewczyny nigdzie nie było. Wtedy dostrzegła kotarę. Kiedy ją odsłoniła, zrozumiała, czym tak naprawdę był ten przybytek. Pomieszczenie zajmował wielki stół z ruletką, z boku przy stolikach ludzie grali w pokera, a przy ścianach stało kilka „jednorękich bandytów". Magda siedziała przy jednym ze stolików, plecami do wejścia. Nie grała. Przed nią stała szklanka z wodą mineralną. Wyglądało, że na kogoś czeka. Co chwila zerkała na zegarek w leżącym na stole telefonie. Do piersi przyciskała plik dokumentów, jakby były czymś bardzo cennym. Nie wypuszczała ich z rąk. Wtem spojrzała w kierunku odsłoniętej kotary. Weronika zamarła. Wytrzymała czujny wzrok dziewczyny. Po chwili Magda się odwróciła. Zaczęła nerwowo uderzać palcami o blat stołu. Weronika nie wzbudziła jej zainteresowania.

– Mogę postawić ci drinka? – Nagle obok Werki wyrósł mężczyzna z włosami zaczesanymi „na pożyczkę".

Pokręciła głową i starając się stąpać jak najwolniej, ruszyła do wyjścia. W przejściu minęła parę pięćdziesięciolatków. Weszli do lokalu bez żadnych kłopotów. Nie musieli podawać żadnego hasła. Bez słowa minęli stojącego w przejściu osiłka.

– Dziś nie jest mój szczęśliwy dzień – rzuciła na pożegnanie.

Dopiero teraz pojęła, jak idiotycznie się zachowała. To dlatego był tak zdziwiony. Scena, którą odegrała, nie była wcale potrzebna, by dostać się do środka. Nie był to żaden elitarny klub „na hasło".

– Szkoda – odrzekł niewzruszony.

Szybkim krokiem ruszyła w kierunku diamante. Otworzyła drzwi i opadła całym ciężarem na siedzenie. Usłyszała trzask i podniosła do góry swoje zniszczone okulary. Zaniosła się śmiechem i przez chwilę nie mogła się uspokoić.

– Mów! Co tam się dzieje? – popędził ją Szerszeń.

W kilku słowach opowiedziała przebieg zdarzeń. Opisała nielegalne kasyno i streściła, co przekazał jej profiler.

– Już tu jedzie, mam nadzieję – dokończyła. – Co robimy?

– Kto czeka, ten się doczeka – skwitował Szerszeń. – Zobaczymy, co w tej sytuacji zrobi córka Schmidta.

– Może pojedzie do księgowej?

– Albo zadzwoni... I mówiłaś, że ma dokumenty.

– Przytulała jakąś teczkę. Jakby to nie był plik papierów, tylko jakiś skarb. Jest Hubert – dodała prokuratorka i wskazała różową zabawkę widoczną z daleka.

Meyer wysiadł z auta i szybkim krokiem ruszył w kierunku diamante. Bez słowa ulokował się na tylnym siedzeniu za Szerszeniem.

– O, klamka działa – skomentował. A po chwili dodał, udając niezadowolenie: – To ja tam kisłem pod Borecką, a wy na dyskoteki chodzicie...

– Kto chodzi, ten chodzi – zamruczał Szerszeń. – Niektórzy bawią się nawet w dziewczynę Bonda – zarechotał.

Werka, czerwona ze wstydu, zgarnęła włosy i szybko związała je w ciasny kucyk. Próbowała zapiąć bluzkę i dopiero wtedy zorientowała się, że ma urwany guzik.

– Daj tę marynarkę – rozkazała Meyerowi i przykryła rękoma odsłonięty dekolt.

– Jeśli o mnie chodzi... Nie musisz – profiler uśmiechnął się szelmowsko. – Ta bluzeczka jest całkiem sexy.

– Zgadzam się w całej rozciągłości – dodał Szerszeń.

Werka ich nie słuchała. Płonęły jej uszy i policzki, a serce biło tak szybko, że omal nie wyskoczyło z piersi.

– Tam jest kasyno. Robimy coś z tym? – zwróciła się do Szerszenia.

– Niech się tym zajmie prewencja. – Podinspektor machnął ręką.

– Dzwonimy. – Meyer wykręcił numer do oficera dyżurnego i podał komórkę podinspektorowi.

– Załatwione. – Szerszeń po zakończonej rozmowie rozparł się w fotelu.

Siedzieli kilka minut w milczeniu, paląc papierosy. Nie minął kwadrans, kiedy z lokalu wyszła Magda. Szła lekko zgarbiona, wykrzywiając na boki stopy na zbyt wysokich obcasach. Jest taka nijaka, myślał Szerszeń. Jak kobieta, która zostawiała pieniądze w dworcowej skrytce. Nie jest gruba, a tak określił Borecką Bajgiel. Taka nijaka. Ciężko ją zapamiętać.

Zatrzymała się na rogu Dworcowej i Dyrekcyjnej. Wyciągnęła spod pachy plik kartek, który jeszcze przed chwilą przyciskała do piersi. Meyer, Rudy i Szerszeń przyglądali się jej w napięciu. Wtedy Magda wysupłała z torebki jakiś mały przedmiot.

– Co to? – szepnęła Weronika.

– Zapalniczka – odpowiedział Meyer.

– Waldek, ona chce to spalić... – Prokuratorka jęknęła. – Co robimy?

– Nic nie możemy zrobić. Co najwyżej zawołać wiatr, który ją powstrzyma – westchnął Meyer. – Ile bym teraz dał, żeby dowiedzieć się, co jest w tych dokumentach.

Szerszeń nie odezwał się ani słowem. Patrzył, jak Magda po raz kolejny próbuje uruchomić zapalniczkę. Podmuchy wiatru jednak gasiły płomień. Wreszcie Magda podeszła do ściany budynku, stanęła do nich plecami i podpaliła jedną z kartek. Cała trójka siedząca w diamante wstrzymała oddech. Magda także jak zaczarowana wpatrywała się w płonące kartki. Wtedy Szerszeń wyskoczył z wozu. Dopadł dziewczynę od tyłu, kiedy podpalała następny dokument. Podinspektor chwycił ją za ramiona. Dziewczyna próbowała się wyrwać. Krzyczała:

– Ratunku! Nie ma pan prawa! Policja!

– Policja to ja – warknął.

Magda natychmiast przestała się opierać. Spojrzała na Szerszenia i dopiero go rozpoznała. Wyrwał jej wtedy z rąk nadpalone papiery, a ją samą usadowił na tylnym siedzeniu auta. Dokumenty podał Meyerowi, a Weronice kazał ruszać.

– Widzę, że dziś oboje nocujemy na komendzie, pani prezes – dodał z przekąsem, kiedy ruszyli z piskiem opon.

Magda chlipała cicho. Nie wyglądała na panią prezes dużej korporacji, raczej na zagubione dziecko. W połowie drogi próbowała oprzeć Meyerowi głowę na ramieniu. Zrobiła to niby przypadkiem, udając, że przysypia. Weronika widziała to we wstecznym lusterku. Zaskoczony policjant najpierw pozwolił na tę poufałość, lecz siedział sztywno, głowę odwrócił w kierunku okna. Dopiero kilka minut później się odsunął. Prokuratorka zastanawiała się, kto bardziej jest zaskoczony przebiegiem tej szalonej nocy – Magda czy oni. Także Szerszeń milczał. Być może zastanawiał się, jak z tego wybrnąć. Weronika wiedziała, że podinspektor ma jakiś plan. Nie zwykł doprowadzać do takich sytuacji bezpodstawnie.

Kiedy Szerszeń i Magda wysiedli z wozu i ruszyli po schodach do komendy, Hubert pokazał Weronice nadpalone dokumenty. Przeleciała wzrokiem kilka pierwszych linijek i spojrzała na niego, nic nie rozumiejąc. Profiler z trudem tłumił wesołość.

– O szlag... – szepnęła. Pomyślała, że będą mieli kłopoty. Największe zaś – podinspektor Szerszeń. Po chwili jednak także wybuchnęła gromkim śmiechem.

* * *

Meyer wjechał cicho do garażu. Pootwierał wszystkie drzwi auta, by wywietrzyć papierosowy dym. Pogrążony w myślach ruszył na górę. Chciał jak najszybciej zasnąć. Był tak zmęczony wydarzeniami dzisiejszego dnia, że zapomniał o lekarce. Dom spowijały ciemności. Odruchowo pstryknął światło. Po chwili spostrzegł na sofie w salonie skłębiony koc. Poniatowska!, pomyślał. Zaczął jej szukać. Ale po Elwirze nie było śladu. Zastanawiał się, którędy się wydostała. Wszystkie okna, włącznie z balkonowymi, były zamknięte. Drzwi wejściowe także. Nagle uświadomił sobie, że przed wyjazdem zostawił na ganku zapalone światło.

Ktoś je zgasił. Włącznik zaś znajdował się w garażu. Czyżby Poniatowska znalazła jedyne wyjście z jego domu? Poczuł strach. Biegł na górę po kilka stopni. Zajrzał do pokoju dzieci. Pusty. Sypialnia. Składzik. Poniatowskiej nigdzie nie było. Otworzył drzwi gabinetu, w którym pisał profile i pracował. Podszedł do biurka i przyjrzał się szufladzie, w której schował dokumentację dotyczącą śledztwa zabójstwa Johanna Schmidta. Czy była otwierana? Wysunął ją i przyjrzał się teczce. Czy lekarka przeglądała akta sprawy? Nie mogła przecież wiedzieć, że są u niego. Laicy nie mają pojęcia, że profiler otrzymuje specjalny zestaw akt podręcznych, drugi egzemplarz wszystkich przesłuchań świadków, opinii, a wreszcie ekspertyzy biegłych. Nie mogła wiedzieć, że cała skarbnica wiedzy o zbrodni na śmieciowym królu znajduje się w tym pokoju, w jednej z jego szuflad, łudził się. Ale inny, sceptyczny głos podpowiadał: A skąd wiedziała, jakim wozem jeździsz? Skąd wiedziała, że jej nie wyrzucisz z mieszkania? A może świadomie manipulowała i opowiadała sentymentalne historie, by uśpić jego czujność i dostać się do akt? Może taki właśnie był jej cel. Dowiedzieć się, na jakim etapie jest śledztwo.

Meyer poczuł kropelki zimnego potu na skroniach. Był przerażony. W teczce były materiały operacyjne, które sam gromadził i których nikt nie powinien czytać, zanim powstanie ekspertyza. Jeśli zostaną ujawnione, będzie miał kłopoty. Mało tego – w niepowołanych rękach mogą okazać się niebezpieczne. Przejrzał teczkę i odetchnął z ulgą. Nic nie zginęło. Miał wrażenie, że dokumenty leżą tak, jak je zostawił. Usiadł przy biurku i próbował zebrać myśli. Kiedy otwierał klapę laptopa, spostrzegł, że zdjęcie dzieci, które trzymał na biurku, jest przesunięte w lewo. Ogarnął go niepokój. Jednak tutaj siedziała. Komputer zażądał hasła. Kliknął myszką we wskazane pole. Nie działała. Zorientował się, że myszka została odłączona. Ktoś używał jego komputera!

Rozejrzał się niespokojnie i usłyszał kapanie wody. Podniósł głowę i spojrzał w ciemny korytarz, który kończył się łazienką dla gości. Nie korzystał z niej, odkąd Anka wyprowadziła się do dentysty. Kinga, kiedy była jeszcze w formie, używała czasami tego pomieszczenia jako ciemni do wywoływania zdjęć komórek rzeczywistych. Meyer wpatrywał się teraz w drzwi łazienki i zastanawiał się, dlaczego nie słyszał tego odgłosu wcześniej. Uświadomił sobie także, że dokładnie przeszukał całe mieszkanie, lecz o łazience zapomniał. Nie mógł sobie darować lekkomyślności, jaką się popisał dzisiejszego popołudnia, zostawiając Poniatowską we własnym domu. Była wciąż podejrzana, a on prawdopodobnie umożliwił jej dostęp do akt. Być może także skopiowała jego pliki w komputerze.

Narastała w nim złość. Poklepał się po biodrze. Kabura z bronią była pusta. Kolejny błąd. Jestem zbyt zmęczony, pomyślał. A potem w jego głowie zaczęły kłębić się pytania: Skąd wiedziała, gdzie jest awaryjne wyjście z domu? Lekarka wyszła czy została? Czy kogoś tutaj zaprosiła? Kto siedział przy jego komputerze? Kto przesunął zdjęcie? Czy czytał akta? Co kryją drzwi łazienki dla gości?

Chwycił pierwszą rzecz, jaka mu się nawinęła pod rękę. Był to klucz do odkręcania kół z jego passata, który wciąż zapominał wrzucić do bagażnika. Teraz już na nic się nie przyda. Stąpając bezgłośnie niczym kot, ruszył ciemnym korytarzem. Gwałtownie szarpnął klamkę. Odgłos spotęgowała cisza. W pomieszczeniu było ciemno. Pstryknął światło. Pusto. Z niedokręconego kranu wciąż kapała woda. Ktoś używał tej łazienki, bo ściany wanny całe były pokryte pianą po kąpieli.

Meyer oparł się o ścianę i oddychał głęboko. Potem zszedł na dół i zerknął na zegarek. Było po drugiej w nocy.

– Oto zalety nocowania na komendzie prowadzącego dochodzenie – powiedział do siebie i wykręcił numer na biurko Szerszenia. – Nareszcie można go łatwo namierzyć...

– Czego? – Podinspektor odezwał się tonem niezdradzającym ani odrobiny senności.

– Mamy kłopoty – odparł Meyer. – Poniatowska zniknęła.

10 maja – sobota

Kiedy następnego dnia Weronika pojawiła się na Mięsnej 5, drzwi mieszkania Zielosków były otwarte na oścież. W wejściu unosiła się chmura kurzu, który gryzł w oczy i powodował łaskotanie w nozdrzach. Weronika nie mogła powstrzymać kichania. Prychnęła kilka razy, a wtedy zza framugi wyłoniła się kobieta z miotłą w ręce. Na głowie miała chustkę w kwiatki, ale już dopasowana turkusowa sukienka ściśnięta w talii szerokim paskiem była zbyt elegancka jak na sprzątaczkę. Weronika pomyślała, że to musi być córka Hildy Zielosko.

– Ach, to pani – mruknęła Karina zamiast powitania i gwałtownym ruchem zerwała chustkę z głowy. Jej kasztanowe włosy rozsypały się na ramionach. – Myślałam już, że pani nie przyjdzie... – dodała, z trudem skrywając niechęć.

Kobiety były mniej więcej w tym samym wieku. Karina, posągowa piękność o czekoladowych oczach, pełna w biuście i biodrach, stanowiła zupełne przeciwieństwo Weroniki – drobnokościstej, o półprzezroczystej karnacji obsypanej piegami.

– Dzień dobry. – Prokuratorka uśmiechnęła się nieśmiało. – Widzę, że przeszkadzam.

– Niech pani wejdzie, zapraszam – dodała Karina już uprzejmiej i gestem wskazała pomieszczenie, w którym poprzedniego dnia prokuratorka konwersowała z jej ojcem.

W promieniach słońca, które wpadały do pokoju, Weronika dostrzegła u Kariny zmarszczki wokół ust i oczu oraz srebrne nitki we włosach nieskalanych farbą. Pojawiły się zdecydowanie przedwcześnie – kobiecie daleko było do czterdziestki. Dlaczego nie starała się ich maskować? Przecież była fryzjerką. Może traktowała je jak pamiątkę przeżyć – tych, które chciała pamiętać, oraz tych, o których pragnęłaby zapomnieć. Mimo tych przedwczesnych oznak starzenia jej twarz pozostała piękna. Rudy nie mogła oderwać od niej wzroku. Regularne rysy, wąski nos, migdałowe oczy sarny i pełne usta. Karina należała do typu „rasowych" kobiet, które starzeją się z klasą, a dojrzałość jedynie eksponuje ich walory. Każdy jej ruch utwierdzał prokuratorkę w przekonaniu, że ta dumna kobieta wzbudzała szacunek. Weronika była zaskoczona. Spodziewała się spotkać tu kogoś zupełnie innego.

– Proszę poczekać, za chwilę kończę. – Karina wskazała prokuratorce jedyne wolne krzesło i zebrała na szufelkę kupkę śmieci, które wrzuciła do blaszanego wiadra przy piecu. Nie wiadomo skąd pojawił się obok nich Sylwester Zielosko. Staruszek przypatrywał się Weronice, jakby widział ją po raz pierwszy w życiu. Rudy pomyślała, że prawdopodobnie niewiele pamięta z ich wczorajszego spotkania. Jaką więc wartość mają jego opowieści? Może to tylko konfabulacje starego pijaka?, myślała. A mężczyzna, korzystając z okazji, że córka zajęła się rozmową z nieznajomą, próbował wymknąć się z mieszkania.

– A ty kaj? – Karina w ostatnim momencie chwyciła ojca za koszulę. – Idź sie łobmyć! – Pieszczotliwie uderzyła go czystym ręcznikiem, po czym wskazała drzwi toalety na korytarzu. Mężczyzna pochylił głowę i jak niegrzeczny chłopiec złapany na gorącym uczynku posłusznie wykonał polecenie. – Potem znów będzie miał tygodniowe święto brudu, do czasu, aż go nawiedzę w kolejną sobotę. Tak jest co tydzień – wyjaśniła z uśmiechem. I dodała: – Proszę powiedzieć, cóż panią sprowadza w nasze skromne progi. Ojciec za nic nie mógł sobie przypomnieć, dlaczego pani mnie szukała. Zapamiętał jedynie, że jest pani bogata, ładna i dość długo rozmawialiście. Bardzo mnie to zdziwiło, bo na co dzień z tatuśka wyjątkowy milczek. Prawdę mówiąc, więcej wydobyć można z pieńka drzewa – zawiesiła głos, po czym roześmiała się perliście.

Weronika odetchnęła z ulgą. Poczuła do Kariny niezwykłą sympatię.

– Jestem prokuratorem – zaczęła z rozbrajającą szczerością.

– Prowadzę śledztwo...

Rozmówczyni spoważniała. Zniknęło to ciepło, które roztaczała przed chwilą. Choć nadal się uśmiechała, jej oczy stały się czujne. Weronika dostrzegła tę zmianę, mimo to zdecydowała się wyłożyć karty na stół. Nie chciała już więcej kłamać.

– Nie wiem, czy pani pamięta... Prawie dwadzieścia lat temu na Stawowej w Katowicach zginął człowiek. Otton Troplowitz, zwany Gybisem. Mieszkał w kamienicy, zwanej Kaiserhof. To taka narożna z iglicą. Dzisiaj na dole jest perfumeria.

– Wiem, gdzie to jest. Niech pani nie struga idiotki... – fuknęła Karina i jednym susem znalazła się przy oknie. Zaczęła gorączkowo szukać czegoś w torebce leżącej na parapecie. Wyjęła papierosy. Mówiła teraz spokojnie, lecz była nastawiona wrogo: – Pewnie, że pamiętam. Tylko co to ma wspólnego ze mną i moim ojcem?

Znów przetrząsała przepastną torbę – tym razem w poszukiwaniu zapalniczki. Weronika, widząc, jak miota się nerwowo i z trudem hamuje wściekłość, podała jej ogień, lecz kobieta odtrąciła rękę. Prokuratorka położyła więc zapalniczkę na stole i przyglądała się Karinie. Zupełnie nie spodziewała się takiej reakcji. Kobieta nawet nie starała się kryć wzburzenia.

– Przychodzisz tu, podszywasz się pod kogoś, kim nie jesteś. Teraz mówisz, że niby jesteś z prokuratury, a jaką mam pewność, że... – Wymachiwała rękami rozgorączkowana.

W odpowiedzi Weronika położyła obok zapalniczki legitymację prokuratorską.

– Wybacz – szepnęła.

Karina podeszła do stołu. Wzięła zapalniczkę Weroniki, zapaliła papierosa. Zaciągnęła się nim i bardzo długo wpatrywała się w dokument – te kilka słów i zdjęcie. Potem jeszcze raz zerknęła na Weronikę i na fotografię.

– Niedawno w tym samym mieszkaniu zdarzyło się kolejne zabójstwo – ciągnęła tymczasem prokuratorka. – Podejrzewamy, że może mieć związek ze sprawą Troplowitza. Potrzebuję więcej informacji o tamtych wydarzeniach. Akta są niepełne. Może coś sobie przypomnisz... Wiem, że minęło paręnaście lat. Ale właśnie dlatego tu jestem. Większość świadków poumierała. Nie ma kontaktu z rodziną Gybisa... Twoja matka nie żyje. Ona dobrze go znała...

– Rudy – odezwała się wreszcie Karina, a Werce ciarki przeszły po plecach. Głos brunetki był zimny i ostry jak sztylet. Prokuratorka siedziała sztywno na krześle. Zamarła w oczekiwaniu. – Tak miał na nazwisko policjant, który mnie przesłuchiwał. I wiesz, jesteś do niego podobna... – dokończyła Karina.

– To był mój ojciec – wyjaśniła Weronika, choć to nie było potrzebne.

Karina, odzyskawszy dominację w rozmowie, natychmiast się uspokoiła. Poczuła się pewniej. Znów to ona rozdawała karty w tej grze. Ponownie przybrała pozę miłej, delikatnej i dobrotliwej. Weronice przemknęło przez głowę, że wcześniej może także wściekłość udawała. Widać potrafi manipulować ludzkimi emocjami. Ma niezwykłe zdolności komunikacyjne. Gdyby zapragnęła wzbudzić litość, z pewnością by się jej udało. Bo obie wersje Kariny – ta ciepła i ta morderczo zimna – były obliczone na efekt i co gorsza, skuteczne.

– Moja matka zapłaciła za tę sprawę życiem – westchnęła Karina. – Twojego ojca omal nie zabili. Po co znów w tym grzebać? Mało ci ofiar? Zresztą doskonale pamiętam ten dzień, kiedy Rudiego, bo tak chyba nazywali go koledzy, zaatakował nożownik. Tego dnia umówiłam się z nim, że przyjdę złożyć oficjalne zeznanie w sprawie zabójstwa wujka Ottona. Uwierz mi, to była dla mnie bardzo trudna decyzja. Długo się wahałam i dużo mnie to kosztowało. Początkowo wcale nie chciałam współpracować z policją. Po co? Twój ojciec był jednak uparty. Nawet po zamknięciu sprawy przy tym grzebał.

W końcu opowiedziałam mu wszystko: co wiem, co słyszałam i co tylko podejrzewam. Prosił, żebym powtórzyła to do protokołu. Moje zeznania miały umożliwić zatrzymanie drugiego zabójcy Troplowitza. Bo było ich dwóch. Poloczek już siedział w kryminale, ale na tego drugiego nic nie mieli. I nikt się tym specjalnie nie przejmował, nie licząc Rudiego. Dobry był z niego człowiek, choć glina. To on mnie przekonał. Moje zeznanie miało być przełomem w śledztwie. Dla niego to była sprawa osobista. Udowodniłby wszystkim, zwłaszcza tym na górze, że miał rację i zbyt pośpiesznie zamknięto sprawę. Już wtedy traktowali go jak wariata, którego ogarnęła mania, rodzaj szaleństwa na punkcie sprawy wuja Ottona. I kiedy wreszcie dotarłam do komendy, powiedzieli mi, że nie będzie mnie przesłuchiwał Rudi, tylko ktoś inny. „Dlaczego?" – spytałam. „Komisarz Rudy jest w szpitalu, jego stan jest ciężki" – odparł dyżurny.

Chciałam wyjść, ale mnie zatrzymali. Posadzili przed jakimś innym gliną, który z łapanki zastępował twojego ojca. Nie pamiętam ani jego nazwiska, ani twarzy. Nie powiedziałam mu zupełnie nic. Nie rozumiał, po co zawracam mu głowę. Wracałam do domu na miękkich nogach. Zastanawiałam się, co się stało Rudiemu i czy to ma związek ze sprawą wuja. Nożownik, mówili potem w dzielnicy. Jakiś czas później twój ojciec wyszedł ze szpitala, kontaktował się ze mną, ale ja już nie chciałam składać zeznań. Za bardzo się bałam. Zresztą wolałam o tym wszystkim zapomnieć. A teraz przychodzisz ty. W tej samej sprawie...

– Proszę powiedzieć mi to, co wtedy ojcu.

– Chciałabym, ale wyparłam z pamięci, żeby jakoś przeżyć.

– Nie rozumiem – przerwała jej Weronika, marszcząc brwi. Była już trochę zła. Nie lubiła być wodzona za nos, a Karina najwyraźniej sądziła, że to jej się uda. – Jak można wyprzeć, zapomnieć coś takiego?

Karina zaśmiała się szyderczo.

– Można, dziewczyno, można. To taki mechanizm, który chroni cię, byś każdego dnia i każdej nocy nie próbowała targnąć się na własne życie. Na twoim miejscu nie liczyłabym na nic – westchnęła.

– To powiedz – skoro Karina mówi do niej per ty, Weronika także postanowiła skrócić między nimi dystans – dlaczego ta sprawa była dla ciebie tak ważna? Nie ma w aktach twojego nazwiska, nawet przesłuchania twojej matki, nic, co by...

– Bo my nie miałyśmy z tą zbrodnią nic wspólnego – odrzekła z naciskiem Karina. – Jeśli zaś chodzi o mnie... Tak, wyjaśnię ci to, choć nie wiem, czy zrozumiesz. Kiedy zabójca zamordował wuja Ottona, przekreślił też moje życie. Czy wiesz, że to ja miałam być jego spadkobierczynią? On mnie kochał jak córkę. Nie miał własnych dzieci. Moja matka... to była miłość jego życia. To dlatego żył samotnie, zdziwaczał, bo ona go nie chciała. Chodziła tam sprzątać, asystowała czasem jako pomoc dentystyczna. Zatrudnił ją, bo to był jedyny sposób, żeby mieć ją blisko. Byliśmy biedni. Ojciec co prawda pracował na kopalni, zarabiał, ale połowę pensji przepijał. Gdyby nie praca matki, żylibyśmy w nędzy. Zresztą wujek Otto był z innego świata. Wykształcony, obyty, bogaty... Pokazywał mi czasem kosztowności, które trzymał w domu. Obiecywał, że to wszystko kiedyś będzie należało do mnie. „Karinko, te fundacje żydowskie to bzdury. Ty będziesz królową", mówił. Miał tylko jeden warunek. Chciał, żebym wyszła za mąż. Tak, już wszystko było umówione. Wiedziałam, że kamienica będzie moja, że Troplowitz mnie kocha i nie kłamie. Ten człowiek nie miał praktycznie nikogo, komu mógłby ufać. Krewni interesowali się nim, bo chcieli go oskubać. Jak sępy krążyli wokół niego, z niecierpliwością oczekując końca. On o tym wiedział, ale śmiał się z tego.

Kiedy dorosłam, zaczęłam to wszystko rozumieć. Mogę powiedzieć, że byłam z nim naprawdę blisko. Pomagałam mu w pracowni, chodziliśmy razem na spacery. Matka to akceptowała, dla mojego dobra. Wiedziała, że ją kochał, ale ona jego kochać nie mogła. Miała męża, mojego ojca. Nie mogli być z Ottonem razem. Nigdy nie dowiedziałam się dokładnie, co między nimi zaszło. Znali się bardzo długo. Coś ich w przeszłości

380

rozdzieliło. Może jego rodzina nie zaakceptowała jej, kiedy była w nim zakochana? A może to on się jej wyparł? To byłby przecież mezalians. O różnicach kulturowych i religijnych nie wspomnę. Wiem tyle, co sama zaobserwowałam i co zrozumiałam dużo później, po śmierci ich obojga.

W każdym razie matka była żoną biednego górnika. Prostego człowieka bez ambicji i... pijaka. Ale pozostała mu wierna i chyba na swój sposób go kochała. W stosunku do wuja Ottona czuła co najwyżej troskę, może pod koniec jeszcze współczucie czy litość. A ja? Chciałam innego życia. Nie rozumiałam matki. Pragnęłam jak najszybciej wyjść za mąż i wyprowadzić się z tego miejsca. – Poprowadziła ręką wokół. – Jak najszybciej. Wuj Otto to była moja przepustka do lepszego życia.

– A może Troplowitz sam chciał się z tobą ożenić?

– O nie. – Karina roześmiała się w głos. – On kochał moją matkę, nie mnie. Ja mu ją jedynie przypominałam. Jestem do niej bardzo podobna. Im jestem starsza, tym więcej tego podobieństwa widzę. Jakby skórę zdjął. On musiał to dostrzec o wiele wcześniej. Nie był żadnym zboczonym pedofilem. Nigdy mnie nie dotknął. Był dla mnie jak drugi ojciec. Mądry, oczytany, z którym można o wszystkim porozmawiać. Z moim własnym ojcem nigdy nie rozmawiałam otwarcie. Do dziś tak jest. On jest inny.

– Jak się dowiedziałaś, że Otton Troplowitz nie żyje?

– Był Nowy Rok i prawie wszyscy siedzieli w domach. Tutaj wieści rozchodzą się błyskawicznie. Najpierw nie uwierzyłam. A potem... załamałam się.

– Twój plan legł w gruzach?

– Nie tylko o to chodziło... Pewnie, że wraz ze śmiercią wuja Ottona zniknęła dla mnie przepustka do innego świata. Ale to był dopiero początek mojej gehenny. Spodziewałam się dziecka, a chłopak, z którym się spotykałam, zaczął mnie unikać, w końcu zniknął. Przestraszył się małżeństwa. Zostałam sama z brzuchem. W sylwestra zabili wujka. Potem matka dostała udaru i umarła. Tak nieoczekiwanie. Ojciec zaczął pić jeszcze więcej. Z dnia na dzień zostałam kompletnie sama. Bezradna i przerażona. Nie wiedziałam, co robić, jak żyć. Miało być pięknie, a było jak zwykle. Sen o Kopciuszku pozostał snem.

Przyjechała ciotka, poszłam do babki. Zabiegu dokonano w takich warunkach, że chyba tylko cudem przeżyłam. Krwawiłam z tydzień, potem wdało się zakażenie. Ucieszyłam się – pragnęłam śmierci. Niestety, Pan Bóg mnie pokarał. Jakby mówił: „Masz żyć długo i jeszcze dłużej cierpieć. Nigdy nie zaznasz już szczęścia". Wyskrobali mi to dziecko razem ze wszystkim, co miałam w środku – z miłością, nadzieją na lepsze życie i macicą. Jestem w środku całkiem pusta.

– Ale wyszłaś za mąż i jesteś na prostej. Pomagasz ojcu... – próbowała ją pocieszyć Weronika. Karina spojrzała na nią cynicznie, jakby dopiero co opowiedziana historia nie dotyczyła jej przetrąconego życia.

– Tak. Jest dobrze. – Przykleiła do twarzy sztuczny uśmiech.

– Ludzie mają większe problemy. Są kalekami, nie mają co jeść... W czym jeszcze mogę ci pomóc? Chyba nie przyszłaś tutaj, żeby słuchać mojej historii. Zresztą i tak nie ma o czym opowiadać – głos jej zadrżał.

A jednak tylko udaje niewzruszoną?, przemknęło przez głowę prokuratorce. Tak naprawdę ten dramat wciąż w niej żyje, a rana krwawi.

Weronika siedziała jeszcze chwilę w milczeniu. Pomyślała, że po takich przeżyciach ludzie twardnieją i poruszyć mogą ich tylko naprawdę bardzo silne bodźce. Jak pozbierać się po czymś takim? Sztuka godna zegarmistrza. Karina w bardzo młodym wieku rozbiła się emocjonalnie na drobne kawałki. Była jednak na tyle silna, by poskładać się na nowo. Nie każdy by sobie z tym poradził. Lecz choć pozornie wszystko wygląda pięknie, a maszyna działa sprawnie, to nie wiadomo, czy w trakcie rekonstrukcji nie popełniono jakiegoś błędu. Tego prawdopodobnie nie wie także sama Karina.

– Znałaś mężczyznę o nazwisku Poloczek? – zapytała Weronika.

– Nie – padła zdecydowana odpowiedź. – Ale wiem, kto to jest. Tutaj wszyscy wiedzą. To on zabił wuja. Siedzi w kryminale.

– Nigdy go nie widziałaś? Nie spotykałaś? Choćby przypadkiem?

Karina kręciła głową.

– A Zygmunt Królikowski? – Weronika starała się to nazwisko wypowiedzieć jak najbardziej obojętnym tonem. Wiedziała przecież od Poloczka, że to on wykorzystał Karinę, by zebrać informacje o Troplowitzu. To był jej chłopak, a prawdopodobnie też ojciec jej nienarodzonego dziecka. – Zygmunt, Zyga Królikowski. Bardziej znany z ksywki Król – powtórzyła prokuratorka.

Karina nie od razu odpowiedziała. Chwilę myślała, po czym stanowczo zaprzeczyła.

– Tego też nie znałam.

Weronika zmarszczyła czoło.

– A ten chłopak, z którym byłaś w ciąży... Jak się nazywał? Ten, co cię porzucił.

Karina zbladła.

– Naprawdę nikt ważny. Już nie pamiętam – odparła.

Kłamiesz, pomyślała Weronika. Nie można zapomnieć nazwiska kogoś, z kim było się w ciąży! Tym bardziej kogoś, kto cię odrzucił i musiałaś iść na zabieg. Przez co nigdy nie będziesz miała dzieci. Dlaczego to ukrywasz? I to tak nieudolnie... Choćbyś była najtwardsza, sprawcy zbrodni na sobie samej nie zapomnisz nigdy! Choćbyś widziała go tylko jeden jedyny raz. Doskonale o tym wiem i nie oszukasz mnie.

Weronika chciała Karinie to wszystko wygarnąć, rzucić jej w twarz kłamstwo, kiedy do mieszkania wmaszerował Sylwester Zielosko. Był nie do poznania: ogolony, czysty i pachnący.

– I co, klepnęłaś geszeft? – zapytał uśmiechnięty od ucha do ucha, eksponując mocno wybrakowane uzębienie.

Obie zwróciły w jego kierunku zaskoczone spojrzenie.

– Zgódź się, dziołszka! Ta pani kupi ta gryfno chata, a jo pójda do bloków – przekonywał córkę.

– Pani może już iść. – Karina zwróciła się do prokuratorki. – My się z tatuśkiem zastanowimy.

Weronika postanowiła opuścić dziś to miejsce. Zadecydowała jednak, że wkrótce wezwie Karinę na oficjalne przesłuchanie.

A jeśli będzie się opierała lub unikała przesłuchania, dopilnuje, by doprowadził ją konwój.

– Aha, jeszcze jedno pytanie. – W drzwiach Weronika odwróciła się na pięcie. – To pani prowadzi salon pielęgnacji paznokci przy Rzeźniczej w Rudzie Śląskiej? Nazywa się chyba Karo... To od pani imienia, jak rozumiem?

– A pewnie – odparł zamiast córki Sylwester Zielosko.

– Myli się pani. To jeden z kolorów w kartach. Oznaczony czerwonym rombem – sprostowała Karina. – Mój ulubiony.

– W jakich godzinach czynny jest pani zakład? – Weronika zmrużyła oczy. – Czy często otwiera go pani nocą?

Karina pobladła, zacisnęła usta ze złości. Nie odpowiedziała ani słowa. Wpatrywała się w prokuratorkę ze strachem w oczach.

– Myślę, że o tym porozmawiamy innym razem. U mnie. Wyślę stosowne zaproszenie. – Uśmiechnęła się szeroko i zwróciła do staruszka: – Miłego weekendu.

Nie czekając na odpowiedź, odmaszerowała do auta, które tym razem zaparkowała przed samą klatką Mięsnej 5.

Po wizycie prokuratorki Karina nie mogła sobie znaleźć miejsca. Czuła, że tylko kwestią czasu jest, gdy do jej drzwi zapuka policja. To nieuniknione, skoro prokuratorka zadała sobie tyle trudu i użyła takich forteli, by do niej dotrzeć w sobotnie przedpołudnie. Pośpiesznie wybiegła z mieszkania ojca, dając mu w garść więcej banknotów niż zwykle, i wsiadła do swojego terenowego wozu. Zapaliła silnik, lecz długo jeszcze nie ruszała z miejsca. Pogrążyła się w myślach.

Prokuratorka wie, że córka Schmidta u niej była. Czy wie, po co? Czy wobec tego jest śledzona? Czy założyli jej podsłuch? Wyjęła aparat telefoniczny i obejrzała go ze wszystkich stron. Zerknęła we wsteczne lusterko, ale nie dostrzegła nikogo, kto wyglądałby na szpiega policji. Martwiło ją coś jeszcze: nie miała pojęcia, ile Rudy wie od swojego ojca o sprawie zabójstwa Troplowitza. Być może prokuratorka blefowała, udając niewiedzę.

– To byłoby straszne – szepnęła. Serce podeszło jej do gardła, kiedy uświadomiła sobie, że Rudy złapała ją na pośpiesznie wymyślanych kłamstwach. Teraz mój ruch, pomyślała. Muszę zrobić coś, co zaszachuje królową. Odwróci jej uwagę i pozwoli mi się do niej zbliżyć. Na tyle, by ta przebiegła prokuratorka straciła czujność.

Karina wiedziała, że to musi być majstersztyk, bo ta kobieta jest nieodrodną córką swojego ojca – śledczego. Znalazła ją, choć przecież Karina zrobiła wszystko, by zatrzeć ślady i zerwać jakiekolwiek więzi z tą starą sprawą.

– Po raz kolejny ich nie doceniłam – powiedziała do siebie.

Policja i prokuratura to nie ludzie, lecz system. Wyeliminujesz jednego człowieka, w jego miejsce pojawią się następni. Nowe psy gończe. Pełne zapału, sprytniejsze i jeszcze lepiej wyedukowane. W tej sprawie zaś córka wypełnia niedokończoną misję ojca, choć prawdopodobnie nawet nie zdaje sobie z tego sprawy.

Mam tylko nadzieję, że ta kobieta nigdy nie dowie się, że to przeze mnie jej ojca zaatakował nożownik. Miał zginąć, by przestał węszyć, bo wcale nie zamierzałam składać zeznań obciążających Królikowskiego, pomyślała Karina. A na głos krzyknęła:

– Jak ja cię nienawidzę! Ty skurwysynu! Zygo Królu, Johannie Schmidcie, czy ile masz jeszcze nazwisk. – Silnik skutecznie zagłuszał jej głos, więc się nie powstrzymywała: – Twoja śmierć niczego nie zmieniła. Nie jest mi ani lżej, ani łatwiej. Może tylko przysporzyć mi kłopotów. Przeklinam dzień, w którym cię spotkałam i w którym się w tobie zakochałam. W każdym razie tak mi się wydawało...

Kiedy wyładowała złość, opadła całym ciałem na kierownicę i zaczęła szlochać.

– Nienawidzę go, nienawidzę... Odejdź już. Zostaw mnie w spokoju.

Potem wyjęła swój przenośny miniaturowy komputer i w internetowej wyszukiwarce znalazła stronę przedsiębiorstwa Koenig-Schmidt. Znalazła numer centrali. Długo nikt nie podnosił słuchawki, aż wreszcie telefon odebrał strażnik.

– Dziś biuro jest nieczynne. Zapraszam w poniedziałek – oznajmił.

Posłużyła się kłamstwem, że jest znajomą prezesa i ma sprawę służbową, niecierpiącą zwłoki, po czym błyskawicznie otrzymała numer używany w sprawach awaryjnych. Kobieta dyżurująca pod telefonem podała jej e-mail do pasierbicy Schmidta, nowej pani prezes. Komórki podać jednak nie chciała.

– Nie mam takich dyspozycji. Przekażę dane i telefon pani prezes. Jeśli uzna, że sprawa jest pilna, oddzwoni – obiecała.

Karina dodatkowo wysłała Magdzie e-mail z prośbą o kontakt. Ale sieć BlackBerry poinformowała ją, że wiadomość nie może być dostarczona z powodu braku sygnału. Jeździła więc bez celu po mieście, czekając, aż Magda zadzwoni. Była przekonana, że kiedy tylko córka Schmidta usłyszy jej nazwisko, zechce się dowiedzieć, dlaczego Karina jej szuka. Jeszcze poprzedniego dnia nie chciała zamienić z nią nawet zdania. Kiedy dziewczyna zaczęła ją wyzywać od morderczyń, bez ceregieli wyrzuciła ją z salonu. Właściwie umówiła się z nią jedynie z ciekawości. Chciała zobaczyć, jak wygląda córka Johanna. I rozczarowała się. Magda nie była ładna, na dodatek wyglądała na niedojdę. Karina nie rozumiała, czym Johann tak się zachwycał i dlaczego to właśnie tej małej zapisał cały majątek. Zwłaszcza że była tylko jego pasierbicą. Z pewnością go roztrwoni, pomyślała.

* * *

– Co to jest? – Szerszeń trząsł kartkami wydartymi tej nocy z rąk Magdy i piorunował ją wzrokiem. – Co to ma być? – powtarzał.

Kobieta wpatrywała się w niego z pogardą. Kiedy się odezwała, głos miała niski i chrapliwy:

– Zatrzymaliście mnie tutaj na noc bezprawnie. Będzie pan miał kłopoty.

Podinspektor jakby nie słyszał groźby. Zniknęła jego dobrotliwa mina. Był teraz twardy i nieustępliwy. Oznajmił z przekąsem, że została rozpoznana przez dwóch włamywaczy jako zleceniodawczyni przestępstwa i już teraz powinien postawić jej zarzuty. Zanim jednak rozpoczną przesłuchanie, muszą wyjaśnić sobie kilka rzeczy.

– Nazwisko Poloczek... Mówi ci to coś? – zapytał.

– Nic. – Kobieta nawet nie mrugnęła okiem.

– I nie kontaktowałaś się z nim? – Uśmiechnął się półgębkiem. – W co ty ze mną grasz, dziewczyno? Słyszałaś o więziennym rejestrze odwiedzin? Każde spotkanie, choćby tylko próba widzenia z osadzonym w zakładzie karnym, jest odnotowywane. Nie wiedziałaś o tym? Nie wierzę...

Kobieta zaczerwieniła się, spuściła wzrok, lecz nic nie odrzekła.

– Wytłumaczysz mi łaskawie, co to ma być?

Magda pochyliła się nad stołem, zerknęła na kartki i odparła najspokojniej na świecie:

– To są moje notatki z angielskiego. Wypracowanie i ostatni test. Jestem na szóstym poziomie, niedługo mam egzamin European MBA.

– Słucham? – huknął na nią Szerszeń.

– Master of Business Administration.

– Nie jestem ślepy! – przerwał jej. – Dlaczego chciałaś spalić te notatki?

Magda podniosła głowę i wzruszyła ramionami.

– Nie wmówi mi pan chyba, że palenie notatek jest łamaniem prawa.

Szerszeń zapalił papierosa i spod sterty papierów piętrzących się na jego biurku wyciągnął plik dokumentów spiętych spinaczem.

– Od kiedy używasz telefonu ojca? – spytał, wpatrując się w wydruki billingów telefonicznych.

Niektóre numery były podkreślone czerwonym, inne żółtym lub niebieskim markerem. Szerszeń położył kartki na biurku, tak by przesłuchiwana mogła je zobaczyć, po czym wstał i na chwilę odwrócił się do niej plecami. Wiedział, że dziewczyna wykorzysta te ułamki sekund, by zapuścić żurawia do rejestru. Liczył, że wreszcie uda mu się wyprowadzić ją z równowagi i zacznie mówić. Po chwili znów odwrócił się do niej i postawił na biurku ciężką kryształową popielniczkę, do której strzepywał popiół.

Magda obserwowała jego ruchy i głośno przełknęła ślinę. Jej twarz zdradzała teraz lekkie zaniepokojenie. Wyciągnął w jej kierunku paczkę z papierosami. Ku jego zdziwieniu poczęstowała się. Podał jej ogień. Wpatrywał się w nią i już zamierzał powtórzyć pytanie, kiedy się odezwała:

– Odkąd tato... – zaczęła i zaraz zamilkła.

– Tak? – zachęcił ją.

– Po jego śmierci czasami do niego dzwoniłam. Ot tak, żeby nagrać się na sekretarkę. Mówiłam mu, co czuję. To przynosiło ulgę.

– Ale nie tylko dzwoniłaś do tatusia... Sama też korzystałaś z jego aparatu! A przy okazji przejrzałaś jego spis telefonów, przeczytałaś esemesy, sprawdziłaś kontakty wpisane w komórkę. – Szerszeń blefował, ale kiedy zobaczył zmieszanie na twarzy pasierbicy, ciągnął dalej. – Z jego aparatu dzwoniłaś do co najmniej trzynastu osób, w tym do wszystkich udziałowców Koenig-Schmidt oraz do Boreckiej. Po co?

– Nieprawda – kłamała bardzo nieudolnie.

– Z kilkoma kontrahentami umówiłaś się na spotkanie. Rozmawiałem już z nimi. Olszański, kojarzysz takiego? Chełmek, przetwórnia makulatury... Siedem okrągłych baniek, okazyjna cena zbytu... To właśnie on powiedział mi coś bardzo ciekawego.

– Nie wiem, o kogo chodzi – zaprzeczała wciąż Magda.

– Przecież spotkaliście się w firmie przed moim przyjściem w czwartek. Mam chyba z siedmiu świadków.

– Nie pamiętam...

– W pierdlu sobie wszystko przypomnisz. Odwiedziłaś Poloczka, widziałaś, jak tam jest...

– Ja naprawdę... – jąkała się. – Nie miałam złych zamiarów...

– Tak, tak. – Szerszeń uśmiechnął się krzywo. – Ciekawe, dlaczego na przykład Krzywicki, ten, co ma dziesięć procent udziałów w spółce twojego ojca, o przepraszam, w twojej spółce, omal nie dostał zawału po waszej rozmowie. Opowiedział mi dokładnie, jaką propozycję mu złożyłaś. Ja nazwałbym to zwykłym szantażem... Tego też nie pamiętasz?

Szerszeń już nie musiał blefować. Po tym, jak jego technik przejrzał billingi telefonu zmarłego i zauważył, że ktoś wciąż używa komórki, poprosił Weronikę Rudy, by wniosła o założenie podsłuchu na wszystkie telefony córki Schmidta. A także na ten, którym przed śmiercią posługiwał się Johann. Wiedział o każdej przeprowadzonej przez Magdę rozmowie, o każdej wiadomości, którą wysłała z komórki ojca. Kiedy zażądała kilkuset tysięcy za przedłużenie kontraktów podpisanych przez jej ojca na przetworzenie butelek plastikowych typu pet przez niewielką firmę w Alwerni, skontaktował się z jej właścicielem. Prezes firmy natychmiast zgodził się na współpracę. Potraktował to jako jedyny sposób, by uratować skórę przez płaceniem haraczu, jakiego żądała Magda.

Gdyby Johann Schmidt żył, byłby dumny z córki. Błyskawicznie weszła w zadaną jej rolę. Niestety, zgubiła ją brawura i mania wielkości. Powinna była przewidzieć, że stare wygi, z którymi ojciec współpracował od lat, niełatwo złożą broń w walce z młodą kobietą. To dlatego, kiedy tylko nadarzyła się sposobność, wyśpiewali wszystko policji. Od udziałowców spółki Szerszeń dowiedział się o zaniżaniu zysków, a także o fikcyjnej fundacji charytatywnej, która służyła do prania pieniędzy. Na te przekręty wyrazili zgodę. Teraz jednak byli przerażeni, ponieważ okazało się, że Schmidt zastosował różnych „myków" więcej i wcale nie zamierzał o nich informować wspólników. Kiedy do spółki przyjechał potencjalny właściciel przetwórni makulatury z Chełmka, udziałowcy zrozumieli, że nielegalna fundacja i zaniżanie dochodów to jedynie wierzchołek góry lodowej ich przyszłych kłopotów. Dopóki prezesem był Johann Schmidt, to nawet gdyby odkryli prawdę, żaden z nich nie miałby odwagi donieść o tym policji. Zainkasowaliby zysk i cieszyli się, że ktoś prowadzi tę fabrykę pieniędzy.

Śmierć Johanna wszystko zmieniła. Nie zamierzali milczeć, tym bardziej że kobiety, która w tej chwili zasiadła na prezesowskim tronie, nie byli w stanie zaakceptować. Szerszeń spędził z każdym z udziałowców mnóstwo czasu. Dzięki ich zeznaniom zrozumiał, na czym polegała strategia Johanna, a teraz jego córki. Potem wpadł na trop porozumienia pasierbicy z księgową. Magda nie dzwoniła do niej często. Zaledwie kilka razy. Jednak treść tych rozmów wskazywała, że obie panie łączy jakaś tajemnica. Szerszeń chciał się teraz przekonać, jaki szwindel planują te kobiety. Miał już nakaz przeszukania mieszkania księgowej. Tam jednak znajdowało się kilka ton różnego typu dokumentów. Szerszeń musiał dokładnie wiedzieć, czego szukają. Nie miał pojęcia także, czy kobiety zaczęły współpracować po śmierci prezesa, czy ta koalicja nie zawiązała się jeszcze za jego życia. Rozwikłanie tej zagadki śledczy uważał za kluczowe.

– A teraz powiedz, co zrobiłaś księgowej ojca? – Szerszeń sprawdzał pasierbicę.

– Słucham? – Magda wybałuszyła oczy ze zdziwienia. Wydawała się naprawdę zaskoczona.

– Borecka jest w szpitalu...

– Jak to? Ja nic nie wiem. Co się stało?

Szerszeń odchrząknął.

– Po co chciałaś się z nią spotkać? Lepiej powiedz, bo jeśli jej stan się pogorszy, będziesz miała jeszcze większe kłopoty.

– Nic więcej nie powiem bez adwokata – oświadczyła Magda.

– Sprawa machlojek mnie nie interesuje. Tym zajmą się nudziarze z PG[1]. Wiesz, nad czym się zastanawiam? – Szerszeń uśmiechnął się kwaśno.

Na twarzy Magdy zagościł strach.

– Zostałaś wprowadzona w arkana funkcjonowania firmy... Znałaś plan dnia Schmidta... Pojechałaś do Poloczka... Zleciłaś włamanie do własnego domu, by wzbudzić w nim strach. A może to ty wykonywałaś te anonimowe telefony? Może to ty... zleciłaś tę zbrodnię. Zyskujesz na jego śmierci najwięcej.

Kobieta nagle zaniosła się płaczem:

– To nie tak! – powtarzała.

---

[1] PG – wydział do walki z przestępczością gospodarczą.

Szerszeń wpatrywał się w nią w milczeniu.

– A jak?

Magda nie odpowiedziała. Łkała jeszcze dłuższą chwilę. Szerszeń znudzony wpatrywał się w okno.

– Nie chcesz po dobroci... Wobec tego zadzwoń do swojego mecenasa i inaczej pogadamy.

Magda jednak nie wykonała żadnego ruchu.

– Powiem, dlaczego umówiłam się z Borecką – zdecydowała się wreszcie. – Istnieje dokument, który pośrednio wskazuje na jej dług wobec ojca. Obiecałam jej, że w zamian za pewną przysługę anuluję go. To znaczy zniszczę.

– Jaką przysługę?

– Miała popełnić pewną nieprawidłowość księgową... – westchnęła dziewczyna.

– Jaką? – powtórzył w skupieniu.

Miała wykazać, że firma jest niewypłacalna, tak by w ciągu kilku najbliższych miesięcy można było ogłosić bankructwo...

– Niestety, nic z tego nie rozumiem... I mówiłem już, że nie interesują mnie zbytnio te nudne sprawy gospodarcze.

Tak naprawdę chłonął każde jej słowo. W ten sposób chciał ją sprowokować, by opowiedziała jak najwięcej.

– Nie musiałabym płacić za odpady, na które były faktury z przedłużonym okresem płatności. Jeśli Krzywicki czy Stępień nie wysłaliby nam zamówionego towaru na czas, tylko by na tym zyskali. Mogliby sprzedać to innej firmie. Bo po ogłoszeniu bankructwa nie dostaliby od Koenig-Schmidt ani złotówki. Zachowałam się jak szantażysta, ale jak sam pan widzi, dla ich dobra. Tutaj chodziło o wielotysięczne kwoty. Nie mogłam inaczej. Ojciec ich znał, rozmówiłby się z nimi. Mnie by nie zaufali. Zgłosiliby przekręt prokuraturze i...

Nieważne. Ojciec zamierzał to zrobić. W ten sposób chciał wyprowadzić z firmy jak najwięcej gotówki i tym samym pozbawić zysku jej udziałowców oraz moją matkę... jeśli doszłoby do rozwodu. Podpisała stosowny dokument, który kilka dni przed śmiercią ojca został potwierdzony notarialnie. Wszystkie pieniądze znalazłyby się na jego koncie, a on z kochanką wyjechałby do ciepłych krajów. Część zysków ze sprzedaży ciągów technologicznych, ziemi i budynków dostałabym ja. Ale ja nie chciałam tych pieniędzy.

Teraz jednak, kiedy matka jest w śpiączce, nie widzę sensu ciągnąć tego wszystkiego. Jestem pewna, że prawnicy i trzej członkowie rady nadzorczej szykują coś na kształt zamachu stanu. Od wielu dni ślęczę nad dokumentami firmy, ale nie udało mi się zgłębić wszystkich planów ojca. Wiem dużo, ale nie tyle, by stanąć z nimi w szranki. Ojciec już wcześniej wprowadził mnie do firmy. Wiem o tym przedsiębiorstwie naprawdę wiele. Musiałam jednak skontaktować się z Borecką. Tylko ona mogła mi pomóc. Miała motywację.

Starał się nie pokazać po sobie, że go zaskoczyła. Był pełen podziwu dla jej inteligencji biznesowej. Nagle spostrzegł, że ta dziewczyna wcale nie jest taka brzydka. Gdyby ją inaczej uczesać, umalować, zmienić oprawki okularów... Zająć się nią. Kiedy mówiła o swoim planie ratunkowym dla firmy ojca, Szerszeń nie mógł oprzeć się wrażeniu, że ona rzeczywiście ma łeb do interesów. Chciała przechytrzyć starych wyjadaczy... Szerszeń zorientował się, że stoi z elektrycznym czajnikiem w ręku, w którym kilka minut temu zagotował wodę na kawę.

– Szatański plan – zaśmiał się i odstawił czajnik.

Magda odparła całkiem poważnie:

– Chciałam uratować to, co było. Ogłosić bankructwo, ale odejść z honorem, by dobrze funkcjonująca machina, to jego przedsiębiorstwo, które tyle lat budował, nagle po jego śmierci nie zmieniła się w kupę złomu, nie obróciła w puch.

– Chyba w perzynę.

– No tak... Niestety, nic z tego nie wyjdzie, zwłaszcza że o wszystkim opowiedziałam panu. A Borecka... Co z nią?

Szerszeń machnął ręką i odparł lakonicznie.

– Wyliże się.

Nie chciał jej na razie mówić, że księgowa złamała nogę, straciła przytomność. Magda smutno zwiesiła głowę. Szerszeń złapał się na tym, że nawet współczuje podejrzanej. Straciła ojca, matkę. Mimo to zajmuje się firmą. A potem nagle pojawiła się inna myśl: Ale przecież ona mogła to wszystko ukartować. Może taki właśnie miała plan, by zlikwidować ojca, który chciał odejść do kochanki...

– Dlaczego zleciłaś włamanie do gabinetu ojca?

– Nie zrobiłam tego. To jakieś pomówienie. Nigdy bym czegoś takiego... – Znów się rozpłakała. – Ja nie mam z tym nic wspólnego. Przyznaję się do tych przekrętów. Do nieprawidłowości finansowych. Za to mogę pójść siedzieć, wiem. Ale ja... ja... nie zabiłam taty...

– A twoja matka? Może ona chciała zabić męża? – zapytał.

– Myślę, że tak – odrzekła Magda.

Szerszeń zamilkł. Był zaskoczony.

– Powiedz mi, królewno, co o tym wiesz – zachęcił ją.

– Dobrze. – Magda uśmiechnęła się nieśmiało. – Wszystko panu opowiem, ale, proszę, niech pan wreszcie zrobi tę kawę.

Policjant pokiwał głową i zaczął nasypywać do kubków proszek instant.

– Były momenty, że bardzo tego chciała – opowiadała Magda. – Wiedziałam, że próbowała kogoś znaleźć, pomagała jej jakaś koleżanka ze szpitala.

– Marta Robak?

Magda zmarszczyła brwi, bezskutecznie szukając w myślach osoby o tym nazwisku.

– Szczupła, krótka mini, paznokcie jak wielkanocne jaja... Brunetka...

– Tak, chyba ona. Dała matce numer do jakiegoś znajomego. Ale z tego, co wiem, ojciec uniknął zastawionej przez kilerów pułapki. Matce jednak nie zwrócili pieniędzy.

– Rozpoznasz ich?

Pokręciła głową.

– Nigdy ich nie widziałam. Ale ta kobieta powinna ich znać. Tylko niech pan nie mówi, że ja wygadałam. To byli jej znajomi.

– Skąd tyle wiesz?

– Ojciec zawsze mówił, że jestem do niego podobna. Dużo widzę i słyszę, ale nie mam potrzeby przekazywać tego bez powodu i byle komu... – zawiesiła głos.

Szerszeń przemilczał tę uwagę.

– A ten mężczyzna, Rosiński, twój kierowca... – Spojrzał na nią wnikliwie. Magda wytrzymała jego spojrzenie. – To zaufany człowiek ojca czy może ty go zatrudniłaś? Długo pracował w firmie?

– To bardzo dobry chłopak. Ojciec osobiście go zatrudnił. Z polecenia.

– Czyjego?

– Nie wiem, znajomych.

– Wcześniej pracował w pogotowiu. Twoja matka go znała?

Magda wzruszyła ramionami.

– Nie wiem. Ale on... on... tego dnia miał wolne – mówiła powoli.

Szerszeń zerknął na jej dłonie, które obracały nerwowo gumkę do włosów. Co ukrywasz w związku z tym facetem?, zastanawiał się.

– To powiedz jeszcze raz, ile Borecka pożyczyła od twojego ojca – zmienił temat i odniósł wrażenie, że kobieta odetchnęła z ulgą.

– Czterysta tysięcy plus odsetki. W ciągu ostatnich lat nazbierało się prawie siedemset tysięcy. Ojciec naliczał jej lichwiarski procent. Ona wiedziała, że do końca życia będzie dla niego pracowała. Tak naprawdę to ona najwięcej skorzystała na jego śmierci. Teraz jest wolna.

– I nie chciałaś od Boreckiej zwrotu pieniędzy? – Szerszeń nie dowierzał. – Chciałaś puścić jej płazem taką kasę?

– Jeszcze do wczoraj najwięcej warte były jej umiejętności. Gotowa byłam jej nawet dopłacić... W myśl zasady: cel uświęca środki – wyjaśniła. – A zresztą nie dla pieniędzy to wszystko. Chciałam to zrobić dla niego. Żeby był ze mnie dumny...

Magda ze szczegółami opowiedziała podinspektorowi powikłaną relację jej matki ze Schmidtem. Szerszenia tak zainteresowała ta opowieść, że niechętnie odebrał telefon. Rozmowa była krótka. Szerszeń zmienił się na twarzy i szybko odłożył słuchawkę. Po czym wstał i chwycił bluzę dżinsową, która wisiała na oparciu krzesła.

– Twoja matka wybudziła się ze śpiączki. Pojedziesz ze mną – powiedział.

Magda gwałtownie zerwała się z krzesła i niefortunnie zaczepiła o kubek z resztką kawy, która wlała się wprost do jej torebki. Chcąc ratować zawartość, wyrzuciła gwałtownie wszystko na stół. Szerszeń dostrzegł złożone kartki w biurowej koszulce. Schwycił je i zajrzał, zanim dziewczyna zdążyła zareagować. Była to umowa notarialna, ta ponoć cenniejsza dla księgowej niż jej własne życie. Bezterminowo zobowiązywała Borecką do pracy na rzecz firmy Koenig-Schmidt Sauberung & Recycling sp. z o.o. oraz konieczności dochowania tajemnicy biznesowej. W przypadku naruszenia punktów umowy księgowa musiałaby oddać Magdzie Wiśniewskiej kwotę siedmiuset tysięcy złotych. Szerszeń zerknął na datę.

Magda potwierdziła dokument tuż po śmierci ojca, kiedy jeszcze rada nadzorcza nie ustanowiła jej oficjalnie szefem przedsiębiorstwa. Nie miała więc do tego prawa. Umowę sporządzono nielegalnie. I prawdopodobnie nikt by się nie zorientował, gdyby dziewczyna nie opowiedziała teraz Szerszeniowi tych wszystkich bajeczek, licząc, że wzbudzi w nim litość. To właśnie ten dokument miała wymienić na sprawozdanie finansowe firmy i inne papiery świadczące o nieprawidłowościach w Koenig-Schmidt. To właśnie tę umowę próbowała spalić – jeden róg nosił ślad po płomieniach. Ale dlaczego?, Szerszeń myślał gorączkowo. Widać zorientowała się, że jest śledzona. Wciąż jednak nie mógł wyjść z podziwu, jak szybko dziewczyna podmieniła kartki, kiedy ją złapał dzisiejszej nocy. To dlatego tak teatralnie się szamotała. I uspokoiła dopiero wtedy, kiedy wcisnęła mu do rąk „lewiznę" – swoje lekcje angielskiego. Była sprytna. Za sprytna.

– Ty lisico – syknął i zawołał posterunkowego, by zatrzasnął na przegubach dziewczyny kajdanki.

* * *

395

Hubert Meyer czuł się bardzo zmęczony. W nocy nie zmrużył oka. Kiedy dotarł do domu i odkrył, że Elwira Poniatowska zniknęła, razem z ekipą poszukiwawczą przeczesywali okoliczne posesje i las. Sprawdzono stację benzynową, sklep nocny, lokalny bar z dyskoteką, czynny do białego rana. Nic. Jakby kobieta zapadła się pod ziemię. W efekcie profiler wrócił do domu, kiedy na niebie wisiało już dumnie słońce, i zamiast się położyć, dokładnie przejrzał swoje archiwum. Sprawdzał, czy razem z lekarką nie zginęły mu jakieś dokumenty. Odetchnął z ulgą. Wyglądało na to, że nawet jeśli ktoś je czytał, to nie odważył się niczego ukraść. Potem odszukał wizytówkę Poniatowskiej i zadzwonił pod podane numery, lecz żaden się nie zgłaszał. Oba były wyłączone z sieci. Meyer miał mętlik w głowie. Po co kobieta przedostała się do jego auta, a potem zniknęła? Dlaczego nie uciekła ze szpitala? Jaką wartość mają jej opowieści? Czy nie są przypadkiem wyssanymi z palca bzdurami?

Zrobił sobie kolejną kawę i stwierdził zaskoczony, że czuje niezwykłą lotność umysłu. Zdecydował więc drzemkę odłożyć na później, a teraz zająć się analizą zebranego materiału dowodowego i sporządzić ekspertyzę. Obiecał Szerszeniowi oddać profil najpóźniej jutro. W niedzielę o piętnastej musiał być w pociągu do Gdańska. Na napisanie opinii, przygotowanie się do konferencji oraz oddanie różowej landryny Ance miał więc zaledwie trzydzieści dwie godziny. Usiadł przy biurku, rozłożył wokół potrzebne dokumenty i zaczął zapisywanie wniosków. Początkowo szło mu bardzo sprawnie. W miarę pisania z przerażeniem odkrywał, że jego wiedza jest niepełna. Zwłaszcza jeśli chodzi o sytuację rodzinną Johanna Schmidta. Na wiele pytań nie otrzymał odpowiedzi, ponieważ Klaudia Schmidt, żona ofiary, nadal pozostawała w śpiączce.

Zeznania lekarki w obliczu nowej sytuacji także należało uznać za mało wiarygodne. Meyer uświadomił sobie, że nie odwiedził jeszcze jednego kluczowego miejsca. „Restauracja Latawiec", wrzucił w okno wyszukiwarki. Na ekranie pojawiła się mapa z dojazdem i adres. Hubert zerknął na zegarek i nie wahał się ani chwili. Tylko do popołudnia miał jeszcze auto. A dochodziła już czternasta.

– Poniatowska twierdziła, że właśnie tam umawiała się ze Schmidtem. I że na ich ostatnie spotkanie nie dotarł. Z jakiego powodu pojechał do jej gabinetu? – zastanawiał się głośno profiler, jadąc w kierunku alei Roździeńskiego.

Znalazłszy się przed restauracją Latawiec, Meyer zrozumiał, dlaczego Elwira z takim przekąsem wspominała o tym miejscu. Owszem, można było tu dobrze zjeść, przede wszystkim jednak był to dość podły motel z pokojami na godziny. Meyer zaparkował na ogromnym parkingu, przystosowanym do zatrzymywania się ciężarówek i autobusów, po czym skierował się do wejścia. O tej porze wszystkie neony były wyłączone i budynek wyglądał dość smętnie. Jak tania podróbka dworku. Drewniana konstrukcja była obłożona białym sajdingiem, do środka prowadziły niewielkie schodki. Profiler nacisnął klamkę i otworzył drzwi. Wewnątrz było całkiem przytulnie. Ciepłe pomarańczowe światła sączyły się z lamp stojących w rogach sali. Większość stolików była zajęta. To bardzo zdziwiło psychologa. Nie zdążył zerknąć w kierunku baru, kiedy pojawił się przed nim kelner w liberii.

– Dla palących czy niepalących? – odezwał się przesłodzonym głosem.

– Dla palących – odparł Meyer. – Tylko gdzieś z boku. Jestem służbowo.

Kelner nawet nie mrugnął.

– Proszę za mną. – Zaprowadził Huberta pod samo okno. Zapalił niewielką świeczkę stojącą na stoliku, podsunął czystą popielniczkę, podał kartę. Za chwilę zjawił się znowu i pochylając nisko nad stolikiem, zapytał: – Czym mogę służyć?

Meyer zaciągnął się papierosem i wybrał z karty żurek, pierogi z mięsem oraz herbatę z cytryną. Kelner zapisał wszystko w notesiku i odwrócił się, by odejść.

– Jak długo pan tu pracuje? – Meyer zatrzymał go pytaniem.

– Ponad dwa lata. Czy to przesłuchanie?

Meyer spojrzał w twarz mężczyzny i nie dostrzegł w niej ani strachu, ani uprzedzenia. Widać ten człowiek znajdował się w najlepszym dla siebie miejscu. Sprawiał wrażenie kogoś, kogo nic już nie zdziwi, nic nie zaskoczy.

– Nazywam się Meyer. Jestem psychologiem policyjnym. Pracuję dla organów ścigania, lecz nie przesłuchuję ludzi. Interesuje mnie Johann Schmidt. Ponoć był waszym stałym klientem...

Kelner spojrzał na psychologa badawczo, po czym odrzekł:

– Przykro mi, ale nie znam nazwisk naszych klientów. Wymienione przez pana także nic mi nie mówi. Może ma pan jego zdjęcie... Mam pamięć do twarzy.

Meyer się skrzywił. Nie pomyślał o tym. Poza tym jedyne fotografie, jakie mógłby pokazać dziś kelnerowi, byłyby zdjęciami Schmidta po śmierci.

– To prezes spółki Koenig-Schmidt. Nie wierzę, że tak inteligentny człowiek jak pan, nie wie, o kim mówię. – Przesunął w jego kierunku banknot pięćdziesięciozłotowy. – Proszę przynieść jedzenie i przemyśleć sprawę. Interesuje mnie także drugi maja tego roku. Chciałbym porozmawiać z tym, kto był wtedy na zmianie.

– A zatem ze mną. – Kelner schował pieniądze do kieszonki w marynarce.

– Czyżbym miał aż tyle szczęścia? – Meyer się uśmiechnął.

– I muszę przyznać, że ten dzień doskonale pamiętam – dodał kelner.

– Ciekawe... – mruknął Meyer. – A to dlaczego?

– Ponieważ dawno nie widziałem bitwy między kobietami. Osobiście je rozdzielałem. Jedna z nich nawet mnie podrapała. Miała takie sztuczne paznokcie. To się bardzo źle goi. – Odsłonił kołnierzyk i Meyer dostrzegł wciąż czerwone zadrapania. Skojarzył je ze śladami na ciele Poniatowskiej. Zrobiło mu się gorąco. – Na zapleczu chyba leży jeszcze połamane krzesło, którym jedna rzuciła w drugą – ciągnął kelner.

– Aha. – Meyer udał, że na razie opowieść nie robi na nim żadnego wrażenia. – A kim były te amazonki?

– Może to zbieg okoliczności, ale obie były znajomymi tego mężczyzny, który pana interesuje. Jeśli mam być precyzyjny – była to walka żony z kochanką. Naprawdę świetne widowisko... Mogę sprawdzić ich nazwiska, bo obie płaciły kartą.

– Będę zobowiązany. I proszę już zamówić to jedzenie, bo mi kiszki marsza grają. Potem jeszcze byśmy sobie porozmawiali...

Kelner wykonał polecenie profilera. Sprawdził dokładne godziny płatności zarówno Elwiry Poniatowskiej, jak i Klaudii Schmidt. Opowiedział, jak wyglądała bójka obu kobiet.

– To ta grubsza zaatakowała chudszą. Wyzywały się najgorszymi przekleństwami. Krzyczały, piszczały, rzucały krzesłami. Z trudem je rozdzieliliśmy – relacjonował.

– Dlaczego nie wezwaliście policji? – zapytał Meyer, pałaszując pierogi.

– Widzi pan, był długi weekend, nasz szef miał tutaj gości. Wolał, żebyśmy sami sobie poradzili. To w sumie nic trwało długo. Około osiemnastej obie były już za drzwiami. Wciąż wściekłe, coś tam pokrzykiwały, lecz poszły do swoich samochodów. Nawet nie obciążyliśmy ich za straty. Szef nie miał do tego głowy...

– Nie bój się pan. Nie zamierzam się wtrącać w wasze interesy. Powiedz pan lepiej, ile to mogło trwać, cała ta bójka?

– Jakieś pół godziny. Ale obie były tutaj sporo wcześniej. Jakby czekały na kogoś. Ta chudsza...

– Poniatowska – wtrącił Meyer.

– Przyjechała chyba kwadrans po trzeciej. Siedziała tam, w strefie dla palących. Pod oknem. Miała ze sobą komputer, coś w nim pisała. A ta druga wbiegła po szesnastej. Usiadła z drugiej strony sali i zamówiła szarlotkę. Czytała gazetę, oglądała serial w telewizji. Dopiero po siedemnastej zauważyła tę z komputerem. Rzuciła się na nią i zaczęła się jatka. Mówię panu, w życiu czegoś takiego nie widziałem. Jak na filmie, słowo daję...

Meyer westchnął. Zapytał jeszcze o Schmidta. Kelner przyznał, że widywał go tu często z bardzo różnymi ludźmi.

– Zamożny człowiek. To było widać. Zawsze w garniturze, pod krawatem, zostawiał sowite napiwki. Czasem przychodził na biznesowe lunche, czasem z kobietami. Różnymi. Stare, młode, ładne i brzydkie. Już nie pamiętam, ile tych kobiet było ani jak wyglądały – dodał kelner.

Hubert podziękował mu, dopił herbatę i rzucił na stolik kilka banknotów. Wsiadając do auta, pomyślał, że facet nawet nie zdaje sobie sprawy, jak żelazne alibi daje obu kobietom. Skoro tłukły się ze sobą w Latawcu, nie mogły uczestniczyć w zbrodni na Stawowej. Mogły być jednak jej zleceniodawczyniami.

Werka nie przestawała myśleć o Hubercie. Zdawała sobie sprawę, że to zupełnie absurdalne, lecz fantazjowanie na jego temat sprawiało jej taką radość, że nie potrafiła sobie tego odmówić. Roiła, że mogliby być parą. Wyobrażała sobie, że się spotykają i zakochują w sobie. Rozpamiętywała każdą wspólnie spędzoną chwilę. Nierealne scenariusze, które rozgrywały się w jej głowie, dawały ogromną satysfakcję. Sama nie rozumiała własnego zachowania i tych idiotycznych fantazji, które przecież nie miały szans się spełnić.

Co cię napadło?, beształa samą siebie. Przecież to głupota... On ma żonę... To niemożliwe, idiotko. Niemożliwe, powtarzała. I kiedy uświadamiała sobie realny stan rzeczy, popadała w skrajny smutek. Nie rozumiała, skąd w niej takie pokłady romantyzmu. Do tej pory cynicznie traktowała tego rodzaju porywy serca. A teraz? Czekała, aż Hubert zadzwoni, łudziła się, że do niej napisze... Choćby króciutki esemes, e-mail... Byle coś miłego i niedotyczącego pracy... Niestety, nie działo się zupełnie nic. I Werka popadała w stan permanentnego odrętwienia. Pewnie już o mnie nie pamięta, myślała. Zajął się kolejną sprawą i angażuje się w nią maksymalnie. Taki człowiek nie ma innego świata. Nie potrzebuje porywów serca... Jak on w ogóle zachowuje dystans do tego wszystkiego? A po chwili zastanawiała się: To dlaczego ze mną flirtował, dlaczego tak patrzył, komplementował. Po co? Dla zabawy? Jaka jestem głupia... A może to wszystko tylko mi się wydawało? A on jedynie dobrze się bawił..., wyrzucała sobie.

Wreszcie przełamała swoje zasady i sama do niego zadzwoniła.

– Cześć, Werko. Co jest? Coś nowego? – Z napięcia w jego głosie wyczuła, że trafiła nie w porę. Od razu się wycofała:

– Rozmyślam o sprawie, ale to nic ważnego, może poczekać, zadzwonię jutro.

– Okay. – Odłożył słuchawkę.

Czuła się jak idiotka. Była wściekła. Ten facet sprawiał, że nie potrafiła wydusić z siebie ani jednego sensownego zdania! Jego głos tak ją paraliżował, że błyskawicznie chroniła się pod maską dystansu i chłodu. Wyrzucała sobie, że nie potrafi nawiązać z nim mniej oficjalnego kontaktu. Nie wiedziała, z czego to wynika, i modliła się o coś, co ich połączy. Inaczej oboje będą chodzić tą samą drogą i udawać bajkowego żurawia i czaplę. Miała wrażenie, że nie ma między nimi żadnej płaszczyzny porozumienia. Ani jednej rzeczy, której mogłaby się uchwycić, by zacząć z nim luźną rozmowę.

Z drugiej strony, czuła, że jej zainteresowanie nie wpada w próżnię, że on też o niej myśli. Była o tym wręcz przekonana, kiedy zamykała oczy i uciekała w swoje fantazje z Meyerem w roli głównej. Ale gdy wracała do realnego świata, uświadamiała sobie, że to są tylko jej pobożne życzenia. Jednocześnie nie potrafiła wyzwolić się spod jego uroku. Oszukiwała się, że zależy jej tylko na przyjaźni. Widziała, jaki jest serdeczny, jak miło przyjmują go policjanci na różnych wydziałach. Przypominała sobie, z jakim szacunkiem mówiono o nim w sądzie, gdzie był biegłym. Zapragnęła uczestniczyć w jego życiu, być jedną z jego najbliższych znajomych. Ale nie potrafiła przebić się przez jego pancerz. Działał na nią bardzo silnie, nie rozumiała jednak, dlaczego obdarza ją na zmianę raz ciepłem, raz chłodem. Im więcej czasu mijało od ich wyjazdu do Raciborza, tym bardziej czuła, że fluidy, które między nimi były, ulatują w niebyt. Coś traciła. Czas zamykał przed nią pewną przestrzeń, nie dając jej szansy sprawdzić, co ze sobą niosła.

Weronika myślała ze strachem, że wreszcie nadejdzie moment, kiedy nie zostanie nawet tyle wrażeń, by karmić jej fantazje. Póki więc mogła, uciekała w świat marzeń o Meyerze.

W jej wyobraźni urósł do rangi mitu, półboga. Stał się obsesją, o której nie śmiała nikomu powiedzieć, choć ją zjadała. I Weronika, należąca bez wątpienia do kobiet trzeźwo myślących, które rzadko tracą głowę z powodu rozterek miłosnych, tym razem całkowicie odleciała.

– Zakochałam się – stwierdziła ze zdziwieniem, wpatrując się w zachodzące słońce nad osiedlem Tysiąclecia. Była w takim stanie ducha, że aura nad miastem wydała jej się wyjątkowo romantyczna. – Naprawdę się zakochałam – powtórzyła. – Już nie pamiętałam, że można się tak czuć. To cudowne. Nawet jeśli on o niczym nie wie i nie odwzajemnia moich uczuć...

Zapaliła papierosa i usiadła przed komputerem. Postanowiła napisać mu e-mail. Następnego dnia wyjeżdżał na konferencję i szkolenia z profilowania do Sopotu. Ten czas, kiedy się z nim nie spotka, wydawał się jej wiecznością. Bardzo się starała, by list brzmiał jak najbardziej neutralnie i nie wskazywał na jej rzeczywiste zaangażowanie, którego się wstydziła. Choć tak naprawdę chciała mu powiedzieć, jak bardzo go pragnie, że o nim marzy i że zawładnął jej myślami, grzecznie podziękowała mu za wspólną pracę i opisała prozę życia prokuratora. Mimo to, kiedy nacisnęła myszką „wyślij", serce podeszło jej do gardła. Czy nie zanadto się odsłoniła i profiler pomiędzy wierszami nie odczyta jej prawdziwych intencji? List wydawał się lakoniczny i pozbawiony emocji. A jednak siedziała jak na szpilkach. W ciągu godziny sprawdzała pocztę kilka razy. Niby tkwiła przy komputerze, by wyjaśniać terminy medyczne, które pojawiły się w aktach. Ale tak naprawdę nie wyłączała go, by wiedzieć, czy Meyer odpisał. Niestety, pojawiło się wiele innych wiadomości, a od niego nie było nic.

Wybiła dwudziesta pierwsza. Weronika zdecydowała się zamówić taksówkę i pojechała na przyjęcie organizowane przez Roberta Jóźwika, jej wiceszefa. Z tej okazji włożyła nawet sukienkę – najzwyklejszą szarą princeskę, lecz to i tak była kolosalna odmiana po męskich marynarkach i znoszonych dżinsach, w których chodziła na co dzień. Werka chciała poczuć się kobietą. I najwyraźniej jej się udało, bo kiedy biegła do taksówki, jakiś dwudziestokilkulatek próbował ją zatrzymać, obdarowując komplementem:

– Jesteś taka piękna!

Rzut oka wystarczył mężczyźnie, by zrozumiał, że nie ma żadnych szans na podryw. Weronika zanotowała, że był wysoki, ubrany ze smakiem i niczego mu nie brakowało. Ona jednak dostrzegała teraz tylko jednego mężczyznę: Huberta Meyera. Pozostali nie istnieli. Ten przystojniak też. Szybko wsiadła do auta i kazała się wieźć do znajomych. Już i tak była spóźniona.

Dom Jóźwików położony był w nieciekawej dzielnicy Zabrza. Zaprojektowała go Alicja, żona zastępcy prokuratora okręgowego w Katowicach. Z wykształcenia była architektem, nigdy jednak nie pracowała w zawodzie. Pochodziła z bogatej rodziny i zaraz po studiach rodzice wybudowali dla niej i jej męża dom według jej pomysłu. To było jedyne zawodowe dokonanie pani architekt. Państwo Jóźwikowie nie mieli ani dzieci, ani nawet zwierząt, którymi Alusia (jak pieszczotliwie nazywał ją mąż) mogłaby się zajmować. Wielki, trzykondygnacyjny dom sprzątała gosposia. Alicja miała więc mnóstwo wolnego czasu, który wypełniała, czytając kryminały. Pracę prokuratora i śledczego uważała za fascynującą. Zawsze kiedy Weronika ją widziała, słyszała mniej więcej to samo:

– To cudowne, że uczestniczysz w tych wszystkich śledztwach, o których ja mogę jedynie poczytać. Jak ja ci zazdroszczę... Tak bardzo chciałabym pracować w policji. To takie szlachetne zajęcie – szczebiotała.

Była słodką blondynką, która pod płaszczykiem naiwności skrywała przebiegłego taktyka. Jej mąż chodził jak w zegareczku i na dodatek był przekonany, że to on sprawuje w domu jednoosobowe rządy. Weronika nie zamierzała wyprowadzać go z błędu. Konwersowała z panią domu i była prawie pewna, że gdyby Alicja popełniła przestępstwo, zaplanowałaby je do najmniejszego szczegółu, a jeśliby ją złapano – nigdy by się do tego nie przyznała. Gdyby nawet ktoś chwycił ją za rękę, przekonywałaby, że należy ona do kogoś innego.

Przyjęcie miało się odbyć w ogrodzie. Niestety, okazało się za zimno. Goście szybko wylądowali w salonie. Mieszkanie, tak jak okalające posesję pięknie przycięte krzewy i wypielęgnowane rabatki kwiatowe, było jak z żurnala. Weronika tego dnia prawie nic nie jadła. Na przyjęciu wypiła zbyt wiele wina i szybko poczuła się słabo. Poprosiła gospodarza, by wezwał taksówkę. Przed pierwszą była już w łóżku. Śniło jej się, że wszystko wali jej się na głowę. Czuła fizycznie ciężar, który ją przytłacza i z którym sama musi sobie poradzić.

* * *

– Dobrze, że wreszcie jesteś – wyszeptała Anka, kiedy Hubert podjechał pod dom dentysty, w którym teraz mieszkała jego była żona. Wyszła do niego w szlafroku i kapciach. – Myślałam, że przyjedziesz wcześniej i zobaczysz się z dziećmi – dodała z wyrzutem.

– Jutro wpadnę, przed wyjazdem do Sopotu – obiecał z poczuciem winy. I tak musiał przerwać pracę nad profilem, by pojawić się w Sosnowcu o w miarę przyzwoitej porze. – Jeszcze nie dokończyłem pilnej opinii.

– Zabójstwo tego przedsiębiorcy? – upewniła się Anka.

Meyer pokiwał głową.

– Ciężka sprawa. Mam z nią dużo kłopotów... – dodał półgłosem.

– Anusiu... Co się stało? Z kim ty tam rozmawiasz? Jeszcze się przeziębisz... – rozległo się chrapliwe wołanie zza drzwi, a po chwili wychylił się z nich siwiejący mężczyzna z wąsami. Na widok Meyera natychmiast zesztywniał i dorzucił oschle. – Aniu, proszę, nie stój w takim stroju na ganku. Jest zimno... Sąsiedzi patrzą...

– Już idę, Felicjanie. Dosłownie momencik – odparła słodkim głosikiem Anka.

Meyer się skrzywił. Nie mógł słuchać ich świergolenia. Podał jej kluczyki i dokumenty wozu.

– Dziękuję. Naprawdę, bardzo mi pomogłaś.

– Jak się sprawował? – zapytała była żona i uśmiechnęła się szeroko.

– Urocza zabaweczka – wysilił się Hubert i dodał mimochodem. – Przed chwilą byłem na myjni.

Anka spojrzała na niego podejrzliwie.

– Na myjni? Po co? – spytała. Podeszła do wozu i obejrzała dokładnie karoserię. Wyciągnęła wskazujący palec i poprowadziła nim po błyszczącym lakierze. – Nie musiałeś... Dlaczego?

– Nacisnęła przycisk zwalniający centralny zamek. Otworzyła drzwi i zajrzała do wnętrza.

– O mój Boże! – krzyknęła na widok zacieków na tapicerce.

– Co ty tutaj robiłeś? Woziłeś kapustę na targ? Dlaczego tutaj tak śmierdzi? – Dwoma palcami zatkała nos. Wyglądała, jakby za chwilę miała się rozpłakać.

Meyer tego właśnie się obawiał. Zaraz zacznie się litania. Już nigdy mi nie pomoże, pomyślał. Teraz niech jeszcze sprawdzi dach i będzie po mnie.

Anka, jakby czytając w jego myślach, wsiadła do landryny i uruchomiła auto open roof. Brzęczyk odezwał się miarowo i dach powoli schował się do bagażnika. Meyer obserwował wszystko w napięciu.

– Wjadę do garażu z otwartym dachem. Może ten smród wywietrzeje przez noc. Jak Felicjan to zobaczy i poczuje ... Co to tak cuchnie?... – jęczała.

– Przepraszam. Starałem się posprzątać... – szepnął Meyer. Miał ochotę uciec.

– Większego bałaganiarza w życiu nie spotkałam... – kwękała Anka. – Czy matka nie uczyła cię porządku? Cały czas bujasz w obłokach. Pomóc ci to narobić sobie kłopotów...

– Muszę lecieć – wtrącił Hubert, wykorzystując moment, że musiała nabrać powietrza, by dalej narzekać. – Jeszcze raz ci dziękuję – dorzucił i zaczął się powoli wycofywać.

Ale Anka już go nie słuchała. Całym ciałem oparta o fotel kierowcy wyjmowała spod tylnej kanapy i wyrzucała na wystrzyżony trawnik zamoknięte gazety, reklamówkę, zeschłe liście. Na koniec wydobyła litrowy pojemnik po kefirze. Nie mogła uwierzyć w to, co widzi. Już miała i pudełko cisnąć na trawnik, ale zrezygnowała z pomysłu. Podeszła do Huberta. Jedną ręką chwyciła go za szyję, jakby chciała go udusić, drugą podsunęła mu pod sam nos cuchnący karton.

– Ja w przeciwieństwie do ciebie mam węch. Zejdź mi z oczu, bo nie ręczę za siebie – krzyknęła.

Hubert wolał nie wdawać się w dyskusję. Znał Ankę i wiedział, że za kilka dni złość jej minie. Wtedy będzie czas na wyjaśnienia. Oddalił się więc szybkim krokiem, skutecznie unikając konfrontacji z zaniepokojonym dentystą, który cały czas obserwował zajście zza drzwi i tylko czekał, kiedy będzie mógł stanąć w obronie swojej damy. Nie cierpiał Meyera z wzajemnością. Tymczasem Hubert zastanawiał się, kto był na tyle perfidny, by wrzucić mu ten cholerny pojemnik do wozu.

– Załatwiłem ją na cacy, choć nie zasłużyła... – mruknął pod nosem.

Każdy głupi wie, że mleko wsiąka w tapicerkę i zapach jego rozkładu jest praktycznie nieusuwalny. Anka miała rację – ten trupi odór będzie jej towarzyszył przez najbliższe pół roku.

11 maja – niedziela

Kilka minut po ósmej rozdzwonił się telefon.

– Rudy, słucham – wychrypiała Wcronika. Lcwą ręką zasłoniła oczy przed oślepiającym ją blaskiem słońca. Przytrzymując słuchawkę ramieniem, prawą chwyciła ołówek leżący na nocnej szafce i na ślepo zapisała w notesie adres. – Będę w ciągu dwudziestu minut – obiecała, lccz gdy tylko odłożyła słuchawkę, ponownie naciągnęła kołdrę na głowę i leżała dłuższą chwilę w ciemności, zbierając siły.

Czuła zbliżającą się aurę migreny. Pulsowanie prawej skroni, światłowstręt i wypychanie oczodołu. Zajęło jej chwilę, by poskładać myśli. Jest niedziela. Nie muszę jechać do prokuratury. Ale mam dyżur, myślała gorączkowo. Z trudem zwlekła się z łóżka i wysunęła szufladę, w której trzymała mcdykamenty. Niestety, opakowanie leku, który jej pomagał, było puste. Werka duszkiem wypiła dwie szklanki wody – by rozszerzyć naczynka krwionośne i zyskać na czasie, zanim ból uniemożliwi jej funkcjonowanie. Chwyciła torebkę i wysypała zawartość na stół. W pośpiechu przeglądała pokaźny plik luźnych kartek, aż wreszcie znalazła receptę, którą dwa tygodnie temu wypisał jej lekarz. Nie zdążyła jej wykupić. Wiedziała, że jeśli zaraz nie zażyje imigranu, pulsujący, obezwładniający ból sparaliżuje ją na wiele godzin. Weszła pod zimny prysznic. Kilka minut później była już w aptece. Farmaceutka podała jej szklankę wody i Weronika na miejscu zażyła podwójną dawkę leku. W ciągu godziny znów była w formie.

Ujawnione dziś rano zabójstwo okazało się klasycznym ubojem gospodarczym i zabezpieczenie śladów poszło stosunkowo szybko. Niespełna cztery godziny później prokuratorka wracała do domu, marząc o gorącej kąpieli w pianie.

Dochodziło południe. Werka krzątała się po mieszkaniu – zaparzyła kawę, napuszczała wody do wanny. Włożyła do odtwarzacza CD ulubioną płytę Sade i nacisnęła „play", lecz urządzenie wypluło kompakt. Powtórzyła operację, ale podajnik ponownie wysunął płytę.

– Znów laser do czyszczenia – zamruczała pod nosem kilka przekleństw, po czym zniechęcona weszła do łazienki.

Wanna była napełniona zaledwie w jednej trzeciej. Odkręciła mocniej kurki i wsypała garść soli kąpielowych oraz wlała aromatyczny płyn do kąpieli. Wróciła do salonu. Pomyślała, by włączyć muzykę, korzystając z odtwarzacza w laptopie. Kiedy komputer załadował aktualizacje i Weronika mogła już uruchomić program odtwarzający płyty kompaktowe, w komunikatorze internetowym pojawił się dymek: „masz siedemnaście pilnych wiadomości". Kliknęła w ikonkę i na pulpicie otworzyła się poczta. Była zapchana spamem. Weronika kasowała reklamy biur podróży i oferty pracy za granicą. „Delete, delete, delete", naciskała mechanicznie.

W ostatniej chwili powstrzymała się przed usunięciem także tego mejla. Zamarła, kiedy odczytała nazwisko nadawcy. Tak długo czekała na wiadomość od Huberta. Zerknęła na godzinę wysłania listu. Meyer wysłał wiadomość wczorajszej nocy. List był krótki. Hubert informował, że ze swej strony zakończył pracę nad sprawą zabójstwa Schmidta. „Profil zostawię Waldkowi. Jutro wyjeżdżam do Sopotu. Owocnej pracy".

Jestem okropną idiotką. Czego ja się spodziewałam?, wyrzucała sobie Weronika i szybkim krokiem ruszyła do łazienki. Woda prawie przelewała się przez brzegi wanny. Wypuściła jej trochę i zrzuciła ubranie. Obejrzała się w lustrze. Przypatrywała się swojemu ciału, jakby patrzyła na inną kobietę. Stała tak chwilę, aż dostała gęsiej skórki. Oceniła piersi, wcięcie w talii. Obróciła się o dziewięćdziesiąt stopni i obejrzała pośladki. W łazience unosił się brzoskwiniowy zapach płynu do kąpieli. Weronika zanurzyła się w wodzie, a kiedy ciepło rozeszło się po jej ciele, poczuła się o wiele lepiej.

Muszę coś zrobić ze swoim życiem, bo przecieka mi przez palce, postanowiła. Zdecydowała, że dziś odwiedzi synka, choćby to miało wywołać wścickłość jej byłego męża. Wyskoczyła z wanny, zostawiając na podłodze łazienki mokre kałuże w kołnierzach baniek mydlanych. Ze zdwojoną energią zaczęła szykować się do wyjścia.

* * *

– Ponoć coś dla mnie macie? – rzucił w drzwiach dworcowego komisariatu podinspektor Szerszeń.

Nie mógł się doczekać, kiedy przeczyta opinię Huberta na temat sprawy śmieciowego barona. Profiler skończył ją dopiero nad ranem. Nie zdążył mu jej dostarczyć osobiście. Kopertę z opinią zostawił więc w komisariacie na dworcu.

– Jest tam taki sympatyczny chłopak. Ma dziwne imię. Czekaj, bo zapomniałem... Faustek, Ferdynand? O, wiem... Anatol. Spytaj o Anatola – poinformował go Hubert przez telefon, siedząc już w pociągu do Gdańska. – Będzie pilnował opinii do czasu twojego przyjazdu. Znam tego młodego człowieka. Był u mnie na szkoleniach w ubiegłym roku. Profil jest w dobrych rękach – zapewnił.

Podinspektor natychmiast pojechał po dokument. W dworcowym komisariacie zastał dwóch skrajnie różnych funkcjonariuszy. Jeden był zarozumiałym niskim grubasem, niewiele młodszym od Szerszenia, a drugi chuderlawym młodzieńcem o ryżej czuprynie i meszku pod nosem w tym samym odcieniu. Pomiędzy nimi piętrzył się stos dokumentów, lecz starszy policjant wyglądał na mocno rozleniwionego. Spojrzał ze zdziwieniem na przybysza, który energicznie wmaszerował do niewielkiego pomieszczenia. Widać atmosfera dnia wolnego od pracy udzieliła mu się w pełnej rozciągłości. Szerszeń ocenił sytuację w kilka minut. Ten ryży to musi być Anatol, pomyślał. Młody policjant szeroko uśmiechnął się na widok mężczyzny w koszuli od policyjnego munduru i bez zbędnych pytań podał mu szarą zaklejoną kopertę, jakby przekazywał jakiś skarb. Podinspektor z miejsca go polubił.

– A co to? Listonosza sobie znaleźliście? – odezwał się starszy funkcjonariusz, najwyraźniej zwierzchnik Anatola. I nieprzyjemnym tonem zwrócił się do młodego sierżanta: – A ty, Antek, skąd wiesz, czy oddajesz przesyłkę właściwej osobie? Może to przebieraniec.

Szerszeń spiorunował grubasa wzrokiem, lecz nie odezwał się ani słowem. Drażnił go ten dworcowy zapach – mieszanina moczu, ludzkiego potu i smażonego od tygodnia oleju, który wypełniał także wnętrze komisariatu.

Anatol, słysząc reprymendę zwierzchnika, aż zaniemówił ze strachu.

– Tak, racja... Czy... czy mógłbym prosić o okazanie legitymacji? – szepnął onieśmielony gwiazdką i dwiema pałeczkami na pagonach koszuli policjanta. Wpatrywał się zaniepokojony w twarz Szerszenia, bo szara koperta była już w jego rękach.

– Nie ma problemu. – Szerszeń natychmiast pokazał mu stosowny dokument.

– Podinspektor Waldemar Szerszeń, Wydział Zabójstw Komendy Wojewódzkiej Policji – odczytał młodzieniec i spojrzał na gościa z szacunkiem.

Starszy sierżant kompletnie zbaraniał.

– Proszę wybaczyć, podinspektorze... – zaczął się natychmiast tłumaczyć. – Chyba mogę liczyć na zrozumienie. Nie chciałbym, by tak ważny dokument wpadł w niepowołane ręce. – Odchrząknął i wpatrywał się w Waldemara z lekkim niepokojem.

Szerszeń zignorował go i zwrócił się dobrodusznie do Anatola:

– Dziękuję, młody człowieku. Oby tak dalej, a daleko zajdziesz. Nadkomisarz Meyer bardzo cię chwalił... – dodał, skinął głową na pożegnanie i odwrócił się na pięcie.

Nie zamierzał dłużej dyskutować z policjantami z miejskiego komisariatu. Marzył tylko o tym, by jak najszybciej przeczytać profil. Zjadała go ciekawość, choć starał się nie dawać tego po sobie poznać. Ale już przy drzwiach zaczął otwierać kopertę.

– Tak, daleko – zaśmiał się grubas, sądząc, że Szerszeń już tego nie słyszy. – Czeka cię kariera w „Siódemce"[1] albo i Poczcie Polskiej, ty lizusie-doręczycielu. Jak będziesz się tak dawał wykorzystywać, nigdy się stąd nie wyrwiesz... Patrz na mnie. Siedemnasty rok siedzę na tym posterunku, niedługo osiągnę tu pełnoletność. Cha, cha! Trzeba umieć się opędzać od tych z wojewódzkiej. Najchętniej całą robotę by na ciebie zwalili. Robić im się nie chce... Patałachom...

Szerszeń doskonale słyszał kpiny starszego policjanta. Nie mógł ścierpieć, jak podstarzały stójkowy naśmiewa się z uczynnego Anatola. Z impetem zawrócił i wtargnął do środka.

Nazwisko... huknął na starszego.

– A po co to panu? – fuknął niegrzecznie funkcjonariusz.

– Rzeczywiście, po nic. Pana nazwisko tak naprawdę mnie interesuje – odrzekł i popatrzył na młodszego.

– Starosta – odparł karnie przestraszony sierżant.

– Sierżancie Starosta, proszę się do mnie zgłosić w przyszłym tygodniu. Wewnętrzny dwadzieścia pięć zero trzy czterdzieści pięć. Sekretarka komendanta umówi pana na rozmowę kwalifikacyjną. Wydział Zabójstw Komendy Wojewódzkiej Policji potrzebuje takich ludzi jak pan. Szkoda, by się marnowali w komisariacie, gdzie nie mają właściwych wzorców – oświadczył Szerszeń i mrugnął porozumiewawczo do Anatola.

Młodzieniec aż się zarumienił. Starszy policjant wpatrywał się w Szerszenia, jakby zobaczył ducha. Nawet się nie zorientował, że z dłoni wysunął mu się długopis, potoczył po stole i spadł na podłogę.

Zadowolony Szerszeń wymaszerował z dworca i skierował się do auta. Rozsiadł się wygodnie za kierownicą, uchylił okno i z lubością zapalił papierosa. Nie włączał jeszcze silnika.

---

[1] „Siódemka" – firma kurierska.

Rozerwał kopertę i wyjął plik kartek A4 spiętych zszywaczem. Gorączkowo przelatywał wzrokiem ekspertyzę. Początkowo kiwał głową na znak zrozumienia i zadowolenia. Potem już tylko przeskakiwał akapity, by jak najszybciej dojść do wniosków. Kiedy dotarł do oceny osobowości sprawców, zbladł i zniecierpliwiony wyrzucił niedopałek za okno. W skupieniu czytał kolejne punkty opinii. Im bardziej wgłębiał się w przygotowany przez Meyera profil, tym bardziej narastała w nim wściekłość.

– Co to, kurwa, jest – rzucił wreszcie.

Zaczął oglądać każdą kartkę z obu stron, jakby szukał na niej linii papilarnych. Potem sprawdził numery w prawym dolnym rogu, lecz stwierdził, że nie brakuje żadnego z nich. Obejrzał jeszcze dokładnie charakter czcionki i kolor tuszu. Wyglądało na to, że żaden z dokumentów nie był podmieniany ani poprawiany. Zszywka, którą były spięte, także wyglądała na oryginalną.

– To niemożliwe – mruknął do siebie, nie dowierzając temu, co widział. A potem zaczął mówić coraz głośniej i głośniej. Być może samego siebie chciał przekonać, że ma rację. – To jakaś pomyłka! Meyer, jeszcze nigdy nie zrobiłeś mi takiego numeru! I co ja mam z tym zrobić? Co to, do kurwy nędzy, jest? To jakaś chujnia, a nie profil! Jaka przypadkowa ofiara? Jaki splot nieoczekiwanych okoliczności? To zupełnie nie pasuje do mojego dochodzenia, do moich wniosków, do moich hipotez śledczych, do tego, o czym rozmawialiśmy i w jakim kierunku idą działania operacyjne! To może i jest jakaś analiza, ale nie profil sprawcy w sprawie Schmidta! Tu się nic nie zgadza! To wszystko jest bez sensu! Meyer, czyś ty rozum postradał? Jak mogłeś tak spierdolić robotę!

Szerszeń zapalił silnik i z piskiem opon ruszył do komendy, chciał jak najszybciej zadzwonić do profilera. Był wściekły, bo gdyby przyjął do wiadomości wnioski zawarte w ekspertyzie, musiałby przyznać, że wszystko, co do tej pory zrobił w tym śledztwie, nadaje się do kosza.

– Masz szczęście, że się dobrze znamy – mruczał niezadowolony. – Ktoś inny dawno urwałby ci głowę, jeśli nie coś więcej...

Całą drogę ćwiczył przekleństwa, jakie rzuci psychologowi w twarz, kiedy tylko uda mu się z nim połączyć.

* * *

Weronice dzień upłynął szybko i stosunkowo miło, zważywszy na okoliczności. Do Gliwic, gdzie mieszkali jej byli teściowic, dotarła w porze obiadu. Tomek rozpoznał jej auto, zanim podjechała pod bramę. O dziwo, dziadkowie także ucieszyli się na jej widok.

– Córeczko, przestań się już wygłupiać i wróć do domu. Wiktor tak cię kochał... Jakbyś wróciła, na pewno ci przebaczy. Znów bylibyście szczęśliwi – przekonywała teściowa, nalewając jej niedzielnego rosołu.

Zachowywała się tak, jakby pomiędzy Weroniką a Wiktorem wcale nie doszło do rozwodu i jakby sama cztery lata temu nie zeznawała w sądzie na korzyść syna. Weronika zwykle nie mogła znieść hipokryzji starszej pani i na tego typu uwagi wybuchała nieokiełznaną złością. Dziś jednak tylko kiwała obojętnie głową.

– Raczej wątpię, mamo...

Uśmiechnęła się kwaśno i spojrzała kątem oka na swojego byłego teścia, który zachowywał się tak, jakby wstydził się za nich oboje – syna i żonę. Był jednak człowiekiem niezwykle strachliwym i nigdy się im nie przeciwstawił, choć Weronika czuła, że często trzymał jej stronę.

Tomek nie schodził z kolan matki. Wtulał się w nią jak niemowlę, chociaż dawno skończył sześć lat. Weronika wiedziała, że chłopiec z powodu zatargów pomiędzy rodzicami ma kłopoty z zasypianiem, moczy się w nocy i jest chorobliwie nieśmiały, przez co stał się kozłem ofiarnym w zerówce. Kilka razy rozmawiała o tym z przedszkolnym psychologiem, lecz niewiele mogła zrobić. Widywała syna zaledwie cztery razy w miesiącu po kilka godzin dziennie – bo jedynie na tak rzadkie widzenia zezwolił sąd – a jej były mąż bardzo tego pilnował. Czasami jednak, jak dziś, mogła z dzieckiem spędzić nawet cały dzień. Innym razem, w ramach przynęty, Niki podrzucał jej dziecko jak zabawkę. Wtedy zwykle czegoś od niej chciał. Dziś miała wyjątkowe szczęście. Niki był daleko i nie kontrolował jej wizyty. Mogła bawić się z synem, swobodnie rozmawiać, śmiać się, jakby sytuacja była zupełnie zwyczajna. Nawet dziadkowie, ponieważ nie musieli odgrywać przed synem cerberów wnuka, byli wobec niej uprzejmi.

Kiedy Weronika poznała państwa Nikitorowiczów, wydali jej się niezwykle dystyngowani. Podkreślali, że pochodzą z „tych Nikitorowiczów", czyli ukraińskiej szlachty dworskiej. Pani Irena była zawsze elegancko ubrana, jak spod igły. Nawet w upał nosiła koronkowe rękawiczki, by słońce nie opalało jej delikatnej skóry. Piekła przepyszną szarlotkę i schab ze śliwką. Pan Mariusz, wykładowca akademicki i znawca trzech języków obcych, wysławiał się najpiękniejszą polszczyzną, nieskażoną gwarą czy wulgaryzmami. Nigdy nie podnosił głosu i ulegał najdziwniejszym widzimisię żony. Ich syn – Wiktor – był całym ich światem. Od dzieciństwa wychowywali go, jakby był co najmniej następcą tronu, a nie zwykłym śmiertelnikiem.

Kiedy Weronika wstępowała do tej rodziny, sądziła, że chwyciła Pana Boga za nogi. Gdyby wtedy ktoś jej powiedział, że ta sielanka to jedynie fasada, wyśmiałaby go. Była przekonana, że w życiu państwa Nikitorowiczów wszystko funkcjonuje jak w szwajcarskim zegarku – na najwyższym poziomie i bez wad. Szybko zrozumiała, że w ich rodzinie brakowało ciepła i życzliwości. Nie darzyli nimi siebie i nie potrafili tych wartości przekazać synowi, który wprawdzie osiągał sukces za sukcesem, lecz nie potrafił kochać nikogo oprócz siebie. Weronika bała się, że jeśli jej syn dłużej zostanie pod opieką babci i dziadka, także zostanie wykastrowany emocjonalnie. Wciąż jednak nie miała sił, by przeciwstawić się mężowi. Nie wiedziała, co zrobić, od czego zacząć. Tkwiła więc w tej sytuacji i godziła się na warunki Nikiego, bo czuła się bezsilna. Zarzucała sobie wygodnictwo i tchórzostwo. Wiedziała, że to karygodne, lecz nie potrafiła zrobić ani kroku, by wyjść z tego zaklętego kręgu.

Dzień upłynął Weronice na zabawie z synem. Rodzice Nikiego zgodzili się nawet, by zabrała Tomka na przejażdżkę. Matka i syn cieszyli się każdą wspólnie spędzoną chwilą. Werka nie chciała wracać do swojego pustego domu. Wiedziała jednak, że ta chwila musi nastąpić. To było w ich sytuacji najtragiczniejsze. Moment, kiedy będzie musiała wyjść.

– Mamo, dlaczego mnie zostawiasz? – zapytał nagle synek.

Weronika zamarła. W jej oczach zakręciły się łzy. Dziecko nie rozumiało tej skomplikowanej sytuacji. Jak miała mu ją wyjaśnić? Zdawała sobie sprawę, że prawdopodobnie dziadkowie i ojciec karmią go bredniami, że to ona go porzuciła. Nie bardzo wiedziała, jak ma się bronić przed takimi oszczerstwami.

– Synku, muszę jechać do pracy – kłamała. – Ale niedługo wrócę. Zobaczysz. Któregoś dnia będziemy już razem.

– Ja nie lubię dziadków. Oni robią mi krzywdę.

– Jaką krzywdę? – dopytywała się zaniepokojona. Głos jej drżał, choć bardzo starała się to przed synem ukryć.

– Oni są źli... – mówił chłopiec. – Ja chcę iść z tobą.

Ich pożegnania zawsze tak wyglądały. Chłopiec bezbłędnie odczytywał jej emocje. Wiedział, że matka zamierza wyjść, zanim ona sama mu to powiedziała. Nie miała pojęcia, ile w oskarżeniach syna jest prawdy, a ile wyobraźni. Nie potrafiła tego ocenić i tym bardziej to ją przerażało. Teraz chłopiec wtulił się w jej ramiona i gorzko zapłakał. Siedzieli tak wtuleni w siebie, jakby spleceni cierpieniem. Weronika starała się swoim ciałem ochronić syna przed światem, choć wiedziała, że to jedynie chwilowe złudzenie. Nienawidziła byłego męża, teściów, całej tej sytuacji, a nade wszystko siebie. Za to, że nie potrafi stanąć twarzą w twarz z prawdą i odciąć się raz na zawsze od Nikiego. Przez swoją bezradność zadaje cierpienie niewinnemu dziecku. Czuła się potworem.

A może by tak porwać małego i uciec gdzieś daleko, gdzie nikt nas nie znajdzie?, myślała po raz kolejny. Ucieczka wydała jej się wspaniałym pomysłem, który rozwiąże wszystkie problemy. Ale doskonale zdawała sobie sprawę, że nie wolno jej tego zrobić – jest przecież prokuratorem, a porwanie to przestępstwo. Kiedy jednak Tomek wtulał się w jej piersi, nie myślała racjonalnie. Emocje brały górę i była gotowa na wszystko. Nawet na niekończącą się ucieczkę i los ściganej. Z rozmyślań wyrwał ją głos byłego męża. Ostry, chrapliwy, podszyty szyderstwem.

– O, mamusia nas odwiedziła... Cóż za niespodzianka...

Aż podskoczyła zaskoczona i przestraszona. W tym samym momencie poczuła, że Tomek wtulił się w nią mocniej, jakby była jego ostatnią deską ratunku. Zacisnęła zęby, by nie powiedzieć przy dziecku niczego, czego by potem żałowała. Starała się dzisiaj znieść wszystkie impertynencje.

– Mama chyba już musi jechać. Poradzimy sobie lepiej bez niej, co, synu? – ciągnął Niki.

– Może jesteś głodny, Wiktorku... – Zaraz podbiegła do syna pani Nikitorowicz. – Może napijesz się herbatki? Tomek taki był podenerwowany, kiedy cię nie było... No powiedz, jak tęskniłeś za tatusiem, Tomciu.

W odpowiedzi dziecko ukryło twarz w ramionach matki. Weronika usłyszała, jak cichutko łka.

– Synu, weź się w garść. To przez matkę tak się ślimaczysz. Nie mogę patrzeć na to mazgajenie. Werko, przestań się nad nim tak trząść. To nie jest niemowlę!

– A może Tomek przenocuje dziś u mnie? Zaprowadzę go jutro do przedszkola. Tylko tę jedną noc.

– Nie ma mowy. Dziadek się nim zajmie – uciął Niki.

Tomek tymczasem wybuchł płaczem.

– Przestań się mazać! – huknął na niego ojciec. – Co ty, baba jesteś? Idź już. Patrz, co narobiłaś! – po chwili krzyknął i na Weronikę. – Przecież ciebie nie obchodzi to dziecko. Pojawiasz się tutaj w weekendy, bawisz się z nim. To na mojej głowie jest jego wychowanie. To ja jestem z nim dzień w dzień.

Weronika z trudem zachowywała spokój. Kiedy jednak były mąż zaczął ją obarczać winą za stan małego, nie wytrzymała.

– Byłoby zupełnie inaczej, gdybyś pozwolił nam widywać się częściej. Straszysz mnie sądem, swoimi kolegami z mafii...

– Tam są drzwi. Wynoś się! Chyba że chcesz być wyprowadzona przez policję – oświadczył Niki jadowicie.

Tym razem nie podniósł głosu. Nie musiał. Weronika zamilkła.

– Idź już. Nie potrzebujemy takiej żmii wyhodowanej na własnym łonie – dorzuciła była teściowa, a prokuratorka spojrzała na nią zdziwiona. Jeszcze godzinę temu była taka słodka, oferowała jej dodatkowy kawałek ciasta i prosiła, by zamieszkała z nimi... Nie mogła w to uwierzyć.

– Nigdzie nie pójdę – oświadczyła i przytuliła mocniej syna. A po chwili dodała: – A wiesz, może masz rację. Już pójdę.

Ruszyła w kierunku drzwi z synem w ramionach.

– Dokąd to? – Wiktor jednym susem znalazł się obok niej. Zagrodził jej drogę i siłą wyszarpał z rąk sześciolatka, który wił się i płakał. – Cicho bądź! – krzyknął na chłopca.

Ten jednak płakał coraz głośniej. Weronika wyciągnęła ręce w kierunku Tomka. Wiktor odwrócił się, posadził syna na podłodze, po czym chwycił byłą żonę za ramię i wypchnął za drzwi. Po chwili ponownie otworzył drzwi i cisnął w Weronikę torebką, której zawartość rozsypała się na podjeździe. Kobieta pochyliła się, by pozbierać swoje rzeczy. Słyszała rozpaczliwe łkanie syna, krzyki byłego męża, uspokajający głos teściowej. Tylko ojciec Nikiego jak zwykle nie odezwał się ani słowem. Już nie potrafiła się powstrzymać. Łzy popłynęły jej po policzkach. Spotkania z Tomkiem często tak wyglądały. Weronika nie wiedziała, ile zdoła jeszcze wytrzymać. Nie jestem dobrą matką, nie potrafię ochronić własnego dziecka. Nie zasługuję na szczęście. Kiedy wsiadła do samochodu i wracała do swojego pustego mieszkania, po raz kolejny czuła się jak w matni.

Chcę umrzeć! Zatrzymała się i ukryła twarz w dłoniach. Od lat godziła się na wszystkie warunki Nikiego, a on coraz bardziej przesuwał stawiane jej granice. To dlatego żyła jak zakonnica. Nie pozwalała sobie na żadne poważniejsze związki. W jej pokręconym życiu nie było miejsca dla nikogo prócz dziecka. Musiałaby przecież wtajemniczyć bliskiego człowieka w zawiłości swojej egzystencji, a kto zgodziłby się na taki życiowy bałagan, kto wytrzymałby tę nieustanną emocjonalną huśtawkę, na jaką narażał ją Niki? Kilka razy spróbowała, lecz kiedy przelotny romans przeradzał się w coś poważniejszego, otrzymywała ultimatum: ja albo twój eks. Wybór był tylko jeden. Odrzucając

Nikiego, odrzuciłaby Tomka – swojego jedynego syna. Wybierała więc dziecko, a nowy mężczyzna myślał, że wraca do męża. Tak było za każdym razem. W końcu nie chciała już przeżywać tego wszystkiego od początku. Właściwie pogodziła się z tym, że będzie żyła sama. Tak było wygodniej i mniej bolało. To dlatego zyskała miano „Wenery" niezdolnej do żadnych uczuć. Ewentualne umizgi mężczyzn traktowała z obojętnością godną królowej śniegu. Zamroziła swoje emocje i potrzeby do czasu, aż sprawy się unormują. Ale spotkanie Huberta sprawiło, że wszystko czuła ze zwielokrotnioną siłą. Zawsze racjonalna i poukładana, teraz kompletnie straciła głowę. Wiedziała, że to uczucie nie jest miłością i chyba nie ma sensu. Ale choć cierpiała, to było niezwykłe i piękne. Dzięki Meyerowi wracała do żywych.

Była w połowie drogi do Katowic, gdy zadzwoniła komórka. Nie zatrzymując się, jedną ręką przeszukiwała torebkę. Miała tego dnia dyżur, powinna być stale pod telefonem. I tak dopisało jej szczęście, że nienękana służbowymi wezwaniami mogła spędzić tyle czasu z synkiem. Zerknęła na wyświetlacz i zobaczyła, kto do niej dzwoni. Miała wrażenie, że serce zatrzymało się jej z wrażenia. W ostatniej chwili zmniejszyła prędkość, inaczej wjechałaby w tył rolniczego ciągnika, który nieoczekiwanie wyrósł przed nią na jezdni.

– Meyer, dzień dobry.

– Przepraszam, sądziłam, że to... Dlaczego dzwonisz? Co się stało? – zapytała, z trudem siląc się na obojętny ton.

– Naprawdę można się ciebie przestraszyć – zaśmiał się Hubert. I zaraz dodał: – Jestem nad morzem... Ale nie dosłownie, niestety. W Sopocie, pamiętasz... Mam tu cykl wykładów i zostaję na tydzień. Okazało się, że jedno miejsce jest wolne. Mówiłaś, że chciałabyś uczestniczyć w szkoleniu z profilowania. Mogę ci je zarezerwować. Co ty na to?

Weronika chwilę milczała. To oczywiście nie znaczyło zupełnie nic. Po prostu wyjazd na wykłady.

– Kiedy? – spytała.

– Zajęcia są od jutra do soboty. Możesz przyjechać, kiedy chcesz. Jeśli się zdecydujesz, miejsce będzie czekało, więc...

– Bardzo bym chciała – zapewniła go. – Ale... ile to kosztuje?

– Za wykłady nic nie musisz płacić. Są w budżecie komendy – wyjaśnił Meyer.

– A co z noclegiem?

– Z tym może być kłopot. W hotelu policyjnym nie ma już miejsc. A w pozostałych ceny takie, że głowa boli. Jedyne, co mogę ci zaproponować – odchrząknął – to nocleg w starej willi, którą pomorska komenda policji wynajmuje na specjalne okazje. Żadne luksusy, ale ja tu mieszkam i... mógłbym cię przenocować.

Rudy nabrała powietrza. Nie wiedziała, co odpowiedzieć. Jeszcze wczoraj marzyła o takiej sytuacji. Teraz jednak była pełna niepokoju.

– Może mi się uda wziąć wolne na kilka dni – powiedziała. – Jeszcze się odezwę.

– Dobrze, to rezerwuję ci to miejsce. – Meyer się rozłączył.

Weronika odłożyła telefon na siedzenie pasażera, jakby kładła rannego motyla. Spojrzała raz jeszcze na komórkę i zastanowiła się, czy przed chwilą nie śniła. Czy wyobraźnia nie płata jej jakiegoś figla. Chwyciła telefon i sprawdziła rejestr połączeń. Wyraźnie widziała nazwisko Meyera. Troskliwie schowała komórkę do kieszonki bluzki. Miała wrażenie, że niebo nagle się rozjaśniło. Świat poweselał. W głowie słyszała cudowną muzykę. Była szczęśliwa. Zaczęła dostrzegać kolory, zapachy. To było cudowne. Znów dawała sobie szansę na życie. Miała wrażenie, że niedługo skończy się jej wegetacja, zamartwianie się i podporządkowywanie. Wszystko dzięki tej jednej rozmowie, a właściwie obietnicy, którą ta rozmowa niosła. Nagle uwierzyła, że wszystko w jej życiu może się odmienić.

Zapragnęła oddalić się od głównej szosy, zatrzymać i odetchnąć świeżym powietrzem. Przedłużyć tę chwilę, by nie umknęła jak kilometry, które pokonywała. Skręciła w piaszczystą alejkę tuż za zagubionym przystankiem autobusowym i podjechała kawałek. Wysiadła z auta i napawała się tym, co ją spotkało. Miała wrażenie, że to prezent od losu, na który tak długo czekała. Takie małe zadośćuczynienie za lata smutku, cierpienia i chłodu emocjonalnego, w który wpędził ją Niki.

Przed nią rozciągało się pole rzepaku. Soczysta żółć kwiatów sprawiała wrażenie gorącej. Razem z zielenią trawy i błękitem nieba, po którym wiatr ganiał pulchne cumulusy, sprawiały, że wszystko wydawało się przerysowane; wyjęte z folderu reklamowego o przekłamanych barwach – zbyt smacznych, by były prawdziwe, lecz skutecznie pobudzających apetyt odbiorcy. Podeszła i pogładziła czuprynę rzepakowego pola, poczuła miękkość kwiatów i skierowała twarz do słońca. Zamknęła oczy. Wiatr smagał jej twarz, włosy wirowały, wplątywały się w okulary przeciwsłoneczne, które cały czas miała na nosie. Drżała. Po prostu trzęsła się z podekscytowania. Obiema rękami odgarnęła włosy, zdjęła z szyi apaszkę, a włosy związała wysoko w koński ogon. Uśmiechała się.

Otworzyła oczy i rozejrzała się. Ponad dachem samochodu zobaczyła widok równie piękny. Przed nią rozciągało się pole płaskie jak naleśnik, z jasnozieloną, młodziutką trawą, jakby jakiś austriacki rolnik wystrzygł ją zgodnie z unijną normą. Pośrodku pola rosło drzewo. Było rozłożyste i stare. Jak z bajki. Miało powykręcane gałęzie. Nie mogła od niego oderwać wzroku. Pomyślała, że tak właśnie wygląda symbol mądrości. Była przekonana, że jeśli teraz wypowie życzenie, to ono się spełni. Zamknęła oczy i skoncentrowała się.

Żeby było magicznie. Żeby było mistycznie. Jakkolwiek miałoby się skończyć, powiedziała w myślach. Czuła teraz moc i magię życia. Potrzebowała chwili, by wrócić do realności. A może wcale nie chciała wracać. Nagle ktoś brutalnie pociągnął ją za rękaw.

– Pani! Pani! – usłyszała.

Zachwiała się i omal nie upadła na ziemię jak długa.

Otworzyła oczy i zobaczyła, jak niewysoki i niestary mężczyzna z wytrzeszczonymi, jasnymi oczami oraz nieprawdopodobnie pomarszczoną od słońca skórą, bierze zamach, by uderzyć ją w twarz. Wtem rozległ się rumor – nieprzytrzymywany przez mężczyznę stary, odrapany rower uderzył w lewy reflektor mitsubishi diamante. Hałas błyskawicznie przywrócił Weronikę do rzeczywistości i zanim zaczęła znów konstruktywnie myśleć, pierwsze do równowagi wróciło jej ciało. Dosłownie w locie złapała dłoń wieśniaka, przytrzymała ją i wykręciła na plecy.

– Ja, ja tylko... Pani taka była dziwna. Jak zjawa – dukał przerażony.

– Czego chcesz? – syknęła prokuratorka.

– Ja wołałem. Pani nie mówiła nic. Myślałem, że to zapaść. Moja córka miała zapaść. Pomogło uderzenie w twarz. Wtedy wróciła.

Weronika momentalnie puściła mężczyznę. Próbował jej pomóc. Myślał, że źle się czuje.

– Przepraszam – szepnęła.

Kucnęła i podniosła z trawy telefon, który w wyniku szarpaniny wpadł pod koło auta. Gdyby go nie zauważyła, przejechałaby po nim i nie wiedziałaby, gdzie go zgubiła.

– To ja już... – Mężczyzna dłuższą chwilę wpatrywał się w tę zadziwiająco piękną, lecz – był przekonany – chorą kobietę.

Nie wiedział, skąd się tu wzięła ani dlaczego tak dziwnie się zachowuje. Ale nie miał wątpliwości, że powinien znaleźć się jak najdalej od niej. Żadna z kobiet, które znał, ba! żaden mężczyzna, nie potrafi w jednej chwili i niemal bez użycia siły obezwładnić napastnika. Kiedy kobieta trzymała go w żelaznym uścisku, poczuł, że za paskiem jedwabnej spódnicy w kolorowe kwiaty ma coś twardego. Doskonale wiedział, co to mogło być, lecz nie chciał sprawdzać, czy w kaburze była broń i czy była naładowana. Pedałował więc teraz ile sił w nogach, przekonany, że spotkał morderczynię, która dokonuje zbrodni na zlecenie. Być może właśnie kogoś zabiła i napawała się swoim bestialstwem, myślał.

Dojechał do głównej drogi i nawet się nie rozejrzał. Tak bardzo chciał być jak najdalej od tej szalonej kobiety, że nie dostrzegł nadjeżdżającego z prawej strony busa. Trąbiąc niemiłosiernie, samochód w ostatniej chwili wyminął rowerzystę, który już prawie był po drugiej stronie szosy, ale pęd powietrza powalił go na ziemię. Po chwili z obu stron nadjechały kolejne auta i mężczyzna zrozumiał, że miał dużo szczęścia.

– W ciągu kwadransa dwukrotnie uniknąłem śmierci – ucieszył się i przeżegnał kilka razy.

Werka obserwowała go z zaciekawieniem. Kiedy omal nie wpadł pod bus, przeraziła się. Ale gdy stoczył się do rowu, wybuchnęła szczerym śmiechem. Musiała być dla niego niezwykłym widokiem na tym pustym polu. Znów zapatrzyła się na żółtą, puchatą przestrzeń.

– Co się ze mną dzieje? – Spojrzała na telefon, przez który niedawno rozmawiała z Hubertem. – I co ja robię? Boże, co ja robię? – przestraszyła się teraz swojej decyzji. Bo nie miała żadnych wątpliwości: jedzie do niego. Cokolwiek miałoby się między nimi zdarzyć.

* * *

– Jest pani wolna – oświadczył Waldemar Szerszeń i puścił Magdę Wiśniewską przodem.

Kobieta wpatrywała się w niego z wyrzutem.

– Mówiłam, że będzie mnie pan musiał wypuścić. Jestem niewinna.

Szerszeń spojrzał na nią spode łba i powstrzymał się przed cierpkim komentarzem. Czuł się zdruzgotany, skołowany. Jakby wypompowano z niego całą energię. Nie miał sił na rozmowy z podejrzaną. Nie rozumiał już nic. Był w kropce.

– Wychodzi pani za kaucją. Proszę nie wyjeżdżać z miasta i być w ciągłym kontakcie. Nie muszę dodawać, że będzie pani pod obserwacją. – Skinął na funkcjonariusza, by zwrócił zatrzymanej rzeczy osobiste i odprowadził ją do wyjścia z komendy.

Magda wyprostowała się i nie spojrzała więcej na Szerszenia.

– Proszę mi wezwać taksówkę – zwróciła się do funkcjonariusza wyniośle. Kiedy spiorunował ją wzrokiem, wskazała na swój telefon. – Jest rozładowany – skłamała i wyszła.

422

Stojąc na schodach komendy, wpatrywała się w granatowe rozgwieżdżone niebo, jakby zastanawiała się nad czymś, układała w myślach plan. Zapaliła papierosa, ale przy pierwszym zaciągnięciu zakrztusiła się. Paliła jednak dalej, wpatrując się w pusty podjazd. Zgniatała niedopałek w popielniczce przy drzwiach, kiedy podjechała jej taksówka. Siedząc już w środku, wyjęła z torebki komórkę, włączyła ją i wstukała kod PIN. Odsłuchała pocztę głosową, spisała kilka numerów z rejestru abonentów, a potem wyłączyła aparat i wyjęła z niego kartę SIM, którą przełamała i wyrzuciła przez uchylone okno auta.

– Muszę zadzwonić. Gdzie o tej porze kupię kartę do automatu telefonicznego? – zapytała.

Taksówkarz zawiózł ją na pocztę główną. Tam Magda kupiła kartę chipową i wykręciła numer spisany w taksówce na chusteczce higienicznej.

– Karina Maliszewska? – odezwała się, bacznie rozglądając się na boki. – Będę u pani za dziesięć minut. Proszę włożyć płaszcz. Jest zbyt piękna noc, by nie wybrać się na mały spacer.

12 maja – poniedziałek

Na szczycie sterty papierów piętrzących się na biurku podinspektora Szerszenia leżał portret psychologiczny sprawcy zabójstwa śmieciowego barona. Policjant czytał go kolejny raz. Nic mu się nie zgadzało. Jeszcze wczoraj był przekonany, że psycholog sporządził opinię byle jak, ponieważ śpieszył się do Sopotu. Z drugiej strony nie mógł uwierzyć, że Meyer tak zaniedbałby swoje obowiązki. Pracowali razem od lat. Nigdy wcześniej nie zdarzyło się nic podobnego. Zaczął więc podejrzewać, że psycholog w pośpiechu pomylił pliki i przynajmniej ostatnią część, dotyczącą cech osobowości domniemanych sprawców, skopiował z innej opinii, nad którą pracował w tym samym czasie.

A takiego zaniedbania Szerszeń nie mógł puścić płazem nawet najlepszemu przyjacielowi. Kiedy nabuzowany złością wrócił z dworca do komendy, próbował zadzwonić do Meyera. Chciał go porządnie zrugać. Niestety, przez ponad godzinę nie mógł się połączyć. Podinspektor domyślił się, że zaczęły się wykłady i profiler wyłączył telefon. Szerszeń nie miał wyjścia – musiał radzić sobie z tym, co miał. Po raz kolejny przeczytał niedoskonałą – jego zdaniem – ekspertyzę, próbując dopasować ją do potencjalnych sprawców. Bez skutku. Co gorsza, nie miał pojęcia, na jakiej podstawie profiler wyciągnął takie wnioski i postawił takie hipotezy. Siła sugestii profilu była jednak tak silna, że pamiętał każde jej słowo.

Spał niespokojnie. Kręcił się na karimacie, budził kilkakrotnie, aż wreszcie o piątej nad ranem postanowił wstać i rozpocząć dzień. Zrobił sobie mocną kawę, przeczytał raz jeszcze analizę profilera i wtedy go olśniło. Stwierdził, że o żadnej pomyłce nie ma mowy. Jeśli ktoś się pomylił, to on sam. Nie podobał mu się profil, bo nie pasował do jego podejrzanych. Tymczasem powinien myśleć odwrotnie: to jego podejrzani nie pasują do profilu. Kiedy uświadomił sobie tę nieprzyjemną prawdę, poczuł niepokój. Opinia burzyła dotychczasową linię śledztwa. Co dalej?, myślał gorączkowo podinspektor. Teraz już na profil patrzył inaczej. Analizował każde zdanie, lecz nie próbował dopasowywać go do tego, co ułożył sobie w głowie w ciągu ostatniego tygodnia. Wiedział, że musi całkowicie zmienić sposób myślenia o sprawie i potencjalnych sprawcach. Ale jak? Co mam, do cholery, zrobić? Ogarniała go panika. Było mu coraz bardziej gorąco, aż poczuł duszność.

Zerwał się z krzesła i zaczął energicznie chodzić po pokoju – w tę i z powrotem.

– Ofiara przypadkowa... Kluczem jest Kaiserhof... Klucze... Stary Gybis... Lekarka i jej zniewieściały mąż... Dwudziestodolarówka... – mamrotał.

Gdyby ktoś wszedł w tym momencie do pomieszczenia, zdziwiłby się, że ten człowiek jest uważany za jednego z lepszych śledczych. Szerszeń wyglądał, jakby stracił kontakt z rzeczywistością. Czerwone plamy, które pojawiały się na jego twarzy jako sygnał wielkiego zdenerwowania, zniknęły, a twarz stała się trupio blada. Chwycił paczkę papierosów, którą kupił po wyprowadzce z domu. Ze zdziwieniem spostrzegł, że zostały mu jedynie dwie sztuki. Zapalił jednak kolejnego. Popiół z papierosa spadał na podłogę, Szerszeń nawet nie trudził się, by go donieść do popielniczki. Po kilkunastu minutach podinspektor wreszcie się uspokoił i zasiadł ponownie za biurkiem.

– Jak to dobrze, że jestem starym, zacofanym pierdzielem – mruknął do siebie i uśmiechnął się pod wąsem. Był

zadowolony, że nie udało mu się dodzwonić wczoraj do Meyera.
– Zrobiłbym z siebie kompletnego głupka.

Położył przed sobą profil i przyznał wreszcie, że Meyer precyzyjnie złożył elementy tej układanki. Dostrzegł kwestie, które on zbagatelizował, a które z resztą informacji tworzyły interesujący kontekst sprawy śmieciowego barona. Profiler w pigułce zawarł wszystkie najważniejsze informacje, jakie udało się zebrać wszystkim pracującym przy tej sprawie ekspertom: technikom kryminalistycznym, medykom sądowym, policjantom z dochodzeniówki i wreszcie samemu Meyerowi. Były tam niepodważalne fakty: dokładny opis miejsca zdarzenia i obrażeń ofiary, dane wiktymologiczne[1], a nawet analiza miejsca zdarzenia. Szerszeń to wszystko wiedział – Meyer jedynie uporządkował.

Charakterystyka osobowości sprawców zawierała dość szczegółów, by pomóc w eliminowaniu potencjalnych podejrzanych. Wielostronicowa ekspertyza była tak sugestywna, że podinspektor niemal widział zabójców i był przekonany, że gdy stanie z nimi twarzą w twarz podczas przesłuchania, rozpozna ich, wyczuje niczym pies gończy. Niestety, obraz sprawcy nakreślony w profilu przez Huberta zupełnie wykluczał Saszę i Bajgla, na których między innymi podinspektor stawiał do tej pory. Szerszeń nie miał więc zupełnie nic.

– Pierdolone nic! – burknął pod nosem zrozpaczony. – Straciłem tyle cennego czasu...

Dziś mijał dokładnie tydzień od ujawnienia zwłok Johanna Schmidta. Meyer w niczym nie mógł już policjantowi pomóc. Jego rola w tej sprawie skończyła się na sporządzeniu ekspertyzy. Dalsze czynności, a więc odkręcanie rozpoczętych działań i zaczynanie dochodzenia od nowa Szerszeń musiał wykonać sam. Ta odpowiedzialność ciążyła mu wyjątkowo dotkliwie. Nie miał jednak złudzeń – skoro włożył w to śledztwo tyle pracy, nie podda się. Nie teraz! Wprawdzie po tak długim czasie zatrzyma-

---

[1] Dane wiktymologiczne – informacje dotyczące życia ofiary, cech jej osobowości itd.

426

nie zabójców będzie zdecydowanie trudniejsze, jednak nie z takimi sprawami dawał już sobie radę. Wziął do ręki plik kartek
i znów zaczął czytać opinię psychologa.

Profil nieznanego sprawcy zabójstwa Johanna Schmidta
wykonany na zlecenie KWP Katowice w dn. 11.5.2008 r.

nadkomisarz Hubert Meyer, radca Wydziału Kryminalnego
KWP Katowice, psycholog policyjny

Miejsce zdarzenia

Lokal znajduje się na drugim (przedostatnim) piętrze kamienicy przy Stawowej. Jest połączeniem dwóch mieszkań. Liczy
ponad 120 metrów kwadratowych. Właścicielem mieszkania
(także całej kamienicy) jest Elwira Poniatowska, z wykształcenia
i wykonywanego zawodu doktor nauk medycznych ze specjalno-
ścią seksuolog, która prowadziła w tym mieszkaniu prywatną
praktykę. Salon (realnie gabinet, w którym odbywały się terapie,
także grupowe) jest pokojem narożnym – okna wychodzą na
ulicę Stawową i 3 Maja. Pozostałe pokoje: biuro lekarki (okna na
3 Maja), kuchnia (okna na podwórko), łazienka, korytarz i poczekalnia (brak okien). Budynek jest zabytkową kamienicą, w której
zamieszkiwały tylko dwie rodziny: Elwira Poniatowska wraz
z mężem Michałem Douglasem I synklem Tymoteuszem na 3.
piętrze (bezpośrednio nad lokalem nr 6) oraz Elfryda Hasiukowa
na 1. piętrze (przeciwległa strona klatki schodowej). W trakcie
remontu kamienicy w lokalu numer 6 wyburzono większość oryginalnych ścian i zastąpiono je nowymi. Jedna z nich – ścianka
z karton-gipsu – oddzielała korytarz od salonu w taki sposób, by
osoba wchodząca nie widziała, kto znajduje się w głównym pomieszczeniu mieszkania. Wynikało to z przeznaczenia lokalu
(gabinet lekarski).

Po wejściu do mieszkania policja zastała tam bałagan. Zabytkowa lampa stojąca przy oknie balkonowym z prawej strony była
zapalona. Rzeczy były porozrzucane, szafa z aktami pacjentów

wybebeszona – dna szuflad do góry, zawartość do ziemi. Nie zginęły żadne akta pacjentów. Wytłuczona porcelana, rozrzucone pościel i koce. Z biblioteki zrzucone książki (jedynie do wysokości wzrostu człowieka). Przedmioty znajdujące się na półkach powyżej pozostały w stanie nienaruszonym (książki, szkatułka z biżuterią, elementy dekoracyjne i pomoce naukowe). Rozmazana substancja brunatna (krew) znajdowała się na podłodze, a na niej liczne ślady protektora obuwia o dwóch typach wzorów – buty typu „adidasy". Największe nasycenie rozbryzgów i smug substancji brunatnej w korytarzu przy drzwiach oraz po wejściu do salonu. Odpryski krwi na ścianach (największe nasycenie – ścianka z karton-gipsu). Nie zabezpieczono elementów, które mogły wypaść ofierze np. z kieszeni, co pozwala na przypuszczenie, że ofiara nie była przemieszczana, np. ciągnięta z korytarza do salonu.

Na stole nieznaczne ślady krwi, niewielkie kropki, które powstały w wyniku rozprysku z dużej odległości. Obrus nieściągnięty, dwie filiżanki na spodkach nieprzemieszczone (brak śladów brunatnej substancji pod spodkami), w jednej pozostała niemal cała zawartość. Obok nich telefon komórkowy Elwiry Poniatowskiej, właścicielki mieszkania. Włączony i sprawny. Brak obrazów (tanie ryciny i pergaminy z Indii o tematyce seksualnej). Brak zegarka ofiary – drogi, złoty, wysadzany szlachetnymi kamieniami, prawdopodobnie Rolex. Kuchnia oraz łazienka nie noszą śladów walki ani plądrowania. W biurze lekarki – mniejszym pokoju w głębi mieszkania – w miejscu, gdzie powinien znajdować się komputer, klucze do mieszkania lekarki wraz z kluczykami do samochodu Saab 95, należącego do Johanna Schmidta. Samochód zaparkowany nieprawidłowo pod kamienicą przy placu Szewczyka.

Zabójstwa dokonano w tzw. długi weekend. Sklepy znajdujące się na dole w ciągu handlowym były nieczynne.

Obrażenia ofiary
Na ciele ofiary liczne obrażenia: ślady uderzeń tępokrawędzistym narzędziem, liczne rany cięte, sześć ran kłutych o różnej głębokości, poderżnięcie przewodu tętniczego. Ślady po uderze-

niach pięściami w obrębie głowy. Rany kłute zlokalizowane w okolicach górnej powierzchni pleców i karku, łopatek. Brak śladów związanych z obrażeniami na kończynach dolnych i górnych. Ciosy były zadawane znienacka, sprawca/sprawcy unikali bezpośredniej konfrontacji z ofiarą. Oprócz siniaków i podbiegnięć krwawych, sińców okularowych najmniejsze nasycenie obrażeń na twarzy. Usta zakneblowane apaszką właścicielki mieszkania. Za paznokciami wyskrobiny (naskórek sprawców). Na przedniej części ciała duże nasycenie substancją brunatną, wynikającą z rany przewodu tętniczego. W krwi ofiary nie stwierdzono alkoholu.

Przebieg zdarzenia
Zabójstwa Johanna Schmidta dokonano 2.5.2008 r. w godzinach popołudniowych w lokalu nr 6 przy ul. Stawowej 13. Sprawca dostał się do powyższego lokalu, używając oryginalnych lub dorobionych z oryginału kluczy pomiędzy 14.00 a 15.00 – w tym czasie lekarka codziennie robi sobie przerwę i udaje się na lunch na mieście. Elfryda Hasiukowa, która zamieszkuje lokal o numerze 3 w tym samym budynku, była wtedy w swoim mieszkaniu, którego okna wychodzą na ulicę 3 Maja oraz na podwórze. Jest żywo zainteresowana tym, co dzieje się w jej bliskim otoczeniu. Tego popołudnia nic podejrzanego nie słyszała ani nie widziała. Żadnych innych osób w tym czasie nie było w budynku.

Kiedy sprawca znalazł się w mieszkaniu, nikogo w nim nie było. Zamknął za sobą drzwi i ukrył się w najmniejszym pokoju pozbawionym okien, pełniącym funkcję poczekalni dla pacjentów – tam czekał na ofiarę (niedopałki papierosów Red-White, popiół na dywanie, ślady biologiczne). Johann Schmidt tego popołudnia był umówiony w gabinecie z Elwirą Poniatowską. Przyjechał o umówionej porze – około godziny 16.00. Do mieszkania wszedł, korzystając z kluczy, które dała mu lekarka. Wewnątrz przebywał z drugą osobą. Pili kawę z filiżanek, palili papierosy marki Marlboro. Atak nastąpił znienacka, kiedy Johann Schmidt podszedł do drzwi. Nie zdążył ich jednak otworzyć. Z poczekalni wyskoczył sprawca. Johann Schmidt został uderzony w głowę wazonem znajdującym się w poczekalni w celu ogłuszenia i wprowadzenia w psychologiczny rewir działania zabójcy. Mimo zaskoczenia Schmidt stawiał czynny opór. Prawdopodobnie zareagował agresją werbalną i fizyczną, co jedynie wzmocniło agresywne zachowania sprawcy/sprawców. Napastnik uderzał ofiarę po głowie tępokrawędzistym narzędziem, np. pięściami, zadawał nożem ciosy w plecy i w kark. Johann Schmidt, chcąc się ratować, przemieścił się do salonu. Sprawca wciąż zadawał ciosy. Schmidt był trudną ofiarą, więc sprawca poderżnął mu gardło – dla pewności.

Po dokonaniu zabójstwa sprawca upozorował rabunek. Powywracał szuflady z szafy z aktami pacjentów, leżały dnem do góry, wytłukł porcelanę z gabloty, wyciągnął pościel z sofy, zrzucił część ozdób – materiałów pomocniczych do leczenia pacjentów (odwzorowania penisów z drewna, rzeźby, figurki etc.). Zrzucił książki, dokumenty, które były w zasięgu jego rąk. Kiedy w pomieszczeniu został już upozorowany bałagan, przesunął krzesło lekarki pod okno balkonowe, obok stołu, i umieścił na nim zwłoki ofiary. Nogi przymocował taśmą do nóg fotela. Ręce związał z tyłu. Usta zakneblował apaszką znalezioną w pomieszczeniu – twarz okręcił taśmą. Zdjął ze ścian obrazki i zabrał je ze sobą, pozorując rabunek. Po opuszczeniu lokalu zamknął drzwi kluczami. Zszedł po schodach i oddalił się w kierunku ulicy Młyńskiej lub 3 Maja. Całe zajście wraz z odejściem sprawcy/sprawców trwało maksymalnie 2 godziny.

Dane wiktymologiczne
Johann Schmidt był osobą o potężnej budowie ciała – wzrost 184 cm, waga około 130 kilogramów. Mimo wieku (47 lat) oraz otyłej budowy ciała był silny i dość sprawny fizycznie. Sprawcom nie udało się go ogłuszyć uderzeniem w głowę wazonem. Z charakteru konfliktowy, dominujący. Charakteryzował się sprytem życiowym i umiejętnością szybkiej oceny sytuacji. Potrafił być agresywny werbalnie, a także fizycznie w codziennych sytuacjach. W sytuacjach kryzysowych umiał zachować zimną krew. Był osobą potrafiącą osiągać cele. W krytycznym momencie,

mimo zaskoczenia atakiem sprawców, rozpoczął czynną obronę. Sprawcom trudno było nad nim zapanować. Z wywiadu z bliskimi i współpracownikami ofiary (Halina Borecka, Elwira Poniatowska) wynika, że był typem człowieka, który „nie odpuszcza". Był mściwy i niezdolny do podporządkowania się. Z natury nieufny, miał skłonność do manipulacji.

Życie ofiary było w ostatnim czasie pełne konfliktowych sytuacji. Prowadził duże, świetnie prosperujące przedsiębiorstwo Koenig-Schmidt Sauberung & Recycling sp. z o.o. Miał wielu wrogów i powikłane życie osobiste. Był człowiekiem zamożnym. Interesy Schmidt prowadził w sposób nieetyczny, w głównej mierze był nastawiony na zysk i sukces. Nie znosił przegrywać. Był materialistą, zdobywanie pieniędzy było głównym celem jego życia. Niechętnie się nimi dzielił (wyjątkiem była jego pasierbica Magda, której zapisał cały majątek).

Z żoną mu się nie układało. Klaudię Schmidt uważał za osobę niedorównującą mu intelektem i cechami charakteru. Ich relacja emocjonalna była jednostronna. Żona wykazywała wiele poświęcenia. By ich małżeństwo funkcjonowało, godziła się na każde warunki męża. Jej bardziej zależało na tym związku (to ona w 2006 roku doprowadziła do zalegalizowania związku).

Od 2007 roku Johann Schmidt był uwikłany w wirtualny romans z Elwirą Poniatowską, lekarką seksuolog, właścicielką mieszkania, w którym dokonano zbrodni. Znali się od 2005 roku – lekarka prowadziła jego terapię seksuologiczną. Jego kliniczny przypadek nazwała najtrudniejszym i najciekawszym w swojej karierze. Wieloletni klient agencji towarzyskich. Prostytutki obawiały się go, mówiły, że jest chory. Miał skłonności do perwersji oraz agresywnych zachowań seksualnych. Przed laty postawiono mu zarzut usiłowania gwałtu na hostessie Elżbiecie Maciejczyk. Sprawa została umorzona – kobieta wycofała oskarżenie. Był to jeden z jego wybryków seksualnych, których na koncie miał wiele. Jedyną osobą, którą Schmidt obdarzał pozytywnymi uczuciami, była jego pasierbica Magda. Relacja z Elwirą Poniatowską była dla niego rodzajem perwersyjnej rozrywki. Manipulował nią seksualnie.

Ostatni tydzień życia
24.4.2008 (czwartek)

16.00–18.00 – spotkanie z żoną w szpitalu (taras bufetu), podczas którego oświadcza, że od niej odchodzi. Każe jej podpisać dokumenty, w których w przypadku rozwodu kobieta zrzekała się prawa do majątku męża (poza domem wraz z wyposażeniem i dwoma samochodami). Dodatkowo Schmidt zobowiązuje się do wpłaty na jej konto kwoty 50 tysięcy złotych.

Ok. 21.00 – wynajmuje pokój dwuosobowy w hotelu Monopol (ul. Dworcowa 5). Spędza tę noc z kobietą (nie została zarejestrowana w dokumentach hotelu). Znany dokładny rysopis kobiety: szczupła brunetka w wieku 35–40 lat. Z wyglądu dość atrakcyjna, elegancko ubrana. Miała na sobie beżowy trencz. Włosy związane chustką.

25.4.2008 (piątek)

8.00–15.00 – praca.

Ok. 16.00 – spotyka się z Józefem Janeckim, zaprzyjaźnionym notariuszem, który sporządzał na rzecz firmy i prywatnych spraw ofiary wiele aktów notarialnych.

Ok. 18.30 – spotkanie z Haliną Borecką. Zleca księgowej zlikwidowanie wszystkich pełnomocnictw Klaudii Schmidt dotyczących ich wspólnego majątku i firmy. Wydaje dyspozycję przelania 50 tysięcy na jej konto, a na rzecz fundacji „Promyczek" – kwoty 75 tysięcy złotych.

Ok. 22.00 – przyjeżdża do domu przy ul. Kilińskiego, który już formalnie należy do Klaudii, zostaje na noc. Przekazuje córce pełnomocnictwa i akty potwierdzone przez notariusza.

26.4.2008 (sobota)

Ok. 9.00 – wyjeżdża z pasierbicą Magdą Wiśniewską do Chełmka w interesach.

Ok. 14.00–21.00 – kierowca Wojciech Rosiński przewozi rzeczy Schmidta z dawnego domu do nowego mieszkania przy Gliwickiej.

27.4.2008 (niedziela)

Ok. 20.00 – powrót z Chełmka. Odwozi Magdę do domu. Sam jedzie na Gliwicką. Sprawdza, czy rzeczy zostały przewiezione. Nocuje w hotelu Monopol.

28.4.2008 (poniedziałek)

Ok. 7.30 – wydaje ekipie polecenia, jak i gdzie ustawić przedmioty i meble.

Ok. 8.00–19.00 – praca. Pierwsza noc w mieszkaniu przy ul. Gliwickiej.

29.4.2008 (wtorek)

Ok. 14.30 – telefonicznie informuje lekarkę Poniatowską, że rezygnuje z książki. Chce, by skasowała napisane przez niego teksty. Proponuje spotkanie w tej sprawie w piątek, 2 maja.

Ok. 18.00 – telefonicznie żąda od księgowej zwrotu $^1/_3$ długu (w wysokości 400 tysięcy złotych).

30.4.2008 (środa)

Ok. 10.00 – do siedziby firmy przychodzi dwóch mężczyzn wyglądających na członków półświatka. Zostają wyrzuceni przez ochronę. Schmidt wzburzony wychodzi z budynku ok. 13.00.

Ok. 14.00 – przyjeżdża na komisariat i żąda relacji z postępów w śledztwie dotyczącym włamania do jego domu.

Ok. 22.30 – nocleg w hotelu Monopol.

Ok. 1.00 w nocy z hotelu wychodzi kobieta, która 24.4.2008 była widziana w hotelowej restauracji ze Schmidtem.

1.5.2008 (czwartek)

Dzień spędza z Magdą Wiśniewską (Chorzów – spacery po parku, zoo).

2.5.2008 (piątek) – dzień śmierci

7.30–12.00 – przebywa w Koenig-Schmidt.

12.00 – wyjeżdża z firmy służbowym samochodem. Jeden z pracowników firmy zauważył, jak w centrum wsiada do auta kobieta wyglądająca na osobę w bardzo zażyłym kontakcie (np. seksualnym) z ofiarą. Rysopis jak powyżej.

Ok. 14.00 – zwalnia kierowcę przy placu Szewczyka. Auto zostawia zaparkowane i odchodzi z kobietą prawdopodobnie w celu konsumpcji.

Ok. 15.00 – spotkanie z Elwirą Poniatowską w celu wycofania się z książki. Zostaje zamordowany.

Ocena osobowości sprawcy

1. Sprawców zabójstwa było dwóch lub trzech. Przestępstwo zostało dokonane w grupie i sprzyjały mu takie mechanizmy jak anonimowość, rozproszenie odpowiedzialności, przenoszenie jej z jednego sprawcy na drugiego. Działanie w grupie ułatwiało dokonanie zbrodni. Powodowało wystąpienie syndromu myślenia grupowego ukierunkowanego na działanie, przesunięcie ryzyka i łatwość eskalacji agresji i przemocy. Z dużym prawdopodobieństwem należy stwierdzić, że zostało ono dokonane na zlecenie.

2. Obaj sprawcy-wykonawcy posiadają niską inteligencję oraz wykształcenie podstawowe lub zawodowe. Są nimi mężczyźni w przedziale wiekowym 20–25 lat i 25–35 lat. Osoba, która była starsza, pełniła w zdarzeniu rolę wiodącą. Prawdopodobnie nie posiadają stałej pracy, mogą być bezrobotnymi, trudniącymi się działalnością przestępczą. Jeśli pracują, to tylko dla przykrycia działalności przestępczej. Wśród nich mogła być kobieta, która pełniła rolę zleceniodawcy.

3. Charakteryzuje ich duża sprawność fizyczna. Przynajmniej jeden z nich ma ponad 180 cm wzrostu. Drugi może być niższy, lecz jest sprawny fizycznie. Ofiara w trakcie zdarzenia podejmowała aktywne próby obrony. Atak nastąpił znienacka, co osłabiło mechanizmy obronne ofiary. Mimo to sprawcom nie udało się jej obezwładnić.

4. Motywem wiodącym działania sprawców był motyw emocjonalny, wynikający z lęku i niepokoju (chaos na miejscu zdarzenia, duża liczba obrażeń, ciosy zadawane z dużą siłą), motywem uzupełniającym zaś – motyw ekonomiczny (prawdopodobnie

gratyfikacja w postaci konkretnej kwoty pieniędzy od zleceniodawcy). U zleceniodawcy zbrodni dominowało poczucie bycia zdradzonym i oszukanym. Osoba ta zaplanowała, umożliwiła i wynagrodziła zabójcom dokonanie przestępstwa. Mogła także roztoczyć wizję, że zdobędą na miejscu dodatkowy łup, co okazało się nieprawdą. To mogło spowodować zwielokrotnienie agresji i „nadzabijanie" (*overkill*), które m.in. przejawiało się w poderżnięciu gardła etc.

5. Sprawca-wykonawca odgrywający rolę wiodącą w zdarzeniu jest osobą o bardzo wysokim poziomie agresji, który może się przejawiać nawet w codziennych sytuacjach.

6. Zdarzenia nie poprzedziła interakcja ofiary ze sprawcami. Działali z zaskoczenia. Prawdopodobnie nie doszło do rozmów z ofiarą, po opuszczeniu kryjówki od razu zaczęli działania przemocowe. Schmidt nie wpadł jednak w stupor – stawiał czynny opór. Mógł krzyczeć, przeklinać, co przyczyniło się do zaostrzenia konfliktu. Taka postawa ofiary wzmocniła nastawienia agresywne sprawców, uruchomiła procesy grupowe opisane wyżej.

7. Sprawcy dość dobrze znają teren. Mogą pochodzić z aglomeracji Katowic. Efektywnie oddalili się z miejsca zdarzenia. Nie pochodzą jednak z okolic Stawowej, a nawet z centrum miasta. Nie znali topografii kamienicy, niezbyt dobrze czują się w tym domu, nie jest to dla nich teren bezpieczny. Prawdopodobnie nigdy wcześniej nie byli w tym mieszkaniu. Dobrze natomiast znają teren przyległy. Od jakiegoś czasu obserwowali otoczenie. Wiedzieli, że w budynku oprócz Hasiukowej i państwa Douglas nikt nie mieszka i że 2 maja (długi weekend) sklepy przy Stawowej będą zamknięte. Dobrali porę dokonania zabójstwa, która umożliwiała im oddalenie się bez indywidualnego odznaczenia.

8. Przynajmniej jeden z wykonawców zbrodni, prawdopodobnie ten odgrywający w zabójstwie rolę wiodącą, był już karany za czyny agresywne, w tym np. za rozboje, uszkodzenia ciała.

9. Nie funkcjonują w związkach emocjonalnych, mogą posiadać przypadkowe partnerki.

10. Ryzyko ich działania było średnie, posiadają (przynajmniej jeden z wykonawców) doświadczenia w tym zakresie. Sprawcy,

dzięki osobie zlecającej zbrodnię, znali przyległy teren oraz rytm dnia ofiary (tej właściwej osoby, która miała zginąć zamiast Johanna Schmidta).

11. Sprawcy-wykonawcy prawdopodobnie pochodzą z rodzin o niskim statusie ekonomicznym. Nawet niewielka kwota pieniędzy ma dla nich znaczenie.

12. Sprawcy posiadają typ osobowości nieprawidłowej, zaburzonej. W relacjach interpersonalnych przedstawiają się w korzystnym świetle społecznym, brakuje im znajomości własnych cech ujemnych. Posiadają niski iloraz inteligencji.

13. Sprawcy na miejsce zdarzenia przynieśli ze sobą narzędzia zbrodni oraz wykorzystali do tego celu przedmioty znajdujące się w mieszkaniu. Przygotowywali się do popełnienia czynu, zakładali i przewidywali przebieg zdarzenia.

14. Prawdopodobnie nie wzbudzają zaufania otoczenia. W niektórych dziedzinach życia nie akceptują norm moralnych i społecznych.

15. W sytuacjach stresujących zachowują się gwałtownie i agresywnie. Mają tendencję do działań niewspółmiernych do działającego bodźca. Podczas dokonywania czynu byli zdenerwowani, co spowodowało działanie z dużą siłą. Przed dokonaniem przestępstwa i później używali alkoholu w celu rozładowania stresu sytuacyjnego.

16. Sprawcy-wykonawcy wszelkie informacje na temat budynku i terenu, na którym rozegrała się zbrodnia, otrzymali od zleceniodawcy, który może się ukrywać w tle otoczenia ofiary. Należy założyć z dużym prawdopodobieństwem, że to przy pomocy tej osoby sprawcy weszli w posiadanie kluczy do mieszkania. Jeden z uczestników zbrodni (jej wykonawców) mógł znać ofiarę osobiście.

17. Wykazują się sprawnością oraz brutalnością działania spowodowaną niepohamowanymi wybuchami agresji.

18. W stylu życia po przestępstwie prawdopodobnie dokonali minimalnych zmian, to samo dotyczy ich zachowania. Potrafią zachować tzw. zimną krew. Młodszy z wykonawców może mieć tendencję do gadulstwa w celu odreagowania emocji.

19. Po dokonaniu przestępstwa nie interesują się sytuacją i nie analizują ani jej, ani szczegółów związanych z pozostawieniem śladów.

W sytuacji przesłuchania należy pamiętać o taktyce uwzględniającej posiadane przez sprawcę cechy.

Podinspektor skończył czytać profil i pogrążył się w myślach. Ktoś nieśmiało zapukał do drzwi.

– Wejść – krzyknął Szerszeń.

Drzwi uchyliły się i policjant dostrzegł w nich głowę sekretarki komendanta głównego. Była to niemłoda, lecz miła i zawsze starannie ubrana kobieta. Szerszeń lubił ją, bo często dawała mu cynk, gdy komendant nieoczekiwanie wpadał w złość. Wtedy podinspektor mógł przygotować się na atak szefa lub po prostu przeczekać go poza jednostką pod pretekstem pilnych czynności operacyjnych.

– Cześć, Tereska – jego głos momentalnie stał się jedwabisty. – Wejdź, proszę. Co się stało? – dodał, starając się ukryć zaniepokojenie, bo sekretarka nieczęsto fatygowała się do jego gabinetu. Nawet gdy stary szalał z wściekłości, dzwoniła do niego przez interkom.

– Waldek – zaczęła szeptem, co jeszcze bardziej zaintrygowało Szerszenia. Teresa nie należała do zahukanych kobiet. Nigdy nie owijała w bawełnę i zawsze mówiła otwarcie, co myśli i czuje. Wielu zazdrościło jej odwagi, którą prezentowała podczas utarczek słownych z szefem. Teraz jednak musiało chodzić o coś wyjątkowego. Sekretarka wyglądała na zaniepokojoną.

– Dzwonił dziś rano sierżant Starosta... Na szczęście udało mi się z nim porozmawiać, zanim...

– A, Starosta! – Szerszeń wybuchnął gromkim śmiechem.

Teresa wpatrywała się w niego, jakby postradał rozum.

– ...zanim dotarł do szefa... Jak się okazało, bardzo przedsiębiorczy młody człowiek – dokończyła. I zaraz dodała zaniepokojona: – Znasz go?

– Oczywiście, to zaufany Meyera. Chciałbym go ściągnąć do swojego wydziału – odparł i podkręcił wąsa. Uśmiechał się przy tym rozradowany, że Teresa z tak głupiego powodu pofatygowała się do niego na czwarte piętro.

– To znaczy, że to prawda... Ty obiecałeś mu u nas posadę. Tak?

– Oczywiście. – Szerszeń patrzył na Teresę, nic nie rozumiejąc. – A co? Co jest grane?

– Słuchaj, Waldek... – Kobieta oparła się obiema dłońmi o brzeg biurka i nachyliła do jego ucha. – On pracuje w komendzie miejskiej... Na posterunku na dworcu... Oni są pod obserwacją. Grubsza sprawa korupcyjna...

– Co? – zdziwił się Szerszeń. – Ja nic nie wiedziałem... I ten młody też jest w to zamieszany?

Teresa wzruszyła ramionami.

– Nic więcej nie wiem. Ale radziłabym ci, dopóki sprawa się nie wyjaśni, zostawić chłopaka w spokoju. Potem, jak CBŚ zrobi swoje...

– Dzięki, Teresko. Skarb z ciebie – szepnął podinspektor.

– Aha... jeszcze dzwoniła jakaś kobieta. – Sekretarka wyjęła z kieszeni kartkę i położyła Szerszeniowi na biurku.

– Maliszewska Karina – przeczytał na głos.

– Szukała prowadzącego dochodzenie w sprawie tego przedsiębiorcy. Schillera czy Schumana. Takie niemieckie nazwisko. Tego Niemca od śmieci...

– Schmidta... Czego chciała?

– Przełączyłam ją do ciebie, ale chyba coś przerwało.

– U mnie nic nie dzwoniło. Nie wychodziłem. Dzwoniła jeszcze?

Teresa pokręciła głową.

– Nie. Ale może dodzwoniła się do prokuratury, bo prosiła o komórkę do prokuratora nadzorującego. To ta ładna kobieta przy tym pracuje, tak?

– Tak, Weronika Rudy. Ale chyba jej nie podałaś?

– No co ty! Podałam jej centralę do okręgówki na Wita Stwosza. Czy ta Maliszewska to ktoś ważny w tym śledztwie?

„Sam chciałbym wiedzieć", cisnęło się na usta Szerszeniowi, lecz powstrzymał się w ostatniej chwili. Zastanawiał się, w jakim celu Karina go szukała. I czego chciała od Weroniki? Sekretarka cicho opuściła gabinet podinspektora, pozostawiając go w głębokich rozmyślaniach.

– Hubert? Nareszcie! – Waldemar Szerszeń odetchnął z ulgą, kiedy udało mu się połączyć z profilerem. – Od wczoraj próbuję cię złapać. Wpadłeś w dziurę czasową czy jak?

– Coś koło tego – zaśmiał się profiler. – Dostałeś opinię?

– Tak.

– Przepraszam, że tak wyszło. Ledwie zdążyłem na wykłady Dona Robertsa, meksykańskiego profilera. Przedstawiał bardzo ciekawe wnioski na temat map mentalnych. To może mi się przydać do...

– Słuchaj, mam kilka pytań – przerwał mu podinspektor. – Możemy teraz?

– Jasne. Wal.

Szerszeń nabrał powietrza i wyrzucił z siebie:

– Najpierw muszę cię opierdolić. Dlaczego mnie nie uprzedziłeś? Nie mogłeś powiedzieć mi wcześniej? Skoro widziałeś tyle rzeczy, zaoszczędziłbyś mi czasu i fatygi. Tak się nie robi, stary... Nie mówiąc o tym, że o mały włos zachowałbym się jak największy idiota na świecie... Nic nie kapuję.

– Ale o co ci chodzi, Waldek? – Meyer zmarszczył brwi. – Teraz to ja nie rozumiem.

– Jak to o co? Myślałem, że jesteś partacz. Ot, co...

Meyer milczał.

– Skąd wytrzasnąłeś ten wniosek, że ofiara była przypadkowa...? – Szerszeń zadawał pytania, lecz w dalszym ciągu brzmiało to jak wyrzut. Wyrzucał z siebie zdania jak pociski, nie dając Hubertowi dojść do słowa. – Że to nie Schmidt był celem... To oznacza, że od początku jestem w ślepej uliczce. Błądzę i szukam nie tam, gdzie trzeba. Możesz mi to łaskawie wyjaśnić?

– Już mówię. Tylko się uspokój – westchnął Meyer. Nie chciał się rozwodzić nad tym, że sam wpadł na to dopiero ostatniej nocy, przed wyjazdem. Wiedział, że musi jak najszybciej rozwiać wszelkie wątpliwości podinspektora, by ten mógł dalej działać. W przeciwnym razie sprawcy mogą pozostać bezkarni jeszcze długi czas. Zresztą ani on, ani Szerszeń nie mieli czasu na płaczliwe wymówki. Meyer mówił zdecydowanym tonem: – Na podłodze była krew. Masz tam zdjęcia. Obejrzyj je sobie jeszcze raz.

– Oglądałem je przed godziną – burknął wciąż niezadowolony Szerszeń, a po chwili wyrecytował, jakby został wezwany do odpowiedzi przez nauczyciela: – Widoczne ślady protektora obuwia, największe nawarstwienie protektora w okolicy drzwi.

– Zgadza się. – Meyer lubił pracować z Szerszeniem, bo policjant zawsze był dobrze przygotowany merytorycznie i nauczył się już, jak może wykorzystać wiedzę psychologa. Jego wskazówki porównywał z dowodami w sprawie. Niewielu policjantów posiadło tę umiejętność. – Ślady krwi wskazują na działania chaotyczne. Sprawcy nie zakładali tego typu działania. Zostali zaskoczeni. Sytuacja zaczęła wymykać się spod kontroli. Schmidt znalazł się w nieodpowiednim czasie i miejscu. Przyszedł do gabinetu Poniatowskiej jedynie dwa razy, z czego drugi raz to był właśnie ten, kiedy został zamordowany.

– Miał klient niefart – mruknął Szerszeń. – Czekali na kogoś innego. On ich zaskoczył, a oni jego... Dlatego taka jatka...

– Co ci będę tłumaczył. Sam chyba wiesz, co robić... – Profiler zawiesił głos.

– Poszukać przesłanek, kto tak naprawdę miał być celem działania sprawców.

– Może chodziło o innego klienta lekarki, może kluczem jest kartoteka pacjentów – mówił Meyer. – Ja ci tego nie powiem, mogę ci tylko naświetlić, co było podłożem zbrodni. Chodziło o Kaiserhof, a konkretnie o ten lokal. Ale nie o Schmidta.

– Skąd wiadomo, że sprawców było dwóch, a nie na przykład trzech? – dopytywał się dalej podinspektor.

– Znów ślady krwi na podłodze. Są widoczne podeszwy: tylko dwa typy protektora obuwia, nie licząc śladów butów ofiary.

– Poczekaj, wyjmę te zdjęcia – Waldemar przerwał Meyerowi i wyciągnął plik fotografii z akt podręcznych.

– Jeden ze sprawców miał buty sportowe marki Nike. Charakterystyczny model. Najwięcej śladów protektora znajduje się tam, gdzie rozegrała się walka – ciągnął Meyer.

– Czyli przy drzwiach w korytarzu i tuż po wejściu do salonu – podpowiedział podinspektor.

– Zauważ, że brak jest śladów przemieszczania zwłok – podkreślił profiler. – Nie ma żadnych smug, rozmazów... Ani rzeczy, które wypadłyby ofierze z kieszeni. Wszystko jest na miejscu. To oznacza, że nie był ciągnięty, że zaatakowali go przy drzwiach, ale tam nie udało im się go ogłuszyć. Walczył, uciekał – poruszał się o własnych siłach. A teraz weź ekspertyzę medyków. Chyba że pamiętasz. Zresztą możesz to sobie potem sprawdzić. Na to, że sprawców było dwóch, wskazują obrażenia na ciele ofiary. Większość ran znajduje się na plecach i karku, ale są także obrażenia na twarzy i w przedniej części ciała.

– Jeden sprawca nie byłby w stanie zadać tak wielu ciosów ofierze zarówno z przodu, jak i z tyłu...

– Właśnie. Choć według mnie, mimo iż sprawcy go zaskoczyli, aktywnie się bronił.

– Skąd wiesz, w jakim byli wieku?

– Ze względu na charakter obrażeń: ich lokalizację, głębokość i rozległość. Wskazują wyraźnie, że mają małe doświadczenie życiowe. Młodszy zaś nie panuje nad emocjami. Nie radzi sobie ze stresem i to wyzwala w nim jeszcze większą agresję. To dlatego dokonał podcięcia gardła.

– Skąd wiesz, że to ten młodszy?

– Bo to sposób pozbawiania życia podpatrzony z filmów. Niezwykle trudny do wykonania. Wymaga siły, precyzji oraz odpowiednich narzędzi. Oni zrobili to ewidentnie nieudolnie. Prawdopodobnie zabijali pierwszy raz. Młodszy sprawca ma nie więcej niż trzydzieści lat. Nie ma też wielkich doświadczeń kryminalnych. Co innego ten starszy. Ten ma doświadczenie i był już karany za przestępstwo dokonane przeciwko życiu.

– Sprawdzę pod tym kątem klientów lekarki – zanotował sobie na kartce Szerszeń. Kiedy Meyer wyjaśniał mu swój tryb myślenia, wszystko wydawało się spójne i logiczne. Od razu lepiej mu się myślało. – No i jeszcze przyjrzę się osobom przebywającym w mieszkaniu Poniatowskiej, ich znajomym. Czy nie mieli kontaktów z osobami, które siedziały w więzieniu lub miały jakieś konflikty z prawem – dodał już z własnej inicjatywy.

– Pozorowany motyw rabunkowy już sobie wyjaśnialiśmy. Co jeszcze chcesz wiedzieć? Pytaj śmiało, może nie byłem zbyt precyzyjny... – zachęcił go profiler. Wkrótce musiał kończyć. Chciał więc rozwiać jak najwięcej wątpliwości podinspektora. Ten jednak milczał. Zastanawiał się nad czymś. Meyer dodał więc jeszcze: – Zresztą, co ci będę to tłumaczył... Bardzo nieudolnie pozorowali rabunek. Szuflady wywrócone zawartością do ziemi, dnem na wierzchu, przedmioty zaś uporządkowane. Nie zabrali telefonu Poniatowskiej, który leżał na stole. Ani pieniędzy z portfela ofiary.

– Ale wzięli jego zegarek – rzucił Szerszeń. – No i zamknęli drzwi.

– Dokładnie. To też wskazówka, że to zbrodnia rabunkowa pozorowana. Ekonomiczni rzadko dbają o takie rzeczy.

– Okay, to jest dla mnie jakby jasne. Ale powiedz mi, do cholery, po co usadowili go po śmierci na krześle?

– Żeby upozorować dodatkowy motyw zemsty i rzucić cień na jego kontrahentów biznesowych lub kontakty ze środowiskiem przestępczym. Zauważ, że krzesło było przemieszczone i przysunięte do stołu. Lekarka normalnie siedziała przy ścianie z karton-gipsu.

– Jesteś pewien, że jak go sadzali, to już nie żył? Medyk sądowy tego nie stwierdził.

– Tak, jestem pewien – odparł Meyer. – Obejrzałem to na miejscu zbrodni i potem jeszcze na filmie. Tak swoją drogą, jakość zdjęć i filmu pozostawia wiele do życzenia. Który technik to robił?

– Ten młody. Opierdalał się jak bura suka. Złożył podanie o przeniesienie. Chyba do drogówki.

– No i dobrze. Gdybym nie był na miejscu zdarzenia, nie wiem, czybym to wychwycił na podstawie takiej dokumentacji, a to jest bardzo ważne. Ale medycy ci to potwierdzą. I obejrzyj jeszcze zdjęcia. Otóż ciało niedokładnie przylegało do krzesła. To pierwsze, co dostrzegłem, i pomyślałem, że Schmidt został usadowiony na nim po śmierci. Zresztą taśma, którą go skrępowali, była poskręcana i pozwijana. To też świadczy za tym, że robili to, kiedy już nie żył. O wiele trudniej skrępować bezwładne ciało niż żywego człowieka. Nawet jeśli ten stawia opór. Poza tym plamy opadowe[1] były najbardziej wysycone w obrębie pleców. Gdyby Schmidt był usadzony na krześle za życia, powinny być na pośladkach.

– Gardło też mu podcięli po śmierci?

– Nie. Zdecydowanie za życia. Pamiętaj, że po śmierci ustają czynności życiowe, więc tej krwi na klacie miałby minimalną ilość. Według mnie doszło do tego przy wejściu do salonu. Gdyby zrobiono to na krześle przy stole (tak jak mieliśmy myśleć), cały obrus, okolice stołu, a nawet ściana i zasłonka byłyby zbryzgane. Tymczasem zabezpieczono tam tylko nieznaczne rozpryski. Zbadałem zresztą kratery[2] tych plam i wskazują na wytrysk krwi z dużej odległości. Co do tego związania po śmierci, jestem po prostu pewny. Gdyby zrobili to za życia, byłyby widoczne zasinienia, wysycone pręgi. Tymczasem prawie ich nie widać. To zresztą pokazuje po raz kolejny, że sprawców musiało być dwóch.

– Trup waży swoje i szybko stygnie. Jeden człowiek nie dałby sobie rady – dopowiedział Szerszeń. – Gdyby usadowili go za życia, ciało w naturalny sposób dopasowałoby się do krzesła. No i jeszcze mieli problem z jego głową. To dlatego ten trup wydawał się taki... zamyślony.

---

[1] Plamy opadowe – jedno z wczesnych znamion śmierci. Plamy opadowe to sinoczerwone przebarwienie skóry w najniżej położonych częściach ciała zmarłego wskutek spływania krwi po ustaniu krążenia.

[2] Kratery plam krwi – na podstawie śladów krwi profiler może ustalić m.in., w jaki sposób i z jakiej odległości zadano ciosy oraz jakimi cechami fizycznymi charakteryzuje się sprawca – technika FBI.

– Co? Zamyślony? – zdziwił się profiler.

– Aha, rozumiem – Szerszeniowi nagle rozjaśniło się w głowie. – Kneblowali przecież trupa. To dlatego nie poradzili sobie z okręceniem głowy taśmą. A ponieważ ciało nie opierało się naturalnie na krześle, głowa opadała bezwładnie. Wszystko jasne. Musieli wyjść z mieszkania lekarki kurewsko zmęczeni – skwitował podinspektor.

– A jeszcze taszczyli ze sobą te obrazki, żeby upozorować rabunek.

– I było im cholernie gorąco. Mieli na sobie te kombinezony, które musieli ściągnąć przed wyjściem z kamienicy.

– Pamiętaj, że mieli mało czasu.

– Ile to mogło trwać?

– Co najmniej godzinę, ale może i dwie. Najpierw szarpali się z ofiarą, potem usadowili ją na krześle i pozorowali rabunek. Zdejmowali obrazy ze ścian, rozbijali porcelanę, opróżniali witryny... To musiało potrwać. A jeszcze odejście z miejsca zbrodni.

– No dobra, ale dlaczego zakładasz, że zleceniodawcą może być kobieta?

– To już kwestia zebrania danych wiktymologicznych – tłumaczył Meyer. – Wprawdzie w otoczeniu Schmidta było bardzo wiele osób, które mu źle życzyły, lecz uznałem za najbardziej prawdopodobne, że chodzi o kobietę.

– Żona, Poniatowska czy pasierbica? – zapytał Szerszeń, jakby chodziło o obstawienie zwycięskiego konia na wyścigach.

– Na to ci nie odpowiem. Znasz mnie... Moje osobiste zdanie się nie liczy, ale jak będziesz miał ptaszki, pomogę ci je wsadzić do klatki. Techniki przesłuchania masz już w kieszeni.

– Wiedziałem – zaśmiał się podinspektor. – Ale to znaczy, że nie jest z tym dochodzeniem tak źle. Sądziłem już, że zapędziłem się w kozi róg.

– Powiedziałbym, że jest bardzo dobrze – sprostował Meyer. – Jak widzisz, większość danych mam od ciebie...

– To oznacza, że nie jestem tak daleko od rozwiązania tej zagadki... – Szerszeń czuł, jak wracają mu siły wraz z nadzieją, że poradzi sobie z tym wyzwaniem.

– Na twoim miejscu zbadałbym dokładnie ostatnią linię życiową ofiary, zwłaszcza ostatni tydzień. Próbowałem to zrobić: ustaliłem, ile mogłem, jako psycholog. Twoje możliwości są o wiele większe... Wiesz, o co idzie: co Schmidt robił, gdzie był, jak się zachowywał. Jest kilka osób, które miały powody, by Schmidt zginął. Niewykluczone, że współdziałały ze sobą.

– Wobec tego ofiara nie jest przypadkowa – ucieszył się Szerszeń.

– Nie o tym teraz mówię. – Profiler ostudził jego zapał.

– Gdyby Schmidt rzeczywiście miał być ofiarą, już dawno wyszłyby na jaw poszlaki dotyczące samych wykonawców. Zrobiłeś przecież w tej kwestii wszystko. Ile osób przesłuchano z firmy śmieciowego barona? Ile cynków z miasta sprawdziłeś na tę okoliczność? Nikt nic nie słyszał.

– Od cholery – westchnął podinspektor.

– Sam widzisz. Nikt nic nie wniósł do sprawy.

– Przecież to niemożliwe, żeby nie było ani jednej nitki, którą da się pociągnąć. Jakby sprawcy zapadli się pod ziemię – mruknął Szerszeń.

– Na twoim miejscu zająłbym się najpierw zleceniodawcą – poradził mu profiler.

– Zleceniodawczynią – poprawił go Szerszeń.

– Niekoniecznie. Zaznaczyłem jedynie, że to może być kobieta...

– Tak czy owak Zenon Nowak... – Szerszeń zaśmiał się głośno.

– Zleceniodawca ukrywa się w tle życia ofiary – ciągnął Meyer. – W tle różnych sytuacji związanych z ofiarą. Jeśli będziesz miał jego lub... tę kobietę, wykonawcy sami wpadną w twoje ręce. Zakładam, że się z nim skontaktują.

– Jesteś pewien, że to zbrodnia na zlecenie?

– A ty co? – zdumiał się profiler. – Masz wątpliwości?

– W tej sprawie już niczego nie jestem pewien...

– Mówię ci więc raz jeszcze. Kiedy Schmidt wszedł do gabinetu lekarki, już na niego czekali. Ekspertyzy mechanoskopijne nie ujawniły wytrychów czy używania innych przedmiotów podobnych do klucza. To oznacza, że weszli, używając oryginalnych lub dorobionych kluczy. Musieli je ukraść lub...

445

otrzymać od właściciela. Ja bym zaczął od zbadania wszystkich osób, które miały dostęp do tych kluczy. Poniatowska, jej mąż, nawet dozorca czy ekipa remontowa. Przecież Douglas zgubił niedawno komplet.

– Niestety, chyba mówi prawdę.

– Okay. Ale gdzie zgubił i komu o tym mówił? To jest przesłanka, żeby mu się bliżej przyjrzeć w tej kwestii.

– Już od dawna przyglądam mu się i jakoś nic z tego nie wynika.

Meyer westchnął ciężko.

– Jeszcze jest sprawa żony Schmidta. To małżeństwo ewidentnie było nieklawe. Dlaczego Johann opuścił dom tydzień przed śmiercią? Nie zastanawia cię to? Wiem, że to trudne... Nikt z grona jej znajomych nie będzie mówił o niej źle, bo o ludziach w jej stanie, jak i o umarłych, tak się nie mówi, ale...

– Co? – Szerszeń stał się czujny.

– Czy nie brałeś pod uwagę, że Douglas i Klaudia mogli kontaktować się ze sobą? Tych dwoje łączy postać Schmidta.

– Jak to?

– To klasyczny trójkąt: Douglas, Poniatowska i Schmidt. Zresztą w dniu zabójstwa Schmidta, a dokładniej w czasie zbrodni, jego żona i kochanka pobiły się w Latawcu. Byłem tam. Rozmawiałem z kelnerem.

– To znaczy, że obie mają alibi... – mruknął podinspektor.

– Tak, ale to oznacza też, że Klaudia wiedziała o Poniatowskiej. Była o nią zazdrosna. Kelner pamięta doskonale, że żona Schmidta w trakcie bójki oskarżała lekarkę o zdradę. Wiemy od lekarki, że jej mąż zachowywał się dość liberalnie wobec jej fascynacji Schmidtem... Wydaje mi się to dość dziwne. Chyba że...

– Sądzisz, że Klaudia mogła dogadać się z Douglasem, by załatwić Schmidta? – zamyślił się Szerszeń.

– Nie wiem. Ale mieli prawo nie lubić gościa. Klaudię porzucił, a Douglasowi przyprawił rogi. Obojgu zniszczył życie. Chyba że Douglasowi z jakichś przyczyn było na rękę, że żona go zdradza. Niepokoi mnie jednak fakt, że Poniatowska zataiła informację o tej bójce. Nie powiedziała o niej podczas żadnego przesłuchania ani w trakcie tej żenującej spowiedzi na dziedzińcu szpitala... A zresztą ukrywała ślady. Starała się bardzo, żebym nie dostrzegł kilku siniaków i zadrapań. Całkiem zresztą sprytnie. Gdyby nie była zmęczona, może by się jej udało.

– Bardziej mnie niepokoi, że czmychnęła. Jeśli się nie znajdzie... Ciężko będzie.

– Jak to się nie znajdzie? – Profiler wszedł mu w słowo.

– Ona musi się znaleźć!

– Dobra już, Hubert. Nie denerwuj mnie. Swoją drogą, widziano ją przed domem letniskowym rodziców. Właśnie tych rodziców przesłuchujemy. Twierdzą, że jej tam nie było. Sam już nie wiem, czego się chwycić. Wszystko wymyka mi się z rąk.

– Pamiętaj o motywie – mruknął profiler. – To jest klucz. Dla wykonawców zbrodni to była swoista okazja. Podjęli się zadania, które wydawało im się łatwe. Niestety, na miejscu zdarzenia sytuacja wymknęła im się spod kontroli i nie rozwinęła zgodnie ze scenariuszem, który opracowali.

– Ale tak jest zawsze! – Szerszeń jęknął. – Chyba żadnej zbrodni nie da się zaplanować i wykonać stuprocentowo...

– Jasne, ale tutaj zdarzyło się coś zupełnie nieoczekiwanego. Oni przyszli dokonać zbrodni. Od zleceniodawcy dostali klucze. W koszty dokonywanego przestępstwa wkalkulowali morderstwo. To nie ulega kwestii. Mieli ze sobą narzędzia: taśmę i nóż. Wykorzystali je do zawładnięcia ofiarą. Ale używali też pięści oraz elementów otoczenia.

– Stłuczona amfora z poczekalni – dokończył Szerszeń.

– Motywem wiodącym był tu motyw emocjonalny. Motywem uzupełniającym – ekonomiczny. A zleceniodawca czuł się zdradzony, oszukany. Wynagrodził zabójców i obiecał dodatkowy łup na miejscu, co okazało się kłamstwem. To spowodowało zwielokrotnienie agresji i *overkill*. Zbyt wielka liczba ciosów, poderżnięcie gardła ofierze...

– Hubert, to jeszcze powiedz coś o nich samych... Jak sądzisz, skąd pochodzą?

– Dość dobrze znają teren – odparł psycholog. – Mogą pochodzić z aglomeracji Katowic. Skutecznie oddalili się z miejsca zdarzenia. Nie mieszkają w okolicach Stawowej, ani nawet – jak sądzę – w centrum miasta. Nie znali dość dobrze topografii kamienicy. Możliwe, że nigdy wcześniej w niej nie byli. Jedynie obserwowali otoczenie. Miejsce na to pozwala, na ulicy zawsze jest spory ruch. Nawet gdyby siedzieli tam i obserwowali Kaiserhof całą dobę, nikt nie zwróciłby na nich uwagi.

– To, kurwa, jest problem – wtrącił się Szerszeń. – Nie lubię, jak nikt nie widzi, nie słyszy i...

– Ktoś musiał ich widzieć. Byli upaprani krwią... – Meyer go pocieszył. – Wprawdzie wybrali porę, kiedy ich zdaniem mogli się oddalić z miejsca zbrodni bez indywidualnego odznaczenia, ale akcja nie przebiegła, jak planowali.

– Mieli kombinezony.

– Mieli w rękach duże gabaryty: obrazy, figurki o tematyce seksualnej. Musiał ich ktoś widzieć!

– Kombinezony porzucili na dworcu.

– Musieli więc je zdjąć dopiero na dworcu albo nieść w rękach.

– Przeczeszemy każdego kelnerzynę, sprzątacza, pomywacza z restauracji przy Stawowej – zapalił się Szerszeń.

– I grajków, mima i towarzystwo rasta.

– Jak będzie trzeba, wszystkich ich zbadam pod kątem DNA...

– Stary nie będzie zachwycony tym pomysłem... – Meyer się zaśmiał.

– Pierdolić starego... Słuchaj... – Podinspektor zawiesił głos. – Skoro to nie Schmidt był celem... To może w tym mieszkaniu jest coś, czego oni szukali... Może...

– Na przykład co? Masz jakieś hipotezy?

– Tak. – Szerszeń zniżył głos do szeptu. – Dwu-dzie-sto-do-la-rów-ka... – wyartykułował powoli.

Ale Meyer zamiast zażądać dalszych wyjaśnień, zbył go zniecierpliwiony:

– Waldek, masz jeszcze jakieś pytania do profilu? Nie? To kończymy. Zadzwonię potem.

Zanim Szerszeń zdążył cokolwiek odpowiedzieć, psycholog wyłączył komórkę i szybkim krokiem ruszył do sali wykładowej na prezentację słynnego amerykańskiego profilera – Dana Korema.

13 maja – wtorek

Podinspektor Szerszeń działał na najwyższych obrotach. Na wielogodzinne przesłuchiwanie kolejnych silnoręskich pozwalał mu fakt, że wciąż spał w komendzie. Zofia nie wybaczyła mu jeszcze, że dopuścił do uśmiercenia jej ukochanego Fafisa, i nie chciała go widzieć, dopóki nie usłyszy przeprosin. Mimo to każdego dnia przysyłała mu domowy obiad z trzech dań, który Szerszeń zjadał do ostatniego kęsa, a brudne słoiki i pudełka próżniowe ustawiał pod ścianą jak baranki. Kiedy tylko żona pojawiała się w komendzie z nową dostawą jedzenia, dyżurny dzwonił do niego, czy podinspektor zamierza zejść, lecz ten za każdym razem odmawiał. Gdyby zszedł na dół, Zofia zaczęłaby go namawiać do powrotu do domu i byłby zmuszony wypowiedzieć magiczne słowo „przepraszam". Tymczasem on nie chciał się korzyć. Nie pozwalała mu na to męska duma. Dziś jednak wstał tak połamany, że bolały go wszystkie gnaty. Co gorsza, reumatyzm też zaczął dawać mu się we znaki.

– Dość tego – postanowił. – Jeśli dziś Zofia przyniesie rybę, wrócimy do domu razem.

Około południa spakował wędkarski plecak i zwinął karimatę. Zapakował słoiki do wielkiej torby z Ikei i z niecierpliwością wypatrywał żony przez okno.

Sprawa śmieciowego króla wciąż była nierozwiązana. Sasza i Bajgiel, mimo wielokrotnych przesłuchań, wciąż przyznawali się jedynie do włamania do mieszkania Johanna Schmidta, a nie do zabójstwa. Szerszeń po rozmowie z Meyerem zaprzestał dalszego maglowania złodziei. Z niechęcią musiał przyznać, że sprawcy włamania do domu Schmidta i jego zabójcy niekoniecznie muszą być tymi samymi ludźmi. Tak w każdym razie wynikało z profilu. Podinspektor nie wiedział, jak wybrnąć z impasu. Tymczasem komendant na odprawie zażądał raportu w postępach śledztwa.

– Dajcie mi coś, cokolwiek. Mam dosyć tej bryndzy – rzucił mu dziś rano pod koniec odprawy.

– Ale... – zaczął Szerszeń.

Chciał właśnie wyjaśnić, że ekspertyza Meyera rzuciła całkiem nowe światło na sprawę i musi ją właściwie rozpocząć od nowa, lecz komendant nie dał mu dokończyć.

– Muszę coś dać na żer społeczeństwu. Znajdź mi cokolwiek. Masz czas do jutra – oświadczył, po czym opuścił salę konferencyjną.

– Tak jest – zdążył odpowiedzieć podinspektor, lecz takie postawienie sprawy zdenerwowało go jeszcze bardziej.

– Co głupiemu po koronkach, skoro mówi, że to same dziury – mruknął, wpatrując się w otwarte drzwi. Pozostali uczestnicy odprawy powoli rozchodzili się do swoich obowiązków. Nikt na niego nie patrzył ani nie zwrócił uwagi na żart Szerszenia. Milczeli, a podinspektor wiedział, że myślą tylko o tym, by nie znaleźć się przypadkiem w takiej sytuacji jak on teraz. – Czy ja tu wywczas mam? – dodał głośniej sam do siebie, bo sala już świeciła pustkami, po czym zniechęcony ruszył do swojego gabinetu, by po raz kolejny analizować akta Schmidta. Dziś jednak nie miał głowy do tego śledztwa.

Zerknął na zegarek, a potem raz jeszcze na spakowany bagaż. Uznał, że ma jeszcze chwilę do przyjścia żony, więc wyciągnął stare akta zabójstwa Troplowitza oraz opinię Meyera na temat zeznań Poloczka i na czystej kartce notował swoje wnioski.

Skoro kluczem jest Kaiserhof, a Schmidt miał niefart pojawić się w kamienicy w nieodpowiednim czasie i miejscu, to zabójcy mogli czyhać tylko na właścicieli budynku. Celem miała być więc Poniatowska albo jej zniewieściały mężulek, założył. Ale dlaczego? Po co chcieliby ich zabić? Chodziło o dwudziestodolarówkę? Nigdy jej nie znaleziono. Może do dziś jest w kamienicy. Tylko, do cholery, dlaczego ktoś chciałby zabić dla jakiejś, nawet najstarszej monety? I dlaczego akurat teraz, kiedy Schmidt wyprowadza się od Klaudii i postanawia zamknąć firmę, zastanawiał się. Oparł głowę o dłonie i potarł czoło. Sprawdził godzinę. Minęła trzynasta, Zofii wciąż nie było. Szerszeń już nie potrafił skupić się na pracy, wciąż zerkał na zegarek. Rano po odprawie planował powęszyć w Latawcu, jeszcze raz przycisnąć kelnerkę ze szpitalnego bufetu, lecz zamiast tego wpatrywał się w okno i czekał. Wiedział, że w ten sposób nie posunie śledztwa do przodu, lecz czuł, że musi siedzieć w pracy kamieniem, bo w każdej chwili w komendzie może pojawić się Zofia. Spotkanie z nią było dla niego teraz zdecydowanie ważniejsze.

– Co robisz? – Jego rozmyślania przerwała prokurator Rudy, która nieoczekiwanie pojawiła się w gabinecie.

Szerszeń poderwał się z miejsca, jakby wyrwała go ze snu.

– Bój się Boga, dziewczyno! Ale żeś mnie wystraszyła.

– Ja? Ciebie? – zdziwiła się Weronika. – Przepraszam... Coś ty się nagle taki bojaźliwy zrobił? Waldek, nie poznaję cię...

Jej wzrok padł na słoiki stłoczone w wielkiej niebieskiej torbie.

– Otworzyłeś skład opakowań szklanych?

Szerszeń spiorunował ją wzrokiem.

– Że co, proszę?

– A co to jest? – Wskazała na brudne naczynia. I zerkając na spakowany plecak, dodała: – O, widzę, że wyjeżdżasz... Pogodziłeś się z Zofią?

Szerszeń nie odpowiedział. Machnął tylko ręką i wcisnął spakowany tobołek pod biurko, a torbę ze słoikami przesunął pod okno.

– Zapytać już nie można? – zaśmiała się Weronika.

– Zapytać możesz, wiedzieć nie musisz... – odburknął jej.

– Oho. Jaki dziś mamy humorek... Co cię ugryzło?

– Nie wywołuj indyka z kurnika – odciął się Szerszeń. Ostrzeżenie zabrzmiało jednak groźnie. Weronika natychmiast spoważniała. Zwłaszcza że po chwili dodał: – A ty coś taka wesoła jak skowronek? Dawno już nie byłaś taka uradowana. W totka wygrałaś, czy jak?

Prokuratorka zaczerwieniła się i odwróciła głowę.

– A jak profil? – zapytała, zanim znów odważyła się spojrzeć na Szerszenia. – Właściwie po to przyszłam. Chyba że nie chcesz mi go pokazać. Tajemnica śledztwa, wiedza operacyjna... Macie z Meyerem swoje sprawki... Rozumiem... – Zbierała się do wyjścia.

– Daj już spokój... – mruknął pojednawczo podinspektor i wskazał ekspertyzę Meyera. Prokuratorka wzięła ją do ręki i zaczęła kartkować. – Profil dostałem, przeczytałem i dalej jestem ciemny jak tabaka w rogu – ciągnął. W kilku zdaniach streścił jej najważniejsze elementy opinii Meyera. Opowiedział jej także o dzisiejszym rozkazie komendanta. – Gadać łatwo, zrobić trudniej – dokończył.

Weronika milczała chwilę, po czym powiedziała z naciskiem:

– Musisz przesłuchać Karinę Maliszewską.

– Kim ta baba, do cholery, jest? Dlaczego miałbym tracić czas na odgrzewanie starych kotletów...

– To była dziewczyna Królikowskiego vel Schmidta. – Prokuratorka streściła mu przebieg swojej rozmowy z Maliszewską. – To ją śmieciowy baron skrzywdził najbardziej – skwitowała na zakończenie.

– O Jezu! Będzie mi tu melo opowiadać.

– Co? – Weronika Rudy zmarszczyła brwi. – Co to jest melo?

– Romansik, melodramat. To nie gabinet psychiatryczny, tylko komenda policji – wychrypiał zezłoszczony. A po chwili dodał już łagodniej: – Kto tu kogo bardziej skrzywdził, można by dyskutować. Mógłbym rozpisać nawet konkurs... To zależy od punktu widzenia. Ten facet miał talent do krzywdzenia ludzi. Kilku bankrutów mogłoby stanąć w szranki z tą babeczką i chybaby wygrali. Przez śmieciowego barona potracili miliony, z dnia na dzień znaleźli się na bruku.

– Ale ją rozkochał w sobie i porzucił.

– Wielka mi rzecz – prychnął Szerszeń. – Sam mam kilka takich ofiar na koncie. Poza tym pracuję w znacznie większej grupie ryzyka. I jakoś żyję. Nikt nie roztrzaskał mi głowy ani nie poderżnął gardła. A zresztą, co w kobiecym sercu na dnie, to i diabeł nie odgadnie.

– Była wtedy w ciąży – ciągnęła Weronika. – Zabił jej wuja, pozbawił majątku, nadziei na lepsze życie. Ta kobieta, nawet jak teraz o tym mówi, pała nienawiścią – przekonywała.

– Nikt nie trzyma złości przez siedemnaście lat – jęknął Szerszeń. – Nawet jeśli ktoś ci zajdzie za skórę najmocniej na świecie, po jakimś czasie chęć zemsty znika. A zresztą gdzie cienko, tam się rwie. Tyle ci powiem.

– Ale nie u kobiet – upierała się Rudy. – Kobieca zemsta z czasem urasta. Staje się doskonalsza...

– A skąd ty takie rzeczy wiesz, gołąbeczko? – zaśmiał się Szerszeń ironicznie. – Zresztą, jak dożyjesz mojego wieku, pogadamy – uciął temat.

– Jak tam sobie chcesz – odparła obrażona prokuratorka. – Ale przecież mówiłam ci: rozmawiałam z nią i ona coś ukrywa. Ewidentnie kłamie...

– Ludzie kłamią – przerwał jej. – Taka ich natura.

Jego zdaniem najbardziej prawdopodobne było, iż zbrodnię zleciła pasierbica śmieciowego króla. Co prawda Magda Wiśniewska nie przyznała się, że namówiła Saszę i Bajgla na włamanie, lecz jeden z opryszków rozpoznał ją jako dziewczynę, która wkładała do skrytki na dworcu pieniądze za napad. Na dzisiejsze popołudnie Szerszeń zaplanował konfrontację, która miała dodatkowo potwierdzić udział Wiśniewskiej we włamaniu. Szerszeń brał już wcześniej pod uwagę, że Magda współpracowała z matką. Tymczasem Magda, przyparta do muru podczas przesłuchania, zapewniała, że jest niewinna, i zrzuciła na matkę całą winę.

Według jej słów to Klaudia znalazła Saszę i Bajgla. Zapłaciła im, by dokonali zbrodni, i w tym właśnie celu Sasza i Bajgiel mieli najpierw włamać się do domu Schmidtów. Na ten czas Klaudia wyjechała z Katowic i zabrała ze sobą córkę. Cała robota przebiegła sprawnie, ale do zabójstwa w parku, zaplanowanego na kilka dni później, nie doszło. Okazało się, że Schmidt był sprytniejszy od zabójców i uniknął napaści. A że nie ufał policji, organy ścigania zostały powiadomione tylko o włamaniu, ponieważ ukradziono ważne dokumenty z domowego sejfu Schmidta. Próbę napaści w parku zataił. Ze słów pasierbicy wynikało, że Schmidta zastanowiło wtedy, skąd sprawcy wiedzieli o dokumentacji trzymanej w domu i jak dostali się do sejfu. Od razu podejrzenie padło na żonę. Zaczął się jej przyglądać.

– Wynajął prywatnego detektywa? – zapytał podinspektor pasierbicę podczas przesłuchania.

Magda pokręciła przecząco głową.

– Nie. Myślę, że nie zależało mu na dowodach. Chyba nawet obawiał się, że podejrzenia okażą się niesłuszne. A tak mógł z czystym sumieniem rozpocząć formalności, by wyeliminować Klaudię z grona osób dziedziczących jego fortunę. Bo on chciał od nas odejść. Zaplanował, że porzuci mamę dla kochanki, a był takim człowiekiem, że jeśli raz powziął jakąś decyzję, nie odstępował od niej – wyjaśniała Magda.

– Skąd ty to wszystko wiesz? – zainteresował się podinspektor.

– Zwierzał mi się – odparła Magda. – Poprosił nawet, żebym ją obserwowała.

– I co? Zgodziłaś się?

Magda skinęła głową. Wyglądało na to, że czuła się z tego powodu winna.

Szerszeń nie uwierzył w tę wersję zdarzeń. Wydało mu się nieprawdopodobne, by córka sprzeniewierzyła się matce, a stanęła po stronie ojczyma. Ale mogła grać na dwa fronty. Donosiła na matkę, a jednocześnie z nią współpracowała. A jeśli tak, to musiała mieć w tym jakiś interes. Szerszeń nie miał jeszcze pojęcia jaki. Niestety, choć Klaudia wybudziła się ze śpiączki, to nie znaczyło, że wróci do pełni władz umysłowych. Kiedy podinspektor zapytał o to jednego z lekarzy, usłyszał:

– Wegetacja.

Szerszeń stracił ją więc zarówno jako podejrzaną, jak i świadka, z którym mógłby skonfrontować zeznanie Magdy.

Odrzucił też wersję, że Poloczek miałby zlecić mord. Może i chciałby uchodzić za osobę zlecającą zbrodnię, bo to nobilitowało go w środowisku przestępczym, ale intelektualnie by tego nie udźwignął. Szerszeń sprawdził w tym celu wszystkie tropy; przesłuchał wielu ludzi z tego środowiska. Jednocześnie czuł, że te dwie sprawy łączy Kaiserhof. I choć policyjny dołek zapełniał się ludźmi, którzy potencjalnie mogli dokonać zbrodni, Szerszeń wciąż tkwił w impasie. Czekał z niecierpliwością, aż Hubert wróci z Sopotu i pomoże mu w konstruowaniu taktyki przesłuchania głównych bohaterów tego dramatu.

O swoich domysłach i hipotezach nie powiedział Weronice. Chciał najpierw sobie wszystko poukładać. Cenił ją, lecz nie wierzył, by młoda prokuratorka potrafiła mu w jakikolwiek sposób pomóc. Poza tym teraz bardziej zajmowało go, czy i kiedy przyjdzie jego żona, niż dzielenie się przypuszczeniami z Weroniką. Czekał na telefon z dyżurki, szykując się do zejścia na dół, kiedy usłyszał drżący głos Weroniki.

– Właściwie to przyszłam, żeby ci powiedzieć... – Kobieta spojrzała na zegarek. Szerszeń znieruchomiał. Jego twarz stężała w oczekiwaniu. – Muszę zwolnić Magdę z zarzutu zlecenia włamania. Jest za mało dowodów.

– Jak to?

Podinspektor ciężko opadł na krzesło. Tego zupełnie się nie spodziewał. Zwolnienie z zarzutów Magdy oznaczało, że miał jeszcze mniej niż nic. Mimo profilu, śladów biologicznych, billingów. Nic. Nadal zabójcy i zleceniodawca zbrodni chodzą na wolności. Szerszeń poczuł się tak, jakby dostał w twarz. Nie rozwikłał nawet sprawy włamania, a co dopiero zbrodni.

– Muszę... – dodała Weronika. – Wiem, że to dla ciebie cios...

– Ale są poszlaki...

– Poszarpany łańcuch, który nie ma prawa trzymać się kupy – przerwała mu. – Już po zawodach. Córka Schmidta jest wolna. Koniec dyskusji.

– Nie mogłaś z tym zaczekać? Tylko kilka dni... Jak Meyer wróci... – jęknął.

– Nic nie mamy. Wiesz o tym – syknęła. Była już zła i nie zamierzała tego ukrywać.

– Wiem tylko, że nic nie wiem – odparł zgodnie z prawdą.

– Nie mogłam czekać – powtórzyła prokuratorka stanowczo.

– A zresztą od środy biorę urlop. Nie będzie mnie kilka dni. Wyjeżdżam... Możecie ją przecież obserwować.

– Czyś ty ocipiała, Wero? Teraz? Meyer wyjechał, stary mnie przyciska do muru, a ty wyjeżdżasz na urlop? A postanowienia? Kto cię będzie zastępował? Nikt tak szybko nie zapozna się ze sprawą. Jesteś potrzebna!

– Waldek, to tylko trzy dni. Nie byłam na urlopie od dwóch lat. Nie chodzę nawet na zwolnienia lekarskie. Wanda wystawi za mnie postanowienia. Wszystko dogadałam. Nie powinieneś mieć problemów. Zresztą cały czas będę pod komórką. – Chwyciła torbę i wyszła z gabinetu, zostawiając Szerszenia w stanie kompletnego osłupienia.

Dosłownie kilka minut później wszedł do pokoju technik kryminalistyczny.

– To chyba dla pana, podinspektorze. – Postawił przed nim pojemniki z obiadem i wymaszerował.

Szerszeń w osłupieniu patrzył na przesyłkę od żony.

– Ryba... – mruknął i spojrzał na telefon.

Słuchawka była przekrzywiona. Pewnie przesunął ją dokumentami, gdy poderwał się, by schować pod biurko plecak. Pomyślał, że to ironia losu, spakowany na powrót do domu plecak sprawił, że do domu nie wróci. Gdyby miał komórkę, byłoby inaczej. Dyżurny, nie mogąc dodzwonić się na stacjonarny, by powiadomić go o wizycie Zofii, próbowałby na komórkę. Szerszeń odebrałby i wrócił do domu. A tak znów musi czekać do jutra.

Otworzył największy pojemnik. Po pokoju rozniósł się zapach młodych ziemniaków z koperkiem i smażonej ryby. Obok, w nieco mniejszym, znajdowała się surówka z białej kapusty.

Dość tego użalania się nad sobą! Chwycił widelec, zjadł obiad. Następnie wykręcił numer do policjanta, który przed laty pracował z ojcem Weroniki przy sprawie zabójstwa Ottona Tro-plowitza.

– Tonący brzytwy się chwyta – powiedział do siebie na usprawiedliwienie, wsłuchując się w jednostajny sygnał telefoniczny. – Odbierz, Zefek, dobrze ci radzę – mruknął. A potem pomyślał, że z alkoholikami lepiej jest rozmawiać w cztery oczy. – Choćbym miał ci zafundować detoks, wycisnę to z ciebie, stary lamusie – mruknął i szybkim krokiem wyszedł z gabinetu.

* * *

Aby wejść do centrum numizmatycznego, trzeba było nacisnąć przycisk przy drzwiach. Szerszeń nie mógł znaleźć w komendzie żadnego eksperta, który znałby się na monetach, postanowił więc sam zbadać sprawę „dwudziestodolarówki".

Słucham pana. – Przy ladzie pojawił się nalany mężczyzna. Z cienkim wąsikiem Herkulesa Poirot na czerwonej twarzy wyglądał komicznie.

– Jestem z policji. Przed godziną rozmawiałem z kimś o „carskiej śwince". Uprzedzałem, że potrzebuję konsultacji – oświadczył podinspektor i zamaszystym gestem zdjął wielkie lustrzane okulary: udaną replikę aviatorów ray ban, które noszą wszyscy szanujący się szeryfowie w Stanach.

Grubas odszedł od kontuaru i Szerszeń słyszał, jak mówi pozostałym na zapleczu:

– Columbo jest. Ty z nim gadałeś?

Szmer wskazywał na to, że osoba, z którą rozmawiał, wcale nie zamierza podchodzić do kontuaru. Podinspektor czekał jednak cierpliwie. Póki numizmatycy się naradzali obejrzał zgromadzone w gablotkach monety, wszystkie wydawały mu się podobne do siebie. Nie rozumiał, jak można zabić dla czegoś takiego – kawałka złota z wybitym orłem, a nawet tej astronomicznej kwoty, jaką każda z nich była warta. Dla niego było to cokolwiek absurdalne.

Po chwili wrócił do niego ten sam grubas. Wciąż wyglądał na niechętnie współpracującego z policją. Był wyraźnie niezadowolony, że jakiś glina kręci się na jego terenie. A jednocześnie Szerszeń wyczuwał w nim ciekawość. Numizmatyk chętnie dowiedziałby się, nad jaką sprawą pracuje policjant. Miał jednak świadomość, że nie może liczyć na szczerą odpowiedź. Odgradzał się więc nieprzyjemnym sposobem bycia.

Szerszeń położył na ladzie okulary i notes – jakby oswajał to terytorium – po czym poprosił o pokazanie „świnki". Numizmatyk z ociąganiem wyciągnął drewnianą podstawkę, po czym z lekceważeniem rzucił na nią złotą monetę. Policjant wziął ją do ręki i obejrzał z obydwu stron. Nie wyglądała nadzwyczajnie. Ot, zwykły pieniążek.

– Pięciorublówka z tysiąc osiemset dziewięćdziesiątego dziewiątego roku wybita za czasów cara Mikołaja Drugiego, z carskim orłem – oświadczył grubas. – O to chodziło?

– Samodzierżca – zaczął rozszyfrowywać cyrylicę Szerszeń. – Co tam dalej? – Nie mógł odczytać bez okularów.

– Samodzierżca, czyli jedynowładca. Imperator z bożej łaski car Mikołaj Drugi. – Grubas przyszedł mu wreszcie z pomocą. Nie mógł się jednak powstrzymać i dodał: – Nie uczył się pan rosyjskiego? W pana czasach chyba...

Teraz Szerszeń naprawdę się wkurzył. Dość miał takiego traktowania. Najpierw Columbo, teraz przytyki do jego edukacji.

– Ma pan ochotę porozmawiać o czasach szkolnych... Możemy się umówić, najlepiej na komendzie – przygadał mu i spojrzał wyzywająco w oczy.

Grubas od razu się zorientował, że przeholował.

– Na komendzie... – spokorniał. – Przepraszam, ale nie wiem, o co chodzi.

– Poproszę o podanie wymiarów. – Szerszeń starał się być spokojny.

Numizmatyk zmierzył monetę.

– Osiemnaście milimetrów średnicy.

– Ile takich wybito?

– Miliony. – Grubas kwaśno się uśmiechnął.

– Nie jest nic warta?

– Warta, warta. Ale nie wartościowa. W ubiegłym roku na aukcji podobna poszła za siedemset pięćdziesiąt złotych.

– A dlaczego się nazywa świnka?

– Bo w tamtych czasach za pięć rubli można było kupić małą świnkę.

– Aha. – Szerszeń pociągnął wąsa.

Jak widać, łup Zigiego-Króla nie był zbyt wielki.

– To proszę mi jeszcze pokazać dwudziestomarkówkę. Ta też jest tak bardzo popularna?

Numizmatyk przytaknął. I już grzeczniej położył obok nieco większą monetę.

– Też złota?

– Tak, próba dziewięćset.

Szerszeń obejrzał ją dokładnie, po czym sam zmierzył. „22 milimetry, Wilhelm II, 1890 rok, Deutsches Reich, cesarski orzeł", zapisał w notesie.

– Rozpoznałby pan konkretną monetę, jakbym przyniósł do ekspertyzy?

Numizmatyk pokręcił głową.

– To jedne z najpopularniejszych monet na Śląsku. Jest ich tyle, ile gwiazd na niebie. A do jakiej sprawy potrzebna jest opinia? – zapytał z chytrym uśmieszkiem.

– Do starej, sprzed siedemnastu lat.

– Nie chcę pana martwić, ale wtedy nie robiono fotokopii. – Grubas machnął ręką. – Wie pan, teraz fotografia cyfrowa umożliwia powiększanie szczegółu, małych rysek, niewidocznych gołym okiem wad niewpływających na wartość, stanowiących jednak znaki szczególne dla danego egzemplarza. Ale wtedy... Żadnych możliwości identyfikacji. Można takie trafić w lombardach. Ludzie sprzedają za cenę złomu złota.

Szerszeń pokiwał głową zrezygnowany. Ale przynajmniej miał jasność, coś mu się tam klarowało w głowie: Poloczek, Zygmunt Królikowski. Stary Gybis i monety... Zamknął notes, założył okulary i skierował się do wyjścia. W ostatniej chwili zawrócił, jakby sobie o czymś nagle przypomniał. Numizmatyk cały czas obserwował go z pobłażliwym uśmieszkiem wszechwiedzącego.

– A dwudziestodolarówkę z tysiąc dziewięćset trzydziestego trzeciego roku ma pan?

Grubas zbladł, potem jeszcze bardziej poczerwieniał, aż wreszcie wydukał:

– Chyba pan żartuje?

– Nie, ja nigdy nie żartuję. – Uśmiechnął się półgębkiem.

– Gdybym taką miał, już by mnie tu nie było – odparł numizmatyk i zaczął opowiadać. Szerszeń nie mógł uwierzyć, że ten człowiek potrafi być miły. – Ona jest warta siedem milionów dolarów. To nie są jakieś tam świnki. Na całym świecie na wolnym rynku są tylko dwie sztuki. Jedna u prywatnego kolekcjonera, a druga – nie wiadomo. Dla takiej monety każdy by zabił.

Szerszeń aż się zapowietrzył.

– Tylko dwie? Dlaczego?

– Amerykanie wybili pięćset tysięcy tych dwudziestodolarówek. To były ostatnie amerykańskie monety w złocie. Prawie wszystkie są w forcie Knox. Nigdy nie trafiły do obrotu handlowego, bo dziesięć z nich zostało skradzionych ze skarbca, w związku z tym wycofano całą pulę. Udało się odzyskać osiem. Jedna została kupiona na aukcji, bodajże trzy lata temu, przez prywatnego kolekcjonera za ponad siedem milionów dolarów, drugiej nie odnaleziono nigdy. Gdyby była w Polsce, wyobraża pan sobie, co to byłaby za sensacja? Międzynarodowa! Czy tego właśnie dotyczy pańska sprawa?

– Możliwe – odrzekł Szerszeń z triumfem.

Wyszedł, pozostawiając grubasa w stanie kompletnego osłupienia.

Po powrocie do komendy natychmiast odszukał jednego z techników kryminalistycznych. Wacek Bednarkiewicz był młodszy od Szerszenia, ale wyglądał dużo starzej – otyły i niemal całkowicie łysy. Swoje życie przesiedział w studiu fotograficznym komendy albo przed komputerem. Nie tylko jednak znał się na robieniu zdjęć trupom, zabezpieczaniu śladów, ale też interesował się różnymi dziwnymi dziedzinami. Szerszeń był niemal pewien, że z Wackiem może pomówić o forcie Knox.

Kiedy wchodził do pokoju Wacka, pierwszą rzeczą, która rzucała mu się w oczy, był pośmiertny odlew głowy Marchwickiego, zrobiony po wykonaniu wyroku. Szerszeń za każdym razem miał wrażenie, że Wacek musi być bardziej szurnięty niż przeciętny zabójca na tle seksualnym. Bo czym wytłumaczyć trzymanie w pokoju takiego eksponatu?

– Nie słyszałeś? – zaśmiał się technik. – Naprawdę? – upewnił się i chwycił twarz w dłonie, udając wielkie współczucie dla niewiedzy tak szanowanego policjanta.

Podinspektor patrzył na niego wzrokiem bazyliszka.

– Nie – odparł. – I, kurwa, co? Jakoś żyję. Jeśli myślisz, że wiesz wszystko, trzaśnij drzwiami obrotowymi.

Wacek nie odpowiedział, tylko wrzucił w Google hasło.

– Stary, w dzisiejszych czasach nie trzeba niczego wiedzieć. Wystarczy internet.

– I ty przeciwko mnie? – zapytał podinspektor już łagodniej.

Wacek się zaśmiał. Wszyscy przecież wiedzieli, że Szerszeń na komputerze nawet pisać nie umie, a co dopiero obsługiwać internet. No i ta niechęć do komórek...

– Woli być łysy, niż nie mieć włosów – naśmiewał się Wacek.

– Może dlatego tyle się w tej robocie utrzymałem. Technologie to mój konik.

– Nie pierdol już, czytaj – popędził go Szerszeń. – Okularów zapomniałem.

„Fort Knox to instalacja Armii Stanów Zjednoczonych w stanie Kentucky. Baza zajmuje powierzchnię czterystu czterdziestu jeden kilometrów kwadratowych, na której przebywa codziennie trzydzieści dwa tysiące ludzi. Stany Zjednoczone posiadają tam bazę złota, które transportują drogą lądową bądź powietrzną. Jest tam około tysiąca żołnierzy, którzy bronią i strzegą zapasów USA".

– To ciekawsze fragmenty z Wikipedii – skończył Wacek.

– Jeśli chcesz szczegółów rabunku twojej dwudziestodolarówki,

461

to ci odszukam wszystko w archiwaliach biblioteki FBI. Mam od kwietnia dostęp – pochwalił się.

Nie dodał, że wszystkie materiały są oczywiście po angielsku, żeby nie rozwścieczać bardziej Szerszenia, którego nozdrza i tak rozszerzały się teraz jak u rannego byka. Był u granic wytrzymałości.

– Jak będę chciał, to sobie sam znajdę! – Wymaszerował, trzaskając drzwiami.

Podinspektor Szerszeń szedł po schodach do swojego pokoju i przepełniała go autentyczna złość. Podejrzewał, że podsuwany mu przez Weronikę od kilku dni trop z przesłuchaniem Kariny Maliszewskiej był słuszny, a on jej nie posłuchał i obstawiał Poloczka. Tymczasem Poloczek to przeciętnej klasy złodziej i nie mógł nic wiedzieć o takiej monecie. Podobnie jak Zygmunt Królikowski, który w tamtych czasach był przecież jeszcze niedoświadczonym przestępcą. Nadawał się co najwyżej do stania na czatach.

Meyer i Weronika mieli rację, wyrzucał sobie Szerszeń. To on się mylił. Dlatego był zły. Jeśli lekarka wyznała Meyerowi prawdę, ówczesna dziewczyna Zigiego – Karina Zielosko, po mężu Maliszewska, jako jedyna była tak blisko Ottona Troplowitza, by móc komuś nadać to włamanie. Jeśli faktycznie stary Gybis zdobył jakoś ten okaz numizmatyki, to niewykluczone, że ona i jej matka wiedziały, gdzie ukrył monetę.

Szerszeń splunął ze złością na podłogę i omal nie przewrócił się na schodach, kiedy po raz kolejny uświadomił sobie nowy trop. Zorientował się już, że śledztwo stanęło w miejscu, ponieważ on, doświadczony śledczy, zaniedbał jedno przesłuchanie. Widział teraz jak na dłoni, że łączenie sprawców włamania do domu Schmidta z jego zabójstwem było karygodnym błędem. I prawdopodobnie Sasza i Bajgiel, na których tak stawiał, nie są zabójcami. To dlatego nie zadziałały najsprytniejsze taktyki przesłuchania.

– Z gówna bicza nie ukręcisz – mruknął. – Ale saper myli się tylko raz...

Wyszedł z komendy i ruszył miarowym krokiem do pierwszego radiowozu stojącego na podjeździe. Rozparł się jak basza na siedzeniu obok kierowcy. Na masce auta młody policjant wypełniał luki w swoim kajecie. Mina mu zrzedła na widok pasażera na gapę.

– Właśnie skończyłem – bąknął.

– Policja to nie praca – pouczył go podinspektor. – To służba.

Posterunkowy zamrugał oczami, próbował jeszcze się bronić, mówiąc o żonie w połogu. Coś mamrotał o nadgodzinach i o tym, że to jakaś pomyłka, bo on jest z miejskiego komisariatu, ale Szerszeń wcale go nie słuchał. Z władczą miną otwierał schowki, manipulował licznymi pokrętłami i dźwigniami, którymi starał się dopasować siedzenie starego poloneza do swojej sylwetki.

– Słyszałeś o zbrodni na Stawowej? – rzucił. Większą uwagę skupiał na mocowaniu się z pasem bezpieczeństwa niż na młodym policjancie.

Dopiero wtedy mężczyzna rozpoznał szefa sekcji zabójstw wydziału kryminalnego, o którym w tej komendzie krążyły legendy.

– Tak jest – zasalutował, jakby byli na paradzie.

Szerszeń uśmiechnął się zadowolony.

– Jedziemy aresztować podejrzaną. Będę potrzebował twojej pomocy, bohaterze – zażartował.

Policjant wciąż się wahał, czy postępuje słusznie. Chciał spytać, czy w kryminalnym nie mają swoich kierowców, lecz nie starczyło mu odwagi.

– Czekaj na pomoc pana, nie dożyjesz rana – westchnął Szerszeń i zaczął odpinać pasy. – To wypierdalaj, synek.

Przez otwarte okno wyciągnął rękę i zażądał kluczyków od wozu. Chłopak bez słowa wskoczył do środka, odpalił silnik i zadał tylko jedno pytanie:

– Dokąd mam jechać?

Droga do Rudy Śląskiej zajęła im niecałe pół godziny. Początkowo milczeli obaj. Szerszeń zastanawiał się, jak poprowadzić przesłuchanie Kariny. Kiedy zatrzymali się przed obskurnym solarium i wszedł do środka, posterunkowy wyjął telefon i zadzwonił do żony. Nie zdążył nawet się odezwać, kiedy podinspektor wypadł z solarium jak burza, klnąc pod nosem najwulgarniej, jak potrafił.

– Na lotnisko – zarządził.

Policjant rozłączył się bez słowa i ruszył.

– Jak się nazywasz? – zapytał wreszcie podinspektor.

– Adamczyk – odparł karnie chłopak.

– A imię masz jakieś, synek?

– Jarosław, znaczy się Jarek...

– To gazu, Jareczku. Jedź, jak na kursach zakazywali – huknął na niego, a drugą ręką wcisnął syrenę. – Cap cap cabana, porwoł wilk barana. Baran już jęcy, a wilk chce wiyncy. Podejrzana mi ucieka za granicę – wyjaśnił.

Jarek okazał się zapalonym rajdowcem. Choć do lotniska w Pyrzowicach mieli kawał drogi, jadąc na sygnale, na miejscu byli w dwadzieścia minut.

– Stój – krzyknął Szerszeń.

Chłopak tak się rozochocił szybką jazdą, że omal nie stratował budki strażniczej przy wjeździe na parking przy lotnisku. W szczerym polu stał terminal, spory parking, a za siatką widać było pasy startowe i ustawione w rzędzie schody na kontenerach, którymi pasażerowie wspinali się do żelaznych ptaków. Z piskiem opon wyhamowali przed szlabanem. Kobieta siedząca w budce i pobierająca opłatę z krzykiem wybiegła na zewnątrz.

– Nic się nie stało, gołąbeczko. – Szerszeń mignął jej przed nosem legitymacją.

Kobieta posłusznie weszła do budki i po chwili szlaban się podniósł.

Szerszeń dalej wydawał polecenia, jakby dowodził co najmniej gwardią żołnierzy, a nie jednym posterunkowym z komendy miejskiej.

– Zaparkuj, a potem załatw kilku ludzi. Zgłoś na posterunku, że Maliszewska nie może odlecieć – rzucił Szerszeń i niemal w biegu wyskoczył z auta. – Karina Maliszewska, zapamiętasz?

Adamczykowi serce podeszło do gardła.

– Tak, tak... – potwierdził, choć wcale nie był tego taki pewien. Jego komórka dzwoniła już szósty raz. Wiedział, że to żona się niepokoi, tak szybko się przecież rozłączył. Adamczyk tępo wpatrywał się w starszego policjanta, który błyskawicznie dotarł do wejścia B „Odloty". Potem we wstecznym lusterku dostrzegł kolejkę aut, która z jego powodu nie była w stanie się przemieścić w głąb parkingu. Szybko skręcił w pierwszą alejkę i zaczął szukać miejsca do parkowania. Kiedy wreszcie znalazł jakąś dziurę pomiędzy siatkowym parkanem a miejscem dla inwalidów, minęło ponad siedem minut. Kolosalnie dużo czasu.

Wbiegł bocznym wejściem na „Odloty". Przed sobą miał wielką przestrzeń. Nigdy nie leciał samolotem. Nie był na tym ani na żadnym innym lotnisku. Nie miał pojęcia, gdzie znajduje się posterunek policji ani gdzie zniknął Szerszeń. Kręcił się w kółko, a z nerwów pot zalewał mu twarz. Nie zdjął jednak czapki i na chybił trafił ruszył do stanowisk odprawy. Stewardesa na widok jego munduru stanęła na baczność.

– Karina Maliszewska. Pasażerka Maliszewska... – wychrypiał, ledwie łapiąc oddech. – Ona nie może odlecieć! Nie może wsiąść do samolotu...

– Pasażerowie tego lotu są już w rękawie – poinformowała go stewardesa. Adamczyk omal nie upadł z wrażenia. W głowie miał ostatnie słowa Szerszenia: – Módl się, żeby ta babka biegała jeszcze po perfumeriach, bo ci jaja urwę.

Podczas gdy Jarek krążył po parkingu, Szerszeń bez kłopotu dogadał się z celnikami i znalazł się po drugiej stronie terminala. Nie biegł już. Kroczył majestatycznie, rozglądając się bacznie na boki. Poszukiwania Kariny utrudniało to, że nie miał pojęcia, jak kobieta wygląda, a także brak telefonu komórkowego. Wiedział jednak, że jest na wygranej pozycji. Samolot do Frankfurtu, którym miała odlecieć Maliszewska, wciąż stał na płycie lotniska. Większość pasażerów czekała w kolejce, by do niego wsiąść. Jeśli Karina nie miała jeszcze sprawdzonej karty

465

pokładowej, była w pułapce. Służby lotniska nie wpuszczą jej na pokład samolotu, a służby celne nie pozwolą jej wydostać się na zewnątrz. Szerszeń zbliżył się do kolejki i bacznie obserwował ludzi. Kiedy spostrzegł elegancką kobietę o smagłej cerze i kasztanowych włosach, był przekonany, że to jej poszukuje. Miał ją w garści.

– Pani Maliszewska? – spytał, z trudem łapiąc powietrze.

Skinęła głową.

– Proszę za mną. Policja.

Nie wydawała się zaskoczona.

– Co z moim lotem? – zapytała.

– Proszę go anulować.

– To niemożliwe. To lot bez możliwości odwołania. Stracę pieniądze – szepnęła z wyrzutem.

Spiorunował ją wzrokiem.

– Muszę panią przesłuchać.

– Możemy porozmawiać tutaj – oświadczyła ze stoickim spokojem.

Szerszeń zarejestrował, że ta kobieta umie zachować zimną krew jak rzadko kto. Musi to wziąć pod uwagę w trakcie tego niekonwencjonalnego przesłuchania.

– Jeśli nie skończymy tej rozmowy, nie odleci pani teraz. Może zresztą w ogóle pani nie odleci. Co najwyżej na komendę policji. Tam też jest ładnie. Rzecz gustu.

– Nie sądzę, ale proszę pytać. – Jeszcze wyżej uniosła podbródek.

Szerszeń i Karina Maliszewska już siedzieli na plastikowych krzesełkach, gdy dotarł do nich hałas, jakby tupot oddziału żołnierzy. Potem zobaczyli prawdopodobnie cały sztab strażników lotniska, których wzorowo zwerbował Adamczyk, a teraz biegł na czele tej kolumny. Szerszeń nie docenił poświęcenia młodego funkcjonariusza:

– Teraz idźcie wszyscy do diabła – krzyknął i zwrócił się do kobiety: – Dlaczego powiedziała pani, że nie znała Zygmunta Królikowskiego, skoro była pani jego dziewczyną? – zadał pierwsze pytanie i wyjął notes, by zapisać najważniejsze odpowiedzi.

– A kiedy tak powiedziałam?

– Pani prokurator Weronice Rudy. Chyba pani nie sądzi, że mi nie przekazała. To ja prowadzę to dochodzenie.

– Przepraszam, zapomniałam. Jestem na środkach psychostymulujących. One zaburzają realne widzenie, czasem miewam też małe zaniki pamięci. A zresztą spotkałyśmy się z panią prokurator w dość dziwnych okolicznościach.

– Mniejsza o to – przerwał jej Szerszeń. – Uściślijmy pewne rzeczy. Czy teraz też pani jest pod wpływem tych tabletek?

– Tak, każdego dnia biorę jedną. Z rana, po śniadaniu. Na czczo nie wolno, bo wtedy...

– Tak, tak – uciszył ją jednym gestem. – Więc w trakcie rozmowy z prokuratorką miała pani zanik, tak?

Karina skinęła głową.

– A teraz... Czy przypomina sobie pani Zygmunta Królikowskiego? Króla? A może Johanna Schmidta?

Wpatrywała się w niego swoimi czekoladowymi oczami, które wyglądały na mądre i łagodne. Choć podinspektor widział i przesłuchiwał wielu złoczyńców, w takich przypadkach jak teraz nie mógł się nadziwić, że Bóg tak szydzi z rasy ludzkiej i czyste zło obleka w tak piękne ciało.

– Tak, zdaje się, że sobie przypominam – odrzekła. Pochyliła głowę, a po chwili ją podniosła. – To były stare dzieje, nie chciałam znów tego wszystkiego przeżywać.

Srata, tata... A świstak zawija, pomyślał Szerszeń. Doskonale wiedział, co dalej. Karina będzie próbowała wzbudzić w nim litość. Potem zacznie płakać, a wreszcie będzie musiał skorzystać z pomocy szwadronu ochrony, bo kiedy kobieta uzna, że dotychczasowe manipulacje nie robią wrażenia na starym policjancie, zdecyduje się posiłkować tradycyjnymi środkami – ucieczką. Westchnął ciężko. To wszystko przerabiał już tyle razy.

– Mnie nie interesują stare dzieje – mruknął. – Tylko zbrodnia z drugiego maja tego roku na Stawowej. Czy była pani tego dnia na Stawowej trzynaście w lokalu numer sześć razem z Johannem Schmidtem? Pomiędzy godziną szesnastą a osiemnastą?

– Tak – odparła spokojnie.

Jej zachowanie po udzieleniu tej odpowiedzi nie zmieniło się ani trochę. Podinspektor nie dostrzegał na jej twarzy śladu zaniepokojenia. Zaskoczyła go. Nie spodziewał się przyznania się do winy od razu. Po jego ciele rozeszło się upojne ciepło zadowolenia. Ale to jeszcze nie koniec, jeszcze nie czas na radość. Musiał się upewnić.

– Była pani tego dnia na Stawowej trzynaście lokal sześć razem z Johannem Schmidtem pomiędzy godziną szesnastą a osiemnastą?

– Dokładnie. Umówił się z lekarką. Mieliśmy wyjechać, chciał zabrać książkę i pożegnać się z nią... – zawiesiła głos.

– Proszę mówić dalej.

– Opowiedział mi całą historię. Jak w nieoczekiwany sposób jego życie zatoczyło koło i ta kamienica sama go wezwała.

– Aha. – Szerszeń odchrząknął. – Przepraszam, ale chyba się zgubiłem. Właściwie, jak wy się spotkaliście po latach? Wcześniej pani nie pamiętała jego nazwiska, a teraz mowa o kolejach losu. Chyba prokurator Rudy mi tego nie powiedziała albo mi umknęło.

– Bo jej nie mówiłam – wyjaśniła Karina. – Mogę być z panem całkowicie szczera?

– Na to liczę.

– Gdyby pan kochał kogoś miłością pierwszą... – zaczęła z emfazą.

Szerszeń skrzywił się i włożył rękę do kieszeni w poszukiwaniu papierosów. Zamiast nich wyciągnął wykałaczkę, po czym zaczął dłubać w zębie. Pozwolił jednak Karinie mówić dalej. Kobiety nie zniechęciło jego zachowanie ujawniające niechęć i brak zainteresowania.

– Tak najbardziej na świecie, wie pan – przekonywała. – A potem ten ktoś nie tylko by pana opuścił, ale też zniszczył panu życie. Sprawił, że nie miałby pan ochoty żyć dalej. Nie widział sensu, bo ktoś, kogo pan kochał, odebrałby wszystko. Zbrukał, unicestwił... Po latach emocje pozostałyby w panu te same. Tylko zamiast plusa byłby minus. Tak samo, jak mocno pan kochał, zacząłby go pan nienawidzić...

468

– Taka sinusoida?

– No, powiedzmy. – Karina się uśmiechnęła. – Widzę, że odbieramy świat na nieco innych falach. W każdym razie, gdyby ten ktoś odebrał panu nie tylko serce, ale też godność, wiarę, pieniądze i sens wszystkiego... Czy chciałby pan o kimś takim pamiętać? W pewnym sensie powiedziałam pana współpracowniczce...

– To była prokuratorka – przerwał.

– No więc jej. W pewnym sensie powiedziałam prawdę. Nie pamiętałam go. Wyparłam wszystkie wspomnienia z nim związane, bo nie chciałam znów tego przeżywać. Psychiatrzy uważają, że to częsty mechanizm. Nie kłamałam, proszę mi wierzyć.

Szerszeń siedział nieporuszony jej wyznaniem. Jakby słyszał komunikaty meteorologiczne dla rybaków, a sam był w górach. Chciał zapalić, ale na lotnisku było to niemożliwe. Gryzł więc wykałaczkę i zastanawiał się, jak przejść do następnej partii pytań. Był pewien, że te filozoficzne brednie, którymi kobieta próbuje go poruszyć, są tylko grą na zwłokę. Chce mnie zagadać, wciągnąć w czcze dyskusje, cwana lisica, myślał. Ale upływający czas działa na moją korzyść. Nie ze mną te numery. Poczekał jeszcze chwilę i zdecydował się skrócić jej teatralną spowiedź.

– Tak... – mruknął. – A właściwie nie. Prawdę mówiąc, nie wiem. A w ogóle to pani miłosne rozterki nie bardzo mnie obchodzą. Jestem policjantem, nie autorem romansów. Dlatego zapytam jeszcze raz: jak spotkaliście się ponownie?

Karina westchnęła.

– To było w styczniu w Niemczech. Mieszkaliśmy z mężem przez parę lat w Bremen. Była niedziela i oglądałam Polonię. Cały dzień nadawali relację z aukcji charytatywnych Wielkiej Orkiestry Świątecznej Pomocy. Smażyłam kotlety, kiedy na aukcji wystawiono złoty naszyjnik ze szmaragdem. Podeszłam do telewizora i wpatrywałam się w ekran, nie mogąc uwierzyć. To był naszyjnik, który Otton Troplowitz obiecał podarować mi z okazji ślubu. To był jeden z łupów, który sprawcy zabrali po jego śmierci z mieszkania na Stawowej.

Musiałam usiąść, nogi się pode mną ugięły. Oddychałam ciężko, jakby ktoś mnie dusił. Kiedy doszłam do siebie, poczułam swąd spalenizny. Zwęglone kawałki mięsa wylądowały w koszu. Zadzwoniłam do męża i poprosiłam, żeby wziął udział w licytacji. Chciałam mieć ten naszyjnik, a wtedy mogliśmy sobie pozwolić na to szaleństwo. Mąż niechętnie wydawał pieniądze na takie zbytki, zwłaszcza że naszyjnik nie był aż tak cenny. Za takie pieniądze można było mieć bardziej wartościową kolię. Mimo to dał swoją ofertę na rzecz WOŚP, ale nie wygraliśmy. Ktoś mnie przebił. Wszedł do licytacji w ostatnim momencie i zgarnął mi naszyjnik sprzed nosa. Czułam wielki ból. Już miałam go w ręku i ktoś znowu mi go zabrał. Zapamiętałam nazwisko właścicielki. To była pani Schmidt.

– Żona Johanna?

– Wtedy tego nie wiedziałam. Zaczęłam szukać informacji o niej. Przyjechałam do Polski. Wynajęłam detektywa. Okazało się, że Klaudia Schmidt to żona biznesmena. Jego firma była ogromna i bez trudu zdobyłam więcej informacji. Kiedy detektyw przyszedł na spotkanie z plikiem dokumentów i fotografiami, od razu rozpoznałam Schmidta, choć bardzo się zmienił. To był Zygmunt Królikowski. Ten sam, w którym byłam kiedyś zakochana i który mnie porzucił. Zabił wuja Ottona i poniekąd moją matkę.

To odkrycie było straszne, lecz chciałam wiedzieć jeszcze więcej. Zleciłam dalsze śledztwo. Sama nie wiedziałam, czy chcę doprowadzić do spotkania. Nienawidziłam go. Miałam go za mordercę. Mordercę Ottona Troplowitza, mojej matki i mnie samej. Uważałam go za podłego człowieka, bez serca. Wiedziałam tylko tyle, że musi zapłacić za wyrządzone krzywdy. Pragnęłam zemsty. Sama nie zdawałam sobie sprawy, że to aż tak we mnie siedzi. Rozmyślałam nawet o torturach, jakie mu zadać. Pragnęłam odebrać mu to, co ma najcenniejszego, na czym najbardziej mu zależy. Łatwa śmierć by mnie nie zaspokoiła. Chciałam, by cierpiał.

Mówiąc to, patrzyła wprost na Szerszenia, a ten przypomniał sobie przedpołudniową rozmowę z Weroniką. Mimo tylu lat w policji wciąż zastanawiał się, jak to możliwe, że kobiety zupełnie inaczej traktują zbrodnię. To dlatego w ich wydaniu jest straszniejsza, dlatego bywają tak okrutne. Ich motywy dyktowane są emocjami. Karinę po tylu latach przepełniało pragnienie krwawej zemsty. Rozdzieranie szat, krew na nożu.

Milczeli teraz oboje. Szerszeń zerknął na jej dłonie. Nabrzmiałe żyły, grube palce opuchnięte w stawach. Nie pasowały do niej. Były to ręce spracowane, bardzo dokładnie oddające jej pochodzenie i wiek. Jego uwagę zwróciła też biżuteria, którą kobieta nosiła na serdecznym palcu. Oprócz cienkiej złotej obrączki miała nałożony niewielki pierścionek z wizerunkiem kobiety. Białe kościane popiersie na brązowym tle, okolone laurowymi liśćmi ze srebra. Był nieduży. Szerszeń przypomniał sobie, że w filiżance stojącej przed zamordowanym śmieciowym królem, w fusach, zabójca umieścił wisiorek. Główka kobiety na ciemnym tle. Jakby z tym pierścionkiem tworzyły komplet.

„U zleceniodawcy zbrodni dominowało poczucie bycia zdradzonym i oszukanym. Osoba ta zaplanowała, umożliwiła i wynagrodziła zabójcom dokonanie przestępstwa. Mogła to być kobieta bliska ofierze" – tak brzmiał fragment profilu, który leżał na jego biurku.

– Powiem ci, co było dalej – odezwał się wreszcie. – Wynajęłaś dwóch mężczyzn. Powiedziałaś im, że w mieszkaniu będą pieniądze i fanty. Zapłaciłaś im, by go zabili. Kiedy szłaś na spotkanie ze Schmidtem, oni byli tuż obok.

– Nie, to nieprawda! – krzyknęła. – Kiedy się spotkaliśmy, okazało się, że jest mi już obojętny. Nienawiść wyparowała, zmieniła się w litość.

– Zbliżyłaś się do niego tylko po to, żeby osłabić jego czujność – wszedł jej w słowo Szerszeń. – Przez lata żywiłaś się nadzieją, że kiedyś go odnajdziesz i odpłacisz pięknym za nadobne. Weszłaś do mieszkania, wypiłaś z nim kawę. Wrzuciłaś do filiżanki wisiorek, żeby wiedział, za co ginie. Dokładnie taki. – Wskazał na jej pierścionek. – Potem dałaś znak zabójcom, by robili, co do nich należy. Spodziewałaś się, że podejrzenie padnie na lekarkę.

– Nie! – Zerwała się. – To prawda, że go oszukałam. To prawda, że chciałam go zniszczyć. Pragnęłam, by poczuł to, co ja wtedy. By stracił wszystko, co kocha, co było dla niego ważne. A tym czymś była firma i ta dziewczyna – jego córka. Obiecałam mu, że z nim będę, że wyjedziemy i zaczniemy od nowa. Odszedł od żony, zamknął firmę. Pierwszy raz w życiu położył wszystko na jedną kartę. Udało mi się. Uwierzył mi i został zraniony. Myślę, że najbardziej w życiu. O to mi chodziło. By go porzucić, kiedy będzie bezbronny. Wydobyć go z pancerza i zdeptać jak robaka. To wszystko mu powiedziałam w mieszkaniu wuja tego dnia. O tym, że to była tylko gra z mojej strony, rewanż za pogrzebanie mnie żywcem. Żadna odgrzewana miłość! Przed wyjściem wrzuciłam zresztą ten nieszczęsny wisiorek do filiżanki. Myślałam, że kiedy będzie dopijał kawę, zobaczy go i zrozumie, co mi zrobił. Co najwyżej się nim udławi. Ale nie zabiłam go!

– Nie mówię, że własnoręcznie, ale zleciłaś to fachowcom. A za to jest taka sama kara. Dożywocie!

– To dlaczego akurat tam? – Poderwała się z krzesła. Teraz już krzyczała, próbując nieudolnie się bronić. – O wiele łatwiej byłoby to zrobić w jego domu, w pracy, na wysypisku śmieci. Zanim by go znaleziono, minąłby co najmniej tydzień. Zyskałabym na czasie. Uciekłabym. To bzdura!

– Wszystko, co mi opowiadałaś, to bzdury, pierdoły, bajki dla naiwniaków. Ale ja nie jestem takim frajerem, za jakiego mnie uważasz. Tak naprawdę nie kierowała tobą ani zraniona miłość, ani nawet nienawiść. Po tylu latach każdy się potrafi poskładać.

– O nie! – Karina kręciła głową. – Nieprawda.

– Powiem ci, o co chodziło – ciągnął świszczącym szeptem podinspektor. – Chodziło o kamienicę! O Kaiserhof! O dom, który miałaś dostać w spadku po Ottonie Troplowitzu, a którego nie zdążył ci zapisać, bo twój kochanek go zabił. Ironia losu. Wszystko, co po nim zostało, otrzymali jego dalecy krewni. Myślałaś, że będziesz bogata, ale on zniszczył twoje plany, więc zorganizowałaś zbrodnię na Stawowej, bo chciałaś znaleźć to, co nie udało się Poloczkowi i Królowi. Monetę! Zabójcom pozwoliłaś wziąć wszystko, ale sama chciałaś tylko jednego.

– Co? – Patrzyła na niego szeroko otwartymi oczami. Dostrzegł w nich najpierw zdziwienie, a potem przerażenie. Wreszcie jej twarz wykrzywiła wściekłość. – Myli się pan. Nigdy nie zrobiłabym czegoś takiego. A tym bardziej dla jakiejś głupiej monety.

– Doskonale wiesz, dla jakiej. I ja też wiem! Dla dwudziestodolarówki! Lepiej powiedz, gdzie ona jest. W tej chwili jestem w stanie wejść do twojego mieszkania i przeszukać dom.

– Nie będę z panem dłużej rozmawiała. To bzdury.

Podeszła do nich stewardesa.

– Samolot jest już opóźniony. Czy pani wchodzi na pokład? – zapytała cichym głosem. Zwracała się do policjanta, nie do Maliszewskiej.

– Ta pani idzie z nami – odrzekł podinspektor. – Nie będziemy dłużej opóźniać lotu.

– Nie! – krzyknęła Karina.

Szerszeń chwycił ją za rękę, zanim zdecydowała się na ucieczkę. Trzymał ją w żelaznym uścisku.

– Nie ma pan prawa!

– Ależ owszem. – Szerszeń uśmiechnął się i postanowił zablefować. Zniżając głos, dodał: – Na policyjnym dołku mam dwóch twoich znajomych. Ciekawe, czy rozpoznają cię jako zleceniodawczynię zabójstwa Schmidta. A może powinienem używać jego prawdziwego nazwiska, by nie pojawiły się małe zaniki pamięci?

Karina zamarła. Patrzyła, jak z każdej strony okrążają ją ochroniarze z lotniska. Słyszała ryk policyjnych radiowozów. Wiedziała, że przyjechali po nią, choć nie miała pojęcia, skąd się tutaj wzięli. Stewardesa zamknęła bramkę i nie oglądając się ani razu, ruszyła rękawem do samolotu. Karina została obezwładniona i położona na ziemię, jej ręce skuto kajdankami. Zimny metal ściskał jej przeguby. Leżała znieruchomiała ze strachu i wciąż nie docierało do niej, że to wszystko dzieje się naprawdę.

Jeszcze tego samego wieczoru do podinspektora Szerszenia zadzwonił komendant z gratulacjami. Był tak miły, że podinspektor w pierwszej chwili go nie rozpoznał.

– No, Waldek, musimy się umówić na ryby – oświadczył familiarnie komendant. – Znam takie miejsce, znakomita woda...

– Tak, koniecznie... Byle nie była tak znakomita, że ryby nie zechcą z niej wyłazić – mruknął Szerszeń i pomyślał: Daj mi lepiej podwyżkę, ty żyło. Na ryby sam sobie pojadę. Na głos jednak dodał: – Jeszcze sprawa niezakończona, szefie. Czekam na analizę śladów biologicznych. Nie ma przyznania się do winy... Lekarka zniknęła. Śledztwo w toku. Nie chwalmy dnia przed zachodem... Mamy tylko kilka trybików w tej machinie. A i to nie jest pewne...

– Nie bądź taki skromniś. Zagadka rozwiązana. Krwawa Mary w pułapce. Media zwariują, jak ujawnimy podejrzaną. Sam jestem ciekaw... Czy to prawda, że jest taka ładna jak młoda Sophia Loren? – Komendant nie krył zadowolenia. Rzadko pozwalał sobie na taką wylewność, więc Szerszeń był nieco skonfundowany. Z niepokojem czekał na dalszy ciąg wypowiedzi komendanta.

– Nie wiem... Może... – skrzywił się. – Niczego sobie... Ale...

– Nie ma żadnego ale... Jutro podpiszę ci premię i jak prokurator postawi jej zarzuty, możesz wziąć tygodniowy urlop. Honor komendy został uratowany. Dobra robota... choć następnym razem działaj mniej niekonwencjonalnie. Gdyby ta akcja z lotniskiem nie wypaliła...

– Wiem, przypiąłbyś mi się do dupy. Ale kto w życiu nie ryzykuje, ten nie pije szampana – dokończył Szerszeń, z trudem powstrzymując ziewanie. Po dzisiejszym dniu był bardzo zmęczony i pierwszy raz od tygodnia czuł, że będzie spał spokojnie.

14 maja – środa

– Jest pan tego pewien? – Podinspektor Szerszeń zawiesił głos i z niepokojem oczekiwał odpowiedzi.

Mężczyzna w nobliwym granatowym sweterku w serek i białych spodniach do tenisa pokiwał głową, po czym wskazał na wydruk z faksu leżący na biurku policjanta. Jego większą część stanowiło zdjęcie Elwiry Poniatowskiej. W nagłówku zaś było napisane rozstrzelonym drukiem: „Poszukiwana".

– Na sto procent – potwierdził.

Szerszeń odetchnął z ulgą. Pogładził wąsa i uśmiechnął się półgębkiem.

– Mieszkała w pokoju numer osiem – ciągnął świadek. – Tuż przy samym korcie. Pracowałem jako instruktor przez cały długi weekend, jak co roku. Widziałem ją kilkakrotnie. Także jak kilka razy wyjeżdżała zieloną mazdą sześćset dwadzieścia sześć, bo parking znajduje się przy samym wyjściu z kortów. Nie dało się jej nie zauważyć. To bardzo atrakcyjna kobieta. Była zresztą jedynym samotnym gościem zajazdu i rzadko opuszczała pokój. Raz minąłem się z nią na śniadaniu. Próbowałem do niej zagaić, ale nie wykazywała chęci nawiązania kontaktu. Wyglądała na bardzo przybitą.

– Musimy spisać protokół. Proszę zaczekać. – Szerszeń podniósł do góry dłoń i jak burza wypadł z gabinetu.

– Stańczak! – Po korytarzu rozległ się jego tubalny głos. Po chwili z drzwi obok wychyliła się twarz młodego funkcjonariusza w szarej bokserce z napisem Kappa. Obie ręce miał wytatuowane w ciemnogranatowe romby. – Dawaj tutaj, chłopcze. Musimy coś zaprotokołować – powiedział podinspektor już spokojniej i niemal siłą wepchnął go do swojego gabinetu. – Siadaj i zapisuj zeznania świadka – polecił, wskazując mu komputer przy biurku obok. – Proszę powtórzyć to wszystko jeszcze raz – zwrócił się do mężczyzny, kiedy młody policjant włączył sprzęt i otwierał właściwy plik w komputerze. – Uprzedzam pana o obowiązku mówienia prawdy. Za składanie fałszywych zeznań grozi kara więzienia do lat trzech. Czy zrozumiał pan pouczenie?

– W pełnej rozciągłości.

– Wobec tego proszę mówić – zachęcił go Szerszeń. – Imię i nazwisko, wiek, adres zameldowania, wykształcenie, zawód.

– Nazywam się Arkadiusz Wyrzykowski – zaczął mężczyzna. – Lat trzydzieści dziewięć. Adres zamieszkania: ulica Różana trzydzieści trzy mieszkania dziesięć, Katowice. Niepełne wyższe. Pracuję jako instruktor tenisa w zajeździe Pod Wzgórzem Anny w Katowicach, którego jestem współwłaścicielem. W dniach drugi–piąty maja tego roku widziałem tę kobietę na terenie naszego hotelu. Zarezerwowała u nas pokój miesiąc temu. Była osobiście. Bardzo zależało jej na „jedynce". Już wtedy zapłaciła za trzy dni pobytu.

– Kartą?

– Gotówką. I podała nazwisko Olsen. Lidia Olsen.

– Zanim wydacie klucze, nie sprawdzacie klientom dowodu osobistego?

– Sprawdzamy, ale było tylu gości... Wie pan, długi weekend. Jakoś umknęło to obsłudze, a pokój był zapłacony, więc po prostu ją zakwaterowaliśmy.

– Nie było problemu z rezerwacją w taki czas? Ile macie jedynek?

– Tylko jedną. Dlatego doskonale ją zapamiętałem. Miałem zresztą wrażenie, że skądś ją znam. Z gazety, telewizji, wie pan... Miałem poczucie, że to jakaś znana osoba, która przebywa u nas incognito. Ze względu na dobro placówki nie chciałem się wtrącać. Dopiero potem skojarzyłem, że to ta znana seksuolog. Mam w domu jej książkę.

– Czy rozpoznaje ją pan na tym zdjęciu? – Szerszeń przesunął w jego kierunku fotografię lekarki.

– Tak. To ona. Jestem pewien.

– Proszę zaprotokołować. Świadek rozpoznaje Elwirę Poniatowską-Douglas. Czy widział pan, jak w piątek drugiego maja około godziny dwudziestej drugiej rzeczona kobieta opuszczała zajazd, prowadząc samochód marki mazda sześćset dwadzieścia sześć koloru zielonego?

– Tak, zgadza się.

– Widział ją pan jeszcze potem?

– Wróciła po godzinie. Pamiętam, bo byłem wtedy w restauracji i sam sprzedałem jej butelkę wina, którą zabrała do pokoju.

– Jest pan instruktorem tenisa, barmanem i właścicielem tego lokalu? – zainteresował się Szerszeń.

– Współwłaścicielem, jednym z trzech. Moja obecność na policji została uzgodniona z pozostałymi udziałowcami firmy. Mój brat też jest policjantem. To u niego zobaczyłem jej zdjęcie i dowiedziałem się, że jest poszukiwana listem gończym. Ale odpowiadając na pańskie pytanie... Właśnie dlatego spędzam w tym miejscu tak dużo czasu. By interes się kręcił, trzeba wszystkiego dopilnować samemu.

– Kiedy kota nie ma, myszy harcują. – Szerszeń się uśmiechnął.

Był zadowolony, bo jak z nieba spadł mu tak cenny świadek. Jego zeznanie wyraźnie dowodziło, że lekarka kłamała, mówiąc, iż spędziła długi weekend na działce. Policyjny nos go nie zawiódł. Tak jak podejrzewał, alibi żony alkoholika było grubymi nićmi szyte. W połączeniu ze zniknięciem lekarki ta informacja rzucała wyraźny cień na jej niewinność w tej sprawie. Musiała mieć w tym jakiś udział, myślał Szerszeń.

– Zgadza się – odparł spokojnie tenisista. – Zresztą w moim wieku trzeba już myśleć o odcinaniu kuponów, a nie bieganiu po korcie. Już nie te lata...

– Ale wracając do naszej poszukiwanej... – przerwał mu Szerszeń. – Co pan jeszcze wie w tej sprawie?

– W sobotę trzeciego maja ta pani opuszczała zajazd trzykrotnie. Tuż po śniadaniu, w porze obiadowej i przed kolacją.

– Nie wie pan, dokąd jeździła?

– Nie zajmuję się tropieniem gości. To, co widziałem, było przypadkowe. Nie obserwowałem jej specjalnie. Pan chyba rozumie... Może jadła na mieście? Nie mam pojęcia. Sądzę jednak, że nie jadła wcale. Raz zamówiła obiad do pokoju, ale sprzątaczka mówiła mi, że nie tknęła ani kęsa. Za to dużo piła. Codziennie sprzątane były puste butelki po kalifornijskim winie. Chyba nawet prowadziła samochód na rauszu. W sumie mnie to nie obchodzi, ale wyjeżdżając z parkingu w sobotę wieczorem, uszkodziła skrzynkę telekomunikacyjną, która znajduje się na zewnątrz budynku na wysokości około pięćdziesięciu centymetrów od ziemi.

– Jak to?

– Tam jest dość wąski wyjazd. Jej mazda jest długa, a przy takiej liczbie gości hotelowych parking był do tego stopnia zapełniony, że szpilki nie dałoby się wcisnąć. Można było z niego wyjechać tylko tyłem. Tak też zrobiła ta pani, ale podjechała zbyt blisko prawą stroną auta i przytarła je o ścianę, na której znajduje się skrzynka.

– Czy na ścianie są jeszcze ślady?

– Tak. Nie miałem głowy, by coś z tym robić. Obudowa skrzynki jest potrzaskana, ale mechanizm nie został uszkodzony. Wymiana skrzynki wymaga wizyty eksperta z telekomunikacji. Skoro telefony i internet działały, uznałem, że nic się nie stało.

– Na jej aucie widział pan ślady przecierki?

– Zdecydowanie większe niż na ścianie. Mógł je zlikwidować jedynie blacharz. Bok auta nie był wprawdzie wgięty, ale lakier zdarła na przednich i tylnych drzwiach aż po błotnik.

– Przyślę technika, by zabezpieczył ślady na ścianie.

– Oczywiście. – Tenisista pokiwał głową. – Jesteśmy do dyspozycji.

– A w niedzielę wyjeżdżała?

– Nie wiem. Tego dnia miałem dużo początkujących klientów, a z nimi jest zawsze zawracanie głowy. Chyba jej nie widziałem. Nie mogę nic powiedzieć.

– Dziękuję, że pan się zgłosił.

– Wie pan... Ona się dziwnie zachowywała. Nie wiem, jak to wyjaśnić. Jakby się czegoś bała. Miałem wrażenie, że ma jakiś problem, przed czymś ucieka albo...

– Albo?

– Nieudolnie się ukrywa. Nie wiem, czy to ważne i czy pomogłem...

– To się jeszcze okaże – odparł Szerszeń. – Bądźmy w kontakcie.

Kiedy tenisista opuścił komendę, Szerszeń zadzwonił do policjantów, którzy śledzili męża lekarki.

– Co u mojego gogusia? – zapytał. – Nadal przysypiacie na posterunku? Cisza?

– I tak, i nie – usłyszał w słuchawce. – Właściwie to nic się nie dzieje. Ale dzisiejszą nockę Douglas spędził w Superjednostce.

– Wiemy u kogo?

– Raczej tak.

– Albo tak, albo nie – huknął Szerszeń. – Są zdjęcia, nazwiska? Co to, przedszkole? Ja mam was uczyć obserwacji podejrzanych?

– Wczoraj nas zgubił – przyznał wreszcie policjant. – Ale znaleźliśmy go w Alienie.

– Gdzie? – zapytał Szerszeń i zaraz sam sobie odpowiedział: – W tym klubie?

– Tak jest – zachichotał technik. – W tej gejowskiej spelunce. Bardzo modna jest.

W słuchawce podinspektor usłyszał głośny rechot drugiego policjanta.

– Nie wiem, co was tak śmieszy – oburzył się Szerszeń. – Może mi wyjaśnisz?

Policjanci natychmiast spoważnieli.

– Kiblujemy od wczoraj pod Superjednostką. Mamy też numer lokalu, w którym Douglas spędził noc. Mieszkanie dziesięć dwadzieścia trzy należy do niejakiego Drewnowskiego. To ten, z którym Douglas już wcześniej był widziany.

– Sprawdźcie, kim jest – polecił Szerszeń.

– Z zawodu czy zamiłowania? – Teraz już obaj wybuchnęli gromkim śmiechem.

– Odbiło wam czy jak? – zdenerwował się Szerszeń. – Wszystko sprawdzić: zawód, stan konta, zamiłowania też, jeśli ma jakieś ciekawe...

– Spytaj Stefana, on będzie wiedział najlepiej.

Szerszeń szczerze się zdziwił.

– To jakaś grubsza ryba półświatka? – mruknął.

– Zadzwonię potem – wpadł mu w słowo policjant, z trudem powstrzymując wesołość. – Douglas właśnie wychodzi. Jedziemy.

– W dalszym ciągu prowadzić obserwację – rozkazał podinspektor rozjuszony. – I dziś wieczorem raport na moje biurko. To policja, a nie jakiś popieprzony cyrk.

* * *

– Co robisz? – Wacek zajrzał do niego po południu. – Jak tam fort Knox?

– Nijak. Nie zajmuję się tym – odburknął podinspektor. – Na razie.

– Słyszałeś najnowsze ploty? – Wacek rozsiadł się na krześle naprzeciwko biurka policjanta, nie zważając, że ten nie przepada za jałowymi pogaduszkami. Spojrzał na nietknięty obiad w pudełku próżniowym i zapytał: – Żona już ci wybaczyła?

– Pilnuj swojego fiuta, nie mojej żony – warknął podinspektor.

Bednarkiewicz zignorował wisielczy humor policjanta i kontynuował.

– Nie słyszałeś o Stefanie?

– Co z nim? – Szerszeń podniósł wreszcie głowę znad papierów. – Chyba nie zapił się na śmierć ze swoimi świadkami koronnymi?

– Nie – zaśmiał się technik. – Grozi mu coś zgoła innego...
Przecwelowanie...

– Co? – Szerszeń aż zaniemówił z wrażenia.

– To ciota – oświadczył Bednarkiewicz zadowolony, że udało
mu się wreszcie zwrócić na siebie uwagę Szerszenia.

– Przecież on ma żonę – skrzywił się podinspektor.

– A w czym to przeszkadza? – Technik wzruszył ramionami
i chciwie zaciągnął się papierosem. – Ma żonę i dziecko. A także
duży problem. Po tym, jak na jaw wyszła jego orientacja, jego
stara na pewno wykorzysta to w sądzie, żeby uniemożliwić mu
kontakty z córką. I Stefan pewnie nieprędko się z nią zobaczy.
Wiesz, u nas pedał to tak jak pedofil. Dla sądu w każdym razie.

– Dla mnie i to, i to taki sam zboczeniec.

– No nie, Waldek. Pedał to taki, co się pieprzy z facetem, a pedofil – z nieletnim. Pedał może to robić, nic nam do tego, a pedofilów ścigamy. Taka jest różnica.

– To jakaś popelina. Nie wierzę w te brednie o Stefanie – ujął
się za kolegą Szerszeń. – Ktoś mu podkłada świnię. Może Kwinta
puścił taką plotę, bo Stefan miał go już na widelcu. Wszystkich
jego chłopaków przyskrzynił i tylko się czaił, żeby mu dobry paragraf przypasować. To ten chuj jebany zagrał poniżej pasa! Tak
chłopakowi opinię spaprać... Takie gówno Stefan nieprędko
z siebie zmyje. Ja pierdolę! – Szerszeń był naprawdę poruszony.

– Tak? – Wacek tylko na to czekał. Podszedł do komputera
na biurku obok i włączył internet. – Zaraz zobaczysz, obrońco
uciśnionych. Stefan sam sobie nagrabił. Wczoraj na YouTube
ktoś zamieścił amatorski film z komórki. Cała komenda go
już widziała. Zaraz zmienisz zdanie o swoim ulubionym docho-
dzeniowcu.

– Czy ja zawsze dowiaduję się o wszystkim ostatni? – jęknął
podinspektor, wpatrując się w ekran monitora.

Film był słabej jakości. Trzaski, szumy, obraz ciemny i ziar-
nisty. Ale nie na tyle, by nie rozpoznać twarzy filmowanych
ludzi. W klubie było mnóstwo osób. Większość stanowili homo-
seksualiści. Kobiety ocierały się o kobiety, mężczyźni tańczyli z mężczyznami. Były też pary mieszane. Niektórzy goście

uśmiechali się do kamery. Jakby fakt, że są filmowani, wcale im nie przeszkadzał.

– To wszystko nasza przyszłość – wtrącił Wacek. – To jest, kurwa mać, apokalipsa. O, teraz patrz. Teraz! – Technik był tak podekscytowany, że aż dotykał ekranu monitora.

– Zabierz łapę, bo nic nie widać – warknął Szerszeń.

Na uboczu, tuż przed wejściem do toalety, stało dwóch mężczyzn. Oddawali się zajęciu tak absorbującemu ich uwagę, że nie dostrzegali niczego wokół siebie, także tego, że są filmowani. Choć podinspektor nie miał przy sobie okularów, z łatwością rozpoznał w jednym z obściskujących się mężczyzn Stefana. To właśnie on, nikt inny, wodził dłonią po ciele swojego partnera, grubawego łysielca w okularach w rogowej oprawie.

– Wyłącz to. Nie mogę. – Szerszeń odwrócił głowę ze wstrętem. – To prowokacja. Jakaś gnida mu to zrobiła. Wystawili go.

– Co ty! Wszyscy go podejrzewali. Teraz są tylko dowody. Stefan wziął urlop. Nie będzie miał życia. Nie tutaj. I wyobrażasz sobie geja – postrach półświatka?

– Nikt z nas nie jest do końca normalny – westchnął Szerszeń i zapalił papierosa. – Ale Stefan dewiantem? Był ostatnim na ziemi, którego bym o coś takiego podejrzewał. Słuchaj, ile razy nadawaliśmy z nim na pedałów. Byłem pewien, że on ich tak samo nienawidzi jak ja. On zresztą nie wygląda... – jęknął. Nie był w stanie wymówić tego słowa: „homoseksualista". Nie chciał w to wszystko uwierzyć. Ale jednocześnie był zmuszony przyjąć do wiadomości fakty. Film istniał. Nie mógł być fotomontażem. Chyba że... – Myślałem, że oni są... no wiesz – zaprezentował odstający najmniejszy palec, wykrzywił usta i udając miękkie ruchy bioder, zaczął się przemieszczać po pokoju.

– Nie wszyscy. Ci są babami, a ci normalni to faceci. No wiesz, oni ładują. Chociaż nie wiem, może się zamieniają.

– Bleee. – Szerszeń wydał odgłos wyrażający bezgraniczny wstręt.

– To jeszcze nic. Ponoć widziano Stefana z tym twoim podejrzanym.

– Co?

– No, z tym mężem lekarki od śmieciowego króla.

– Gdzie?

Wacek wskazał na monitor.

– W Alienie. Tam chodzą wszystkie pedały.

– Kto ci to powiedział?

Wacek wzruszył ramionami:

– Nie wiem, takie słyszałem gadanie.

Szerszeniowi zaczęło się wszystko układać, choć wciąż nie był w stanie dać temu wiary.

Przypomniał sobie teraz to dziwne porozumienie Stefana i Douglasa podczas przesłuchania. Musieli wtedy się rozpoznać, spodobać sobie. Był zniesmaczony. Bardziej jednak niż informacja, że jego ulubiony dochodzeniowiec jest biseksualny, zabolał go fakt, że dla zaspokojenia swoich popędów złamał prawo. Z tego powodu nie zasługiwał już na jego szacunek.

Nie zastanawiając się dłużej, chwycił swoje rzeczy, jeszcze ciepły pojemnik z obiadem i wyszedł. Ruszył do domu, by przeprosić żonę. Miał poczucie, że Zofia i jego własny dom są jedyną ostoją normalności w tym świecie. Jeśli mu wybaczy, gotów był jej nawet kupić nowego psa. Choćby był tak samo hałaśliwy i włochaty jak ten poprzedni.

* * *

Weronika dojechała do Sopotu dopiero pod wieczór. Była niezadowolona, że nie mogła wyrwać się wcześniej i nie zdążyła na wykład Meyera o karcie wizytowej sprawcy[1], na którym bardzo jej zależało. Potem, jak na złość, długo kluczyła maleńkimi uliczkami, nie mogąc znaleźć willi przy ulicy Chopina, w której zakwaterowano Meyera i gdzie dzisiejszego wieczoru miało się odbyć nieformalne przyjęcie, które zarządził Hubert. Sami policjanci, sędziowie i prokuratorzy. Zagraniczni goście, zajmujący pokoje na górze, wyjechali na czwartkowe wykłady w Toruniu. Willa była praktycznie do ich dyspozycji.

---

[1] Karta wizytowa sprawcy – swoisty rodzaj stałego zachowania przestępczego sprawcy.

Meyer przywitał ją jak koleżankę z pracy. Cmoknął w policzek, przedstawił znajomym. Czuła się zagubiona w tym tłumie. Tylko na początku rozmawiali o sprawie śmieciowego barona. Hubert opowiedział jej, jak dostał paranoi, że Elwira Poniatowska-Douglas dybie na jego życie i jak z kluczem do kół rzucił się do drzwi, myśląc, że kąpie się w jego łazience.

– Wciąż jej nie odnaleźli – powiedziała mu.

Meyer zbył tę uwagę milczeniem.

Weronika także nie zamierzała dłużej rozmawiać o sprawie. Zwłaszcza że na przyjęciu było mnóstwo ludzi. Każdy z nich miał do Meyera pytania odnośnie do prowadzonej przez siebie sprawy i dopiero wtedy prokuratorka zrozumiała, że dla Huberta sprawa zabójstwa Schmidta była po prostu jednym z wielu śledztw, nad którymi pracował. Gdyby ona miała zajęcie wymagające takiej podzielności uwagi, chybaby nie podołała. Postanowiła odciąć się od tego, co zostawiła na Śląsku. Nie myśleć o pracy, swoim życiu, o niczym, co dotyczyło jej samej. Nowe miejsce i nowe okoliczności, w których się dziś znalazła, sprzyjały tej decyzji. Piła więc jak wszyscy różne rodzaje alkoholu, pociągnęła nawet wędrującego jointa.

Impreza, która zapowiadała się dość drętwo, wraz z upływem nocy rozwinęła się w potańcówkę. Weronika czuła się jak za czasów studenckich, kiedy jej jedynym problemem był brak pieniędzy i zjadająca ją ambicja. Żadnych dylematów moralnych, bagaży w postaci byłych mężów, synka, z którym nie mogła spędzać czasu, ani wypełniania kwitów, do czego w gruncie rzeczy sprowadzała się jej praca oskarżyciela. Alkohol skutecznie likwidował bariery i wkrótce poczuła się wyzwolona z czasu i przestrzeni. Spuszczona ze smyczy, która była tylko w jej umyśle. Kolejno wykruszali się mniej zabawowi uczestnicy imprezy, aż wreszcie została grupka najbardziej wytrwałych. Tańczyli aż do świtu.

Wspólnie odprowadzili do drzwi ostatnich gości. Meyer zasunął zamek i zostali sami. Stali tuż obok siebie. Hubert odwrócił twarz w kierunku Werki i lekko się do niej uśmiechnął. W korytarzu panował półmrok. Weronika nie wytrzymała jego spojrzenia, rozpalało ją do żywego. Odwróciła się i wolno ruszyła do salonu. Byli w ogromnym pomieszczeniu, w którym jeszcze niedawno bawił się tłum ludzi. Cała przestrzeń zalana była słońcem. Wdzierało się przez wielkie okna odważnie, oślepiało. Noc dawno odeszła w niebyt, a wraz z nią wszystko to, co wiąże się z jej księżycowymi, tajemniczymi wpływami. Minął już nieśmiały świt, struchlały poranek. Majestatycznie wkraczał dzień. Był bezwzględny. Nie ocieplał postaci magnetycznym blaskiem świec, których wymagała noc, nie przydawał twarzom rozmarzenia, jak to czynił świt. Wcronika czuła się zagubiona. Podeszła do okien. Marzyła, by Hubert pośpieszył za nią, objął wpół i pocałował delikatnie w kark, ale on tego nie zrobił.

W świetle dnia wszystko było autentyczne, prawdziwe i, niestety, pozbawione ozdobników. Weronika obawiała się, że Meyer dostrzeże jej podkrążone oczy i zmęczoną z niewyspania twarz. Hubert jednak zdawał się nie zwracać uwagi na takie drobiazgi. W ogóle nie wykazywał nią zainteresowania. Był całkowicie pochłonięty zajęciem tak prozaicznym jak zasłanianie okien. Kolejno wchodził na szerokie parapety i spinaczami biurowymi łączył lniane zasłony, które miały ochronić ich przed wścibskim nosem słońca.

Nie wiedziała, co teraz nastąpi. Jak się zachować? Co robić? Gdzie jest jej miejsce? A może powinna uciec i nie konfrontować rzeczywistości z własnymi pragnieniami? Stała więc jak słup soli, obserwując go. Nie był teraz dla niej wybitnym ekspertem psychologii śledczej ani kolegą z pracy, tylko mężczyzną, dla którego przejechała tyle kilometrów, z którym przetańczyła całą noc i którego obłędnie pragnęła od dnia, kiedy go ujrzała. Patrzyła na niego i na to, co robił, jak obserwuje się scenę w teatrze. Była publicznością, a on był głównym aktorem. Poruszał się z nieznaną dotąd energią, jakby wyzbył się tej flegmy, która wcześniej tak ją fascynowała.

Zrozumiała, że taki właśnie miał sposób na życie. Pozornie wydawał się siłą spokoju. Nic bardziej mylnego. Jego niespożyta energia tkwiła wewnątrz, drzemała w uśpieniu do czasu, gdy padnie rozkaz: działać. Meyer nie wykonywał ani jednego niepotrzebnego gestu, nie poruszył najmniejszym palcem, jeśli to nie było konieczne. Każdy jego ruch był obliczony na osiągnięcie konkretnego celu.

Czy to znaczy, że nie pomyliła się, przyjeżdżając tutaj? Nie zapraszałby jej, gdyby tego nie chciał. Miał dość czasu, by się wycofać. Mógł wymyślić jakiś błahy wykręt i jednym telefonem odwołać spotkanie. Ale tego nie zrobił. Przeciwnie. Dzwonił. Pytał, gdzie Werka się znajduje. Czekał na nią. I przygotowywał się do jej przyjazdu. Rozejrzała się po pokoju. Była tu tylko jedna sofa. Meyer milczał. Przyszło jej do głowy, że boi się tego, co nieuniknione. A może tego, że rzeczywistość nie dorówna jej fantazjom? Miała wrażenie, że moment, gdy wszystko, co mogło się między nimi zacząć, już minął. Tej nocy było kilka takich sytuacji, kiedy miała szansę zbliżyć się do niego, a on próbował jej dotknąć. Ale widać nie odczytywali właściwie swoich intencji. Zrobiło jej się smutno, że ze strachu przegapiła ten moment. Pojawiła się obawa, że to już się nie powtórzy. Zaświtała też jednak nadzieja. Wciąż tu są. Sami. Jeszcze nie wszystko stracone.

Czuła się dziwnie. Może była upojona alkoholem i tą sytuacją, która wydawała się tak absurdalna. Była też zmęczona. Miała wrażenie, że jeśli zaraz się nie położy, upadnie. Kręciło się jej w głowie. Nie zrobiła jednak nic.

– No, Werko, jak widzisz, jest tylko jedno łóżko – oświadczył wreszcie Hubert.

Nie było w tym nic romantycznego – ani zachęty, ani uprzedzenia. Po prostu stwierdzenie faktu, konkret: jedno łóżko. Ale czy powiedział to obojętnie? Uśmiechnęła się do siebie. O nie, bał się. Dlatego ubrał te słowa w pozorną obojętność. Spojrzał na nią i poczuła się jak za pierwszym razem, kiedy się zobaczyli. Czuła gorąco stalowych tęczówek, które ją przenikało. Tak, bał się i jednocześnie jej pragnął. Zapraszał ją do tego jednego łóżka. To tak ją ucieszyło, że miała ochotę podejść i się przytulić. Chciała wyznać, że trzęsie się w środku na myśl, że do czegoś między nimi może dojść, a jednocześnie jest przerażona, że nie stanie się nic. Ale dalej stała w miejscu i czekała. Meyer nie miał wyjścia, przejął dowodzenie. Jednym ruchem rozłożył sofę i z szuflady na dole wyjął kołdrę i poduszkę. Rzucił je niedbałym gestem i zaczął niezdarnie rozkładać.

– A prześcieradło? – jęknęła Weronika.

Hubert zdawał się zaskoczony. Widać nie pomyślał, że może być potrzebne.

– Rzeczywiście. – Wzruszył ramionami i zaczął grzebać w stercie rzeczy na fotelu obok. Wyciągnął prześcieradło i podał Weronice, reszta spadła na podłogę. – Tu masz poduszkę. Jest czysta.

Kiedy Weronika je rozłożyła, w powietrzu uniósł się zapach wykrochmalonej pościeli. Dokładnie wygładziła je na łóżku. Meyer położył na nim kołdrę. Była duża i kolorowa. Nie czekając na jej reakcję, Hubert zaczął zbierać puszki po piwie i brudne szklanki. Pomogła mu w noszeniu kilku pierwszych partii naczyń do kuchni. Bałagan był jednak straszny. Nie czuła się na siłach, by teraz to wszystko ogarniać. Jej myśli wirowały wokół seksu. Wokół jego umięśnionych ud, których dotykała w tańcu. Szczupłych, długich palców, opalonych wklęsłych policzków z niewielkim zarostem. Chciała spać, odpłynąć w te znane rejony, w których jest bardzo blisko niego. Wszyscy znajomi, uważający ją za pedantkę, która nie położy się bez pozbierania śmieci i zrobienia prania, teraz by Werki nie rozpoznali. Było jej wszystko jedno, czy wokół jest brudno, czy nie. Upewniła się tylko, czy Hubert zamierza teraz to wszystko sprzątać, i odetchnęła ulgą, kiedy pokręcił głową. Zrozumiała, że to tylko gra na zwłokę, by opóźnić moment, kiedy będą musieli się położyć obok siebie.

Oświadczyła, że idzie do łazienki. Umyła się i przebrała w koronkową koszulkę oraz bawełniane szorty, które miały zastąpić jej piżamę. Kiedy wróciła, on był już w bokserkach, T-shircie i skarpetkach. Na nogach miał klapki ze zbyt dużym wycięciem na palce, co powodowało, że stopa przesuwała się do przodu. Z pewnością były wygodne, lecz zdecydowanie mało seksowne.

Uśmiechnęła się do siebie, bo normalnie taki widok zburzyłby jej romantyczny nastrój. Teraz jednak wydało jej się to urocze. Zresztą ona sama też musiała wyglądać dość zabawnie. W krótkich szortach, które ledwie zasłaniały pośladki, i w butach na obcasie, bo żadnych innych nie miała, a podłoga starej willi nie należała do najczyściejszych. Z podkrążonymi oczami i rozczochrana. Zmęczona i blada.

Kiedy poszedł zanieść do kuchni kolejne puste butelki, wślizgnęła się pod kołdrę. Od razu poczuła ulgę. Tu była bezpieczna. Wkrótce Hubert także stracił instynkt szopa sprzątacza i ulokował się obok. Nie dotykali się nawzajem, lecz i tak z wrażenia serce podeszło jej do gardła. Była przekonana, że Hubert słyszy, jak bije, jakby za chwilę miało wyskoczyć jej z piersi.

Było tak cholernie jasno. Ani trochę romantycznie. Przez okna wychodzące na ulicę do mieszkania docierał pierwszy gwar poranka. Zdawało jej się, że nasila się z każdą minutą. Słyszała jadące samochody, śmiejących się głośno ludzi. Odwróciła głowę w kierunku Huberta i przyglądała mu się dłuższą chwilę. Leżał na wznak. Kołdra sięgała mu niemal pod brodę. Miał zamknięte oczy. Oddychał miarowo. Leżąc na boku, patrzyła na jego twarz, która z daleka wydawała się jak wyrzeźbiony z marmuru wizerunek wojownika, a z bliska była tak delikatna. Wyraźnie zarysowane kości żuchwy kontrastowały z pięknym kształtem ust, zbyt pełnych u mężczyzny.

Miała nadzieję, że już zasnął i będzie mogła bezkarnie zrobić to, co wyobrażała sobie już setki razy. O czym marzyła, odkąd go zobaczyła. Wyciągnęła rękę, zamknęła oczy i poprowadziła palce wzdłuż najdelikatniejszej skóry za uchem, po czym zanurzyła mu je we włosach. Poczuła miękkość i niesforność kosmyków. Ciepło, spokój i narastające podniecenie. Pomyślała, że to już jej wystarczy. Nie musi zdarzyć się nic więcej. Właściwie po to przyjechała. Ponieważ się nie poruszał, otworzyła oczy i już odważniej poprowadziła rękę wyżej, gładziła jego włosy, jakby były oddzielnym bytem – miały własną tożsamość, a nie stanowiły część jego ciała. Była tak zaabsorbowana tą czynnością, że wzdrygnęła się zaskoczona, gdy otworzył oczy. Spojrzał na nią hipnotycznie niczym kot, ale kiedy zobaczył w jej oczach strach dziewczynki przyłapanej na gorącym uczynku, szybko je zamknął. Cofnęła dłoń.

Powoli przysunął się do niej całym ciałem, powiększając swoje terytorium łóżka. Wypełnił przestrzeń, która do tej chwili była pusta. Poczuła, jaki jest gorący. To był tylko jeden ruch. Nie przytulił Weroniki, nie odezwał się. Nadal ani jego ręce, ani nogi nie zmieniły pozycji. Czekał chwilę, a kiedy nie zaprotestowała, zbliżył swoją twarz do jej twarzy. Poczuła dotyk jego ust. Były ciepłe i miękkie. Całował powoli, lekko i długo, stopniowo, z wyczuciem pogłębiając doznanie. Dawał jej czas, by się do niego przyzwyczaiła. Pozwalał jej się rozwinąć, rozkręcić, rozbujać. Dopiero wtedy delikatnie przygryzł jej wargę i wysunął język. Kiedy oddała pocałunek, zaczął prawdziwą batalię o jej ciało. Dotykał najwrażliwszych receptorów na jej skórze. Doskonale je rozpoznawał. Żaden jego dotyk nie był przypadkowy – każdy niósł ze sobą nowe doznania, które to on reżyserował. Tu nie było działania po omacku ani na pokaz. Wiedział, dokąd zmierza i gdzie chce ją zaprowadzić.

Poddała się temu. Nie wiedziała już, co jest magią, a co rzeczywistością. Gdzie jest granica pomiędzy ich ciałami? Wszystko nagle stało się zmysłem. Kiedy próbowała przejąć inicjatywę, stawił jej opór i powstrzymał. Zaakceptowała jego władzę. Zyskała pewność, że to tylko przedsmak tego, czym ją obdarzy. Nie mogła uwierzyć, że jest tak zmysłowy. Dokładnie taki, o jakim marzyła. Teraz już rozumiała powód jego chłodu – wcześniej był speszony i niepewny jej reakcji. Czekał na potwierdzenie, że i ona tego pragnie.

Zrobiło jej się błogo, odpłynęła, zatraciła się w jego ramionach, stopiła z nim. Był w swoim żywiole; władzę nad jej ciałem uznał za coś należnego mu i oczywistego. Nie musiała już nic robić. On, niczym czarodziej, spełniał wszystkie jej marzenia. Odkąd pierwszy raz go ujrzała, chciała sprawdzić, czy jego smak jest taki, jak to sobie wyobrażała. Czy on sam jest taki jak z jej fantazji. I gdyby ktoś zapytał ją w tym momencie, jak wypadł ten egzamin, odrzekłaby, że ma stuprocentową pewność: Meyer nie jest człowiekiem, lecz półbogiem. Pozwoliła więc zmysłom fruwać, pozwoliła ciału szaleć. Nie poznawała siebie. Nie rozumiała, skąd w niej to pragnienie, ta gwałtowność, ten upór. Dokładnie wiedziała, czego chce i co może dostać. Jedynie iluzoryczną bliskość, którą sama musi sobie wydrzeć. On co najwyżej łaskawie zgodzi się spełnić jej seksualne marzenia.

Kiedy więc zobaczyła jego płaski brzuch, pięknie zbudowaną klatkę piersiową, długie, smukłe nogi, dłonie i stopy o szlachetnej linii palców, nie była w stanie się powstrzymać.

Plecy miał tak szerokie, że mogłaby się za nimi ukryć, choć w gruncie rzeczy był szczuplejszy, niż podejrzewała. Kiedy pod wpływem podniecenia nabierał gwałtownie powietrza, w miejscu jego brzucha powstawała zmysłowa dolina, w której mogła zanurzyć ręce. Dotykała go i zamierała. Był, naprawdę był. Ideał istniał. Nie mogła w to uwierzyć. To się zdarza tylko raz w życiu. Była tego pewna.

– Jesteś taki piękny – wyszeptała.

– Ty też, Werko. – Uśmiechnął się, ale mu nie uwierzyła.

Miała wrażenie, że powiedział to z grzeczności. Bo tak wypada w sytuacji, w jakiej się znaleźli. Ale zupełnie jej to nie przeszkadzało. Postanowiła czerpać, ile się da. Wiedziała, że nie będzie drugiej szansy. Czuła, że nie uda jej się dotrzeć do jego serca. I nie ma co próbować. Meyer chronił się przed światem w twardej skorupie. I jeśli sam nie będzie chciał, nie zmusi go. Nie kocha jej. A to, że jest z nim w łóżku, że jego dłonie dotykają jej ciała, drażnią sutki, muskają brzuch, wędrują po żebrach, linii bioder, zaciskają się na pośladkach – jest wszystkim, czego może od niego oczekiwać. To i tak wielki komplement – sprawiła, że zdjął ten swój zewnętrzny pancerz. Ile kolczug ma jeszcze na sobie? Nie chciała o tym myśleć. Wtuliła się w niego, jakby wszystko miało zaraz przestać istnieć.

Ssał jej piersi. Był tak delikatny, tak doskonały i czarowny w każdym swoim działaniu, że mogłaby umrzeć z tej błogości.

To nie była już rozkosz. Jasność, która zaczęła ją wypełniać, była oślepiająca. Doskonale czytał z jej reakcji, z każdego ruchu. Miała wrażenie, że znają się całe lata, całe życie. Nigdy z nikim nie była tak zsynchronizowana. Kiedy mimochodem przesunął dłonią pomiędzy jej nogami, nie chciała już dłużej czekać. Była tak rozerotyzowana, że pozwoliłaby mu wejść zaraz po pierwszym pocałunku. Kiedy zaś poczuła jego twardość na swoim łonie i znajome pulsowanie, już nie była eteryczna ani nieśmiała. Spalał ją ogień, którego nie była w stanie powstrzymać. Hubert obudził w niej żar, kobiecość. Teraz to ona chciała go posiąść, w tym momencie, ani chwili później. Pragnęła go każdą komórką swojego ciała. Nie wierzyła, że to jej się nie śni. Nigdy w żadnej fantazji nie spodziewała się takiego wymiaru seksu. Głębia tego przeżycia graniczyła z perwersją. Mcycr także wyglądał na odurzonego.

Jesteś piękny. Cały – zapewniła, kiedy wreszcie zsunęła mu bokserki niczym znienawidzoną powłokę ideału. Najpierw patrzyła. Napawała się widokiem jego przyrodzenia.

Nie powstrzymywała jęku, kiedy w nią wchodził. Czuła go głęboko. Po chwili zaczął się poruszać: spokojnie i miarowo, bez pośpiechu. Ona zaś miała wrażenie, że za chwilę pożądanie rozerwie ją na części, pozbawi ciała i już nigdy nie będzie w stanie do niego wrócić. Spod półprzymkniętych powiek sprawdzała co jakiś czas, czy to dzieje się naprawdę. Miał długie rzęsy, które łaskotały, kiedy całował jej szyję. Czuła, że płynie, zanim jeszcze całkiem ją rozkołysał i dotarła do szczytu swojego spełnienia. Miała całkiem mokre uda, ślizgał się w niej. Uśmiechnęła się, bo ta reakcja nie wymagała wyjaśnień.

Otworzyła oczy i zobaczyła, że on też na nią patrzy. Jego tęczówki przestały być stalowe, jak na jawie – zmieniły się w złote. Przeraziła się, bo zatrzymał się i zamarł na moment. Widać sam był zaskoczony, że tak przedwcześnie zakończył pierwszą z nią podróż. Ale choć skończył, to wcale jej nie opuścił. Wciąż był twardy i słabł bardzo powoli. Jego moc była większa, niż mogła podejrzewać. Przytuliła się do niego najmocniej, jak potrafiła, i odurzona ich jednym, wspólnym zapachem, z trudem walczyła z omdleniem. Po chwili ponownie go poczuła. Teraz już wniknęła w ten bezmiar miłości całkowicie.

Były momenty, że nie wiedziała, co już jej się śniło, a co było prawdą. Wchodził w nią, kiedy tylko odwracała się plecami, by chwilę odpocząć. Ale tak naprawdę nie chciała marnować czasu na sen, rozmowy czy czcze pieszczoty. Chciała mieć go w sobie. Pragnęła największej fizycznej bliskości, jaką mogła dostać. Budziła go więc, kiedy z kolei on próbował odpłynąć w przestrzeń drzemki. Była zazdrosna o jego myśli, o sen. Wydawało jej się, że traci coś najcenniejszego. Nie poznawała siebie w tej zachłanności, w tym wyuzdaniu. Wstawał momentalnie, po nieznacznym dotyku, choć dopiero co się kochali. Nie mogła uwierzyć, że wciąż jest silny, dominujący, jakby coraz pewniejszy władzy, jaką nad nią miał. Najpiękniejszy, jakiego widziała.

Śmiał się z takiego komplementu. Nie mówiła mu tego, by osiągać jakiś cel. To było stwierdzenie faktu. Skoro nie ma szans zawładnąć jego głową, jego emocjami, nie ma szans na jego miłość, bo to miejsce jest zajęte przez kogoś innego, próbowała choć nawiązać kontakt z jego drugim, równie silnym, ośrodkiem czucia. Konkurencyjnym i, jak się łudziła, równie decydującym. Całowała go, lizała, pieściła, ssała, połykała. Zapraszała go do siebie lub bezlitośnie brała go sama, choć był strudzony wspólną drogą, bo dopiero co wypuściła go na wolność. Ale – wiedziała to – ambicja i niespożyta energia nie pozwalały mu na złożenie broni. Nawet kiedy Werka zaczęła tracić siły, nie pozwalał jej się poddać. Gdyby to była bitwa, a on byłby dowódcą, walczyliby do ostatniej kropli krwi, do ostatniego oddechu. On sam zaś prawdopodobnie zginąłby ostatni, na linii frontu. To był mężczyzna, któremu nie przytrafiają się porażki łóżkowe. Nigdy nie brakuje mu werwy ani fantazji.

Miała świadomość, że droga, którą obrała, była z góry skazana na niepowodzenie. Seks wciąż był tylko seksem. Nawet jeśli jedynym sposobem na okazywanie uczuć. Niby mogła coś zrobić: coś mówić, o czymś zapewniać, wymagać obietnic, słodkich kłamstw, lecz nie potrafiła. On też nie kwapił się do jakichkolwiek wyznań. Wspaniałomyślnie przyjmował jej hołdy i oddawał to, co otrzymywał, w dwójnasób. Wiedziała jednak, że to tylko fizyczność i jakakolwiek nadzieja na coś więcej jest złudna. Starała się nie myśleć o tym w kategoriach relacji tak bliskiej, jak tylko mogą zbliżyć się kobieta i mężczyzna, lecz on mamił ją, uwodził, sam nie zdając sobie z tego sprawy. Władał nią i z rozkoszą tonęła w poddaństwie wobec jego zmysłowości. Kiedy rozsmarował na jej brzuchu i plecach swoją spermę, poczuła jakby naznaczył ją na śmierć i życie jako swoją. Jakby miała już nigdy i z nikim nie doświadczyć takiego uniesienia, zjednoczenia i takiej magii. W tamtym momencie Werka jeszcze się tym nie zmartwiła. Chłonęła to, co jej dawał, i przepełniało ją szczęście.

Im częściej się kochali, tym bardziej pragnęli się nawzajem. Hubert był jej bliski organicznie. Mówiło jej to własne ciało. Wkrótce była uzależniona od jego dotyku i pocałunków. Kiedy zasnął, wpatrywała się w jego twarz, omiatała powłóczystymi spojrzeniami jego smukłe nogi, delikatnie badała opuszkami palców krzywiznę jego bioder, wąchała włosy, całowała je, jedynie muskając wargami. Wiedziała, że to obłęd, lecz nie potrafiła inaczej. Bała się go dotknąć, by nie zaburzyć jego snu, nie wybijać go z jego naturalnego rytmu. Wkrótce wystarczyło jej już samo wpatrywanie się w tak piękną postać, która – była tego pewna – nigdy, w najmniejszym stopniu, nie będzie należała do niej.

Nie zmrużyła oka. Zrozumiała, że gotowa jest oddać w jego ręce własne życie. Przywiązał ją do siebie tym seksem i nie zdaje sobie sprawy z siły własnego panowania. Ona zaś mogła jedynie mu służyć. Zanim więc jeszcze cokolwiek się między nimi zaczęło, już płakała nad końcem. Bezgłośnie, by nie ujawnić tak silnych emocji. Gdyby się wtedy obudził, dostrzegłby jej twarz wyrażającą cierpienie, że będzie musiała go opuścić. Nie chciała o tym myśleć. Starała się napawać tym, co dostała, lecz to wracało. Była przekonana, że choć ona jest całkowicie obezwładniona, wręcz umiera z rozkoszy, nieustannie go pragnie, zanim jeszcze dotrze na szczyt, już biegnie, by osiągnąć kolejny, Hubert nie zatracał się w tej miłości całkowicie.

Wspólne przenikanie, współodczuwanie, wypełnianie się nawzajem było największym darem, jaki mogła otrzymać od mężczyzny. Meyer był wyjątkowy. Taki typ nie szafuje obietnicami, nie zapewnia o uczuciach. Po prostu daje miłość lub nie. I teraz czuła ją namacalnie. Żadne z nich nie zdobyło się na wypowiedzenie słowa „kocham". Okazywali sobie jednak tę miłość fizycznie. Była w każdym spojrzeniu i pieszczocie. A to, co się między nimi zdarzyło, było najszczerszym wyznaniem, na jakie w tej chwili mogli się wobec siebie zdobyć.

Kiedy to odkryła, poczuła strach. Bo to wszystko, choć piękne, było tak ulotne. Prawdopodobnie Hubert – racjonalista i facet twardo stąpający po ziemi – jeszcze nie zdaje sobie z tego sprawy. Przecież on też spełniał swoje marzenia, też odlatywał. Pozwolił, by wdarła się do jego duszy, i jednoczył z nią. Godził się na ryzyko, więc ta potrzeba musiała być w nim niezwykle silna. Ale czy gotów był się do tego przyznać? Uniesienie i bycie razem to dwa zupełnie różne światy. Oboje byli wygłodniali seksualnej metafizyki, nakręceni przez własne wyobrażenia. Nie mogło być inaczej, skoro zburzyli wszystkie granice.

Werka ze smutkiem zrozumiała, że to nieuniknione: kiedy Hubert się obudzi i dotrze do niego, co tak naprawdę między nimi zaszło, zamknie się w sobie jeszcze bardziej i ona już nigdy się nie dowie, czy zasługiwała na to uczucie, czy była jedynie substytutem jego wyobraźni. Uświadomiła to sobie i poczuła się naga, obnażona emocjonalnie. Smutek stopniowo przenikał ją niczym zimno, aż w końcu naprawdę zaczęła się trząść. Zawstydziła się swoich sterczących wciąż sutków, które przy nim nie zasypiały. Poczuła niestosowność swoich pragnień i fantazji; tych, które już spełnił, i tych, które jeszcze czekały w kolejce. Już wtedy miała ochotę uciec.

Jeszcze chwilę wpatrywała się w jego śpiącą, spokojną twarz, jakby chciała z niej wyczytać odpowiedź, czy jest w stanie pokochać ją, czy też nie. Nie rozwikłała tego dylematu. Emocje zbytnio mieszały jej w głowie. Nie potrafiła złapać dystansu, jakby Hubert wchłonął ją, jakby zatraciła własne ja. Zabrał jej kawałek duszy, lecz nie dał w zamian ani odrobiny swojej. Wykradł ten niezwykle cenny fragment mocy za jej przyzwoleniem. A może sama mu go podarowała? Już nie pamiętała, odurzona pożądaniem i euforią spełnienia. Nie myślała o tym wcześniej. Teraz jednak czuła, że to puste miejsce zaczyna krwawić. Już czuła ból, który miał nadejść, i chwyciła się jedynej nadziei – ucieczki. Tylko w ten sposób mogła uratować resztki iluzji tej miłości. Ubrała się, spakowała swoje rzeczy i usiadła na brzegu łóżka, by w milczeniu ostatni raz na niego popatrzeć. Wmawiała sobie, że chce napawać się jego widokiem. Tak naprawdę jednak próbowała w ten sposób odsunąć moment odejścia, bo czuła, że to naprawdę pożegnanie i dalszego ciągu nie będzie. Meyer, nawet jeśli obudziłby się teraz i zorientował, co Werka zamierza, nie zatrzymałby jej.

– Wychodzisz? – zapytałby i sprawdził, ile ma czasu do odjazdu. Gdyby padał deszcz, zaoferowałby parasol. Zrobiłby kawę i podając jej parującą filiżankę, patrzył na nią tak, że umierałaby z cierpienia i pożądania jednocześnie, a może przytulił, lecz nie powiedział o tym, co się zdarzyło tej nocy, ani jednego ciepłego słowa.

Siedziała w pociągu odrętwiała, bo przenikliwe zimno i smutek wypełniały ją całą, i nie mogła sobie przypomnieć, jak dotarła na dworzec, jak kupiła bilet, jak weszła do przedziału i znalazła swoje miejsce. Działała mechanicznie. Wiedziała, że to koniec namiętności, fascynacji i marzeń. Nie miała już nawet prawa do złudzeń.

Łzy same popłynęły jej po policzkach. Nie wydobyła z siebie ani jednego dźwięku, nawet pojedynczego łkania. Po prostu pozwoliła im swobodnie płynąć, jakby to miało uratować ją przed rozpadnięciem się na drobne kawałki. Ukoić fizyczny ból, który odczuwała i który, była pewna, nie zniknie, a będzie się nasilał. Wracała z poczuciem końca, zanim cokolwiek się zaczęło. Wiedziała, że ucieczka jest jedynym wyjściem, bo pozostanie z Hubertem byłoby torturą śmiertelną. On nie przyzna się do tego, że obudziła w nim miłość. A tego by nie zniosła.

Nie widziała nic poza własnym odbiciem w szybie pociągu. Pogrążyła się w rozmyślaniach. Uciekała we wspomnienia – flesze, które pojawiały się znienacka i sprawiały, że dławiła ją rozpacz po stracie. Czuła jeszcze jego zapach, który jak cienki film otulał jej ciało. Już nie odurzał, lecz był jak żywe wspomnienie, skazane na rychłe zniknięcie. Czuła jeszcze jego dotyk na swoich biodrach. Widziała dowody tej miłości; pojedyncze siniaki od zbyt silnych uścisków na ramionach, czerwone plamki na dekolcie i szyi – owoc zbyt gwałtownych pocałunków. Czuła jego spermę w sobie i nie mogła uwierzyć, że to koniec. Że on już nigdy jej nie wypełni.

Skórę miała przezroczystą z wyczerpania. Oglądała własne ręce, jakby to były dłonie obcej kobiety. Patrzyła na stopy, na pomalowane na czerwono paznokcie, z których w niektórych miejscach odchodziła emalia. Zerkała na swoją twarz w odbiciu szyby, na kości policzkowe, które od niejedzenia wystawały bardziej niż zwykle. Zaczęła głośno płakać, nie zwracając uwagi na pozostałych pasażerów. Nie było ważne, że są świadkami jej rozpaczy. Wyjęła książkę i próbowała czytać, lecz litery zlewały się w jedno słowo: Hubert.

Kiedy się trochę uspokoiła, pociąg zbliżał się właśnie do Katowic.

– Upuściła pani. – Mężczyzna z naprzeciwka, którego wcześniej nie dostrzegła, podał Weronice kawałek papieru.

To był bilet kolejowy, ale nie należał do niej. Swój miała w książce. Mężczyzna oddał jej swój bilet. Odwróciła go i zobaczyła, że na odwrocie napisał do niej list. A właściwie wiersz.

Czemu płaczesz, czy ten ktoś jest tego wart, czy naprawdę myślisz, że to koniec świata? Jutro będzie nowy dzień, jutro spotkasz kogoś, kto cię pokocha. Ja też miałem chujowy dzień. Nikt nie jest w stanie kochać nas tak samo jak my. Zawsze jest coś, dla czego warto żyć. Jesteś taka piękna i nic, nikt, nigdy nie odbierze mi tego widoku, który zniknie, jak znikła ostatnia łza na twoim policzku.

Podniosła głowę i spojrzała na mężczyznę, ale on nie szukał kontaktu. Nie chciał jej podrywać. Pociąg się zatrzymał. Ludzie ruszyli do wyjścia. Zanim się zebrała, włożyła buty, schowała książkę, ustawiła w kolejce do drzwi, ten mężczyzna szedł już po peronie. Miał na sobie skórzaną kurtkę z zamkami, w uszach słuchawki. Ich spojrzenia się spotkały. Uśmiechnęła się z podziękowaniem, a on odwzajemnił ten uśmiech. Wiedziała, że to wszystko, czego chciał i co ona mogła mu dać. Nic więcej. Pomyślała, że w jego twarzy uśmiechnął się do niej anioł, który kazał jej pożegnać Huberta i pogodzić się, że nigdy z nim nie będzie. Skinęła głową i szepnęła „żegnaj", choć czuła, że to nie będzie takie łatwe.

15 maja – czwartek

Pod wielkim logo Koenig-Schmidt Sauberung & Recycling sp. z o.o. stał zaparkowany saab 95 należący do byłego prezesa. Za jego kierownicą siedział Wojciech Rosiński i palił papierosa. Szerszeń dostrzegł go z dużej odległości. O ile musiał nosić okulary do czytania, o tyle z daleka widział niczym sokół. Dziś był w świetnej formie. Wczorajszego wieczoru poszli z Zofią na uroczystą kolację, na jakiej nie byli od lat. Nawet pili szampana. Wyjaśnili sobie wiele rzeczy i Szerszeń sam nie wiedział, jak to się stało, ale po raz pierwszy od niepamiętnych czasów znów wyznał jej miłość.

– Tęskniłem za tobą. Gdybyś wiedziała, ile dla mnie znaczysz. Ten tydzień w komendzie... To wszystko w pojedynkę jest takie puste. I jeszcze te dewiacje wokół. Jestem ostatnim dinozaurem – mówił w uniesieniu.

Zofia popłakała się, słysząc te słowa. Przed wyjściem z restauracji wyznała mu, że chciałaby nowego psa. Ale tym razem wielkiego jak stodoła.

– Nie dla mnie. Dla nas – podkreśliła. – Może jakiegoś wilka. Żeby był jak nasze ostatnie, późne dziecko... Żebyś i ty, Walduś, mógł go pokochać – oświadczyła.

Ich pojednanie skończyło się w łóżku i dzisiejszego ranka podinspektor czuł się jak młody bóg.

– Dlaczego straciliśmy tyle czasu? – powiedział na powitanie o poranku, podając żonie kawę do łóżka.

Na widok parującej filiżanki i świeżych bułeczek Zofia oniemiała z wrażenia. Pamiętał nawet o chrupiących croissantach, które uwielbiała! By je zdobyć, musiał przejść dwie przecznice do francuskiej ciastkarni. Zrobił to pierwszy raz na dwadzieścia dwa lata małżeństwa. Nigdy nie spodziewałaby się po mężu tak romantycznego gestu.

– Teraz tak będzie codziennie – zapewnił i zaraz oboje wybuchnęli śmiechem.

– O ile nie wezwą cię do roboty... – dodała z przekąsem żona, lecz w jej oczach tańczyło szczęście.

– Zosiu, a może ty byś chciała, żebym ja odszedł na emeryturę? Masz tego dość? Powiedz mi szczerze – poprosił całkiem poważnie.

Kobieta uśmiechnęła się z wdzięcznością, lecz zaprzeczyła ruchem głowy.

– Jak odejdziesz z policji, przestaniesz być sobą. Tego nie mogłabym ci zrobić.

Wyciągnęła do niego ręce i kołdra zsunęła jej się z ramion, odsłaniając nagie piersi. Zofia się zaczerwieniła, a Waldemar Szerszeń zaśmiał się i szybko ją przytulił.

– Kocham twoje ciało. Dziś jeszcze bardziej, niż kiedy smaliłem do ciebie cholewy.

– Przestań – mruknęła kobieta. – Jestem stara.

– Oboje jesteśmy starzy. – Szerszeń spojrzał jej prosto w oczy. – I to właśnie jest najlepsze. Dzisiejszej nocy znów cię znalazłem.

Zofia spojrzała na męża, jakby postradał zmysły. Jej twarz wyrażała szczere zaniepokojenie.

– Dobrze się czujesz? – zapytała z niepokojem w głosie.

– Tak – odparł Szerszeń z powagą. – Od lat nie czułem się lepiej. – Chwycił prawą rękę żony, pocałował ją i dodał, zniżając głos: – Chciałbym, żebyśmy odnowili nasze śluby. Czy po tych wszystkich latach nie żałujesz, że za mnie wyszłaś?

Kobieta otworzyła usta, ale nie była w stanie wymówić ani jednego słowa. Szerszeń dostrzegł w kąciku jej ust okruszek croissanta. Pocałował ją w tym miejscu i dorzucił:

– Tylko nie mów, że wolałabyś być z Józkiem. On ma dom i dwa samochody, ale...

– Po tylu latach wciąż jesteś zazdrosny? – przekomarzała się z nim Zofia.

– To ja cię zdobyłem – stwierdził podinspektor z dumą. Ale po chwili jego twarz stężała. – Ale miałaś ze mną o wiele mniej luksusowe życie, niż to, które wiodłabyś z Józkiem. Z okazji ukończenia studiów dał ci futrzany kołnierz z lisa...

– Pewnie, dziś miałabym ich z tuzin – roześmiała się Zofia. I dodała: – Ale co z tego. To jedynie martwe zwierzęta. Ty dałeś mi więcej. Nasze dzieci... To ciebie pokochałam i wciąż kocham. Bardzo. Ty jesteś moim bohaterem.

Waldemar Szerszeń wspominał poranną rozmowę i czuł niezwykłą jasność umysłu. To dlatego prosto z domu przyjechał tutaj – do siedziby śmieciowego barona. Przeanalizował billingi Magdy Wiśniewskiej i doszedł do wniosku, że kobieta zbyt często prowadzi długie rozmowy ze swoim kierowcą. Przypomniał sobie scenę przy recepcji i uznał, że relacja prezes–kierowca jest nieco zaburzona.

– Oni są zbyt blisko – powiedział na głos, by się upewnić.

– To jest podejrzane.

Nawet nie zdążył wejść do budynku firmy, kiedy dostrzegł Magdę Wiśniewską cmokającą kierowcę w policzek. Nie potrzebował niczego więcej. Żadnego dowodu. Wiedział, co ma robić. Zawrócił i wsiadł do swojego wozu. Gdy tylko dotarł do komendy, zarządził obserwację Wojciecha Rosińskiego.

* * *

Około południa Meyera obudził ćmiący ból głowy. Za wszelką cenę próbował odwlec powrót do rzeczywistości. Ale gorąca, lepka cisza w mieszkaniu nakazywała mu otworzyć oczy i sprawdzić, czy prawdą jest to, co czuł. Jeszcze usiłował rozpłynąć się w bezpiecznej przestrzeni pogranicza snu i jawy. Bezskutecznie. Nie musiał wyciągać ręki, by wiedzieć, że po drugiej stronie łóżka nie ma nikogo. Ani nasłuchiwać odgłosów prysznica czy szelestu przewracanych kartek książki na fotelu obok, monotonnego dźwięku kropel gorącej wody przeciskających się przez cienką bibułę, na której spoczywała grubo mielona kawa, by mieć pewność, że jest sam.

Jeszcze był odurzony, zszokowany, oszołomiony. Wciąż czuł zmysłowe pobudzenie ciała, cudowne zmęczenie i euforię spowodowaną hormonami szczęścia wyzwolonymi przez seks. Stan upojenia przypominającego narkotyczny haj wciąż trwał i Hubert nie myślał racjonalnie. Pozwolił się nieść fali, która go zabrała niczym ocean w czasie odpływu, i napawał się tą siłą. Jeszcze był przekonany, że nic mu nie grozi. Dopóki nie odrzucił na bok kołdry i nie odkrył swojego nagiego ciała, które jeszcze niedawno było obiektem uwielbienia Weroniki. Wtedy poczuł jakiś nieokreślony brak. Jeszcze wtedy nie potrafił określić swoich emocji. To nie pustka ani cierpienie. Raczej poczucie zagubienia. Narastające przekonanie, że zniszczył dotychczasowy ład. Każde działanie niesie za sobą konsekwencje. Wiedział, że nie pozostanie bezkarny.

Zmusił ciało do powstania. Otworzył oczy, usiadł na łóżku, przeczesał dłońmi włosy, które sterczały na wszystkie strony bardziej niż zwykle, i szybko odgonił złe myśli. Ruszył do kuchni. Lodówka nie działała, wszystkie produkty nadawały się do wyrzucenia. Postanowił, że zje śniadanie w knajpie obok. Ucieszył się, że nie będzie musiał siedzieć w tym mieszkaniu sam.

Wszedł do łazienki. Odkręcił wodę, nie czekając, aż stary junkers zacznie podgrzewanie. Wzdrygnął się, kiedy lodowata struga popłynęła mu po plecach. Otrzepał się niczym zwierzę i zaczął namydlać ciało. Woda zmywała z niego resztki wątpliwości, które jeszcze miał po przebudzeniu. Kiedy mył zęby i golił się, wpatrując w swoją twarz w lusterku, poczuł ulgę, że to Weronika zdecydowała o takim zakończeniu ich relacji. Miał pewność, że nie oczekuje od niego komentarza czy wyjaśnień.

– Przede wszystkim rozsądek – powiedział na głos, by się w tym utwierdzić.

Śniadanioobiad, wieczorne wykłady, kolacja. Trochę telefonów. Dzień minął bardzo szybko. Ale wieczorem pojawił się smutek. Złapał się na tym, że myśli o Weronice z czułością. Poczuł niepokój, bo za kilka godzin musi zadzwonić do Kingi. Co ma jej powiedzieć? Czy ona nie wyczuje w nim zmiany? Byłoby wszystko jak dawniej, gdyby te chwile spędzone z Weroniką nie miały znaczenia. Już nieraz zdarzały mu się skoki w bok. Ale w tym przypadku było inaczej. Pragnął Weroniki i dlatego ją zaprosił. Posprzątał tę cholerną norę, zorganizował przyjęcie, by zmniejszyć dystans między nimi. Sądził, że to będzie tylko seks. Nie spodziewał się, że Werka obudzi uśpione w nim emocje. Myślał o niej i coraz częściej łapał się na tym, że nie tylko wciąż jej pragnie, ale chce, by była obok niego. Czuł jej brak. Tęsknił.

Spojrzał na łóżko, w którym kilka godzin temu kochał się z Weroniką. Wspominał, co działo się z ich ciałami. Zmysłowe flesze, dotyk, uniesienie. To nie minęło. Żądza jeszcze nie wygasła. Chwycił telefon, wykręcił numer Weroniki, ale zaraz się rozłączył. Nie był gotów na żadne rozmowy. Liczył, że emocje same się w nim poukładają.

Wiedział, że ona nie zadzwoni. To nie był typ kobiety, która będzie domagać się deklaracji. Jej ucieczka go w tym upewniła. Zapewne będą się jeszcze spotykać. Jak wtedy ułożą się ich relacje? To była taka chwilowa myśl-sprinterka. Czuł jednak, że nawet najniewinniejszy flirt po tym wszystkim byłby wyciągnięciem ręki i podaniem na tacy samego siebie. Nie wątpił, że Werka wzięłaby go z radością.

Nie możesz sobie na to pozwolić, podpowiadał mu jego wrodzony racjonalizm. To nie byłby przelotny romans bez zobowiązań, lecz związek, który wymagałby zaangażowania. Hubert się przestraszył. Wmówił sobie, że to mrzonka, która przyniesie jedynie rozczarowanie, a nawet kłopoty. A jednak Werka wracała w przelotnych, pastelowych wspomnieniach. Pamiętał każdą wspólnie spędzoną chwilę.

Starał się normalnie funkcjonować, choć był oszołomiony. Zdrada zmieniła całą jego sytuację. Z jednej strony dręczyło go poczucie winy, a z drugiej pragnienie wejścia ponownie w ten świat zmysłów, który pozwalał na fruwanie. Słona była cena tej przyjemności, lecz nie umiał sobie jej odmówić. Wreszcie dotarło do niego, że pozwolił sobie na fascynację prokuratorką, ponieważ czuł się osaczony chorobą żony i rozłąką. Nie czuł się na siłach dźwigać tego brzemienia. Był zły na siebie. Jeszcze nie uporał się z bagażem małżeństwa z Kingą, a nieopatrznie wziął sobie na barki kolejny – miłość Weroniki. Zdecydował odciąć się chłodem i dystansem, na które – wiedział – nie zasłużyła.

Krzywdził je obie. Kinga żyła i pracowała tylko ze względu na miłość, jaką go darzyła. Doskonale zdawał sobie sprawę, że jest dla żony jak powietrze, jak uzdrawiająca woda. W Weronice obudził uczucia, które starała się tłumić. Czuł jej rozpaczliwą potrzebę miłości. Poczuł się słaby. Niczym egoistyczny olbrzym w jednej chwili powalony bez mocy. Seks z Weroniką miał go wyzwolić z poczucia osaczenia w związku z Kingą, a wbił go w nowe kajdany. Tak naprawdę nie chciał uczuć żadnej z nich, choć bliżej mu było do seksualnej symbiozy z Weroniką niż mentalnego porozumienia z żoną.

Wszystko miało wyglądać inaczej. Z Weroniką zamierzał zaspokoić jedynie pożądanie, oddać ciału, co należne. Tak sądził, błędnie oceniwszy chłód prokuratorki. Ale oszukała go. To, co się stało, uzmysłowiło mu, że nie kocha już żony. Inaczej nie mógłby jej zdradzić. Nawet by o tym nie pomyślał. Tymczasem wystarczyło zaledwie kilka miesięcy rozłąki, by przygruchał sobie kobietę. Wprawdzie każdy inny zrobiłby to na jego miejscu już dawno temu. Nikt nie byłby tak szlachetny, nie przedkładałby obowiązku nad potrzeby. Ale on miał zasady, których przestrzegał. I złamał je. Zastanawiał się, od kiedy nie kocha Kingi. A może to jest już miłość innego rodzaju? Kim są teraz dla siebie? A on sam jest po prostu podły.

Gdyby jego sytuacja była inna, może i zaryzykowałby z Weroniką. Choćby dla poczucia tej synchronicznej zmysłowości, jakiej z nią doświadczył. Ale nie mógł dać sobie takiej szansy. Zapewne odrzucał coś niezwykłego, lecz nie miał innego wyjścia. Nawet jeśli raz sprzeniewierzył się swoim zasadom, nie wolno mu tego zrobić powtórnie. Tyle że kiedy przekroczy się granicę, potem jest łatwiej. Poczuł się jak w potrzasku.

– Realizm i praca – powtórzył na głos. – Tylko tyle mi zostało.

Mierzył się tak z samym sobą przez kilka godzin, aż wreszcie poczuł do siebie obrzydzenie.

Przecież to tylko seks, nic więcej, oszukiwał się. A potem docierała do niego bolesna prawda: Wszystko zburzyłeś. Zniszczyłeś nieodwołalnie.

Jeszcze tej samej nocy kupił bilet do Bostonu. Uciekał od jednej do drugiej, lecz nie umiał inaczej. Cierpiał w dwójnasób, choć sam nie chciał się do tego przyznać.

* * *

Wichura zerwała się nieoczekiwanie. Niebo przecięła błyskawica, rozległ się huk i zaczęło lać. Jakby stwórca wiadrami uwalniał nadmiar wody z nieba. Weronika podbiegła do balkonu i próbowała wciągnąć do mieszkania suszarkę z bielizną. Mocowała się z nią jakiś czas, lecz ta nie chciała się zmieścić w balkonowych drzwiach. Wreszcie Wera skapitulowała i zostawiła pranie na zewnątrz. Stanęła na balkonie boso, ubrana jedynie w kusą koszulkę na ramiączkach. Zamknęła oczy. Woda spływała jej po twarzy, dekolcie i nogach. Kobieta rozpuściła włosy i pozwoliła, by także nasiąkały deszczem. Chłód sprawił, że jej ciało stężało, a deszcz przykleił koszulkę do piersi i brzucha. Podniosła dłonie i starła z twarzy nadmiar wody. Gdyby ktoś z naprzeciwka dostrzegł ją na tym balkonie, zdziwiłby się, dlaczego sterczy na deszczu niemal naga, ryzykując zapalenie płuc. Nie zauważyłby łez na jej policzkach, które tak doskonale pomieszały się z deszczem.

Mieszkanie Weroniki znajdowało się na przedostatnim piętrze jednej z katowickich „kukurydz", a z jej balkonu rozciągał się widok na panoramę miasta. Mogłaby długo tak płakać, nie zwracając niczyjej uwagi. Dopiero kiedy ręce i nogi zdrętwiały jej z zimna, a ciałem zaczęły wstrząsać dreszcze, schowała się do mieszkania. Zamknęła okno balkonowe, zrzuciła mokrą koszulkę i owinęła się szczelnie kocem. Usiadła na fotelu skulona, niczym bezbronne zwierzę.

Wsłuchując się w grzmoty, myślała, jak obronić się przed uczuciami do Huberta. Jej marzenia były niemożliwe do spełnienia. Mimo to wciąż uciekała w sferę fantazji. Kiedy tylko zamykała oczy, czuła jego obecność. Słuchała ckliwych piosenek, wspominała w nieskończoność, jak zobaczyła go w Kaiserhofie, jak jechali do Raciborza i jak następnego dnia rano przyszedł do jej pokoju, obawiając się, że zaśpi. Miała ochotę zatrzymać go wtedy i pocałować, ale akurat zadzwonił telefon i musiała odebrać. On odwrócił się i wyszedł, pokazując na migi, że czeka na nią na dole. Wpatrywała się w jego plecy i traciła oddech. Niespodziewanie pojawiały się obrazy jego uśmiechu, spojrzeń. Pamiętała, jak pierwszy raz dotknęła jego włosów, i chwilę, kiedy w tańcu przyciągnął ją do siebie, a ona poczuła, że jest podniecony. Roztrząsała każde jego zachowanie, każdy gest. Nie mogła sobie darować, że tej jedynej wspólnej nocy nie zdołała nim zawładnąć, a poddała się jego warunkom. I że przekreśliła tę relację, uciekając. Łudziła się, że mogła coś zrobić, by spróbowali być razem. W głębi serca była jednak pewna, że to mrzonka. I że od początku nie miała na niego żadnego wpływu.

16 czerwca – poniedziałek

Rozwiązaniem zagadki śmierci śmieciowego barona zainteresowały się wszystkie media. Rozpromienione oblicze komendanta śląskiej policji pokazywano we wszystkich programach informacyjnych. Dziennikarze domagali się pozwolenia na wywiad z główną podejrzaną. Karina Maliszewska nie przyznała się do zlecenia zabójstwa Johanna Schmidta vel Zygmunta Królikowskiego, lecz jej obecność na miejscu zbrodni potwierdziły ślady biologiczne. Ekspertyza porównawcza wykazała, że to jej odciski palców znalazły się na stole i porcelanowej zastawie. Czerwień wargowa, którą technik zabezpieczył na jednej z filiżanek, dowodziła, że Maliszewska piła z niej kawę. Także jeden z niedopałków w popielniczce, zbadanych pod kątem zgodności DNA, wskazywał na nią. Badania osmologiczne, czyli zapachowe, potwierdziły, że jechała autem Schmidta. Poza tym na tapicerce wozu znaleziono jej włosy. Sąd pod wpływem presji społecznej nie zgodził się na wypuszczenie jej za kaucją z aresztu.

Nie wszyscy jednak potępiali Karinę. Na przykład przez środowiska feministyczne została okrzyknięta polską Raimundą[1], która w imię zemsty wymierza sprawiedliwość na oprawcy wuja. Dla wielu kobiet była bohaterką – zadała cios mężczyźnie,

---

[1] Raimunda – bohaterka filmu *Volver* Pedra Almodovara.

który zniszczył jej życie. Zamiast współczuć ofierze, trzymały kciuki za Maliszewską. Śmierć człowieka, który okazał się złodziejem i zabójcą, nie budziła współczucia. Zdjęcia i życiorys Maliszewskiej opublikowały nawet najbardziej opiniotwórcze media. W kraju rozgorzała dyskusja, czy nie powinno się odstąpić od oskarżenia. Sprawa była precedensowa. Sama podejrzana od rozmowy z Szerszeniem na lotnisku konsekwentnie milczała. Mówili za to jej adwokat oraz mąż, który natychmiast po aresztowaniu żony złożył pozew o rozwód.

Waldemar Szerszeń był przekonany, że ma w rękach twarde dowody winy Maliszewskiej. Musi tylko znaleźć wykonawców zbrodni, których zeznania całkowicie pogrążą kobietę. Niestety, od miesiąca śledztwo tkwiło w martwym punkcie. Szerszeń przesłuchiwał kolejnych podejrzanych, ale nie wynikało z tego nic nowego. Zatrzymani niechętnie współpracowali z policją. Bał się, że prokurator będzie musiał posiłkować się poszlakami. Ale jeśli dobrze opisze w akcie oskarżenia jej motywy, sprawa jest prawie pewna, przekonywał sam siebie.

Dręczyła go tylko jedna myśl. Jaka w tej łamigłówce była rola Magdy, córki śmieciowego barona? Zakładał, że włamanie do gabinetu ojczyma zleciła wspólnie i w porozumieniu z matką, Klaudią Schmidt. Ale czy brała udział w zbrodni? A może te trzy kobiety: Karina, Klaudia i Magda zmówiły się i zrealizowały diaboliczny plan? Szerszeń nie rozwikłał też powiązań Kariny, męża Elwiry Poniatowskiej i Boreckiej, która już nie kryła się z tym, że była winna swojemu chlebodawcy horrendalne kwoty. Mimo tych wszystkich wątpliwości podinspektor uwierzył komendantowi, że rozwikłał zagadkę zbrodni w Kaiserhofie, i czekał na medal. To będzie wspaniała nagroda przed odejściem na zasłużoną emeryturę, myślał.

Współpracownicy nie poznawali go – tak zmienił swój stosunek do pracy. Każdego dnia około dziewiętnastej wychodził z komendy i biegł do domu. Jakby nie dostrzegał poważnych luk w śledztwie. Z niespożytą energią zajmował się kolejnymi dochodzeniami, które trafiały na jego biurko. Zatrzymał wreszcie pedofila z Będzina, którego tropił prawie cztery miesiące, zanim zajął się sprawą Kaiserhofu, a także szalonego chemika, który podkładał ładunki wybuchowe pod oddziały ZUS-u na terenie śląskiej aglomeracji. Chwilowo wszyscy zapomnieli o tym, że Elwira Poniatowska – właścicielka Kaiserhofu – wciąż pozostaje na wolności. Tymczasem firma Koenig-Schmidt, zarządzana przez Magdę Wiśniewską, z powodzeniem weszła na rynek rumuński i bułgarski.

* * *

Weronika znów siedziała po godzinach i pracowała niczym maszyna. O Hubercie myślała tylko wieczorami. Zrozumiała wreszcie, że nie zakochała się w nim, lecz we własnym o nim wyobrażeniu. Zabolało ją to, lecz przyniosło zarzewie przemiany. Od dawna nosiła w sobie pustkę. Stan nieszczęśliwego zadurzenia się w profilerze zmusił ją do przeanalizowania własnego życia, zastanowienia się, czego naprawdę chce i jak zamierza to osiągnąć. Kiedy dowiedziała się, że Meyer wyjechał na miesiąc do Stanów, do żony, poczuła się zagubiona. Nie odezwał się do niej ani razu. Powinna być na niego zła, ale nie potrafiła. Rozumiała, że odciął się od niej. Wciąż jednak łudziła się, pielęgnowała swoje fantazje.

Nie znosiła przegrywać. Miała nadzieję, że wyleczenie się z tej obsesji to tylko kwestia czasu. I kiedy wreszcie, po bezgranicznym smutku, który przez ostatni miesiąc ją przygniatał, przyszła wściekłość, poczuła ulgę. To jeszcze nie było pogodzenie się z sytuacją, bo odrzucenie ją dręczyło. Ale tej nocy doznała iluminacji. Zobaczyła swoją sytuację całkiem realnie. Widziała wyraźnie własne bariery. Oceniła swoje relacje z mężem, Huberta z Kingą i zrozumiała, że nie bez powodu się spotkali.

Do niedawna marzyła tylko o tym, żeby przestał ją zadręczać, lecz teraz, kiedy to wreszcie nastąpiło, było jej trochę szkoda. Wiedziała już, że brnęła w iluzję, bo nie chciała dotykać prawdy – bolesnej i wymagającej podjęcia stosownych działań w jej własnym życiu. Obsesja na tle Huberta była jedynie bodźcem, by zrobiła wreszcie coś, co pomoże jej odzyskać równowagę. By przestała kręcić się w kółko i poszukała siebie samej. Paradoksalnie erotyka i tak silne emocje, jakich doświadczyła dzięki Hubertowi, dały jej odwagę, by zmierzyć się ze swoim strachem. Dostrzegła to, co tak długo od siebie odsuwała.

– Nigdy więcej nie pozwolę Wiktorowi tak się traktować! Nie dam sobą pomiatać!

By się w tym postanowieniu upewnić, wzięła do ręki pistolet, przeładowała go i uśmiechnęła się do siebie. Znów czuła się silna. Jeśli będzie trzeba, porwie małego i wyjedzie choćby do Nowej Zelandii. Zerwie wszystkie więzy, zburzy iluzoryczne domy, które do tej pory budowała. Nikt i nic jej nie znajdzie. I nie dosięgnie. A jeśli miałoby się tak zdarzyć, nie wezmą jej siłą.

W ten sposób uratuję siebie i własne dziecko przed katastrofą, postanowiła, choćby miało to zakończyć jej karierę prawnika.

Na kartce zapisała plan działania, opracowała strategię ucieczki. Policzyła, ile potrzebuje pieniędzy i na ile czasu to wystarczy. Zyskała pewność, że postępuje słusznie, i po raz pierwszy od dawna ogarnęła ją euforia. Teraz musiała zrobić jeszcze tylko jedno. Usiadła przy komputerze i napisała list, swoiste pożegnanie z tym, dzięki któremu to wszystko zrozumiała. To spotkanie z nim otworzyło przed nią całkiem nową przestrzeń, a kryzys, który przeżyła, był swoistym katharsis, bez którego nie można doświadczyć prawdziwego poznania.

Hubercie,

noszę się z tym tyle czasu, że w końcu muszę napisać. Nie bój się, nie zacznę wyznawać ci miłości. Niczym nie chcę cię obarczać ani niczego nie oczekuję. Doskonale zdaję sobie sprawę, że nie możemy być razem.

Kiedy jechałam do ciebie, brałam pod uwagę, że wrócę jeszcze tego samego wieczoru. Rozczaruję się, zawiodę, ty się zawiedziesz, stchórzysz, zmienisz zdanie, nie sprostasz moim oczekiwaniom, ja nie sprostam twoim... Ale coś mnie pchało do ciebie i jednocześnie od ciebie odpychało. Tak jest zresztą cały czas.

Nie rozumiem tego. Jakby rzeczywistość, której doświadczyłam, nie istniała, a była jedynie wytworem mojej wyobraźni.

Nie obawiaj się, wszystko dzieje się głęboko we mnie, nie zamierzam cię zadręczać. Chcę tylko, byś wiedział i miał pewność, że opatrzność, stawiając cię na mojej drodze, ofiarowała mi nieprawdopodobne szczęście. Obudziłeś mnie emocjonalnie i dziękuję ci za to.

Było to dla mnie głębokie przeżycie erotyczne, w które przebrała się mistyka. Jestem ci wdzięczna za delikatność, poczucie bezpieczeństwa i za czar. Nie potrafię mówić o emocjach. Zawsze się asekurowałam na wypadek, gdyby coś poszło nie tak. Z tobą jest inaczej. Nie potrafię odzyskać równowagi. Targają mną sprzeczne uczucia – od szczęścia po rozpacz. To trudne do zniesienia. Czuję smutek, ponieważ nie ma happy endu. Jakbym dostała coś wymarzonego, bliskiego ideału, a okazało się, że jest pożyczone i trzeba oddać. Nie wiem, czy chodziło o świadomość, że masz żonę, czy o coś innego. Nie wiem. Czułam jakąś barierę, przez którą nie próbowałam się przedrzeć. Tylko kiedy się kochaliśmy, to znikało.

Miałam nie wyznawać miłości i nie będę, bo ona przychodzi dużo później i jest spokojna. A we mnie kłębi się irracjonalna burza. Ale to było dla mnie bardzo ważne. I ty jesteś ważny. Nawet jeśli już nigdy się nie spotkamy. Trochę dramatyzuję, ale nie potrafię udawać, że to relacja jak inne.

Nie oczekuję, że odpiszesz. Możesz wrzucić do kosza i zapomnieć. Po prostu musiałam ci to powiedzieć i mam nadzieję, że teraz będzie mi lżej. Wiem, że z czasem te fluidy zblakną i minie huragan, ale jednocześnie będę tęsknić za tobą i za tym wszystkim, co dzięki tobie przeżyłam.

Weronika

Pisanie listu zakończyła, kiedy już świtało. Była wciąż jeszcze rozedrgana, ale spokojniejsza. Czuła, że wraca do swojego rytmu, do siebie samej. Nie miała odwagi wysłać mejla teraz, więc zostawiła go w swojej skrzynce. By jutro, w świetle dnia, ocenić to wszystko jeszcze raz, na chłodno. Zasnęła po kilkunastu minutach, od dawna nie czuła się tak lekko.

Obudził ją dzwonek telefonu. Wystarczył rzut oka za okno, by stwierdzić, że nie usłyszała budzika i spóźniła się do pracy. Tego dnia miała być rano w sądzie i oskarżać. Ubierała się szybko. Czuła się rześko, choć była zmęczona i miała mroczki przed oczami. Nie zdążyła wypić kawy, o zjedzeniu śniadania nie wspominając. Samochód nie chciał odpalić, więc wskoczyła do pierwszego autobusu, który zatrzymał się na przystanku przed jej domem. Jechała na gapę, ale wiedziała, że tego dnia nawet mandat nie pozbawi jej siły, którą znów w sobie czuła.

Jak gdyby nigdy nic, usiadła za biurkiem i nie dała po sobie poznać, że zawaliła poranną rozprawę. Musiała zadzwonić do sądu i usprawiedliwić swoją nieobecność. Poczekała, aż z pokoju wyjdą wszyscy koledzy, i załatwiła sprawę. Przewodniczący składu sędziowskiego z trudem przełknął jej wytłumaczenie o chorobie.

– Czy na kolejny termin zamierza się pani stawić, czy mam wysłać wezwanie do prokuratora okręgowego? – spytał.

– Tym razem prokurator dojedzie, a akt oskarżenia zostanie odczytany – zapewniła.

Miała na biurku kilka spraw, które wymagały wydania postanowień i jej decyzji. Zamierzała się do tego zabrać, kiedy do pokoju zapukała Milena, sekretarka szefa.

– Pani prokurator, mogę prosić do konferencyjnej?

Weronika wiedziała, że to nie wróży nic dobrego. Ale kiedy szła korytarzem za młodą dziewczyną, nie bała się gniewu szefa ani tego, co nastąpi. Była spokojna.

– Jakiś problem? – próbowała zagaić Milenę, lecz ta odwracała wzrok. Bez słowa otworzyła przed nią drzwi sali i ulotniła się niczym przestraszona sarna.

Wtedy Weronika zrozumiała. W sali czekał na nią Robert Jóźwik, zastępca prokuratora okręgowego. Nie patrzył na nią, miał zbolałą minę. Drzwi pozostały otwarte.

– Zwalniasz mnie? – zapytała.

– Przykro mi, Wero. – Wzruszył ramionami.

Kiedyś omal nie wylądowali w łóżku. Zalecał się do niej, odkąd przyszła do tej pracy. Mimo odrzucenia jego awansów cenił ją. Dobrze im się współpracowało. Zapraszał ją do domu, brała udział w przyjęciach organizowanych przez jego żonę Alicję. Lubiła go. Ale też rozumiała jego obecną sytuację. Został tutaj wezwany jako świadek. A że był z natury tchórzliwy, nie liczyła, że stanie w jej obronie. Dlatego został wybrany na wiceszefa. Tacy ludzie jak on zawsze są lojalni wobec tych, którzy dają im jeść.

Szef wmaszerował do sali z plastikową teczką w ręku. Nie potrzebowała żadnych potwierdzeń. Czekała na rozwój sytuacji. Niech sami jej to powiedzą i wyjaśnią, dlaczego zwalniają ją z pracy. Nie jest początkującym asesorem, tylko doświadczonym oskarżycielem. Takich ludzi brakuje i nie wyrzuca się ich z dnia na dzień. Patrzyła teraz na swojego szefa. Prokurator okręgowy był w koszuli, krawat miał lekko przekrzywiony. Nie wysilił się nawet na pozory kurtuazji – nie włożył marynarki. Poczuła się urażona.

– Mam tutaj dwa dokumenty – zaczął oficjalnie, nie patrząc na nią. – Jeden to zwolnienie dyscyplinarne, które mógłbym pani wręczyć z czystym sumieniem. Człowiek, który wybrał zawód oskarżyciela, musi mieć nieposzlakowaną opinię. Nie może być cienia wątpliwości co do jego kręgosłupa moralnego. Ceniłem panią jak fachowca, ale zawiodłem się. Pewne zasady są nienaruszalne. Myślę, że wyrażam się jasno.

Weronika Rudy zacisnęła usta, poprawiła okulary i pomyślała, że to jest nierealne. Zawsze w sytuacjach, które są w życiu człowieka ważne, nie docenia się ich wagi. Słuchała, co mówił ten mężczyzna, a jej myśli wybiegały już kilka kroków naprzód. Myślała, że to nawet lepiej. Bardzo ułatwił jej sprawę. Nie musi się już obawiać narażenia na szwank opinii, bo ta została zbrukana. I teraz nie miała już żadnych wątpliwości, czy przeprowadzić swój plan. Już nie jest prokuratorem.

Czekali na jej reakcję. A ona milczała. Jeśli ci dwaj sądzą, że będę płakać, płaszczyć się, to się mylą, myślała. Szef zaczął wyjmować z teczki papiery. Trzęsły mu się ręce.

– A dlaczegóż to miałabym być zwolniona dyscyplinarnie? – zapytała, mrużąc oczy.

Obaj podnieśli głowy i spojrzeli na siebie zdziwieni. Czyżby udawała? Grała? Przez chwilę na jej twarzy też pojawiło się niedowierzanie. Niemożliwe, żeby jej eksmąż posunął się do takiej podłości. Przecież była grzeczna i godziła się na wszystkie warunki. Zaświtała jej myśl, że ostatnio faktycznie był dla niej zdecydowanie zbyt miły. A jak wiadomo, węże, zanim zadadzą śmiertelny cios, odbywają hipnotyczny taniec, który swoim pięknem ma uśpić czujność ofiary. Czyżby właśnie w ten sposób zamierzał ją zniszczyć? Wiedział przecież, że tylko praca jej została.

Prokurator okręgowy wyjął z teczki kilka kartek formatu A4 odbitych na kserokopiarce. Przesunął w jej kierunku.

– Właściwie nie powinienem tego pokazywać, lecz... – przerwał. – Chciałbym, by to było jasne. Nie zwykłem zwalniać nikogo na podstawie donosów, na dodatek anonimowych, ale sprawdziliśmy wszystko i faktycznie przeciwko pani rozpoczęło się postępowanie sądowe. Nie możemy sobie pozwolić na pracownika oskarżonego o wyłudzenie poważnej kwoty pieniędzy. Taka osoba nie jest godna wkładania togi oskarżyciela.

Wzięła kartki do ręki. Zobaczyła nagłówek, pedantyczne pismo i zrozumiała. Donos. Bez nazwiska nadawcy. Zaczęła czytać i wszystko jej się poukładało. To rozgorączkowany radny, ojciec Anety Gryczkowskiej, puszczalskiej dwudziestolatki, która zgłosiła gwałt, by zemścić się na koledze z pracy. Do stosunku wprawdzie doszło, w aktach była obdukcja lekarska, która to potwierdzała, lecz po przeprowadzeniu dochodzenia nie stwierdzono cech przestępstwa. Mało tego, dziewczyna nie do końca zdawała sobie sprawę, z kim tej nocy spała. Mężczyzna, którego pomówiła, miał żonę i romansował z Anetą za pełnym jej przyzwoleniem.

Sprawa była dość pokręcona, lecz z prawnego punktu widzenia nie doszło do napaści seksualnej, o czym powiedziała Weronice sama „poszkodowana". Wyznała także, że postępowanie karne było potrzebne jej ojcu, który zamierzał startować w kolejnych wyborach. Przy pomocy prymitywnych, jego zdaniem, prokuratorów i policjantów chciał zmienić córkę z ladacznicy w męczennicę. Niestety, prokurator Rudy przejrzała jego motywy i umorzyła dochodzenie we wstępnej fazie, uznawszy, że jest to typ sprawy „bez cech przestępstwa". Sama Aneta Gryczkowska przyjęła tę decyzję z ulgą. Dla niej też ta batalia nie była łatwa. Wszystkim przesłuchującym musiała kolejno opowiadać przebieg tamtej nocy. A że nie pamiętała zupełnie nic, tak była pijana, za każdym razem podawała nowe szczegóły, budząc tylko politowanie.

Kiedy jej ojciec dowiedział się o umorzeniu śledztwa, wpadł we wściekłość. Wydzwaniał do Rudy codziennie. Oskarżał ją, że wypuszcza na wolność przestępców. Weronika miała wtedy na głowie lokalną prasę i tylko dlatego, że porozmawiała szczerze z dziennikarzami, nie ukazało się nic, co szkalowałoby jej opinię. Niestety, Marian Gryczkowski potraktował to jako policzek. Zmuszał córkę, by w wywiadach mówiła, że jednak została zgwałcona. Sam pragnął zemsty. Zaczął grzebać w jej życiorysie. Teraz zrozumiała, że to nie mąż, lecz Gryczkowski zlecił przecięcie opon w jej aucie, kiedy pojechali z Meyerem do Raciborza. Były jeszcze groźby telefoniczne, przychodzenie do jej gabinetu. A także krzyki przed salą sądową, kiedy występowała w innych sprawach. Udzieliła wywiadu jakiejś gazecie dla kobiet i tekst został umieszczony w wersji internetowej. Na forum pojawiły się wpisy pełne jadu.

Jak chce się kogoś uderzyć, kij zawsze się znajdzie. No i się znalazł. Gryczkowski osobiście złożył doniesienie o popełnieniu przestępstwa w prokuraturze w Kętrzynie, gdzie mieszkali kiedyś razem z Nikim. Sprawa miała wkrótce trafić na wokandę. Wera była przekonana, że jeśli Gryczkowski dotarł do dokumentów, którymi przez ostatnie lata groził jej mąż, to zwolnienie z pracy jest najmniejszą dolegliwością, jaka może ją teraz spotkać. Może nawet pójść siedzieć. Jeśli koledzy po fachu zapałają do niej takim samym wstrętem, jakim darzyła teraz samą siebie i jaką widziała w twarzach swoich szefów, to tylko kwestia czasu. Było jej wstyd. Zrozumiała, że nie ucieknie od odpowiedzialności. Jej winą było zatajenie informacji i niepowiadomienie organów ścigania. Była prokuratorem, miała tego świadomość. Chciała już wyjść. Wiedziała, że nie musi podpisywać dokumentu. Szef zaprosił tutaj zastępcę, by był świadkiem wręczenia jej wymówienia.

– Czy to prawda? – zapytał szef.

Pochyliła głowę. Co miała mu powiedzieć?

– Czy wraz z nieustaloną osobą dokonała pani wyłudzenia na rzecz banku kwoty pół miliona złotych w dwa tysiące trzecim roku? Czy posłużyła się pani podrobionym dokumentem? Czy współpracowała pani ze zorganizowaną grupą przestępczą, zajmującą się oszustwami bankowymi, której przywódca Roman G., zwany Windykatorem lub Wielkim Windykatorem, do dziś jest poszukiwany listem gończym za pośrednictwem Interpolu? Czy na pani konto wpłynęły te brudne pieniądze?

Chciała go zapewnić, że to wszystko nie jest takie, jak opisuje Gryczkowski. Wyznać, że o niczym nie wiedziała, bo wszystko zorganizował jej mąż. Był wtedy obrońcą Windykatora w innej sprawie i nie zauważyła, jak ci dwaj się polubili. Została wrobiona, bo po prostu kochała męża, wtedy nieznanego adwokata Wiktora Nikitorowicza, znanego w światku przestępczym jako Cwany Niki, dziś nadwornego obrońcę wszystkich pluskiew i larw, które ona jako prokurator próbuje wsadzić za kratki.

Chciała wyjaśnić, że to była część jego szatańskiego planu. Szantaż i sposób na uwikłanie jej, by nie mogła odejść i odebrać mu synka, którego on tak naprawdę nie kocha, bo taki człowiek kocha jedynie siebie. Może jeszcze pieniądze. I niczego oprócz nich nie potrzebuje, bo wydaje mu się, że za nie kupi sobie wszystko.

Chciała powiedzieć, że żałuje wszystkiego, a najbardziej tego, że 17 czerwca 1997 roku spotkała Wiktora Nikitorowicza, bo być może jej życie wyglądałoby dziś zupełnie inaczej. Ale nie powiedziała nic. Nie odezwała się słowem. Spojrzała szefowi w oczy i skinęła głową.

Mężczyźni byli zszokowani. Z ich twarzy wyczytała wrogość, wstręt i pogardę. Wiedziała, że żadne usprawiedliwienie nie zmyje tej hańby. Cokolwiek by teraz powiedziała i jakkolwiek się zachowała.

– Drugi dokument, który przyniosłem, to rozwiązanie umowy za porozumieniem stron. Po konsultacji ze zwierzchnikami uznaliśmy, że takie rozwiązanie będzie właściwsze dla naszej instytucji. Nie ze względu na panią – podkreślił.

Weronika Rudy odnalazła długopis w kieszeni i bez słowa podpisała wymówienie, po czym wyprostowana jak struna opuściła pomieszczenie. Weszła do swojego pokoju, pozbierała rzeczy i ulotniła się z prokuratury. Jedyne, co mogła teraz zrobić, to odzyskać syna i wypełnić swój plan, który ściągnie na nią gniew całego świata. Nie liczyła, że ktokolwiek zrozumie jej motywację i ulituje się nad jej losem. Złapała taksówkę i pojechała do domu byłego męża, kupionego za wyłudzone pieniądze, do którego ona nie miała żadnych praw.

* * *

Waldemar Szerszeń zaparkował auto na parkingu lotniska w Pyrzowicach i pośpiesznie ruszył do wejścia. Rozejrzał się wokół i zaniepokoił, że przyjechał zbyt późno. Zerknął na zegarek. Samolot, którym z Bostonu miał przylecieć profiler, wylądował pół godziny temu. Pasażerowie dawno opuścili lotnisko.

– Kto późno przychodzi, sam sobie szkodzi – mruknął niezadowolony. – Mogłem w ogóle nie przyjeżdżać. Hubert pewnie już pojechał taksówką.

Wtedy go dostrzegł. Meyer stał przy saloniku prasowym. W ręku miał plik gazet. Rozłożona płachta jednej z nich zakrywała niemal całą jego twarz. To dlatego Szerszeń wcześniej go nie zauważył. Podszedł do zaczytanego profilera i chrząknął porozumiewawczo. Hubert natychmiast złożył gazetę.

– Człowiek wyjedzie na miesiąc, wróci, a tu nic się nie zmieniło. Widać, tak naprawdę nie warto się niczym przejmować... – powiedział zamiast powitania. Po czym uśmiechnął się i wyciągnął dłoń do Szerszenia.

Podinspektor stwierdził, że wyjazd dobrze psychologowi zrobił. Rysy twarzy wygładziły się, a oczy nabrały blasku. Z Meyera biła nowa energia. Cały promieniał.

– Miło cię widzieć, chłopie. Wyglądasz na swojego młodszego brata. – Poklepał go po plecach.

– To pozory – westchnął profiler. – Ale dobrze wyjechać na trochę. Człowiek łapie dystans.

– Jak lot?

– Trochę jestem otumaniony. Tyle godzin w boeingu i ta różnica czasu... Dobrze, że jeszcze dzisiaj mam wolne. A co u ciebie? Jak Zosia?

Szerszeń uśmiechnął się szeroko.

– Świetnie. Nigdy nie było lepiej... Zośka pozdrawia cię i zaprasza, jak zwykle. A... – zawiesił głos i spojrzał na przyjaciela z niepokojem. – Jak Kinga?

Mcycr wzruszył ramionami. Pośpiesznie chwycił walizkę, przez ramię przerzucił skórzaną kurtkę i ruszył w kierunku wyjścia.

– Duszno tu jak cholera. I jestem głodny – dodał.

Szerszeń przyglądał mu się wnikliwie, lecz nie drążył tematu. Jeśli Meyer zechce podzielić się z nim szczegółami dotyczącymi stanu zdrowia żony, zrobi to w swoim czasie. Jego milczenie nie zapowiadało jednak niczego dobrego.

– Przestała mnie rozpoznawać – rzucił Hubert, kiedy Szerszeń wjeżdżał na autostradę. – Cały czas mówiła do mnie Lucjan. To imię jej ojca.

– Przykro mi – szepnął Szerszeń. Nie bardzo wiedział, jak ma się zachować.

– Rozmawiałem z lekarzami – ciągnął Meyer. – Mówią, że dalsza terapia nie ma sensu.

– Nadal odmawia leczenia?

– Teraz już nie ma prawa głosu. Walczą o jej życie, więc to nie ona podejmuje decyzje. Na szczęście... Ale jest już w takim stanie, że nie bardzo wie, co się z nią dzieje. Ma krótkie stany przytomności. W trakcie jednego z nich namówiłem ją, by podpisała zgodę na skomplikowaną operację mózgu. Bardzo cierpi. Dawki morfiny, które jej podają, nie są skuteczne. Właściwie powinienem zabrać ją do domu. Ta operacja może jedynie zlikwidować obrzęk... Nie uratuje życia.

– To dlaczego jej nie zabrałeś? Ile będzie was to kosztowało! To przecież zupełnie bez sensu! I tak toniesz w długach! – Podinspektor się zacietrzewił.

– Nic – odparł Hubert. Poczęstował Szerszenia papierosem i otworzył okno. – Koszty pobytu w tej klinice pokrywa firma, która finansowała jej badania, a teraz bada ją. Nie wiedziałem o tym, ale Kinga podpisała z nimi umowę, że do czasu zakończenia eksperymentu...

– Co? Zostanie tam do śmierci? – przerwał mu podinspektor. I nie dał przyjacielowi czasu na odpowiedź. – Czy ona całkiem postradała rozum?! O... przepraszam... Nie to miałem na myśli... Jak mogła! Nie skonsultowała tego z tobą?

– Prawdę mówiąc... – Hubert westchnął ciężko – zgodziłem się na to. To jej życie. Nie mogę... – Szerszeń cierpliwie czekał na dalszy tok jego wypowiedzi. Kiedy Meyer ponownie się odezwał, jego twarz wyrażała prawdziwy ból. – Prawdę mówiąc, mam tego serdecznie dosyć. To podłe, ale skoro nie byłem w stanie przeciwstawić się jej, kiedy była jeszcze nadzieja... Teraz to już kwestia szacunku dla jej decyzji. To wszystko. Ona ma swoją idée fix i myśli tylko o sobie, a właściwie o nauce. Wielkie odkrycia, nagrody. Jakby z tego składało się nasze życie. Nawet nie pomyślała o tym, że mnie zostawia. Czy wiesz, że była szansa na jej wyleczenie? Gdyby wcześniej poddała się operacji... Zataiła to przede mną. I jednocześnie wmawiała mi, że mnie tak kocha, że żyje dla mnie. Nieważne. To nie jest rozmowa na teraz... – urwał.

Jechali chwilę w milczeniu, aż wreszcie profiler rzucił mimochodem.

– A co u Weroniki?

Szerszeń spojrzał na Huberta i uśmiechnął się półgębkiem.

– Sam spytaj. Nie widziałem jej od tygodnia. Ciężko pracuję... A zresztą... co to ja, przyzwoitka jestem? Masz telefon, to zadzwoń...

Hubert nie odrzekł ani słowa. Odwrócił głowę do okna, a potem włączył radio.

– Czyli podrzucić cię do domu? – upewnił się podinspektor, przekrzykując hałaśliwy dżingiel i reklamę firmy ubezpieczeniowej.

– Tak, jeśli możesz... Muszę trochę odespać. Ale wieczorem będę już jak nowy. Mam coś dla ciebie... Może wpadniesz do mnie dziś wieczorem? Specjalnie z myślą o tobie przywiozłem single malt.

– A co to za cholerstwo? – zainteresował się Szerszeń i ucieszył w duchu, że profiler sam zmienił temat. Nie najlepiej czuł się w roli pocieszyciela.

– Najlepsza gatunkowo whisky. Niemieszana. Z jednego gatunku słodu. Jak mercedes – najdroższa i najlepsza. Trunck mistrzów...

– Trzeba było tak od razu! – Podinspektor klepnął się po udzie.

„Sensacyjna wiadomość w sprawie Kaiserhofu" – z głośników radia zabrzmiała muzyczka zwiastująca serwis informacyjny i spiker odczytał pierwszą wiadomość.

Meyer spojrzał na przyjaciela pytająco. Szerszeń miał jednak minę nic mniej zdziwioną od niego. Obaj w napięciu wsłuchiwali się w relację dziennikarza.

„Mąż daje alibi Karinie Maliszewskiej, głównej podejrzanej w sprawie o zabójstwo Johanna Schmidta, prezesa jednej z największych w Polsce korporacji zajmującej się recyklingiem. Czy to wpłynie na jutrzejszą decyzję sądu o dalszym aresztowaniu Maliszewskiej? Więcej w serwisie po godzinie czternastej. Relacja naszego reportera na żywo spod domu męża Maliszewskiej".

– Patałachy – mruknął pod nosem Szerszeń i jednym ruchem wcisnął wyłącznik radia. Był zły, aż drgała mu dolna warga. – Co wy tam wiecie! Sąd jej nie wypuści. Bankowo.

– Co słychać w tej sprawie? – zdecydował się wtrącić profiler.

– Słyszałeś. Poradziłem sobie z nią. Okazało się, że to Karina Maliszewska zleciła zabójstwo. Była kobieta Schmidta.

– A wykonawcy zbrodni? – dociekał Meyer.

– Mam kilku podejrzanych. I jestem dobrej myśli... – zakomunikował Szerszeń z triumfem. – A wiesz, o co chodziło? – Zrobił zagadkową minę, lecz Meyer się nie odzywał. Szerszeń zdecydował się kontynuować: – O dwudziestodolarówkę. Unikatową monetę z fortu Knox.

– Gdzie ją macie?

– Jeszcze jej nie znaleźliśmy... Może w ogóle jej nie było.

– Co ty pierdolisz? – Meyer zmarszczył brwi. – A co z Poniatowską? Znalazłeś ją?

Twarz Szerszenia mocno się zachmurzyła.

– Nadal jest poszukiwana.

– Zaraz, zaraz... – Profiler podniósł ręce. – Czy ja dobrze rozumiem? Od mojego wyjazdu nie zrobiłeś w tej sprawie zupełnie nic?

– Tak to możesz sobie gadać do twoich studentów. Wypraszam sobie – obruszył się podinspektor i dodał, zadzierając podbródek: – Pracuję jak wół, kiedy ty sobie po świecie latasz. Pedofila z Będzina zatrzymałem, szalonego chemika – szantażystę ZUS-u wsadziłem do paki. Nie mówiąc o tym, że Budniaków z Superjednostki pogodziłem... Młodego zatrzymałem na dilowaniu. Dostali ultimatum: żadnej burdy albo chłopak idzie do pierdla. Załatwiłem mu dobrowolne poddanie się karze i trzy miesiące prac społecznych w hospicjum. Może to go czegoś nauczy.

– Pierdolisz. – Meyer wreszcie się uśmiechnął. – No nie, zwracam honor. To przełomowe dokonanie. Od lat nikomu się nie udało. Dzielnicowy kratę wódki powinien ci postawić. Dzięki tobie spać spokojnie będzie mógł co najmniej przez najbliższy miesiąc – pozwolił sobie na szyderstwo.

– Nie miesiąc, tylko trzy. Jeśli nie dłużej – żachnął się Szerszeń. I zaraz dodał: – A za Maliszewską Stary chce mi dać medal. Nie pozwolę, żeby przed emeryturą ktoś mi go odebrał. Więc bardzo cię proszę, nie wyjeżdżaj przed nim z tymi swoimi mądrościami. To sprawa honoru. Zresztą... ślady ją potwierdziły. Wszystkie media o tym napisały. Sąd przedłużył jej areszt. Nie tylko ja sądzę, że to ona... Wkrótce będzie akt oskarżenia w tej sprawie. To ma być nic? Ojca chcesz uczyć, jak się dzieci robi? Zapoznaj się ze sprawą, dopiero będziesz oceniał. Zresztą czekałem na ciebie, żebyś pomógł w przygotowaniu taktyk. Kariny i wynajętego przez nią zabójcy.

Na te słowa profiler wybuchnął gromkim śmiechem. Nie przestając się śmiać, wyciągnął z teczki plik gazet, które kupił w kiosku, czekając na Szerszenia.

– Mniej więcej wiem, co się dzieje. Medialna sieczka i bicie piany. Ale skoroś taki pewniak, to chętnie posłucham. Przyjedź nie za późno, będziemy gadać. Widzę, że mamy jeszcze dużo pracy.

Wysiadł pod domem. Szerszeń, wściekły, z piskiem opon zawrócił i ruszył z powrotem do Katowic.

Meyer stał jeszcze chwilę na szutrowej rozmiękłej drodze, która prowadziła do jego domu, i mruknął do siebie:

– Spierdoliłeś sprawę, Waldek. I jak zwykle ja mam to odkręcać. Ale będziesz miał swój medal, nie bój nic.

* * *

Szerszeń dotarł do komendy wściekły.

– Co jest grane? Kto puścił farbę o mężu? Skąd dziennikarze znają te brednie? – Wpadł do pokoju rzecznika prasowego.

– Komendant zezwolił. – Oficer prasowy wzruszył ramionami. I dodał z wyrzutem: – Ustal to sobie z szefem, a nie wyskakuj do mnie z pyskiem. Ja tu tylko sprzątam.

Podinspektor postanowił rozmówić się w tej sprawie z prokuratorką Rudy. Wydzwaniał do niej na komórkę i telefon stacjonarny chyba przez dwie godziny. Nikt w jej pokoju nie podnosił słuchawki. Zaczynał się już o nią martwić. Wreszcie telefon odebrała Wanda Kwiatkowska, koleżanka Werki z pokoju. Musiała biec, bo słyszał, że głośno łapie oddech.

– Halo? Tu podinspektor Szerszeń, wydział zabójstw się kłania – oświadczył. – Szukam Weroniki.

W słuchawce na chwilę zapadła cisza.

– Ona już tu nie pracuje – odparła, zniżając głos.

– To jakiś żart? – upewnił się Szerszeń.

– W takich sprawach poczucie humoru raczej mi nie dopisuje – stwierdziła Kwiatkowska ze spokojem.

– Od kiedy?

– Od dziś. Ponoć jest umoczona w jakąś aferę.

– Werka? To niemożliwe...

– Wiem tyle, co pan. Dziś cały dzień byłam w sądzie. Nie zdążyłam zamienić z nią nawet słowa. A tutaj nie widzę jej rzeczy.

– To jakaś pomyłka... – mruknął Szerszeń. Zasłonił słuchawkę i zaklął kilka razy, po czym zwrócił się znów do Kwiatkowskiej. – Jeśli Weronika pojawi się w prokuraturze, proszę jej przekazać, że jej szukam. Muszę pilnie z nią porozmawiać. Jej telefony nie odpowiadają.

– Nie dodzwoni się pan... Złożyła w sekretariacie służbową komórkę. Mogę panu dać jej numer domowy, jeśli pan nie ma. I prywatny mejl. Może odpisze.

– Dziękuję. – Podinspektor bez pożegnania odłożył słuchawkę.

Po chwili znów wykręcił ten sam numer. Z wrażenia zapomniał spytać, kto teraz nadzoruje sprawę śmieciowego barona. Niestety, telefon wciąż był zajęty. Widocznie Kwiatkowska odbierała kolejne telefony do koleżanki.

Szerszeń miał w głowie mętlik. Za wszelką cenę chciał się skontaktować z Weroniką. Nie wierzył w ani jedno słowo, które przed chwilą usłyszał. A nawet jeśli Werka była winna, chciał to usłyszeć od niej samej. Może mógłbym jej jakoś pomóc?, myślał. Martwił się też, że zdesperowana kobieta zrobi jakieś głupstwo. Wiedział, że była uwikłana w jakieś machlojki byłego męża, choć nie rozmawiali o tym nigdy otwarcie. Ponownie wykręcił jej numer, modląc się w duchu, żeby była w domu. Wcześniej już kilka razy nagrywał się na automatyczną sekretarkę. Ale Weronika nie oddzwaniała. Tym razem jednak odebrała.

– Wiem wszystko – oświadczył zamiast powitania, a kobieta zamilkła w oczekiwaniu. – Nie wierzę w ani jedno słowo na twój temat – zapewnił ją, choć nie do końca było to prawdą.

– Dzięki, ale święta nie jestem – wyjąkała.

– W to nie wątpię – zaśmiał się Szerszeń. – Dlatego jesteś uosobieniem kobiecości na najwyższym poziomie.

Weronika wybuchnęła śmiechem, lecz po jej policzkach spływały łzy. Szerszeń nie mógł zobaczyć, jak je ociera. Słyszał jednak, że głos jej się łamie.

– Tylko mi tu nie rycz. To nie koniec świata, coś wymyślimy. Ale mów jak na spowiedzi. Wzięłaś tę kasę czy nie?

W słuchawce dźwięczała cisza.

– Proszę o jasną odpowiedź.

– Nie wzięłam ani grosza, ale podpisałam te kwity i tak to wygląda formalnie. Z punktu widzenia prawa jestem winna. Wiem, że to brzmi nieprawdopodobnie, ale... musisz mi uwierzyć.

– Słuchaj, mała. – Podinspektor przerwał jej nadzwyczaj poważnym tonem. – Choćbym miał stracić stanowisko... Wiesz, że cię uwielbiam, szkoda, że tylko platonicznie. Możesz więc liczyć na moje wsparcie, choćbyś była największą kryminalistką. Na chuj tylu prawników w tym obsranym mieście, skoro zaszczuta kobieta nie może liczyć na sprawiedliwość?

– Waldek, lepiej odsuń się ode mnie, bo ściągniesz na siebie kłopoty – szepnęła.

– Mówię poważnie, Wero. Tam gdzie zwykle, za pół godziny.

– Nie mam czasu... – jęknęła Weronika.

– Ty mała, ruda kocico. Czasu masz aż nadto. Słuchaj, ale ty nic nie kombinujesz? Tylko nie rób głupot... – zawiesił głos. Kiedy długo milczała, dodał: – Nie chcę nic wiedzieć. Mogę ci jakoś pomóc?

– Tak, pożycz mi dziesięć tysięcy – rzuciła, przeglądając stronę linii lotniczych.

– Dobra – odrzekł, a Weronika zamarła. Jak to? Czy on mówi poważnie?

– Tak więc spotkajmy się tam, gdzie mówiłem. Niech będzie za dwie godziny. Tylko się nie spóźnij. Będę miał kasę. – Odłożył słuchawkę.

Werkę wcisnęło w fotel. Nieczęsto zdarzało się jej spotykać ludzi, którzy zachowaliby się tak szlachetnie. Nie spodziewała się, że Szerszeń okaże jej pomoc w takiej sytuacji. Zastanawiała się chwilę nad jego intencjami, ale nie miała już nic do stracenia.

Tymczasem Szerszeń zerknął na zegarek i stwierdził, że ma chwilę, by wykonać jeszcze jeden ważny telefon. Znalazł numer w notesie i pośpiesznie go wykręcił.

* * *

Synek prokuratorki ucieszył się na widok matki. Nie będzie musiał siedzieć dłużej w przedszkolu! Na szczęście nie wyczytał z jej twarzy prawdziwych emocji, bo Werka starała się pokryć swój smutek i lęk przed konsekwencjami decyzji sztucznym śmiechem. Chłopiec dopytywał się, dokąd jadą, więc Weronika zapewniła go najbardziej radosnym tonem, na jaki było ją stać, że właśnie dziś zaczynają wakacje i od tej chwili będą już tylko w podróży. Chłopiec przytulił się do niej i oświadczył z miną dorosłego mężczyzny:

– Nie martw się. Wszystko będzie dobrze.

Prokuratorka prawie popłakała się ze szczęścia. Pojechali do jej mieszkania. Weronika szybko spakowała najpotrzebniejsze rzeczy i już zamierzała wychodzić, by zdążyć na spotkanie z Szerszeniem. W ostatniej chwili przysiadła do komputera, by zapłacić za bilety. Potwierdziła więc rezerwację lotu o dwudziestej drugiej, wpisała jako płatność kartę kredytową. System zażądał jej numeru. Przerzuciła wszystko w torebce, lecz nie mogła jej znaleźć. Wyrzuciła zawartość szuflady, potem przewaliła papiery na biurku. Jest! Uświadomiła sobie, że przecież nie wysłała listu do Huberta. Nie zastanawiając się dłużej i nie czytając tego, co napisała w nocy, przesłała Meyerowi list.

Mieli jeszcze godzinę do spotkania z podinspektorem i zaledwie sześć godzin do odlotu do Wielkiej Brytanii. Tam mieszkała koleżanka Weroniki ze studiów, która porzuciła pracę prawnika jeszcze w czasie aplikacji i zajęła się sztuką. Teraz pracowała w poważnym domu aukcyjnym i nie musiała obcować z trupami ani z przestępcami. Swoje wykształcenie prawnicze wykorzystywała do tego, by żaden z agentów parających się sztuką jej nie oszukał. Weronika liczyła, że Majka pomoże jej w tym trudnym momencie. Polka od lat mieszkała w Liverpoolu i wielokrotnie zapraszała ją do siebie. Teraz Werka zamierzała z zaproszenia skorzystać. Przyjaźniły się od lat, łączyła je miłość do sztuki. Niewiele osób wiedziało, że drugą pasją Weroniki, poza prawem, była architektura.

Włączyła Skype'a i ucieszyła się, widząc zielony ptaszek przy imieniu koleżanki. To oznaczało, że Maja jest aktywna i Rudy może jej wyłuszczyć sprawę. Bez ogródek i ozdobników napisała:

„Mam kłopoty. Muszę wyjechać z kraju. Możemy się u ciebie zatrzymać na jakiś czas? Ja i Tomek".

„Kiedy?" – odpowiedź dostała niemal w tej samej sekundzie.

„Dziś w nocy" – odpisała.

Maja, widać poruszona wiadomością, dzwoniła do niej przez Skype'a. Nie zapytała o nic, nie prosiła o zwierzenia.

– Możesz na mnie liczyć – zapewniła. – Jeśli mi się uda, wyjadę po was na lotnisko. Jeśli nie – weźcie taksówkę. Adres znasz.

Weronika się zaniepokoiła. Zamiast się cieszyć, doszukiwała się podstępu. A jeśli Maja mnie wystawi? Jeśli złapią nas, zanim wysiądziemy z samolotu?, myślała. A może potem na mnie doniesie? Z punktu widzenia prawa będę przecież porywaczką, rozważała. Po chwili znów górę wzięła pewność działania. Teraz jak nigdy dotąd wierzyła, że ucieczka się uda i już nigdy – choćby wszystko się zawaliło – nie będzie musiała mierzyć się z Nikim ani z tym, co się za nią ciągnęło. Jeszcze w trakcie rozmowy z Mają, kiedy już niemal czuła ten zapach wolności, usłyszała dźwięk zwiastujący nową wiadomość mejlową. Pomyślała, że już nie zdąży odebrać, bo nie ma nic ważniejszego od tego, co robi w tej chwili. Zerknęła na zegarek.

– Tomek, zbieraj się. Idziemy – rzuciła do syna, lecz chłopiec wpadł w histerię, więc zgodziła się, by obejrzał jeszcze jeden odcinek przygód japońskich wojowników.

Pośpiesznie zamykała okna przeglądarki i z przerażeniem stwierdziła, że wciąż nie uregulowała płatności za bilety. Musiała ponownie uruchomić internet, bo w skrzynce pocztowej był link do rezerwacji biletów. Otworzyła pocztę i zamarła. Ostatnią wiadomością był list od Huberta. Serce zabiło jej szybciej: Odpisał w tak krótkim czasie. Przecież nie odzywał się prawie miesiąc, nie odbierał telefonów. Co się stało? Bała się otworzyć jego mejl, drżały jej ręce, lecz ciekawość była silniejsza niż lęk.

Słyszała, że ostatnia bajka Tomka się kończy, najważniejsi bohaterowie już zginęli i zostały jej najwyżej trzy minuty. Nie miała czasu się wahać. Kliknęła na list i przeczytała.

Nie był długi. Właściwie to było tylko kilka zdań skreślonych na szybko. Mimo to łzy napłynęły jej do oczu. Zawarty w nim komunikat był niezwykle jasny. Nie zadręczaj się, nie przedłużaj iluzji. Nie chcę cię. Zobacz wszystko takim, jakie jest. Brnąc w kłamstwa, nie uciekniesz przed niczym. To jej powiedział. Czytała te kilka słów od niego i próbowała dopatrzyć się czegoś więcej niż pożegnania, lecz nie dał jej takiej szansy. Poczuła, jakby nagle wytrzeźwiała. Jakby te kilka zdań wyrwało ją z letargu. Dostrzegła nagle bezsens swojego działania. Nie chciała być przecież przestępczynią. Jej paniczna ucieczka, zwłaszcza w pośpiechu, nie miała żadnego sensu.

Hubert tym krótkim listem rozwiał wszystkie jej złudzenia. Nagle dostrzegła realnie sytuację, w jakiej się znajdowała. Nie czuła się już na siłach uciekać, choć była pewna, że nie znaleźliby jej szybko. Wiedziała, gdzie i jak można się ukryć przed polską policją oraz Interpolem. To jest tylko kwestia pieniędzy. Ale już nie chciała. Dlaczego oni mieliby całe życie uciekać, a jej mąż pozostałby bezkarny? Podjęła decyzję. Chwyciła synka za rękę i pobiegła do prokuratury.

Oficer w dyżurce zasalutował i zdziwił się, kiedy prokurator Rudy oznajmiła, że przychodzi tutaj nie jako oskarżyciel, lecz prywatnie.

– Chcę złożyć doniesienie o popełnieniu przestępstwa. Zawołaj Marka albo lepiej Wandę. I wpisz oficjalnie, że tu jestem.

Czekając na koleżankę, zadzwoniła do Waldemara Szerszenia.

– Nie chcę tych pieniędzy – oświadczyła. – Nic się nie bój, nie zrobię głupstwa. Jestem w prokuraturze. Chcę złożyć doniesienie.

– Wiedziałem, że mądra z ciebie dziewczyna – ucieszył się podinspektor. I dodał: – Chcesz, to pokopię i doszukam się jakiejś gnidy, która pogrąży twojego męża. I damy ci ochronę, żeby ci nie odebrał dziecka – zaoferował.

Prokuratorka nie mogła uwierzyć, że to wszystko było takie łatwe. Nie rozumiała, dlaczego tak długo, tyle lat się z tym męczyła.

Wanda Kwiatkowska wyszła Werce naprzeciw i mocno ją przytuliła. W pokoju przesłuchań Weronika wyznała jej wszystko, co wiedziała o ciemnych interesach męża i o tym, jak uwikłał ją w aferę z Windykatorem. Tomek bawił się w tym czasie w dyżurce.

– Nie mogę ci zagwarantować, że śledztwo potoczy się szybko – uprzedziła ją koleżanka. – Nie mogę nawet obiecać, że uda się postawić go w stan oskarżenia. On jest świetnym adwokatem.

Werka kiwała głową i uśmiechała się smutno.

– On teraz zrobi wszystko, by mnie zniszczyć – odparła. – Ale nie boję się. Jestem gotowa na tę walkę. Nawet jeśli miałabym ją przegrać.

Po wyjściu z prokuratury Weronika ruszyła z synem w drogę powrotną do domu. Chłopiec zasnął w aucie. Kobieta we wstecznym lusterku widziała jego twarzyczkę pogrążoną we śnie i poczuła błogość. Nie mogła uwierzyć, że tak długo zwlekała z decyzją. Okazało się, że nie było to takie trudne. Wystarczyło tylko trochę odwagi. Dzisiejszy dzień obfitował w przełomowe dla niej zdarzenia. Marzyła o tym, by znaleźć się we własnym łóżku i spokojnie zasnąć. Niestety, stanęli w korku. Wpatrywała się w czerwoną lampkę wskazującą kończącą się rezerwę paliwa i próbowała sobie przypomnieć, od kiedy się pali. Zaklęła pod nosem. Czemu nie zatankowała wcześniej? Przeraziła się, że za chwilę utknie na środku trzypasmowej jezdni. Wskazówka stanu paliwa obniżała się i obniżała.

Weronika denerwowała się coraz bardziej. Powietrze było lepkie. Tego wieczoru znów zapowiadali burze z piorunami.

Była zmęczona, lecz od dawna nie czuła się tak lekko jak dziś. Pomyślała teraz o kamienicy Kaiserhof i o tym, że każda z postaci powiązanych ze sprawą śmieciowego króla miała na koncie jakieś kłamstwo, a czasem i kilka. Jakby w Kaiserhofie tkwiła jakaś siła sprawcza karania kłamców, którzy nie potrafili stanąć twarzą w twarz z prawdą. Dokładnie tak jak ona. Jak pewnie wielu ludzi, którzy stali w korku obok niej. Pogrążamy się w kłamstwach, bojąc się zrobić właściwy ruch, i brniemy w kolejne, zataczając koło jak na sprężynie. A im dłużej to trwa, tym trudniej jest wycofać się z tej spirali, rozmyślała.

Losy wszystkich tych ludzi: Ottona Troplowitza, Johanna Schmidta, matki Kariny, także jej ojca splatały się w cieniu dawnego Kaiserhofu. Czyżby znajdował się tam jakiś tajemniczy węzeł czasu i przestrzeni, który weryfikował uczynki tych, których przyciągnął ten dom – grób kłamców, mogiła ich krętactw i intryg? Może ta kamienica wołała ich w swe ramiona i w tajemniczy sposób wymierzała sprawiedliwość niczym mityczna Dike, która odpowiadając za zachowanie równowagi i porządku na świecie, bez skrupułów karze oszustów, nie mając litości jak jej ślepa matka – Temida.

Zapragnęła zobaczyć Kaiserhof raz jeszcze. Tomek wciąż spał. Na jezdni w dalszym ciągu było ciasno, ale auta powoli zaczęły posuwać się do przodu. Po raz kolejny objechała rondo Ziętka, by zmienić kierunek jazdy, lecz nie udało jej się wcisnąć na prawy pas. Zakręciło jej się w głowie od tego jeżdżenia w kółko, ale po chwili się udało. Jakiś mężczyzna w terenowym wozie mrugnął do niej kierunkowskazem i wpuścił ją na upragniony pas ruchu. Odetchnęła z ulgą, bo po prawej stronie widziała już stację benzynową. Chciała znaleźć się na niej jak najszybciej i uzupełnić paliwo.

Po swojej prawej stronie w srebrnym lanosie lśniącym czystością, jakby dopiero co wyjechał z salonu, dostrzegła starszego mężczyznę w kapeluszu. Trzymał kurczowo kierownicę i nie patrząc w lusterka, uparcie wciskał się do skrętu w lewo, choć linie ciągłe zabraniały mu takiego manewru. Zwolniła, nacisnęła klakson, lecz jegomość nie zmienił zamiaru ani prędkości, jakby był sam na jezdni. Gwałtownie zahamowała i czekała na rozwój wydarzeń.

Nagle lanos kapelusznika zaczął ją taranować. Usłyszała trzask tłuczonego reflektora diamante i gięcie blach. Weronika oniemiała. Kiedy wbił się w jej prawy bok, tak ściśle, że nie miała już pola manewru, z jej gardła wydobył się krzyk wściekłości. Stojący w korku kierowcy patrzyli na tę sytuację z zaciekawieniem, a niektórzy z rozbawieniem.

– Stój! Zatrzymaj się! Co pan robi? – krzyczała do staruszka Weronika. Nie reagował i niczym kamikadze niszczył swoje auto. Diamante Werki nie poddawało się łatwo inwazji zdecydowanie cieńszych blach lanosa. Wreszcie kapelusznik zatrzymał się. Ale nie dlatego, że zrozumiał, co się stało, po prostu nie był w stanie przemieścić się ani o centymetr dalej.

– Ty ślepy grzybie!

Z innych aut zaczęli wysiadać ludzie. Kapelusznik tym spektakularnym manewrem zablokował bowiem całe rondo.

Werka wysiadła również i podeszła do wozu kapelusznika.

– I co pan zrobił? Po co? – zapytała go już spokojniej, lecz dziadek nie miał w sobie ani krzty poczucia winy.

– Bo nie ustąpiła mi pani miejsca – odrzekł z wyrzutem.

– Co? – Prokuratorka zbaraniała. – Jak miałam ustąpić? To jest rondo! Nie widzi pan linii? Ja mam dziecko w samochodzie... To ja zjeżdżałam z ronda. Byłam na swoim pasie. Pan chciał jechać dalej na zewnętrznym. Czy pan jest ślepy? Czy pan jest głuchy? Czy pan nie rozumie, że nie może pan ot, tak sobie skręcać? Niech pan zobaczy, jak pan zniszczył swoje auto – wyrzuciła z siebie pierwszą złość, ale potem zrobiło jej się szkoda tego osiemdziesięcioletniego chyba dziadka. Zerknęła na syna, który się obudził i rozglądał lękliwie. Pomyślała, że staruszek pewnie niedowidzi i niedosłyszy. To nie jego wina... Starość. Wszystkich nas to czeka... Nic się nie stało. To tylko wóz. Wystarczy go wyklepać.... Westchnęła ciężko i dodała spokojniej: – To co? Spisujemy oświadczenie?

Kapelusznik nie mógł wysiąść ze srebrnego lanosa, bo drzwi i słupek po lewej stronie auta miał wgniecione. Z prawej strony zaś wpasował się idealnie w barierki ronda. Siedział w swojej zgniecionej puszce metalu i zaciskał ze złości ręce na kierownicy. Jego kraciaste nakrycie głowy nie przemieściło się ani na jotę. Werka miała ochotę się roześmiać, ale uśmiech zamarł jej na twarzy, kiedy usłyszała słowa staruszka:

– To pani zajechała mi drogę. Musiałem uciekać. Omal nie zginąłem – kłamał kapelusznik, patrząc jej prosto w oczy.

Pod Weroniką nogi się ugięły. Kobietą wstrząsnęła teraz wściekłość. Rozejrzała się dookoła, lecz kierowców, którzy mogliby zaświadczyć o tym, jak naprawdę było, ubywało. Klnąc i wściekając się, zjeżdżali z ronda, jak tylko się dało. Za chwilę nie będzie tutaj nikogo, uświadomiła sobie zrozpaczona.

– Pan jest wstrętnym kłamcą – krzyknęła i omal nie rozpłakała się ze złości. Jak można tak łgać!? Obarczać kogoś swoją winą, mataczyć i nie mrugnąć przy tym okiem. – Jak pan może! Czy panu nie wstyd?!

Wsiadła do auta i zjechała na pobocze, po czym zadzwoniła na 112 i zgłosiła kolizję. Dziadek nadal siedział w swoim samochodzie, tarasując przejazd na Korfantego. Nie zdjął kapelusza ani płaszcza przeciwdeszczowego, choć na dworze panował upał. Werka była przekonana, że ma do czynienia z emerytowanym wojskowym albo milicjantem o niechlubnej przeszłości. Już widziała scenariusz kolejnej sceny: przyjedzie policjant, będzie zmęczony, znudzony. Usłyszy jej zdanie i zdanie dziadka. Słowo przeciwko słowu. Pół na pół. A jeśli nie uwierzy jej, tylko da wiarę brednim kapelusznika? Przecież to możliwe... Boże, co za koszmarny dzień!, rozpaczała w myśli.

– Wszystko widziałem – usłyszała i odwróciła się w stronę tego głosu.

W niewielkiej odległości od niej stał mężczyzna w białej koszuli i dżinsach. Wysoki, o regularnych rysach twarzy, na nosie miał okulary. Typ uwielbiany przez matki i teściowe. Uprzejmy, zadbany, nawet przystojny blondyn. Nie patrzył na nią, lecz gdzieś ponad jej głową. Odruchowo odwróciła się w tamtym kierunku, ale nie dostrzegła nikogo.

– Jeśli pani sobie życzy, mogę złożyć zeznanie – zaproponował.

– Dziękuję – szepnęła. Dzięki obecności tego świadka była już spokojniejsza.

– To wyglądało naprawdę komicznie – uśmiechnął się do niej.

Ona też się roześmiała. Była jednak bardzo zdenerwowana.

– Poczeka pan na przyjazd policji? – upewniła się. – To może potrwać.

Skinął głową.

– Nie mogłem odjechać, słysząc, co ten dziadyga wygaduje.

– Ten człowiek nie jest w stanie prowadzić auta. Jest głuchy i ślepy jak pień. Albo chory psychicznie... – narzekała prokuratorka, wciąż poirytowana.

Zapadła niezręczna cisza. Weronika obawiała się, że mężczyzna zniechęci się oczekiwaniem i odjedzie, zostawiając ją tutaj samą. Pośpiesznie wykręciła jeszcze raz alarmowy numer policji i po raz kolejny zgłosiła kolizję.

– Ekipa została wysłana – usłyszała.

– Ma pan papierosy? – zwróciła się do blondyna w okularach.

– Nie palę. – Rozłożył ręce.

– Może wezmę od pana jakiś telefon, jeśli sprawa by się skomplikowała... Nie chciałabym, by tracił pan przeze mnie czas. Oni sami nie wiedzą, ile to może potrwać. – Wyjęła z torby długopis i notes. Drżącą ręką otworzyła go na czystej stronie.

– Nie śpieszę się. – Wzruszył ramionami i nadal się w nią wpatrywał.

Nie wiedziała, dlaczego czuła się przy nim zawstydzona. Były w tym spojrzeniu ciekawość i troska.

– Właściwie to... – zaczął blondyn. – Już wcześniej panią obserwowałem. Przejechała pani rondo trzykrotnie. Zrobiłem to samo. Nie zauważyła mnie pani? Nie mogłem odjechać... z powodu pani.

Zapadła krępująca cisza. Werka zerknęła podejrzliwie i udała, że nie zrozumiała ostatnich słów.

531

– To pan mnie przepuścił... – stwierdziła, zerkając na jego terenowego nissana. Zmarszczyła brwi i ogarnął ją niepokój. Kim jest ten facet?, myślała gorączkowo i powiedziała: – Proszę nie tracić czasu. Zapiszę pana dane i jeśli będzie trzeba, poproszę o pomoc. Nie chcę, by pan... – dodała chłodnym tonem.

– Nie śpieszę się – powtórzył blondyn i uśmiechnął się szeroko, jak widać w mig odczytał jej intencje. – Koncert mam dopiero za trzy godziny – dorzucił.

– Czym pan się zajmuje? – zapytała bardziej dla podtrzymania rozmowy niż z ciekawości.

– Jestem muzykiem.

Spojrzała na jego długie palce.

– Na czym pan gra?

– Na trąbce. I to chyba całkiem nieźle – dodał nieskromnie. W kąciku jego ust wciąż błąkał się tajemniczy uśmieszek. Weronika czuła, że on wie o niej więcej niż ona o nim. Niepokoiło ją to, lecz nie miała wyjścia. Skoro już tutaj był, chciała, by złożył stosowne zeznanie. – A czym pani się zajmuje?

– Jestem... – zająknęła się. – Prawnikiem.

W tym momencie do auta kapelusznika podjechał radiowóz. Policjant przywołał Weronikę ruchem ręki. Nieznajomy mężczyzna szedł za nią krok w krok. Funkcjonariusz przejrzał dokumenty Werki oraz kapelusznika. Wysłuchał kolejno ich obojga, po czym wskazał na blondyna w okularach.

– Państwo są razem? – zapytał.

Kobieta zaprzeczyła gwałtownym ruchem głowy.

– Nie znamy się. Ten pan widział, co się stało.

– Proszę o dokument tożsamości – rozkazał funkcjonariusz, a blondyn podał mu paszport.

Policjant zbliżył się do kapelusznika, by mu przemówić do rozsądku. Werka słyszała, jak starszy pan po raz kolejny przedstawia swoją kłamliwą wersję zdarzeń i nie przyjmuje do wiadomości interpretacji policjanta. Dopiero mandat karny i groźba odbioru prawa jazdy ukróciły jego pokrzykiwania.

– Sprawa jest oczywista. Pańskie zeznanie nie będzie potrzebne. Choć major Wąsik nie przyjmuje tego do wiadomości.

– Odwrócił się do prokuratorki i uśmiechnął szeroko. – Wciąż widać nie może się przyzwyczaić, że nie jest w koszarach i nie wolno mu wydawać rozkazów.

– To wojskowy? – szepnęła Weronika.

– Powiedzmy... – zaśmiał się policjant i podszedł do majora, by wypisać mu mandat karny.

Weronika przyglądała się majorowi i zastanawiała się nad osobowością tego człowieka. Jej rozmyślania przerwał głos blondyna.

– Może sytuacja jest trochę niestosowna... – zniżył głos i zaraz przerwał, jakby się zawstydził. Po chwili jednak zdobył się na odwagę i kontynuował: – Może da się pani zaprosić na kawę? Jak już to wszystko się zakończy...

Werka zmrużyła oczy. Podeszła do niego tak blisko, że mógł poczuć zapach jej włosów. Był od niej dużo wyższy, choć nosiła dziesięciocentymetrowe obcasy. Pochylił głowę, jakby to mogło zmobilizować ją do udzielenia odpowiedzi, i czekał w napięciu. Weronika, patrząc mu w oczy, wyartykułowała świszczącym szeptem:

– Kim pan, do cholery, jest? Śledził mnie pan? Kto pana nasłał? – Wpatrywała się w niego nieruchomym wzrokiem. Jej oczy były zimne jak sztylety.

– Nie poznajesz mnie? – Uśmiechnął się. – Naprawdę jestem aż tak niewidzialny?

I nie czekając na jej odpowiedź, pochylił się jeszcze bardziej. Poczuła delikatne muśnięcie jego wilgotnych warg. Zacisnęła usta, chwyciła go za ręce i z całej siły kopnęła w krocze. Mężczyzna zgiął się w pół z bólu.

– Ty sukinsynu! – zamruczała i z obrzydzeniem otarła usta.

– Myślałem, że państwo się nie znają. – Policjant podszedł do nich, głośno chrząkając.

– Bo tak jest – odparła stanowczo Weronika i ze zdziwieniem patrzyła na blondyna, który już się wyprostował i choć jego twarz wciąż jeszcze była napięta, wybuchnął szczerym śmiechem.

– Wszystko w porządku? – spytał policjant.

Weronika nie była pewna, co ma odpowiedzieć. Czy ten mężczyzna jest niebezpieczny? Kto to? O co mu chodzi? Wreszcie niepewnie pokiwała głową.

– U pana też? – Funkcjonariusz z zaciekawieniem przypatrywał się tej dziwnej parze. – Wypiszę pani stosowny dokument, by dojechała pani do warsztatu. Chyba że od razu wezwie pani lawetę. – Machnął ręką. Jego ton nadal był służbowy, lecz oczy mu się śmiały. – Auto nie kwalifikuje się do użytku na drogach publicznych. Mam nadzieję, że zostawiam panią w dobrych rękach.

– Może pan być tego pewien – oznajmił blondyn, a prokuratorce ciarki przeszły po plecach. – Niezły masz cios – zwrócił się do Weroniki. I widząc zaniepokojenie na jej twarzy, dodał łagodnym tonem: – Nic się nie bój. Nie zrobię ci krzywdy...

Prokuratorka nie uwierzyła mu. Lewą rękę trzymała w pobliżu kabury z bronią, tak by w razie potrzeby szybko ją wyjąć.

– Mieszkasz na Zawiszy Czarnego dziewięćdziesiąt dziewięć mieszkania dwanaście – rzucił jakby od niechcenia nieznajomy.

Zamarła, poczuła nieprzyjemne mrowienie na plecach.

– A ja mieszkam pod numerem pierwszym, na parterze naprzeciwko wind – dodał. – W tym samym bloku. Od siedmiu miesięcy. Znam cię, mijaliśmy się dziesiątki razy. Nawet rozmawialiśmy o kadziełkach, które czasem zapalam w mieszkaniu. Spytałaś kiedyś, co tak pachnie. Masz synka...

Weronika spojrzała na Tomka, który przypatrywał się im przez szybę. Zmarszczyła brwi i zaczęła rozumieć: on jest jej sąsiadem. Dlaczego go nie zapamiętała? Była skołowana. Czuła się głupio, nie wiedziała, jak ma się zachować. Wciąż nie rozumiała motywacji nieznajomego.

– To jakieś szaleństwo – mruknęła.

Kiedy włożył rękę do tylnej kieszeni dżinsów, odruchowo dotknęła swojego glocka.

– Przepraszam. – Pochylił wreszcie głowę i podał jej wizytówkę. Zerknęła na nią i odczytała szybko: Hubert Miller, jazz trumpeter and composer. Neuhausestrasse 39, Monachium.

Na widok znajomego imienia poczuła silny ucisk w gardle i przyjrzała się bliżej nieznajomemu. Był zupełnie inny niż Meyer.

– To wszystko, co mówię, jest prawdą. Nie miałem złych intencji. Wybacz, coś we mnie wstąpiło. Źle zinterpretowałem twoje zachowanie. Zawsze uśmiechałaś się do mnie, kiedy mijaliśmy się na schodach. Miałem wrażenie, że się znamy. Nie przyszło mi do głowy, że nawet mnie nie zapamiętałaś... – Roześmiał się. Ten śmiech był jednak zabarwiony goryczą. – Czasem tak jest, kiedy wyobraźnia przerasta rzeczywistość. Wiem, że moja propozycja wciąż może ci się wydawać niestosowna, ale... bardzo chciałbym zaprosić cię na kawę.

Weronika spojrzała na mężczyznę, który miał na imię Hubert, i niczego nie była pewna.

* * *

Szerszeń już pół godziny czekał w Pizzy Hut na prokuratorkę. Kiedy przez okno restauracji dostrzegł ją, jak z synkiem wysiada z terenowego nissana, bardzo się zdziwił. Zwłaszcza że po chwili podała dłoń mężczyźnie, który wysiadł zza kierownicy wozu i ucałował ją z namaszczeniem. Szerszeń zastanawiał się, czy to jest były mąż Rudy, pan Cwany Niki, i dlaczego kobieta jest z nim wciąż w tak dobrej relacji. Chwilę później Weronika i jej syn znaleźli się przy jego stoliku.

– Cześć, młody – rzucił podinspektor do Tomka. – Twoja matka nigdy nie nauczy się punktualności?

– Mieliśmy wypadek – odparł chłopiec rezolutnie. – Jakiś dziadek nas najechał.

Szerszeń pociągnął wąsa i mruknął z przekąsem:

– Naprawdę? Coś podobnego...

Zerkał to na prokuratorkę, to na jej syna, a jego twarz mówiła: Mogłaś wymyślić lepszy wykręt. I jeszcze dziecko namawiać do kłamstwa...

– To prawda – westchnęła ciężko Weronika. – Jakiś dziad wjechał w nas na rondzie. Nie ściemniam – dodała i pomachała mu fakturą za usługę pomocy drogowej. – Znów jestem bez auta...

– Którą chcesz pizzę? – spytała syna i ponownie zwróciła się do milczącego Szerszenia: – Co zamówiłeś?

– Nic, zaraz muszę lecieć. – Podinspektor był wyraźnie obrażony. Patrzył na dokument za holowanie auta, lecz wciąż nie do końca jej wierzył. – Kibluję tutaj, a ty na randki chodzisz.

– Waldek, proszę cię... Nie zachowuj się jak mój mąż albo... ojciec. – Zmarszczyła brwi. W niej też wzbierała już irytacja.

– Mam tego serdecznie dość. Życie mi się rozłazi, wszystko do dupy. A ten facet – wskazała na szybę, przez którą doskonale było widać ulicę – to po prostu mój sąsiad.

– Sąsiad? – skrzywił się Szerszeń. – Od kiedy to sąsiedzi całują się po rękach. Znów coś kręcisz, mała. A ja gotów byłem za ciebie ręczyć...

– Co ty, Waldek... Zazdrosny jesteś? Zwariowałeś? – Poderwała się z krzesła. – Gdyby ten facet nas nie podrzucił, nie wiem, czy w ogóle byśmy dotarli. Muszę do toalety, poczekasz?

– Nie. – Policjant spojrzał na zegarek. – Miałem tylko chwilę i naprawdę muszę iść. Wpadnij do mnie jutro albo pojutrze, to pogadamy.

– Co się stało?

– Ta cholerna sprawa Schmidta. Powtórka z rozrywki... Zatrzymaliśmy pasera, który opylił rolexa z brylantami za tysiaka. Zgłosił się nabywca, żeby sprawdzić, czy to autentyk. Nie wierzył, że za taką kwotę kupił oryginał. No i przepadło. Zatrzymaliśmy rolexa do ekspertyzy... Nie zobaczy go już facet... W każdym razie nieprędko...

– Rolexa zrabowanego na miejscu zbrodni Schmidta? – upewniła się prokuratorka. – Tego samego?

– Tak właśnie podejrzewam. – Szerszeń uśmiechnął się tajemniczo. – Ale jeszcze to sprawdzamy. Idę już. Odezwij się potem. Aha, Hubert wrócił, jakby cię to interesowało... Cześć, młody. Powiedz matce, żeby uważała na nieznajomych sąsiadów – powiedział na zakończenie do Tomka i podał mu dłoń, którą malec uścisnął z dumą.

536

Weronika nie odezwała się ani słowem. Pomachała Szerszeniowi i nagle uświadomiła sobie, że jest głodna jak wilk. Tomkowi wcisnęła w rękę menu i ruszając do toalety, rzuciła:

– Dla mnie pepperoni, duża...

* * *

– Co to za chujowizna – prychnął Szerszeń, z trudem przełykając palącą gardło ciecz. Ta superwhisky przywieziona przez Mcycra specjalnie dla niego ze Stanów zupełnie mu nie smakowała. – Z czego to jest? Z kukurydzy czy z rzepaku?

Meyer podniósł do góry butelkę single malt i oświadczył poważnym tonem:

– To najdroższa whisky na bezcłowym. Jak nie umiesz docenić, nie pij. Naleję ci zaraz Diamentowej Nocy, szajsu naszej krajowej produkcji. Litr za jedyne dwadzieścia dziewięć dziewięćdziesiąt. To ci na pewno będzie smakowało, ty profanie.

– Zamiast tak pieprzyć bez sensu, daj lepiej czystej. – Szerszeń się skrzywił. – Muszę gardło przepłukać po tym płynie do chłodnic.

– Co za poziom! Takiego gestu nie umie docenić, abderyta... – mruknął Hubert i widząc, że Szerszeń nie rozumie sensu ostatniego słowa, z uśmiechem ruszył do kuchni, by z zamrażalnika wyjąć butelkę absoluta.

– Nie wiem, co do mnie mówisz, ale chyba mnie obrażasz. Wybaczam ci jednak, bo obiecałeś zrobić taktykę przesłuchania dla zabójcy Schmidta – powiedział podinspektor z wyrzutem. – A co to ma być? – huknął, kiedy Meyer postawił przed nim zmrożoną flaszkę i kieliszek wielkości naparstka. – Miarka dla dziecka na syrop sosnowy? Daj normalny kielonek.

– Co się tak dzisiaj czepiasz! Pij, jak dają. – Meyer nalał do kieliszka stosowną dawkę: – Obiecałem, to słowa dotrzymam, ale według mnie na razie takowego nie masz. Nic tu po mnie.

– Jak to nie mam? – prychnął Szerszeń. – A Sasza, Bajgiel? A Karina?

– W tych dwóch to sam nie wierzysz... A Karina? – skrzywił się Meyer. – Wątpię.

Szerszeń nalał sobie wódki, wychylił duszkiem i zaczął wyjaśniać profilerowi swój tryb myślenia. Jego zdaniem, kobieta zleciła zabójstwo Schmidta z zemsty.

– Była jego dziewczyną, gdy nazywał się jeszcze Zygmunt Królikowski i pretendował do miana złodzieja. Kiedy wspólnie z Poloczkiem zamordował Troplowitza i wyjechał, jej życie legło w gruzach. Już wtedy zaplanowała zemstę, czekała tylko na okazję – perorował Szerszeń. I zza pazuchy wyciągnął plik wymiętoszonych kartek złożonych w małą kostkę, dzięki czemu mieściły się w kieszeni kurtki. Dopiero po rozwinięciu tego origami Meyer zorientował się, że jest to jego własny profil.

– Chodzisz z tym wszędzie? – zdziwił się.

Szerszeń wzruszył ramionami i zaczął czytać:

„U zleceniodawcy zbrodni zaś dominowało poczucie bycia zdradzonym i oszukanym. Osoba ta zaplanowała, umożliwiła i wynagrodziła zabójcom dokonanie przestępstwa. Mogła także roztoczyć wizję, że zdobędą na miejscu dodatkowy łup, co okazało się nieprawdą". Jak widzisz wszystko się zgadza. A zresztą wiadomo, że baby umieją czekać i będą czekać cierpliwie, aż osiągną swój cel. Jej celem była zemsta na Królu. Za to, że zabił jej kurę znoszącą złote jaja, pozbawił spadku i zmusił do życia w biedzie.

– Okay – przerwał mu Hubert. – Ale napisałem ci, że zbrodnia została dokonana z motywu emocjonalnego wynikającego z lęku i niepokoju, motywem uzupełniającym zaś był motyw ekonomiczny. To motyw wykonawców. I od nich bym zaczął, nie od zleceniodawcy... W profilu masz też wyraźnie, że to osoba zlecająca umożliwiła zabójcom wejście do kamienicy i do mieszkania. Znała teren, miała dostęp do kluczy. Karina znała jedynie Schmidta. Czy kiedykolwiek była w tym mieszkaniu? Mówię oczywiście o współczesnych czasach. Czy mogła mieć klucze? Jeśli tak, to skąd i jak? To się nie zgadza i wystarczy, by obalić twoją tezę. Nie masz zabójcy ani zleceniodawcy.

– Co? – Szerszeń był zbity z tropu.

– Po pierwsze, to nie była zbrodnia z zemsty, bo byłyby inne obrażenia. Zobacz sobie ekspertyzę medyków albo przeczytaj raz jeszcze ten cholerny profil. Nie po to go pisałem, żebyś dopasowywał go sobie do podejrzanych! Masz weryfikować podejrzanych z opinią!

– Wiem, wiem – wściekał się Szerszeń.

– Osoba, która zleciła to zabójstwo, czuła się zraniona z jakiegoś powodu przez Schmidta. Chciała go wyeliminować. W ten sposób pozbyć się „kłopotu". Kapujesz?

– No tak, Karinę ten drań porzucił.

– Ale dwadzieścia lat temu! Potem wyszła za mąż, przestała być biedna. Została bizneswoman. I kochała go cały czas. Może nie kochała, ale gdzieś tam został w jej sercu. Wiedziała, że on też kiedyś ją kochał. Kurwa, wysłał jej pierścionek z Niemiec. Znasz drugiego tak romantycznego włamywacza? Po latach odnalazła go nie dlatego, żeby go zabić, ale żeby obudzić w sobie te emocje. Sprawdzić, czy wciąż czuje do niego to samo, czy się to wypaliło. Zamknąć tę sprawę, rozumiesz?

– No i co z tego? – bąknął Szerszeń i pożałował, że niedokładnie słuchał melodramatycznego bełkotu Kariny na lotnisku. Zupełnie nie zarejestrował tego wątku. Czuł się tak, jakby zwagarował z lekcji i dlatego na klasówce nie potrafi rozwiązać najważniejszego zadania.

– To z tego – ciągnął Meyer – że jak baba kocha i jest kochana, to nie zabija, tylko chce się wiązać, rozumiesz?

Szerszeń milczał. Słuchał jednak bardzo uważnie.

– A co chciał zrobić Schmidt? – zapytał Meyer.

– Rozwieść się.

– Zgadza się. Co jeszcze?

– Zrobić przekręt, zamknąć firmę i wydoić maksymalnie kasę.

– Tak.

– Spieprzyć gdzieś, nie wiadomo gdzie.

– Bingo. A z kim?

– Zostawić Klaudię dla Kariny.

– Jesteś pewien?

Podinspektor zastanawiał się chwilę.

– Tak wychodzi z zeznań ich wszystkich.

– Zgadza się. My to wiemy, ale czy nasi bohaterowie o tym wiedzieli? Co ci napisałem w dziesiątym punkcie profilu?

Szerszeń przesunął palcem po wymiętych kartkach. Znalazł żądany punkt i odczytał:

– „Ryzyko ich działania było średnie, posiadają (przynajmniej jeden z wykonawców) doświadczenia w tym zakresie". Natomiast ryzyko funkcjonowania ofiary było wysokie. Schmidt miał wielu wrogów, spotykał się z różnymi typami. Wikłał się w przedziwne romanse. Jego przeszłość też nie była kryształowa. „Sprawcy, dzięki osobie zlecającej zbrodnię, znali przyległy teren oraz rytm dnia ofiary (tej właściwej osoby, która miała zginąć zamiast Johanna Schmidta)". Kurwa, jakie to proste! Jak mogłem się tak pomylić! – Szerszeń poderwał się z krzesła. – Jeśli jest, jak sądzisz, to nie on miał zginąć. A żona i córka Schmidta były przekonane, że Johann ma romans z lekarką. Że to z nią chce się związać. To dlatego te baby pobiły się w Latawcu!

– Dobrze kombinujesz – rozpromienił się Meyer. – Idźmy dalej. Kto sprowokował tę intrygę? Kto zwabił do speluny żonę i kochankę Schmidta?

Szerszeń się zamyślił.

– Klaudia? Nie, była na to zbyt głupia – zaczął. – Elwira?

– Możliwe, że zainscenizowała to, by zapewnić sobie alibi. Myślałem o tym – przyznał Meyer. – Ale czy dałaby się wtedy tak zaskoczyć? Kelner mówił, że nie spodziewała się napaści Klaudii.

– Zostaje tylko Magda... – szepnął Szerszeń. – Ta lisica ma łeb.

– I nie może pogodzić się z tym, że ojczym zostawia ją i matkę dla innej kobiety – dodał profiler. – Więc co robi? Śledzi Schmidta, matkę i lekarkę. Obserwuje całą sytuację z różnych stron. Widzi rozwijający się związek i chce zapobiec odejściu Johanna. Ale pamiętaj, że wtedy jeszcze nie była tak silna jak dziś, kiedy została pełnoprawnym prezesem. Nie ma odwagi zagrać va banque. Posiłkuje się podstępem. Jej matka była głupia jak but i ta dziewczyna z łatwością nią manipulowała.

A jednocześnie żyła w jej cieniu, nie wierząc w swoją kobiecość. Ona się zmieniła dopiero po śmierci Schmidta.

– Rzeczywiście. Zaczęła się stawiać dopiero po zabójstwie. Sądzisz więc, że sfingowała włamanie, żeby go nastraszyć? Po co?

– Tego nie wiem. Ale może by go odciągnąć od kochanki. Skutek jednak był odwrotny, bo Schmidt zaczął się bać o swoje życie i przyśpieszył całą akcję. Co robi? Umawia się z Klaudią i każe jej podpisać dokumenty. Mało tego: ufa Magdzie i wprowadza ją w arkana swojego planu. Nie przypuszcza, że dziewczyna gra na dwa fronty. Klaudia zaś myśli, że wszystkiemu winna jest seksuolożka. To ją obarcza winą, z czego zresztą zwierza się córce.

– Żadna z nich nie wiedziała, że Karina była jego miłością sprzed lat.

– Tego nie jestem pewien – zauważył Meyer. – Bo przecież skoro Magda śledzi Schmidta, to może trafia też na trop Maliszewskiej. Może to właśnie wyzwala w niej nienawiść i wreszcie wściekłość na ojczyma. Ale nie mówi nic matce, by nie ranić jej jeszcze bardziej. Postanawia wziąć sprawy w swoje ręce i załatwić to po swojemu. Podstępem. Śledzi więc ojczyma dalej. Widzi go z Elwirą, a potem z Kariną. Śledzi matkę, wreszcie zawiązuje intrygę. Zwabia lekarkę i matkę do Latawca, gdzie się biją. Na ten czas zleca zbrodnię.

– Ale przecież to nie Schmidt miał być celem zabójców – wtrącił Szerszeń.

– Słusznie. Przeanalizujmy całe zajście raz jeszcze. Jest piątek, długi weekend. Śmieciowy baron załatwia wszystkie sprawy papierkowe. Magda uposażona, Borecka zobowiązuje się po jego wyjeździe zrobić przekręt. Nie może się wycofać czy go wystawić, bo będzie musiała oddać siedemset tysięcy, a przecież ich nie ma. Dla niej to zresztą tylko kilka kwitów do sfałszowania. Robiła to już wcześniej. Schmidt obiecuje jej w zamian umorzenie długu.

– I to jest właśnie papier, który chciała spalić pasierbica na Dworcowej – dodał Szerszeń.

Meyer pokiwał głową.

– Nie zrobiłaby tego. Jest wyrachowanym graczem. Chciała go zachować, żeby móc szantażować Borecką. Jest nieodrodną córką swojego tatusia, choć nie biologiczną: opanowała mechanizmy zachowań, wchłonęła jego cień. Ale śmieciowy baron lubi mieć wszystko pozamykane. Chce przecież po raz trzeci zmienić skórę. Tyle że teraz u boku Kariny, którą spotyka – wydaje mu się – całkiem przypadkiem. Musi więc znów zatrzeć ślady i zniszczyć książkę. Seksuolożka pracuje, umawiają się więc w porze lunchu. Powiedzmy około czternastej–piętnastej. W tym momencie do akcji wkracza Magda. Jeśli zakładamy, że śledzi ich wszystkich, to kiedy orientuje się, że ojczym zapomniał komórki (a może mu ją ukradła?), wysyła Elwirze esemes z jego telefonu i zmienia miejsce spotkania. Ta jest obłędnie zakochana – leci do Latawca jak w dym. Tam spotyka Klaudię, biją się. Poniatowska nic z tego nie rozumie, jest wściekła. Wyjeżdża.

– Ale dlaczego ukrywa się w zajeździe Pod Wzgórzem Anny? – dociekał Szerszeń.

– A skąd wiesz, że się ukrywa? Może jest po prostu wściekła, upokorzona i po raz kolejny zamierza wszystko zakończyć.

– A może wie, że doszło do zbrodni, i boi się, że podejrzenie padnie na nią – zasugerował poirytowany Szerszeń.

– Niewykluczone. Niby dlaczego potem tak dziwnie się zachowywała? Dlaczego wciąż powtarzała, że ona miała być celem? Że jej mąż chciał ją zabić?

– Może i chciał, ale z niego taka dupa, że wątpię, by zorganizował kilerów. Zresztą on jest pedałem... – dodał Szerszeń z niesmakiem.

– Coś ty powiedział? – dopytywał się Meyer.

– Że Douglas jest ciotą, dwururką... – mruknął Szerszeń. – Od początku mi się nie podobał.

– Nie! – Meyer machnął ręką. – Wcześniej.

– Że ciapciak z niego i nie dałby rady...

– Waldek, jesteś mistrzem! – krzyknął Meyer i chwycił butelkę, by nalać podinspektorowi wódki. – To proste. – Wstał od stolika i ze szklanką w ręku zaczął chodzić po pokoju. Był pod-ekscytowany własnym odkryciem. – Jest dwóch zleceniodaw-ców i jedna ekipa wykonawcza – oświadczył. – Dwie sprawy w jednej. To dlatego wszystko się pierdoliło. Douglas chciał zała-twić żonę, a Klaudia kochankę męża. Oboje chcieli, żeby zginę-ła lekarka. To ona miała być celem. Przecież to jasne! Dali zle-cenie na tę samą osobę. Paniczny strach Poniatowskiej był więc prawdziwy!

Jego wywód przerwało głośne chrapanie. Profiler odwrócił się i zobaczył śpiącego podinspektora. Psycholog podszedł do Szerszenia i troskliwie przykrył go kocem.

– Tak było, Waldek – szepnął, choć podinspektor spał już jak zabity. – Ten Schmidt miał, kurwa, naprawdę wielkiego pecha.

17 czerwca – wtorek

Meyer wysiadł z nowego srebrnego passata, identycznego, jaki ponad miesiąc temu rozbił koło Siewierza, i przed wejściem do kamienicy przy Stawowej zobaczył krzątających się budowlańców. Ściągali wielki plastikowy baner „Na sprzedaż". Wnosili do budynku ogromne paczki oraz wiadra z farbą. Szybkim krokiem przeciął ulicę 3 Maja, nie trudząc się, by dojść do przejścia dla pieszych, i ruszył w kierunku feralnej kamienicy. Robotnicy nie zwrócili na niego najmniejszej uwagi, kiedy mijał ich ze zmarszczonym czołem i powoli wspinał się na górę. Na pierwszym piętrze dostrzegł drzwi Hasiukowej. Wścibska staruszka nie wystawała jak zwykle w progu. Zniknęła też jej patchworkowa wycieraczka.

Czyżby ją wykwaterowano?, zastanawiał się. Wchodząc wyżej, słyszał już hiphopową muzykę:

Kiedy patrzę tak na ciebie jesteś fajna aj
Dla mnie masz stajla
Kiedy łączy nas noc upalna aj
Dla mnie masz stajla
Kiedy patrzę tak na ciebie jesteś fajna aj
Dla mnie masz stajla

Kiedy łączy nas noc upalna aj
N-U-L-L-O
Wy macie stajla

Wykrzywił twarz w nieprzyjemnym grymasie. Zestarzałem się, pomyślał. O ile tolerował najostrzejszego nowoczesnego rocka, o tyle hip-hopu nie rozumiał i ledwie go trawił. Ruszył do gabinetu Poniatowskiej, w którym przed laty zginął Otton Troplowitz, a niedawno Johann Schmidt. Drzwi lokalu były otwarte, muzyka dobiegająca z wnętrza huczała na cały regulator. Pomieszczenie w niczym nie przypominało tego, które widział wcześniej. Zmieniono je w plac budowy. Stał chwilę w progu, wpatrując się w leniwie przemieszczających się robotników, kiedy usłyszał:

– Dzień dobry, panie nadkomisarzu. Co za spotkanie.

Kobieta mówiła pewnie. Pewność biła też z jej sylwetki. Meyer zaniemówił z wrażenia. Wpatrywał się w Magdę Wiśniewską jak urzeczony. Dziewczyna zmieniła się, wypiękniała. Krótka, ostro wystrzyżona fryzura w pazurki sprawiała, że jej pucołowata niegdyś twarz kształtem przypominała piernikowe serce i eksponowała odważnie umalowane migdałowe oczy. W zestawieniu z nowym kolorem włosów – granatową czernią – wyglądała nadzwyczaj interesująco. Buty na szpilkach z wężowej skóry i dopasowane czarne cygaretki oraz obcisły golf w tym samym kolorze dodawał jej smukłości. Na jej przedramieniu brzęczały orientalne bransoletki. W najmniejszym stopniu nie przypominała tej zahukanej dziewczyny, którą poznał w trakcie dochodzenia. Z Kopciuszka zmieniła się w księżniczkę. A już z całą pewnością nie wyglądała jak córka w żałobie, która straciła oboje rodziców. Czy musiała za swoją przemianę zapłacić taką cenę?, pomyślał.

Magda miała w ręku taśmę mierniczą i precyzyjnie odmierzała długość ściany z luksferami, którą robotnicy zaczęli już budować. Jak się okazało, pudła, które z wysiłkiem wnosili na górę, zawierały luksusowe szklane puzzle.

– Przejeżdżałem przypadkowo – skłamał.

– Ach tak... – Kobieta nie uwierzyła mu. Przekrzywiła głowę, a na jej twarzy pojawił się grymas, który zapewne miał udawać uśmiech.

– Moja matka zmarła przedwczoraj rano – oświadczyła.

– Przykro mi. – Meyer zastanawiał się, co ta dziewczyna tu robi.

– Dla niej to lepiej – dodała Magda jakby do siebie. Ani na chwilę nie przestawała mierzyć i zapisywać na kartce wymiarów. – Dla mnie zresztą też. Może mi pan pomóc? – Wskazała przyrządy należące do robotników, które trzeba było przesunąć, by mogła zmierzyć rozmiar ściany z karton-gipsu, którą już częściowo rozebrano.

– Kupuję ten dom – zakomunikowała. – Pan Douglas chciał się go jak najszybciej pozbyć i mój agent nieruchomości wynegocjował atrakcyjne warunki. Podpisałam umowę przedwstępną. Cena jest bardzo okazyjna.

– Sądziłem, że właścicielką jest Elwira Poniatowska – rzucił Meyer. – Czy nie przedwcześnie rozpoczęła pani tutaj remont? Z tego, co wiem, od jakiegoś czasu jest nieosiągalna...

– Zgadza się. – Magda uśmiechnęła się szeroko. – Ale okazało się, że pan Michał posiada stosowne pełnomocnictwa. Wszystko już załatwiliśmy.

– Ma pani głowę do interesów – skomentował profiler. I przyjrzał się jej. Szukał oznak rozpaczy po stracie obojga rodziców, lecz nie dostrzegł nawet śladu smutku. – Jak się pani czuje? – zapytał.

– Świetnie. Zważywszy, że zostałam całkiem sama, mam na głowie firmę ojca i nagle wokół mnie zaczęli się kręcić tak zwani przyjaciele, którzy tylko czekają na jedno moje potknięcie... – przerwała i spojrzała wymownie. Ponieważ na twarzy Meyera nie wyczytała żadnych emocji, dodała: – Zapisałam się na terapię. Chodzę do psychologa.

– Słusznie.

– Firma ojca i ten remont dodają mi sił. Przed pracą i po pracy tu przyjeżdżam, by doglądać wszystkiego.

– Co pani zamierza tutaj zrobić? – zainteresował się wreszcie Meyer, spostrzegłszy, że robotnicy wnieśli antyczne dwuskrzydłowe drzwi i z rumorem taszczą je do salonu.

– Chcę, żeby było tak jak za dawnych lat. Odnowię ten budynek, ale zachowam jego styl z czasów, kiedy mieszkał tutaj ten bogaty Żyd. Będzie mnie to sporo kosztowało, ale zwróci się z nawiązką. A co tu będzie? – Zawiesiła głos i uśmiechnęła się chytrze. – Apartamenty dla cudzoziemców pod wynajem. Już mam kilku potencjalnych klientów.

Meyer pomyślał, że wielu ludzi chciałoby mieć takie kłopoty. Ale zaraz pożałował swojego cynizmu. Milczał.

– Chciałabym pana o coś prosić. – Skierowała na niego swoje czarne jak smoła oczy, z których Meyer nie był w stanie niczego wyczytać. Poczuł się nieswojo. – Będzie miał pan kontakt z kochanką mojego ojca? – zapytała po dłuższej chwili.

– Z kim? – udał, że nie rozumie.

– Z Kariną Maliszewską.

– Tak, to możliwe.

– Chciałabym, żeby jej pan to przekazał. – Wyciągnęła zaciśniętą pięść. Odruchowo otworzył dłoń. Magda położyła na niej wisiorek z łańcuszkiem przedstawiający główkę kobiety z kości słoniowej. – Od ojca i… ode mnie. Do kompletu – wyjaśniła. – Nosiłam ten wisiorek od dwóch lat. Dał mi go, mówiąc, że powinien należeć do kogoś, kogo kiedyś bardzo kochał, lecz tej osoby już nie ma wśród żywych. Dziś wiem, że miał na myśli tę kobietę.

– Po co pani to robi?

– Nie zdecydowałabym się na taką wielkoduszność jeszcze kilka miesięcy temu, kiedy ich śledziłam. Wiedziałam, że mi go odbierze, kiedy tylko pierwszy raz ich zobaczyłam. Nigdy nie zapomnę, jak na nią patrzył. Bóg mi świadkiem, że byłam zazdrosna. Pragnęłam jej śmierci. Teraz jednak wiem, że śmierć niczego nie rozwiązuje. O wiele trudniej jest żyć z tym, co się wie i co się przeżyło.

– Nie jestem listonoszem. – Chciał oddać jej wisiorek, lecz go nie przyjęła. – Skoro tak pani zależy, niech go pani sama jej przekaże – dodał z naciskiem.

– Nie chcę jej widzieć – wzdrygnęła się. – Nigdy.

– Nie warto nosić w sobie urazy. To spala w środku, niszczy od wewnątrz. – Próbował przekrzyczeć huk wiertarki, którą w tym momencie włączyli robotnicy.

– To samo mówi moja terapeutka. – Magda wzruszyła ramionami.

– I ma rację.

– Wiem, ale pewnie musi minąć trochę czasu, zanim poczuję spokój.

Otrzepała spodnie z pyłu i chwyciła kluczyki do auta. Do kółka miały przytwierdzony afrykański breloczek. Identyczny był przymocowany do kluczy Schmidta, który oddano do ekspertyzy po zabójstwie. Meyer nic jednak nie powiedział. Odwrócił się i ruszył do wyjścia. Nie chciał dłużej przebywać w tym domu.

– Jest jeszcze jedno – zaczęła Magda.

Meyer zatrzymał się i odwrócił. Patrzył na nią obojętnie. Kobieta speszyła się i przez moment dostrzegł w niej tę zagubioną osobę, jaką była, kiedy zobaczył ją po raz pierwszy. Trwało to jednak tylko chwilę. Zaraz odzyskała rezon.

– Byłam w Raciborzu – oświadczyła. – U pana Poloczka.

Meyer milczał.

– To nie on zdradził mojego ojca, to Maliszewska – mówiła szybko, jakby obawiając się, że profiler za chwilę opuści mieszkanie i nie zechce jej wysłuchać. – To ona też sprzedała swojego wuja, świadomie dostarczyła informacji do napadu. Doskonale wiedziała, co się zdarzy. Liczyła, że zgodnie z obietnicą stary zapisał jej ten dom. – Powiodła ręką wokół własnej osi. – I cały swój majątek. Chciała być bogata. Mojego ojczyma wykorzystała podwójnie. Przedstawiła go jako przyszłego męża, by sprawdzić Troplowitza. Kiedy obiecał jej naszyjnik ze szmaragdami, który miała dostać w dniu wesela, uwierzyła, że naprawdę traktuje ją jak córkę. I że ma bogactwa, o których tyle plotkowano w mieście. Pokazywał jej swój „skarbiec", jak nazywał zawartość sejfu. Ale się przeliczyła. Po śmierci Troplowitza okazało się, że nie ma testamentu. Może i był, ale zaginął. A może

Troplowitz nigdy go nie spisał? Majątek rozdrapali dalecy krewni. Diabli wzięli cały jej plan.

– Poloczek to złodziej i zabójca. Nie warto mu wierzyć – stwierdził profiler.

– Tak? A jej warto? – Magda uśmiechnęła się ironicznie.

– Niech pan więc sprawdzi, kto od lat posyła mu paczki. Radzę też przejrzeć listę jego widzeń. Wciąż pojawia się tylko jedno nazwisko: Maliszewska. Przekona się pan, że mówię prawdę.

Meyera zatkało, ale starał się, by córka Schmidta tego nie dostrzegła.

– Skąd ma pani takie informacje? – zapytał.

– Pieniądze otwierają wszystkie drzwi. Dzięki nim można naprawdę wiele załatwić.

– Dlaczego Poloczek nigdy jej nie zdradził?

– Musiała go do tego przekonać. Nie wiem jak. Nie powiedział mi. Zresztą on żyje w innej przestrzeni. To chory człowiek. – Kobieta wzruszyła ramionami. – Teraz to już nie ma znaczenia. Chyba tylko dla mnie.

– Zbrodnie przedawniają się dopiero po trzydziestu latach. Wciąż można wznowić dochodzenie – podkreślił Meyer.

– On tego nie powie w sądzie. Maliszewska była jedyną osobą, która go odwiedzała. Na wolności oprócz niej nie ma nikogo. Nie wystawi jej, bo żyje tylko nadzieją wyjścia. Ona to wie.

– Skoro nie ma dowodów, powinna pani to zostawić ich sumieniu. Zająć się własnym życiem, a nie rozgrzebywać starych spraw – westchnął.

– Nienawidzę jej – wyrzuciła z siebie Magda.

– Pani ojciec ją kochał.

– Dlatego cieszę się, że nigdy się nie dowiedział. Tak jest lepiej. Niech pan idzie, jeśli się pan śpieszy. – Wskazała na drzwi. – I proszę jej to oddać.

Prośba zabrzmiała jak rozkaz. Profiler spojrzał na nią, chwilę mierzyli się wzrokiem. Chciał w ten sposób dać jej do zrozumienia, że on wie o niej wszystko, a nawet więcej niż ona sama o sobie, i że nigdy nie zapomni, w jakiej grze brała udział. Musiała to odczytać z jego oczu, bo pokornie spuściła wzrok.

– Przyjdzie pan na pogrzeb? – zapytała tak cicho, że ledwie usłyszał. – Postanowiłam, że będą leżeli w grobie razem. Choć tyle mogę zrobić dla matki.

– Nie sądzę. Mam pewne zasady. Muszę zachowywać dystans do spraw, przy których pracuję.

Wyszedł, ściskając w ręku nieszczęsny wisiorek z kameą. Zastanawiał się, czy Szerszeń zdaje sobie sprawę, że ten, który znaleziono w filiżance na miejscu zbrodni, to jedynie udana kopia.

* * *

Pomieszczenie, w którym Szerszeń przesłuchiwał kolejnego zatrzymanego, było pełne dymu, lecz młody mężczyzna w sportowej odzieży nie palił. Kiwał się na krześle i pożądliwie wpatrywał w zapalonego papierosa w ręku podinspektora. Po skroni ściekała mu strużka potu. Prawe oko było zasinione, dolną wargę miał zapuchniętą, a w lewym kąciku zakrzepła krew.

– Powiem w sądzie, że mnie pobiliście – wychrypiał.

Z ust Szerszenia wydobył się pogardliwy rechot, który po chwili zmienił się w suchy, dławiący kaszel. Policjant natychmiast zgasił na wpół zapalonego papierosa.

– Możesz się poskarżyć i Panu Bogu, Zelwer. I tak nikt ci nie uwierzy. Ja sam w to nie wierzę... – Podniósł do góry foliową torebkę, w której znajdował się złoty rolex. – To ten zegareczek doprowadził nas do ciebie. Trzeba było pomyśleć, zanim zdecydowałeś się go sprzedać. Pierwszy podstawowy błąd. Tak wyszukane fanty trzyma się długo w ukryciu, a nie oddaje za bezcen przygodnym paserom – mruknął.

– Będę pamiętał następnym razem – odparł pseudosportowiec.

– Drugiego razu nie będzie – wysyczał Szerszeń. – Będziesz kiblował do końca życia. A twoi kumple będą cieszyć się wolnością, chyba że...

– Spierdalaj, Szerszeń!

– Nie jestem twoim kumplem z wojska. Dla ciebie to ja jestem podinspektor Szerszeń, pan Szerszeń – huknął na niego i zamachnął się.

Krzysztof Zelwer był już bardzo zmęczony. Miał opóźnione reakcje, nie zdążył się uchylić. Cios go otumanił.

Kiedy się ocknął, na miejscu podinspektora siedział troglodyta wielki jak gdańska szafa. Zelwer skulił się w sobie i spojrzał z przestrachem na szczelinę w drzwiach, w których dostrzegł głowę Szerszenia.

– To sobie pożartowaliśmy – rzucił od niechcenia policjant. A teraz pan Masarz zastosuje swoją najskuteczniejszą taktykę.

Szerszeń usiadł na krześle w małym pomieszczeniu obok i obserwował wnętrze, gdzie rozgrywała się jatka, przez lustro weneckie.

– Nie przesadzasz? – skrzywił się Hubert Meyer. Wyciągnął w kierunku policjanta paczkę papierosów.

– Teraz już pęknie. Z takimi gnidami najlepiej załatwia się sprawy strachem – przerwał mu Szerszeń i zatarł ręce z radości. Najwyraźniej nie słuchał dokładnie słów psychologa. – Tomcio Masalski nie skanceruje go za bardzo. Nie bez powodu nosi swoje przezwisko. To fachura. A zresztą, jeśli zasadzka ma się udać, ten pajac nie może być wybrakowany. Od razu by wyniuchali, że coś nie styka...

– Ale co ty chcesz w ten sposób osiągnąć? – dopytywał się Meyer. – To nie jest konieczne. On zaraz puści farbę. To przecież nowicjusz. Jest zesrany ze strachu. Na twoim miejscu zrobiłbym...

Szerszeń spojrzał na Meyera z politowaniem.

– Wściekasz się, bo twoje kotwice nie poskutkowały? Psychologię cenię i twoje zdolności też, ale nie mamy już czasu. Ten cwany gajowy gra na zwłokę. Dziś ma się odbyć to spotkanie. – Pomachał kasetą, na której miał nagranie rozmowy telefonicznej Magdy z kierowcą Wojciechem Rosińskim. – Już nie mam czasu na zabawy. Ani ochoty na pogaduszki. Skończył się dzień dobroci dla zwierząt. A Matki Boskiej Zielnej jest dopiero w sierpniu.

Meyer zamilkł.

– Rób, jak uważasz – mruknął. – Ale ja nie zamierzam brać w tym udziału. Nie chcę nic wiedzieć ani na to patrzeć. – Skierował się do wyjścia.

– Coś ty taki delikutaśny się zrobił? – spytał Szerszeń i podniósł wisiorek, który przekazał mu Meyer. W przerwie między przesłuchiwaniem podejrzanego psycholog opowiedział mu pokrótce o spotkaniu pasierbicy Schmidta w Kaiserhofie.

Hubert chciał coś burknąć opryskliwie, lecz nie zdążył, bo nagle podinspektor podniósł rękę, nakazując ciszę. Obaj słyszeli, jak podejrzany mówi chrapliwym szeptem:

– Dziś o piętnastej na dworcu PKP.

– Gdzie dokładnie? – ryknął Masarz.

– Czwarty peron. „Kopernik" stoi siedem minut, Rosiński przyniesie naszą dolę. Ja i Margol wsiądziemy do pociągu. Podzielimy się łupem i każdy idzie w swoją stronę.

– I widzisz? – rzucił triumfująco Szerszeń, po czym z impetem wparował do pomieszczenia, gdzie Masarz przesłuchiwał Zelwera. – Zrobiłeś interes życia – powiedział. – Teraz wychodzisz i odgrywasz rólkę. Nie próbuj żadnych sztuczek. Cały dworzec będzie obstawiony tajniakami. – Na stół przed Zelwerem rzucił paczkę papierosów. – Możesz sobie zapalić. I pamiętaj, jak coś spierdolisz... – Przeciągnął brzegiem dłoni po szyi.

Kiedy funkcjonariusze wyprowadzili Krzysztofa Zelwera, Hubert Meyer zapytał:

– Rosiński? To nazwisko...

– Zgadza się, kierowca Schmidta i bliski przyjaciel jego pasierbicy – dokończył podinspektor. – Od początku nos mnie przy nim swędział. Chcesz pokoju, gotuj się do wojny.

Wyszedł z pomieszczenia przesłuchań i natychmiast wydał odpowiednie dyspozycje. Sam nie zamierzał uczestniczyć w zasadzce. Pojechał do siedziby firmy Johanna Schmidta, by zatrzymać Magdę Wiśniewską. W kieszeni miał już nakaz aresztowania, podpisany przez nową prokuratorkę.

– Tym razem ta lisica mi się nie wysmyknie – powiedział do Meyera i zobaczył w jego oczach mieszaninę podziwu i dezaprobaty.

– Nic się nie martw. To działania operacyjne zarezerwowane na szczególne okazje. A dziś właśnie taka była. Do wieczora będę miał już całą grupę w garści – rzucił zamiast pożegnania.

* * *

Weronika wpatrywała się w zamknięte drzwi Kaiserhofu i bezskutecznie próbowała sobie przypomnieć, pod jakim numerem mieszka Elfryda Hasiukowa. Naciskała kolejno wszystkie guziki domofonu i w napięciu oczekiwała, aż drzwi budynku się otworzą. Była przekonana, że staruszka jest w mieszkaniu. Widziała ją w oknie, kiedy szła ulicą 3 Maja. Zdecydowała się ją odwiedzić pod wpływem impulsu. Zamierzała już odejść, kiedy nagle w głośniku domofonu coś zatrzeszczało, a potem odezwał się skrzeczący głos starszej pani:

– To ty, Oli? Znów nie masz klucza... Skaranie boskie z tym dzieciakiem!

Weronika nabrała powietrza i starając się nadać swojemu głosowi jak najcieplejszy ton, powiedziała:

– Prokurator Weronika Rudy. Proszę otworzyć.

Nie padła żadna odpowiedź. Zamiast tego usłyszała charakterystyczne pikanie i po chwili znalazła się na klatce schodowej.

– Proszę, niech pani wejdzie. Właśnie upiekłam placek z wiśniami. – Hasiukowa powitała ją w drzwiach i szerokim gestem zaprosiła do środka. Weronika słyszała w tle odgłos włączonego na cały regulator telewizora. – I proszę, jakiś łobuz wycieraczkę mi ukradł. Co na tym świecie się dzieje. Pan Bóg na te bezeceństwa patrzy i nie karze winnych. Czas apokalipsy nadchodzi... – narzekała staruszka, żegnając się szeroko.

W mieszkaniu stały meble z lat pięćdziesiątych, lecz honorowe miejsce zajmowała meblościanka na błysk z czasów PRL-u. W pokoju panował porządek, wypełniał je zapach świeżego ciasta zmieszany z naftaliną. Hasiukowa była niewysoką, lecz zażywną kobietą o rumianych policzkach i rzadkich włosach z trwałą ondulacją. Uśmiechała się do prokuratorki szeroko, jakby czekała na nią od dawna. Rudy stanęła niepewnie w progu i wpatrywała się w odbiornik telewizora, na którego ekranie ksiądz odmawiał różaniec.

– Nie przeszkadzam?

– Ależ skąd. Cieszę się. Tak rzadko ktoś mnie odwiedza – stwierdziła z przesadną uprzejmością Hasiukowa.

Weronika spojrzała na nią podejrzliwie.

– Proszę, niech pani sobie spocznie. – Starsza pani przysunęła do okrągłego stołu podniszczone krzesło z miękką wyściółką. Nie wyłączyła jednak telewizora.

Prokuratorka nie skorzystała z zaproszenia. Szybkim krokiem ruszyła do okna.

– Właściwie... – zaczęła niepewnie. – Chciałam tylko coś zobaczyć.

Okna niewielkiego mieszkania staruszki wychodziły na ulicę 3 Maja. Weronika rozchyliła gęste firany i przyjrzała się ulicy, po której jeździły tramwaje, taksówki i samochody dostawcze. Po chodniku spacerowali ludzie. Widać stąd było miejsce, w którym Douglasowie często parkowali swoje samochody. Weronika zastanawiała się, czy starsza pani ma dość dobry wzrok, by z tej odległości dostrzec auto męża lekarki, co zeznała do protokołu pierwszego dnia po odkryciu zwłok śmieciowego barona. Nawet ona miałaby z tym niejaki problem.

– To z tego okna widziała pani samochód pana Douglasa? – zapytała bez owijania w bawełnę.

– Tam zawsze parkował – odparła staruszka bez cienia zdenerwowania. – Proszę się rozgościć. Przyniosę pani świeżutkiego placka. Napije się pani kawy czy herbaty?

– Dziękuję, nie trzeba – bąknęła prokuratorka. – Nie chcę sprawiać kłopotu. Ja tylko na chwilę...

Staruszka jednak jej nie słuchała. Zniknęła w drzwiach maleńkiej kuchenki. Weronika, korzystając z chwili samotności, rozejrzała się po mieszkaniu. Drzwi do sąsiedniego pokoju były zamknięte. A tamte okna na co wychodzą?, zastanawiała się. Zwróciła uwagę na dorodne pomidory w skrzynkach stojących na parapecie za firanką. Podeszła do nich ponownie i poczuła ich aromatyczną woń. Przypatrzyła się skrzynce bliżej i pomiędzy sadzonkami pomidorów dostrzegła pięciopalczaste listki. Dotknęła jednego z nich. Potarła, powąchała i omal nie padła z wrażenia. Pani Elfryda pomiędzy pomidorami hodowała marihuanę! Podniosła głowę i uważnie wpatrywała się w staruszkę, biegnącą już w jej kierunku z metalową tacą, na której ustawiła porcelanowy talerzyk z ciastkiem i filiżankę herbaty oraz konfiturę na spodku.

– Niech pani skosztuje. Dopiero wyjęłam z prodiza. Jeszcze ciepłe – zachęcała Hasiukowa.

Prokuratorka spojrzała na poczęstunek i usiadła na podsuniętym wcześniej krześle. Upiła łyk herbaty. Starała się zachować twarz pokerzysty, by się nie zdradzić z odkryciem.

„O Maryjo bez grzechu pierworodnego poczęta, módl się za nami, którzy się do Ciebie uciekamy, i za wszystkimi, którzy się do Ciebie nie uciekają, a zwłaszcza za nieprzyjaciółmi Kościoła Świętego i poleconymi Tobie". Różaniec towarzyszył całej ich rozmowie. Momentami Weronika musiała przekrzykiwać księdza z ekranu.

– Mieszka pani sama? – zapytała.

– Tak, samiutka jak palec – odparła dobrotliwie Elfryda Hasiukowa. – Mąż zmarł, kiedy miałam czterdzieści sześć lat. Pan Bóg przedwcześnie powołał go do siebie. A że miałam dobrego człowieka, nie wzięłam drugiego. Tylko raz człowiek ślubuje… Dzieci porozjeżdżały się. Ino wnusio mi ostał – to cały mój świat.

– Wnusio? – zainteresowała się Weronika.

– Wspaniały chłopczyk… Ma na imię Oli. A właściwie Olivier.

– Ile maleństwo ma lat?

Hasiukowa się zamyśliła.

– No, w sierpniu będzie miał dwadzieścia osiem – padła odpowiedź.

– To dojrzały mężczyzna – zdziwiła się Weronika i spojrzała na skrzynki z pomidorami zasłonięte przez gęste firany. – A wnusio czym się zajmuje? – spytała z przekąsem.

– Oli… – Staruszka zawahała się, po czym zaczęła mówić jak nakręcona. – Studiował na politechnice. Przerwał, bo pracować trzeba. Wie pani, jak to jest. Bezrobocie, kryzysem straszą z telewizora. Od rana do wieczora biedak jest zajęty. Dzieci mi się nie udały, ale wnuk to złote dziecko! Zawsze o babci pamięta.

– Ładne to mieszkanie. I lokalizacja świetna – przerwała jej Weronika. – Czynsz musi być drogi...

– Tak, tak... Ale co się dziwić... Samo centrum! – Hasiukowa podłapała wątek. – Prawie pięćset złotych. Gdyby nie zarobki wnusia, już dawno by mnie wykwaterowali. Tak jak wszystkich sąsiadów. Daleko szukać nie trzeba. Szyndzielorz, Cieślakowa, stary Hajduk... Oni wszyscy woleli pod Katowicami w blokach mieszkać, bo taniej. Ja jedna się ostałam. Po latach pracy mam siedemset czterdzieści pięć złotych emerytury. Jakbym zapłaciła czynsz, to co na życie mi zostanie? Sama niech pani pomyśli. Nawet z pieniędzmi wnusia i tak ledwie koniec z końcem wiążę. Nikt o starych ludziach dziś nie pamięta. Śmierć głodowa. Tylko dla wnusia nie zdecydowałam się na przeprowadzkę. Wierzę, że Olivier kiedyś będzie mógł to mieszkanie wykupić. Choć po tym wszystkim boję się, że nowi właściciele i tak mnie eksmitują. Zamierzają tutaj luksusowe apartamenta robić. Z poprzednimi jakoś szło się dogadać. Ale teraz nie wiadomo co będzie. Po co komu taka stara kobieta...

– A zdrowie choć pani dopisuje?

– A gdzie tam! – Starsza kobieta uniosła ręce. – Reumatyzm doskwiera, stawy w rozsypce, biodro mam po urazie, więc po schodach chodzić nie mogę. Trzy razy do roku rehabilitację biorę. Pomaga to trochę. No i wątroba nie ta co kiedyś... W aptece co miesiąc człowiek tyle zostawia...

– Wzrok ma pani jednak dobry?

– Okulary mam tylko do czytania – odparła z dumą pani Elfryda i dodała z przekąsem: – Doskonale widzę z daleka. Już mówiłam policji, że widziałam, jak pan Douglas podjeżdżał. Rozpoznam to auto bezbłędnie. Widzi pani – zniżyła głos do szeptu – ja się tu nudzę, a że po schodach chodzić mi ciężko, dużo na świeżym powietrzu przebywam... – Wskazała na parapet z otwartym oknem, na którym leżała haftowana biała poduszka.

– Rozumiem. – Weronika westchnęła ciężko. Bardzo trudno było zdyscyplinować staruszkę i czegokolwiek się od niej dowiedzieć, nie wysłuchawszy wszystkich historii, które Hasiukowa chciała jej przy okazji opowiedzieć. – To co pani dokładnie widziała?

– No co? Mówiłam już. – Staruszka sprawiała wrażenie obrażonej. – Pan Douglas przyjechał w piątek wieczorem, potem w sobotę jeszcze dwa razy: około dziesiątej i po czternastej. Obiad akurat przygotowałam i czekałam na wnusia.

– Oliviera? – upewniła się Werka. Nie mogła zrozumieć, dlaczego kobieta wypowiada się o niemal trzydziestoletnim mężczyźnie jak o przedszkolaku.

– Mam tylko jednego wnuka – powtórzyła z irytacją starsza pani. – Mówię, że rozpoznałam to auto. Zielone z wystającym bagażnikiem.

– Zielone? – Weronika poderwała się z miejsca.

– Tak. Jak te liście – wskazała palmę koło telewizora. – Kilka razy mnie zresztą podwoził. Jestem przekonana, że...

Weronika zbladła.

– A nie białe?

– O nie. Zielone – upierała się staruszka. – Przecież nie mam jaskry. Rozróżniam kolory.

To niemożliwe, myślała Weronika. Przecież Douglas jeździ białym fordem sierrą, a Elwira Poniatowska zieloną mazdą 626. Czytała o tym w aktach. Czyżby kobieta pomyliła auta?

– Widziała pani, kto siedział za kierownicą?

– Wzrok mam nie najgorszy – zaśmiała się staruszka. – Ale to już nie te lata. Kiedyś, a pewnie, że bym zobaczyła dokładnie.

– Czyli nie wie pani, kto siedział za kierownicą? Może to wcale nie był pan Douglas?

– No... – Staruszka spojrzała na Rudy podejrzliwie. – Nie widziałam. Zresztą nikt z niego nie wysiadał... Pamiętam dokładnie.

Weronika uśmiechnęła się i powtórzyła:

– Widziała więc pani zielone auto. To wszystko.

– Tak.

– Rozpozna pani, jeśli będzie okazanie?

– A pewnie!

Prokuratorka podeszła do doniczek z pomidorami. Odsłoniła firankę i zapytała:

– A to? – Dotknęła liści marihuany. – Sama pani posadziła? Czy wnusio?

Nie czekając na odpowiedź, ruszyła w kierunku zamkniętego pokoju. Starsza kobieta poderwała się z krzesła, by uniemożliwić prokuratorce otwarcie drzwi, lecz nie zdążyła. Weronika była już wewnątrz. Mały pokoik wyraźnie został urządzony dla młodego mężczyzny. Na krześle i łóżku leżały męskie ubrania, książki i palmtop. Uderzył ją specyficzny zapach. Podeszła do okna. Firanka cała była obwieszona listkami marihuany. Powtykano je w każde niemal oczko tkaniny – wykonanie takiej suszarki musiało kosztować sporo czasu i precyzji.

– Niezły patent. Takiego jeszcze nie widziałam, jak Boga kocham – mruknęła i odwróciła się w kierunku Hasiukowej, która ledwie łapała oddech. W pomieszczeniu słychać było jedynie głos księdza, który wciąż powtarzał: „Zdrowaś Mario, pan z Tobą".

– Kto, wbrew przepisom ustawy, posiada środki odurzające lub substancje psychotropowe, podlega karze pozbawienia wolności do lat trzech – wyrecytowała Rudy.

– Ale to... moje ziółka – zaczęła Hasiukowa. – Parzę je na uspokojenie.

– Tak? – Weronika się uśmiechnęła. – I co? Skutkują? To mam dla pani złą wiadomość. To przestępstwo!

– Ale jak to? – Staruszka wyglądała na naprawdę zaszokowaną.

– To marihuana. N a r k o t y k! – wyartykułowała powoli Rudy. Po czym przyjrzała się niemal całkiem ususzonym liściom na firanie i dodała: – A jeżeli przedmiotem czynu jest znaczna ilość środków odurzających lub substancji psychotropowych, sprawca podlega grzywnie i karze pozbawienia wolności do lat pięciu.

Kobieta wpatrywała się teraz w Werkę z otwartymi ustami.

– To chyba porozmawiamy wreszcie szczerze, pani Elfrydo – zaproponowała prokuratorka.

– Ja nie wiedziałam. – Staruszka zaczęła lamentować, a po chwili upadła przed Werką na kolana, błagając o litość.

Prokuratorka zdegustowana podniosła Hasiukową z klęczek i usadziła ją na krześle. Hasiukowa wyrzucała z siebie przerywane zdania, niektóre bez ładu i składu.

– Wiedziałam, że to się źle skończy. Podejrzewałam, że to coś złego. Tyle pieniędzy za takie suszki. A mówił, że runo leśne skupuje. Tyle pieniędzy... To coś niezgodnego z prawem?, pytałam... Ale teraz już wszystko rozumiem... Wszystko... Tylko niech pani nie miesza do tego Oliviera... To przecież dziecko... Mój wnusio taki jest jeszcze dziecinny. On na pewno się pomylił, nie zrozumiał...

„O Jezu, odpuść nam nasze winy, broń od ognia piekielnego, zaprowadź do nieba wszystkie dusze, szczególnie te, które najwięcej potrzebują Twojego Miłosierdzia" – wciąż głośno huczał telewizor.

Weronika ruszyła do pokoju i nie trudząc się poszukiwaniem pilota, wyciągnęła wtyczkę z gniazdka. W pomieszczeniu zapadła wreszcie błoga cisza.

Poczekamy więc, aż to dziecko... – odchrząknęła – aż dziecko wróci z ciężkiej pracy. No to już, pani Elfrydo. Nie ma co płakać... Tylko szczerze proszę. Co tak naprawdę pani widziała? I czy pani była w ogóle tutaj w piątek drugiego maja, kiedy piętro wyżej, nad panią, zamordowano Johanna Schmidta?

* * *

Za oknem już się ściemniało, a Waldemar Szerszeń siedział jeszcze przy swoim biurku. Zadzwonił do żony i uprzedził ją, że tej nocy wróci bardzo późno.

– To kluczowe zatrzymania – oświadczył.

Zofia przełknęła informację ze spokojem i poprosiła go tylko, by nie palił tak dużo.

– Wynagrodzę ci to, duszko – odparł, zapalając kolejnego papierosa od poprzedniego. – To już naprawdę koniec tej sprawy. Żaden falstart.

– Staram się w to wierzyć – westchnęła.

– Powinnaś – odparł Szerszeń. Najchętniej opowiedziałby jej o wszystkim, lecz nie miał czasu. Śledztwo nieoczekiwanie nabrało tempa. Wydarzenia sypały się jedne po drugich.

Zgodnie z zapowiedzią podejrzanego Krzysztofa Zelwera na dworcu PKP doszło do spotkania z Wojciechem Rosińskim oraz Tomaszem Margolem. Policja zatrzymała całą trójkę w momencie przekazywania torby z pieniędzmi. Pod budką z hot dogami przed dworcem jeden z tajniaków dostrzegł Michała Douglasa.

– To przypadek – tłumaczył się mąż lekarki, kiedy policjanci zakładali mu kajdanki. Na widok policyjnej akcji z piskiem opon odjechał czarny hummer.

– To twój kochaś? Chyba cię zostawił w naszych szponach, jak poczuł ogień przy dupie – kpili z Douglasa funkcjonariusze, wskazując na dwa hamburgery, które grafik niósł do samochodu.

Zapisano jednak numery auta i Szerszeń miał teraz w ręku nazwisko i adres właściciela. Mateusz Drewnowski mieszkał w Katowicach. W Superjednostce. Podinspektor polecił odnaleźć mężczyznę i doprowadzić na przesłuchanie.

Szerszeń mógł być z siebie dumny. Miał już nie tylko przyznanie się Zelwera do udziału w zbrodni na Schmidcie, lecz także jego wyjaśnienia pogrążające pozostałych sprawców morderstwa. Wprawdzie ani Margol, ani Rosiński nie przyznali się do zbrodni, lecz na jednego i drugiego podinspektor miał haka. Technicy pobrali ślady od podejrzanych i w trybie pilnym odwieziono je do ekspertyzy. Szerszeń był pewien, że następnego dnia na jego biurku znajdą się wyniki analizy porównawczej. Modlił się w duchu, by wykazała zgodność z tymi na miejscu zbrodni. Wtedy – nawet jeśli wciąż będą szli w zaparte – będzie mógł uznać sprawę zabójstwa śmieciowego barona za zakończoną.

Zamierzał właśnie zejść na dół do kiosku, by kupić papierosy, gdy zadzwonił telefon na jego biurku.

– Mam dobre wieści, podinspektorze – oświadczył dyżurny.
– Gość do pana.

– Nikogo się nie spodziewam – zdziwił się Szerszeń.

- Chce tylko z panem. Twierdzi, że pilnie...
- Pilnie to poród trzeba odebrać.
- To mogę dać ją na dołek i jutro...
- Ale kto, człowieku! Nazwisko. Rozum postradałeś? Pierwszy raz na dyżurce jesteś?
- Zgłosiła się pani Poniatowska.
- Co? Dawać ją. Ale już!
- Za chwilę zostanie doprowadzona do pana pokoju. Tylko znajdę wolnego funkcjonariusza...
- Albo nie... - Szerszeń zmienił zdanie. - Przetrzymajcie ją tam trochę. Tylko za kratkami, w kajdankach i z obstawą. Nie ma prawa spierdolić. Idę po camele i może coś zjem przy okazji. Nie zajmie to więcej niż pół godziny.
- Tak jest.
- Zaraz się tobą zajmę, córko marnotrawna. I ciekawe, dlaczego akurat dziś wróciłaś. Wujek Szerszeń zaraz się wszystkiego dowie! - Uradowany wszedł do policyjnego bufetu i zamówił suty obiad z trzech dań. Choć większość potraw wyglądała jak styropianowe atrapy, apetyt i dobry humor dopisywały mu wyjątkowo.

* * *

Poniatowska nerwowo obracała w dłoni złotą obrączkę. Zdejmowała ją i zakładała ponownie. Opowiedziała Szerszeniowi swoją wersję wydarzeń i czekała na jego reakcję. Podinspektor wydawał się jednak obojętny na jej wstrząsające zwierzenia. Skrupulatnie wypełniał rubryki protokołu przesłuchania i długo milczał. Kiedy podniósł głowę, w oczach lekarki zobaczył niepewność.

- Nie wygląda pani najlepiej - oświadczył, co zawstydziło kobietę.

Ktoś, kto widział ją miesiąc wcześniej, dziś z trudem by ją rozpoznał. Kiedyś nie wyglądała na swoje lata, teraz - jakby postarzała się o dekadę. Jej dotychczas smukłe, filigranowe ciało przypominało zasuszoną figę. Przeraźliwa chudość wyeksponowała zmarszczki na twarzy i szyi. Ręce wyglądały jak dłonie kostuchy. To dlatego obrączka spadała jej z palców. Blond włosy od ciągłego noszenia granatowej czapki bejsbolówki z ogromnym daszkiem były przyklepane niczym kask, a od skóry straszyły siwymi odrostami. Kobieta widać przestała przywiązywać wagę do swojego wyglądu. Szerszeń nigdy by się nie spodziewał, że kiedykolwiek zobaczy ją w bezkształtnych szarawarach i burym T-shircie. Domyślał się, że to był kamuflaż. Nie chciała. by ją dostrzeżono.

– Czyli oczekuje pani, że dam jej ochronę – upewnił się Szerszeń i krzywym uśmiechem zamanifestował swoją dezaprobatę.

– Tak – podkreśliła z naciskiem. – Boję się. Dlatego uciekłam.

– Pani zachowanie raczej na to nie wskazuje... – mruknął.
– I niby dlaczego miałbym pani pomóc?

– Bo ja pomogę panu ich zatrzymać.

– Kogo? – zapytał, mrużąc oczy.

– Zabójców Johanna – szepnęła. – Nie ukrywałam się przed policją, tylko przed nimi.

– Przyszła koza do stodoły.... Ale mam złe wieści. Jest pani ścigana listem gończym i zostanie pani postawiona w stan oskarżenia. Nie muszę z panią robić interesów. Na dodatek ma pani obowiązek mówić prawdę. Czy pani tego chce, czy nie! Rozumiemy się? – huknął na nią.

Kobieta jeszcze niżej pochyliła głowę.

– Przypominam, że pani zeznanie jest nagrywane i będzie użyte w procesie karnym – uprzedził już łagodniejszym tonem. – Kogo więc dokładnie się pani obawia?

– Nie znam ich nazwisk – powiedziała tak cicho, że podinspektor ledwie usłyszał.

– Brawo. Jest pani naprawdę pomocna – wybuchnął gromkim, nieprzyjemnym śmiechem.

– Ale ich rozpoznam – dorzuciła pośpiesznie.

– Głośniej! Proszę mówić wyraźnie!

– Ci mężczyźni grozili mi śmiercią. Dlatego musiałam się ukrywać...

– Nie przyszło pani do głowy, by przyjść z tym na komendę miesiąc temu?

– Bałam się... A zresztą oni mi zabronili... Grozili, straszyli, że na mnie doniosą. Żądali horrendalnych pieniędzy. Czułam się jak w matni. Mówili, że są członkami grupy przestępczej.

– Cóż, gdyby wtedy się pani zgłosiła, zapewniłbym najskuteczniejszą ochronę. Może warunki przez jakiś czas nie byłyby zbyt komfortowe... Ale na dołku przynajmniej nikt by pani nie straszył i nie szantażował. W tym czasie ja rozwiązałbym sprawę i... Cóż, mleko się rozlało, dzbanek potłuczony. Proszę teraz opowiedzieć wszystko od początku i szczerze. Mówiła pani, że padła pani ofiarą intrygi męża, tak?

– Chciał mnie zabić – uściśliła kobieta.

– Wybornie... A jaki, przepraszam, mąż miałby mieć motyw? – Szerszeń wciąż był sceptyczny.

Kobieta patrzyła na niego szeroko otwartymi oczami. Nie mogła uwierzyć, że według tego policjanta ona kłamie.

– Mówię prawdę – podniosła głos. – Wynajął zabójców, którzy drugiego maja czekali na mnie w mieszkaniu. Zupełny przypadek sprawił, że musiałam wyjść. Johann zginął zamiast mnie – dodała. Przy ostatnim zdaniu głos jej zadrżał i po chwili się rozpłakała.

– Tak się nie da pracować! Proszę przestać beczeć – zirytował się podinspektor, lecz podał jej chusteczkę.– Już to słyszałem. Dlaczego teraz miałbym uwierzyć?

– Bo teraz przyznam się do wszystkiego. – Z trudem starała się powstrzymać łkanie. – Nie jestem niewinna. Zrobiłam coś potwornego. Chciałam dać nauczkę mężowi i dlatego zginął Schmidt. Ale naprawdę tego nie zaplanowałam. Gotowa jestem w pełni ponieść odpowiedzialność za swoje winy, ale nie za śmierć Johanna. Tego nie chciałam! Tylko błagam... Niech pan nie pozwoli, by mój mąż wciąż pozostawał na wolności. Nie zniosłabym myśli, że kiedy ja będę w więzieniu, on ze swoim kochankiem zdeprawują mi syna.

To widać trafiło do Szerszenia, bo wstał i obszedł biurko dookoła. Zatrzymał się naprzeciwko lekarki i pochylił tak, że jego twarz znajdowała się przy jej twarzy. Kiedy się odezwał, wyczuła w jego głosie przyjacielską nutkę. Słuchała w skupieniu.

– Ma pani swój los w rękach. Jak to się mówi: chodził wilk razy kilka, a na chytrego lisa jest chytrzejsza łapka. Ostatnia szansa, drugiej nie będzie – zaznaczył twardo. – Wykonamy rozpoznania i konfrontacje. Musi się pani zgodzić na wizję lokalną i wszelkie czynności, które będą prowadzone w tej sprawie. Całkowita współpraca, jasne? Jeśli pani informacje się potwierdzą, spróbuję dogadać się z prokuratorem, by za pomoc w ujęciu sprawców mogła pani liczyć na nadzwyczajne złagodzenie kary. Dziecko musi mieć matkę. Inaczej trafi do sierocińca – zawiesił głos, a Elwira, słysząc te słowa, zaczęła się trząść.

– Wszystko opowiem. Całą prawdę... – jęknęła.

– Zna pani któregoś z tych mężczyzn? – Położył na stole trzy zdjęcia: Krzysztofa Zelwera, Tomasza Margola oraz Wojciecha Rosińskiego.

Poniatowska bez wahania wskazała dwóch:

– To kierowca Johanna. – Wskazała zdjęcie Rosińskiego. – On to organizował. A ten przyjął od Michała zlecenie na zabicie mnie – powiedziała, wskazując Margola. – Ci dwaj się znają. Widziałam ich razem.

– A ten klient? – Policjant podsunął jej zdjęcie Krzysztofa Zelwera.

Poniatowska pokręciła głową.

– Nigdy go nie widziałam.

Elwira złożyła wyczerpujące wyjaśnienia. W marcu tego roku zaczęła podejrzewać, że jej mąż ma romans. Śledziła go, kiedy wychodził wieczorami, myszkowała po jego kieszeniach, podsłuchiwała rozmowy telefoniczne. Po pewnym czasie zorientowała się, że mąż spotyka się często z mężczyzną, który wydawał jej się gejem. Początkowo wzięła to za dobrą monetę – w końcu taka była klientela Aliena, ulubionego klubu Douglasa. Potem byli kolejni przyjaciele, o których nie mówił jej ani słowa. Coraz częściej łapała go na kłamstwie. Szybko o nich zapominała, bo Michał był wzorowym ojcem i mężem. W końcu poznał wpływowego dyrektora banku, z którym spędzał wyjątkowo dużo czasu. Wspólnie pojechali nawet na buddyjski obóz.

Było jej to na rękę. Bez skrępowania mogła oddawać się swojej fascynacji Schmidtem. Kiedy jednak Michała nie było w domu coraz częściej, zaczęła mu czynić wymówki. Wykręcał się w głupi sposób, dochodziło do awantur. Nie mogła zrozumieć, że jakiś mężczyzna jest ważniejszy od niej i ich syna. Zaczęła gardzić Michałem i bez skrupułów śledziła jego poczynania. Kiedy w Alienie zobaczyła męża w objęciach łysawego jegomościa, coś w niej pękło. Długi czas nie chciała jednak przyjąć do wiadomości, że jej mąż jest biseksualny, a może to gej. W końcu zdobyła się na odwagę. Kupiła specjalny program skanujący, który potajemnie zainstalowała w jego komputerze. Dzięki temu wiedziała o wszystkich jego rozmowach, treści listów elektronicznych i znała historię stron, które otwierał.

Przeżyła szok. Nie chodziło o zawód emocjonalny, od dawna już nie darzyła go uczuciem, ale jego zachowania burzyły dotychczasowy ład w ich życiu rodzinnym. Nie mogła mu darować, że ją oszukał. Poniatowska uważała się za eksperta od spraw seksualnych, a nic dostrzegła symptomów innej orientacji u Michała.

– Sądzi pani, że od początku małżeństwa panią oszukiwał? – zainteresował się podinspektor.

– Nie do końca – odparła tonem lekarza specjalisty. – Wtedy prawdopodobnie jeszcze z tym walczył. Być może mnie naprawdę kochał... Ale natury nie da się oszukać. Pragnął mężczyzny. Biologia była silniejsza od rozumu. Może też liczył, że jako specjalista zdołam go uleczyć? Pomylił się. To nie jest choroba. Zresztą o to żalu do niego nie mam. Tylko o to, że nie potrafił o tym powiedzieć. Kłamał, oszukiwał, a potem próbował mnie wyeliminować ze swojego życia w tak perfidny sposób.

– Chciał panią zabić, bo jest homoseksualistą?

Elwira zaśmiała się gorzko.

– Takie postawienie sprawy jest nieprawdziwe.

– Mogłaby więc pani mówić jaśniej?

– On bardzo kocha naszego syna i nie wyobraża sobie bez niego życia. Gdyby zażądał rozwodu, musiałby być orzeczony z jego winy. Na inny bym się nie zgodziła. Odbyłby się więc proces, na jaw wyszłyby wszystkie tajemnice. Także ta, że jest gejem. Musiałby przyznać się rodzinie, ludziom ze swojego otoczenia, z którymi pracuje. Wybuchłby skandal. W takiej sytuacji żaden sąd nie przyznałby mu prawa do opieki nad dzieckiem. Tymek zostałby ze mną. Na to Michał nie chciał pozwolić. Zresztą przyznaję, że żądałabym odebrania mu na tej podstawie praw rodzicielskich.

– Pani? Przecież pani diabłu by łeb urwała. Myślałem, że pani to wszystko świetnie rozumie. Dewiacje, zboczeńcy. To bułka z masłem. Normalka dla szanownej pani.

– Homofobia jest w nas silniej zakorzeniona, niż pan to sobie wyobraża. Jak mówiłam, boję się, że syn zostanie z nimi. Tym nie można się zarazić. Ale dziecko obserwuje w domu wzorce i widzi, że zamiast mamusi i tatusia jest tatuś i tatuś. Nikt jeszcze nie zbadał, jakie są konsekwencje takiego wychowania. Poza tym miłość do syna i pragnienie, by mu go nie odebrano, to tylko jeden, mniej ważny element. Prawdziwy motyw to były pieniądze, a dokładniej Kaiserhof.

– Kamienica? – zdziwił się Szerszeń. – Przecież ona jest na kredyt.

– Tak, ale… – Poniatowska nabrała powietrza. – Kiedy zamierzałam kupić ten dom, mój były mąż nie zgodził się pożyczyć pieniędzy nam obojgu. Douglas nigdy mu się nie podobał. W akcie notarialnym figurować miałam tylko ja. Tak też to miało wyglądać oficjalnie. U tego samego notariusza sporządziliśmy jednak stosowny dokument – pełnomocnictwo umożliwiające mężowi dysponowanie kamienicą w razie mojej długotrwałej nieobecności, uszczerbku na zdrowiu czy… śmierci. To był taki ukłon w jego kierunku, żeby wiedział, że go szanuję. Zresztą sam go wymógł. Ale nie sądziłam, że Michał kiedykolwiek to wykorzysta.

– W przypadku pani zabójstwa byłby pierwszym podejrzanym. To bzdura – mruknął Szerszeń. – Żaden bank nie poszedłby na taki układ. Śledztwo, śmierdząca sprawa…

– A kto mówi, że on załatwiłby to legalnie? Chyba pan zapomniał, że jego kochanek jest dyrektorem wykonawczym jednego z największych polskich banków. Wiem, że już zaczęli procedurę kredytową. I wkrótce zostanie zaopiniowana pozytywnie.

– Ma pani na to jakieś dowody?

Elwira bez słowa położyła na stole niewielką kostkę.

– Co to jest? – Szerszeń pochylił się i wpatrywał z zaciekawieniem w sześciocentymetrowe urządzenie.

– Przenośny twardy dysk zawierający nagrania i skany komputerowych rozmów Michała z Drewnowskim na Skypie. Kserokopie dokumentów i potwierdzenia wypłat z naszego konta, które przeznaczał na finansowanie zabójców. Reszta w formie papierowej jest w moim gabinecie, jeśli Michał nie znalazł tych papierów. Bo ci, którzy zamordowali Schmidta, tego nie zabrali. Schowałam wszystko w albumie o ptakach w biblioteczce na samej górze pod sufitem. Nikomu nie przyszło do głowy, by tam szukać.

– To jak uniknęła pani śmierci? Bardzo jestem ciekaw. – Szerszeń potrząsnął pudełkiem z camelami. Nie mógł uwierzyć, że w trakcie rozmowy z lekarką wypalił połowę papierosów i nawet tego nie zauważył.

– To było chyba w kwietniu. Doszłam już do pewnej wprawy w śledzeniu męża. Michał spotkał się wtedy z dwoma mężczyznami. – Wskazała leżące na stole fotografie Margola i Rosińskiego. – Ci dwaj nie wyglądali na homoseksualistów, jeśli można w ogóle stwierdzić, jak oni wyglądają. Ale oceniłam po ich relacji, że to nie była randka. Zresztą oni umawiają się w innych miejscach. W życiu nie przypuszczałam, że cokolwiek może mnie jeszcze zaskoczyć. Przecież tak trudno mi było przyjąć do wiadomości, że on jest biseksualny. Runął cały mój świat. Moja samoocena, moja kobiecość. Czułam wstręt do niego i siebie samej. Wszystko wydawało mi się takie zakłamane.

Kiedy usłyszałam, o czym oni rozmawiają, omal nie zemdlałam. Granica była już przekroczona. Dlatego pewnie wtedy nie czułam strachu, tylko niepohamowaną wściekłość. Chciałam krzyczeć, chciałam zemsty. Pragnęłam, by cierpiał. Nie mogłam uwierzyć w to, co słyszałam. Przecież... jak by to powiedzieć... oni nie wydawali się groźni. To wszystko było absurdalne. Tylko dlaczego tak bolało?

Kiedy skończyli rozmowę z mężem i on odszedł od stolika, ci dwaj jeszcze chwilę zostali. Zamówili sobie piwo i zaczęli się kłócić. Kierowca Johanna był przeciwny temu, by przyjmować propozycję Michała. Zasugerował swojemu koledze, by wziąć kasę i uciec.

Podsłuchiwałam ich, trawiłam to, co słyszałam. Rozumiałam swoją sytuację i wydawała mi się kuriozalna. Zaczęłam się histerycznie śmiać. Nie wiem dlaczego, ale pomyślałam, że to nie kilerzy, tylko oszuści. Nie wiem, co mnie napadło. Działałam pod wpływem impulsu: złości pomieszanej z rozpaczą. Do dziś tego nie mogę odżałować. Podeszłam więc do nich i złożyłam im lepszą propozycję.

Szerszeń zmarszczył brwi na znak niedowierzania.

– Kogo Bóg chce pokarać, rozum mu odbiera – mruknął.

– Nie chciałam robić mu krzywdy – pośpieszyła z zapewnieniem lekarka. – Chciałam go tylko nastraszyć. I mieć asa w rękawie, w razie gdyby nie zgodził się odejść z mojego życia na moich warunkach. Wtedy ten plan wydawał mi się perfekcyjny. Podwoiłam stawkę i zamówiłam sfingowanie własnej śmierci. Wie pan: bałagan w mieszkaniu, sztuczna krew i ślady walki. Chodziło o to, by Michał sądził, że wszystko poszło zgodnie z planem, i uwierzył, że ja nie żyję. W tym czasie ja zniknęłabym na kilka dni. Chciałam, by myślał, że jest taki sprytny, a tymczasem to ja będę pociągała za sznurki. Tego samego dnia zapłaciłam im nawet dziesięć tysięcy zaliczki. Obiecałam też, że pomogę im się ukryć po wszystkim.

– Gratuluję pomysłu – rzucił Szerszeń. – A nie przyszło pani do głowy, by wezwać policję? To byłoby łatwiejsze i zdecydowanie mniej kosztowne.

– Marzyłam o zemście – tłumaczyła Poniatowska. – Pan nie wie, jak to smakuje. Jaka to adrenalina.

– Faktycznie, nie wiem. – Szerszeń przyznał z niesmakiem. – Nie mam takich potrzeb.

– Ci dwaj zgodzili się, ale postawili jeden warunek – ciągnęła Poniatowska. – Nie będę wiedziała, kiedy ta sfingowana śmierć nastąpi.

– Ooo! – gwizdnął podinspektor. – To jak miałaby pani się ukryć?

– Mieli to załatwić w ciągu miesiąca. W tym czasie w bagażniku auta woziłam spakowaną torbę. Kupiłam telefon na kartę i podałam im ten numer jako jedyny kontaktowy. Używałam go tylko do rozmów z nimi. To na ten numer mieli mi wysłać esemes o treści: „Dzwonię z trumny. Brakuje piasku w kuwecie".

– Ma pani poczucie humoru.

– To cytat z *Kiepskich*. Kiedyś wydawał mi się bardzo zabawny – odparła. – Dodatkowym sygnałem miała być zapalona lampa w salonie, widoczna w oknie balkonowym zarówno ze Stawowej, jak i Trzeciego Maja.

Szerszeń przypomniał sobie, że na miejscu zbrodni faktycznie zauważył zapaloną lampę. Lekarka opowiedziała, że feralnego dnia umówiła się z Johannem. Miał przyjechać do jej gabinetu. Odwołała więc pacjentów i szykowała się na spotkanie z nim. Około południa dostała jednak wiadomość od Schmidta. Prosił, by przyjechała do Latawca. Z powodu korków Poniatowska ledwie zdążyła na umówioną godzinę. Na miejscu zamiast Johanna zastała jednak jego żonę, która na jej widok wpadła w szał. Doszło do bijatyki. Wracając, Elwira obiecała sobie, że jak tylko skończą pracę nad książką, przerwie ten romans.

– Miałam już tego serdecznie dosyć. I jednego, i drugiego. Obaj niszczyli moje życie – podkreśliła.

– Dobrze, dobrze. – Szerszeń zmarszczył czoło. – A co z tym esemesem?

Elwira westchnęła.

– Kiedy biegłam na spotkanie, z pośpiechu zapomniałam jednego z telefonów. Tego, przez który kontaktowałam się z oszustami. Jest w depozycie u państwa. Nie wiem, czy wiadomość dotarła.

– Sprawdziliśmy to – oznajmił Szerszeń z miną pokerzysty i w myślach puścił parę soczystych przekleństw: Znowu te pierdolone komórki. Pora umierać. Czekał na dalszy ciąg wypowiedzi lekarki:

– Wtedy, prawdę mówiąc, nie myślałam o zleceniu złożonym tym dwóm rzezimieszkom. Wiem, że trudno panu w to uwierzyć, ale spotkanie z żoną Schmidta mną wstrząsnęło. Nie miałam ochoty ani na dalsze śledzenie męża, ani na nic. Syn pojechał na obóz i zdecydowałam się gdzieś zaszyć. Chciałam być sama.

– To ciekawe. Jaki zbieg okoliczności... – mruknął Szerszeń.

– To dlatego zarezerwowała pani nocleg miesiąc wcześniej, podając się za Lidię Olsen.

Lekarka zbladła. Patrzyła na podinspektora z przestrachem.

– Myślałam, że Johann tam ze mną pojedzie. Rozmawialiśmy o tym. Obiecywał, że coś wymyśli i w długi majowy weekend spotkamy się wreszcie na neutralnym gruncie... Łudziłam się, że spędzimy tam miłe chwile. Tak długo na to czekałam – dokończyła, czerwieniąc się ze wstydu.

– Znaczy to miała być schadzka ze Schmidtem, tak? I ja mam w to uwierzyć? Ma mnie pani za dziecko czy kompletnego idiotę? – obruszył się Szerszeń. – Przecież rezerwowała pani jedynkę.

– Johann obiecał zarezerwować dla siebie drugi pokój. Dziś nie jestem pewna, czy to zrobił.

– Tratatata... – zakpił Szerszeń. – Niczego, co pani mówi, nie można już sprawdzić. Ale pewne jest, że do zabicia muchy nie trzeba topora. Wystarczy packa albo gazeta.

Poniatowska zmarszczyła brwi i wydęła wargi.

– Jak pan sobie chce. Ale skoro zaczęłam, to dokończę. Potem będzie pan oceniał.

– Dobrze, proszę mówić. – Machnął ręką na odczepne. – Mówić pani może. Słucham uważnie.

– Poinformowałam telefonicznie męża, że wieczorem zamierzam pracować i nie chcę, by mi przeszkadzał. Tej nocy zaś jadę na działkę odpocząć, więc zobaczymy się dopiero w poniedziałek. Zareagował spokojnie. Spytał tylko, o której dokładnie wyjeżdżam. Skłamałam, że na pewno po dwudziestej drugiej, jak się korki skończą.

– On nie chciał się spotkać, porozmawiać?

– Żadne z nas tego nie pragnęło. Prosto z Latawca pojechałam do hotelu, zakwaterowałam się i wyłączyłam telefon. Nie chciałam odbierać żadnych wiadomości ani z nikim rozmawiać. Czułam się wtedy bardzo źle. Piłam wino i płakałam. Kiedy zapadł zmierzch, było jeszcze gorzej. Znów tęskniłam za Johannem. Włączyłam więc komórkę i próbowałam się do niego dodzwonić. Wykrzyczeć mu, dlaczego mi to zrobił. Dlaczego obiecywał mi wspólny weekend, a w zamian za to nasłał na mnie swoją żonę i nie miał odwagi nawet mnie uprzedzić. Byłam gotowa rzucić mu w twarz, że przesadził i między nami już koniec. Ale on nie odbierał. Postanowiłam, że zadzwonię z drugiego aparatu.

– Tego, który kupiła pani, by kontaktować się z przestępcami?

– Właśnie. Tego numeru nie znał i była większa szansa, że odbierze. Myślałam, że mnie unika. Przejrzałam torebkę, sprawdziłam w samochodzie i w torbie podróżnej. Nigdzie go nie było. Omal nie umarłam z przerażenia. Zorientowałam się, że zapomniałam go zabrać z gabinetu. Poczułam złość na siebie i nieokreślony niepokój, bo przez swoje emocje straciłam kontrolę nad rzeczywistością. Oszuści nie mieli mojego drugiego numeru ani ja ich. Postanowiłam natychmiast wrócić po ten telefon.

– Przecież była pani pijana – wtrącił Szerszeń. I pomyślał: To jak się z nimi kontaktowałaś potem?

– Ale to było silniejsze ode mnie. Musiałam go odzyskać. Wsiadłam do auta i uważając na każdy ruch, rozglądając się na boki, czy nie ma w pobliżu policji, ruszyłam w kierunku Stawowej. Zaparkowałam przy placu Szewczyka, podeszłam pieszo i wtedy w oknie zobaczyłam umówiony znak.

– Zapaloną lampę?

Lekarka pokiwała głową.

– Zrozumiałam, że bandyci wykonali zamówioną robotę, bo ja z całą pewnością nie włączałam lampy przed wyjściem. Przestraszyłam się: Michał pomyśli, że kilerzy zrobili swoje, i wezwie policję, by zgłosić przestępstwo. A wtedy moja komórka zostanie zabezpieczona. Nie miałam jednak odwagi tam wejść. Zdecydowałam, że przyjadę raz jeszcze, nad ranem. Zakradnę się, kiedy będę mieć pewność, że nikt mnie nie zauważy. Natychmiast wróciłam na parking. Chciałam jak najszybciej odjechać. I wtedy na samym końcu ulicy dostrzegłam saaba dziewięćdziesiąt pięć w kolorze głębokiego granatu o nazwie „noc Kairu". To był samochód Johanna. Nie miałam wątpliwości. W Katowicach tylko on miał tę wzbogaconą wersję. I właściwie już wtedy podejrzewałam, co się stało.

– Ale co miałoby się stać? – zdziwił się Szerszeń.

– Nie wiem, coś strasznego... – jąkała się Poniatowska. – Zapomniana komórka, zapalona lampa, samochód Johanna. To było potworne. Nie wiem właściwie, dlaczego tak się przestraszyłam... – zawiesiła głos. Po chwili kontynuowała, robiąc długie pauzy między zdaniami. Widać było, że przeżywa to wszystko ponownie. – W trakcie jazdy zaczęło mnie mdlić. Walczyłam ze swoimi podejrzeniami. Przeklinałam własną wyobraźnię. Otwierałam okno, nabierałam powietrza. Wreszcie zatrzymałam się na światłach, otworzyłam drzwi i zwymiotowałam na ulicę. Wróciłam do hotelu odrętwiała. Nie wiedziałam, co się zdarzyło. Jak z tego wybrnąć? Czy iść do mieszkania i sprawdzić? A jeśli naprawdę coś mu się stało? Ale zaraz zapewniałam sama siebie, że to tylko przypadek... Wmawiałam to sobie, ale do końca nie wierzyłam. Czułam się tak, jakby ktoś związał mi ręce, a ja nie mogłam wykonać żadnego ruchu.

– Trzeba było zadzwonić na dziewięć dziewięć siedem. Taka niby sprytna, a jak dziecko... – Szerszeń kiwał głową.

– Policja? – Elwira aż odchyliła się na krześle. – Nie wiedziałam, od czego zacząć. To wszystko było takie zawikłane. Nieprawdopodobne. Nikt by mi nie uwierzył.

– Sama się pani w to wplątała. – Szerszeń się uśmiechnął. – A wystarczyłby jeden anonim i pani sytuacja wyglądałaby zupełnie inaczej.

Poniatowska spojrzała na policjanta ze skruszoną miną i dokończyła opowieść.

Nad ranem ponownie pojechała na Stawową, licząc, że auta Schmidta już nie będzie. Ono jednak wciąż tam stało. Lampa w oknie także była zapalona. Nie wysiadała z wozu. Tę operację powtórzyła jeszcze kilka razy w sobotę 3 maja. W niedzielę nie miała już sił wsiąść do samochodu.

– To moje auto tyle razy widziała Hasiukowa – wyjaśniła.

– Do mnie należy zielona mazda sześćset dwadzieścia sześć. Michał ma białego forda sierrę, który przeważnie stoi w warsztacie. Dlatego wcześniej często mu pożyczałam swój wóz. Chyba nawet kilka razy podwoził ją gdzieś moją mazdą. To dlatego je pomyliła. To nie Michał, ale ja przyjeżdżałam...

– Zabójcy często wracają na miejsce zbrodni, pani Elwiro – skomentował Szerszeń z krzywym uśmieszkiem.

Kobieta nie dosłyszała widać w jego głosie ironii, bo dodała:

– I mnie tam pchało. Ale za każdym razem, jak tam jechałam, liczyłam, że jego auta nie będzie. Że się pomyliłam, że on jednak żyje i odjechał. Kiedy w poniedziałek rano po raz kolejny i ostatni ruszałam w drogę z hotelu do kamienicy, byłam przekonana, że na miejscu zostanę aresztowana.

– I odegrała pani rólkę zbolałej kochanki – dopowiedział Szerszeń. – Muszę przyznać, że była pani bardzo przekonująca.

– Nie spodziewałam się, że to poskutkuje. To był impuls. Michał był w kajdankach... A potem wszystko potoczyło się zupełnie inaczej i wymknęło spod kontroli.

– Oj, tak – mruknął Szerszeń.   Naprawdę porządnie pani namieszała, pani doktor.

– Nigdy nie zapomnę tego przerażenia w oczach, kiedy mnie zobaczył – wtrąciła jeszcze.

– Niezłego piwa sobie nawarzyliście, gołąbeczki. – Szerszeń się uśmiechnął. – Pani mąż to dopiero musiał być zaskoczony.

– Najpierw był faktycznie przerażony. Ale w swojej naiwności sądził, że ja niczego nie jestem świadoma. Co gorsza, ciągnął ten swój romans, dalej udawał przede mną uprzejmego małżonka i nadal nie miał śmiałości ze mną porozmawiać ani nic wyjaśnić. Żeby spotykać się z tym Drewnowskim, dosypywał mi środków nasennych. Drugi raz omal mnie nie zabił. Proszę uwierzyć, że mówię prawdę. Usunięcie mnie rozwiązałoby wszystkie jego kłopoty. Gdybym nie istniała, mógłby związać się, z kim chciał, i mieć na własność naszego syna, dla którego jest przecież świetnym ojcem. Gardzę nim i szkoda mi go jednocześnie. A Johann? Może po prostu tak się musiało stać? Może to jest właśnie prawo przypływającej fali – dokończyła.

– Nasze działania zawsze przynoszą nam zapłatę – odpowiedział jej Szerszeń.

Kiedy ją zabrali do aresztu, rozpoczął czynności sprawdzające. Wiedział już, że ta kobieta umiejętnie miesza prawdę z kłamstwem.

18 czerwca – środa

Hubert nie rozpoznał jej. Miała na sobie jedwabną sukienkę w kwiaty, była rozpromieniona i uśmiechnięta. Włosy luźno spięte w kucyk, policzki zaróżowione od szybkiego marszu. Pełne piersi podskakiwały, kiedy na płaskich obcasach – pierwszy raz ją taką widział – wspinała się na górę i pewnie zmierzała do pokoju Szerszenia. Nie mógł uwierzyć, że w tak krótkim czasie Weronika wyzbyła się charakterystycznej dla siebie twardości, a stała się delikatna, taka jaka była naprawdę. Bladość skóry eksponowała piegi na twarzy i dekolcie. Nie dostrzegł śladu szminki czy pudru.

Stał w drzwiach swojego gabinetu. Nie zauważyła go, była zbyt pogrążona we własnych myślach. A on też nie wyszedł jej naprzeciw. Podjął decyzję i nie wątpił, że postąpił słusznie. Tylko to gwałtowne ukłucie, jakie poczuł, kiedy zniknęła w drzwiach podinspektora, przypomniało mu, że coś stracił. Bezpowrotnie i nieodwołalnie. W ostatniej chwili, kiedy jeszcze widział jej smukłą kibić, zapragnął jednak coś zrobić. Zawołać ją, może podejść? I może tak by się stało, gdyby miał na to czas.

– Nadkomisarz Meyer – zawołała go protokolantka, która wychyliła się z pokoju przesłuchań. – Podejrzany doprowadzony.

Hubert ruszył korytarzem.

Coś sprawiło, że przed wejściem do pokoju Szerszenia musiała się obejrzeć. Kiedy poszła za tym impulsem, zobaczyła tylko zarys jego pleców. Miała wrażenie, że widzi jego włosy, a potem poczuła jego zapach, choć to było przecież niemożliwe. Stała za daleko. W gardle jej zaschło, a w oku może i zakręciłaby się łza, lecz nie zdążyła spłynąć, bo wszystko działo się tak szybko. Podinspektor Szerszeń powitał ją z otwartymi ramionami i swoją hałaśliwą gościnnością. Znów palił i znów był wesół jak dawniej. Poklepał ją po plecach po męsku, aż zaparło jej dech w piersiach. Jeszcze przez sekundę myślała o tym, że kilka drzwi dalej jest Hubert. Pracuje, przesłuchuje, analizuje. I prawdopodobnie nie zdaje sobie sprawy, że ona tu jest i że nigdy się nie zobaczą.

– Sprawa śmieciowego barona zamknięta – obwieścił jej Szerszeń z dumą. Weronika słuchała z wypiekami na twarzy, jakie jest ostateczne rozwiązanie zagadki śmierci Johanna Schmidta. Podinspektor opowiedział wszystko z najdrobniejszymi szczegółami.

Wojciech Rosiński, kierowca Schmidta, miał kolegę z dzieciństwa – niejakiego Tomasza Margola. Obaj mieszkali w katowickich familokach przy Gliwickiej. Rosiński jako tako wyszedł na ludzi, Margol zaś się stoczył. W wieku dziewiętnastu lat brał czynny udział w grupowym pobiciu ze skutkiem śmiertelnym, za co trafił do więzienia. Po odsiadce wrócił do matki i żył z jej renty. Głównie oglądał filmy na DVD i trudnił się rozbojami oraz drobnymi włamaniami.

Rodzice Rosińskiego wciąż mieszkali przy Gliwickiej. Kiedy ich odwiedzał, przypadkowo spotkał Margola. Rosiński był wtedy kierowcą w pogotowiu, ale dokonywał też drobnych przekrętów bankowych. Potrzebował „słupa"[1], a Margol świetnie się do tego nadawał. Społecznie nie istniał – po wyroku matka wymel-

---

[1] Słup – osoba fikcyjna, zmarła lub bez adresu – wykorzystywana przez przestępców do wyłudzeń.

dowała go ze swojego mieszkania. Miał też podobnych „bezdomnych" kumpli, którzy za parę złotych wypełniali kwity bankowe i zaciągali kredyty. Ich adresy były trefne, ale podkupiony facet w banku jak najbardziej prawdziwy. Rosiński udał pomocnego i zaproponował Margolowi „interes". Wyłudzili wspólnie kilka tysięcy od banków i firm udzielających szybkich pożyczek oraz trochę fantów: sprzęt audio, telewizor, trzy telefony komórkowe i mikser z blenderem. Margol uczepił się Rosińskiego jak jedynej deski ratunku. Po wyjściu z aresztu nie miał zbyt wielu znajomych, poza kryminalistami i bezrobotnymi z sąsiedztwa. W efekcie ci dwaj często włóczyli się razem.

Rosiński był bliskim znajomym Marty Robskiej, kelnerki z bufetu szpitalnego. Klaudia, żona Schmidta, uważała ją za swoją przyjaciółkę i ze szczegółami zwierzała się jej z problemów w związku z Johannem. Marta w rewanżu narzekała na swojego młodego kochanka: że Rosiński jest niezaradny, nie chce się wiązać i tak niewiele w szpitalu zarabia. Wreszcie uprosiła żonę Schmidta, by jej mąż zatrudnił go u siebie.

Rosiński od razu przypadł śmieciowemu baronowi do gustu. Okazał się odpowiedzialny, punktualny i dyskretny, co podobało się Schmidtowi. Klaudia też go polubiła. Często wypłakiwała mu się w rękaw. Kiedy Schmidt postanowił się z nią rozwieść, wyprowadził się z domu i zdecydował zamieszkać z Kariną, to właśnie Rosiński nadzorował i doglądał jego przeprowadzki. Trzeba przyznać, że umiał się świetnie odnaleźć – wypełniał obowiązki powierzone mu przez prezesa, a jednocześnie pocieszał jego żonę, która miała do niego pełne zaufanie. W dniu przeprowadzki Klaudia była nieprzytomna z rozpaczy. Córka podała jej środki uspokajające i położyła ją spać w sypialni na górze. Sama zaś zeszła na dół i zaczęła wypytywać, czy Rosiński nie ma przypadkiem znajomych, którzy mogliby dokonać zabójstwa.

– A więc to nie Klaudia zleciła zbrodnię na mężu? – zdziwiła się Weronika.

– Nie. – Szerszeń pokręcił głową. – Pasierbica Schmidta od początku pociągała za wszystkie sznurki. Ale przed wszystkimi udawała niedojdę i powoływała się na matkę. Nawet Rosiński się na to złapał. Wszystko jednak do czasu...

– Magda mówiła mu, że to matka chce śmierci Schmidta, a ona tylko pośredniczy? – upewniła się Rudy.

– Dokładnie tak. Tamtego dnia jednak Rosiński udał święte oburzenie. Zrobił wykład, jak mogła o nim tak źle pomyśleć. Jednym słowem odmówił jej.

W tym czasie Michał Douglas nieudolnie szukał kilerów. Stracił już wcześniej pięć tysięcy, które dał Pryszczatemu. Wiadomo było, że ten cienki Bolek żadnej roboty nie wykona. Rzadko kogo udawało mu się nabrać. Ale artysta to był klasyczny frajer. Nawet Pryszczatemu się udało. Nie tylko nie wykonał zlecenia, ale jeszcze go zastraszył – zagroził, że jeśli Douglas komuś piśnie choć słówko, wyda go policji. Mąż lekarki pogodził się więc ze stratą i szukał dalej. Tyle że ostrożniej.

Wreszcie jeden z ochroniarzy Aliena podał mu kontakt do Tomasza Margola, który nie miał nic do stracenia i wziąłby każdą, nawet najbardziej mokrą robotę. Ochroniarz za niewielką opłatą przedstawił Margola jako doświadczonego kilera, a na dowód powiedział, że mężczyzna siedział już za coś podobnego. To przekonało Douglasa, ale ponieważ już raz został oszukany, tym razem nie od razu chciał wpłacać zaliczkę. Margol dla uwiarygodnienia swojej renomy zabrał na spotkanie kumpla – Wojciecha Rosińskiego. Nie powiedział mu, jakiej sprawy dotyczyć będzie spotkanie. Ich rozmowę obserwowała i nagrywała Poniatowska.

Po wyjściu Douglasa z knajpy Rosiński wszczął awanturę. Nie podobało mu się, że Margol wciąga go w zbrodnię. Krzyczał, że się nie zgadza, i kazał Margolowi odpierdolić się raz na zawsze. Kiedy ci dwaj się kłócili, podeszła do nich lekarka. Pokazała telefon, którym nagrywała rozmowę, i zaszantażowała ich, że doniesie o wszystkim do prokuratury. Rosiński ją wyśmiał. Wtedy powiedziała, że widziała go ze Schmidtem. „Znajdę cię z łatwością" – zagroziła Rosińskiemu.

– Zachowała się jak wariatka... – mruknęła prokuratorka.

578

– Jasne – przytaknął Szerszeń. – Gdyby to byli prawdziwi mordercy, nie dożyłaby do rana. Ale Rosiński i Margol to zwykłe chłystki, nie kilerzy. Tyle krwi mi napsuli, do końca życia nie zapomnę tej sprawy – narzekał podinspektor.

– Do rzeczy, Waldek – zdyscyplinowała go Weronika, bo chciała się wreszcie dowiedzieć, jak potoczyły się wydarzenia.

Poniatowska obiecała, że odda im nagranie i będzie milczeć jak grób, a na dodatek da im zarobić. I złożyła im propozycję nie do odrzucenia:

– Nie chcę go zabijać – oświadczyła. – Choć na to zasługuje. Chcę sfingowanej zbrodni, bardzo realistycznie wyreżyserowanej. By Michał przez kilka dni myślał, że jestem martwa. By przeraził się tego, co chciał uczynić.

– Namawiała ich do upozorowania własnej śmierci?

– Ale tak, żeby mąż myślał, że wykonali robotę na jego zlecenie – kontynuował podinspektor. – Zapewniła, że mogą zatrzymać całą kwotę, którą zapłaci im jej mąż. Ze swej strony zaś podwoiła stawkę.

– I co było dalej? – niecierpliwiła się Rudy.

Margol nie miał żadnych wątpliwości. Rosiński zaś się wahał. Poniatowska puściła mu jednak fragment nagranej rozmowy z Douglasem i to go ostatecznie przekonało. Wytłumaczył sobie, że zamiast zabójstwa ma przecież dokonać jedynie oszustwa. Szybko policzył, że w ten sposób zarobi prawie dwadzieścia tysięcy, i zdecydował, że gra jest warta świeczki. Wymógł jednak na Margolu obietnicę, że nie poleje się ani kropla prawdziwej krwi. Tego samego wieczoru upili się z radości. Byli zachwyceni planem. Wydawało im się, że to zrządzenie losu. Tak zwany złoty strzał.

– Co za przypadek – mruknął podczas libacji Rosiński. I opowiedział Margolowi, że dosłownie kilka dni wcześniej córka śmieciowego barona złożyła mu propozycję zabicia Johanna Schmidta. – Skoro robimy już taki przekręt, to może przy okazji wydymamy i tę cnotkę – rzucił, jakby to był świetny żart. – Stary, nie musimy nikogo zabijać. Jak będziemy mieli hajs w ręku, spierdalamy i nic tu po nas.

Margol zatarł ręce z radości. W ciągu następnych kilku dni spotkali się więc z Douglasem, który był przekonany, że kilerzy zamordują jego żonę, oraz z Magdą Schmidt, która zleciła im dokonanie zabójstwa ojczyma. Cały czas byli też w kontakcie z Poniatowską.

– Wzięli pieniądze od nich wszystkich? – dopytywała się Weronika.

– W sumie zebrali siedemnaście tysięcy – odparł Szerszeń. – Siedem od Douglasa i dziesięć od Poniatowskiej.

– A Magda?

– Od tej lisicy nie wydębili ani złotówki – zaśmiał się Szerszeń. – Powiedziała im, że mają najpierw udowodnić, że się do tej roboty nadają. Pamiętasz takie pobicie bezdomnego na rynku? Cudem uszedł z życiem...

– Nie – mruknęła Weronika. – A co? To ma związek?

– Okazało się, że Margol próbował się tak wykazać. Ale... – Szerszeń zawiesił głos. – Dojdziemy jeszcze do tego.

– Skoro chcieli zrobić przekręt, to dlaczego nie uciekli z zaliczką. Siedemnaście tysięcy... To przecież całkiem pokaźna kwota. – Weronika zmarszczyła czoło.

– Z chciwości – wyjaśnił Szerszeń. – Za wykonanie zlecenia dostaliby dwa razy tyle, a zresztą Poniatowska obiecała im, że po „własnej śmierci" pomoże im się ukryć. Rosiński nawet chciał wziąć, co jest, i zwiać. Nie podobało mu się, że pasierbica śmieciowego barona nie daje się zwieść i nie kapnie ani grosza z góry. Namawiał Margola, żeby się z tego zlecenia wycofał. Ten jednak nie chciał o tym słyszeć.

– On nie zamierzał niczego fingować – domyśliła się Weronika. – Chciał naprawdę zabić Schmidta.

– Od początku. Pobił bezdomniaka, żeby zdobyć zaufanie pasierbicy Schmidta. Wiedział jednak, że Rosiński na to nie pójdzie. To był przecież oszust, brzydził się mokrą robotą. Potem Margol już sam, w tajemnicy przed kumplem, kontaktował się z Magdą.

– To dlatego Rosiński nie wiedział, że Schmidt pojedzie do Kaiserhofu?

– Nie miał pojęcia, że Magda wykorzysta sytuację i wyśle esemes z telefonu ojczyma do lekarki, a potem powiadomi Margola o nadarzającej się okazji. Tak samo jak nie wiedział, że Margol zabierze ze sobą taśmę i nóż oraz pomocnika – Krzysztofa Zelwera, którego wyciągnął dosłownie godzinę przed robotą spod budki z piwem. Dlatego Zelwer niewiele pamięta. Był zamroczony alkoholem. Ale i tak się przyznał. Dobra nasza...

Na dzień zabójstwa Douglas zaplanował piątek, drugiego maja. Wcześniej przekazał zabójcom klucze do mieszkania oraz kod wejściowy i zapewnił, że lekarka będzie pracowała do wieczora. Potem zaś zamierza wyjechać, więc przez kilka dni nikt nie zacznie jej szukać. Będą mieli wystarczająco dużo czasu, by się ukryć.

Weronika słuchała tego wszystkiego zszokowana.

– I co? Przecież kierowca wiedział, że w środku jest Margol? Dlaczego zawiózł tam prezesa? Znali się. Schmidt mógł go wydać.

– Rosiński był zaskoczony. W piątek miał odwieźć szefa na spotkanie z Kariną i mieć wolne. Ale Schmidt zmienił zdanie i kazał się zawieźć w jeszcze jedno miejsce. Dopiero w aucie podał adres...

– Kaiserhof... – szepnęła Weronika.

– Rosiński nie miał wyjścia. Wykonał polecenie. Zaparkował na placu Szewczyka. Ten nagły przyjazd Johanna Schmidta pokrzyżował cały jego plan, by oszustwo pozostało oszustwem – tłumaczył Szerszeń. – Wiedział przecież, że Margol jest w gabinecie lekarki i plądruje lokal, by upozorować jej śmierć, a przy okazji zgarnąć jakieś drobiazgi. Znał kumpla i zdawał sobie sprawę, że może stać się coś strasznego. Nie miał pojęcia, że tak naprawdę Margol czekał właśnie na Schmidta.

– Może Rosiński uciekł, bo bał się, że ktoś ich wystawił?

– Może. W każdym razie zwiał. Myślał, że tak uchroni własną skórę. Jak widać, bezskutecznie – skomentował Szerszeń.

Wejście do gabinetu Elwiry oddzielała od salonu wielka ściana z karton-gipsu, zaprojektowana i postawiona według pomysłu Douglasa, by zapewnić poczucie bezpieczeństwa pacjentom seksuolożki. Margol z Zelwerem ukryli się w poczekalni przy wejściu. Schmidtowi nawet do głowy nie przyszło, by tam zaglądać.

– Dlaczego nie zaatakowali Schmidta od razu, jak tylko wszedł?

– Kiedy usłyszeli, że Schmidt otwiera drzwi kluczami i nie jest sam, zbaranieli. Słyszeli damski głos i nie wiedzieli, czy to nie jest na przykład lekarka z mężem. Czekali na rozwój wydarzeń. Obaj byli pijani, Zelwer ledwie trzymał się na nogach. Zresztą tak się bał, że omal się nie zesrał. I nie jest to bynajmniej metafora. Karina była w tym lokalu krótko, może z dziesięć minut. Nie dopiła nawet kawy. Margol i Zelwer słyszeli, jak krzyczy: „Nie zamierzam się z tobą wiązać. Jesteś mordercą. Od początku wiedziałam, co planujesz. Wykorzystałeś mnie dla pieniędzy. Musiałam zabić nasze dziecko. Opuściłeś mnie, kiedy cię najbardziej potrzebowałam. Jak miałabym ci to wybaczyć? Takiej zbrodni się nie zapomina. Chciałabym, żebyś umarł".

Wrzuciła mu do filiżanki kameę i wyszła.

– W ten sposób uratowała życie – szepnęła Weronika.

– Kiedy Schmidt został sam, zaczął łazić po mieszkaniu. Przeszukiwał je. Prawdopodobnie chciał dostać się do komputera lekarki i wykasować napisane przez siebie fragmenty książki. Komputera jednak nie było.

– To dlatego zostawił swoje klucze od auta na półce na klawiaturę.

– Tak. – Szerszeń kiwnął głową. – Mniej więcej wtedy Rosiński zadzwonił domofonem z dołu.

– Wrócił?

– Twierdzi, że Schmidt kazał mu odwieźć Karinę i wrócić, ale ja w to nie wierzę, bo w kilka minut nie zdążyłby odwieźć kobity do Rudy i być z powrotem. W każdym razie ktokolwiek zadzwonił, to było jak odpalenie lontu przed wybuchem. Schmidt podszedł do drzwi, żeby otworzyć. Z poczekalni wyskoczyli Margol i Zelwer. Zaczęła się jatka. Katowali mężczyznę tym, co popadło. Amfora, pięści, krzesło z poczekalni...

– A ciosy nożem?

- To już w salonie, kiedy Schmidt próbował uciekać. Mówiłem, że Margol przyniósł ze sobą narzędzia zbrodni.

- To po raz kolejny dowodzi, że wcale nie szedł, by udawać, tylko chciał zabić.

- Dziś się do tego nie przyznaje, ale sądzę, że tak. Zresztą po zabójstwie zabrał nóż i resztki taśmy ze sobą. Potem zadzwonili do Douglasa, że sprawa jest załatwiona i powinien działać zgodnie z planem. Ale nie spotkali się z nim, by odebrać obiecaną resztę płatności. Nie czekali. Zaraz po zbrodni wsiedli do PKS-u i przez miesiąc włóczyli się po kraju. Dojechali aż do Gdańska. Wrócili do Katowic, dopiero kiedy skończyły się pieniądze. Żeby zdobyć następne, szantażowali lekarkę i jej męża. Wtedy też spróbowali upłynnić rolexa. Reszty możesz się domyślić.

- Skontaktowali się z Magdą, by zapłaciła za zlecenie, a ta odparła, że dała kasę Rosińskiemu. Tak dowiedzieli się, że Wojtek-sprytek ich wydymał. Nie brał udziału w zbrodni, a przywłaszczył sobie całość wynagrodzenia. Wyobrażasz sobie, w jaki szał wpadli?

- To dlatego spotkali się na dworcu.

- Tak. Ale co ciekawe, Rosiński nie zamierzał przekazać forsy. Blefował. Nie przyniósł nawet fałszywek.

- To czyje pieniądze zabezpieczyliście na dworcu?

- Douglasa. Ten frajer dał im kolejne dziesięć patoli. - Szerszeń poczęstował Weronikę papierosem i opowiadał dalej. - Zresztą to wyjątkowo wredny typ. Nie zapomnę, jak odegrał rolę męża poszukującego żony.

- A co z lekarką? - dopytywała się Rudy.

- Kiedy Margol i Zelwer mordowali Schmidta, lekarka tłukła się z jego żoną w Latawcu. Po tej awanturze pojechała do zajazdu Pod Wzgórzem Anny, gdzie miała spędzić upojne noce ze Schmidtem. Była tam aż do poniedziałku. Nie licząc wycieczek pod Kaiserhof, rzecz jasna...

- To jej auto widziała Hasiukowa - wtrąciła prokuratorka.

- Staruszka pomyliła wozy.

Szerszeń się uśmiechnął.

– Zgadza się. To twoja zasługa, Wero. Hasiukowa to był naprawdę świetny strzał. Wreszcie wyjaśniło się, dlaczego wścibskie babsko nic nie słyszało ani niczego nie widziało.

– Jasne – przyznała Rudy. – Telewizor z różańcem huczał na cały regulator, a babcia była zajęta wieszaniem marihuany na firance. Okna tego pokoju wychodzą na podwórze. Nie mogła siedzieć przy oknie i lukać na Stawową i Trzeciego Maja. Przesłuchałeś jej wnuka?

– Młody rozpoznał ich obydwóch. Potwierdził, że widział, jak Margol z Rosińskim obserwowali kamienicę przez ostatnie tygodnie, a w dniu zbrodni dostrzegł też dwóch facetów w kombinezonach, którzy rozpaczliwie szukali wyjścia przez podwórko. Akurat wrócił do babci po kolejny towar na sprzedaż. Jego zeznanie to jeszcze jeden dowód do sprawy.

– Okay – skwitowała Rudy. – Więc Margol i Zelwer uciekli nad morze. A Rosiński? Dlaczego wrócił do pracy i udawał, że nic się nie stało? Liczył, że się wywinie? Chyba nie był taki głupi...

– Nie był – zapewnił Szerszeń. – Przez pierwsze dni po długim weekendzie nie pojawił się w pracy. To dlatego nieoczekiwanie na komendę zawitała pani Robska. On opowiedział jej o wszystkim jeszcze tego samego wieczoru, kiedy Klaudia wjechała pod TIR-a. Zapewniał ją, że jest ofiarą jakiejś skomplikowanej gry. Kelnerka postanowiła wykorzystać fakt, że Klaudia niczego nie zezna, i przyszła do mnie, żeby skierować śledztwo na lewe sanki. Oskarżyła Klaudię, by odwrócić uwagę od swojego kochanka. Wiedziała, że kiedy dotrzemy do Rosińskiego, znajdę ją i wtedy ona da mu alibi. Trzeba przyznać, że zagrała dość sprytnie. Ale potem wszystko znów się pozmieniało. Bo siódmego maja, w środę, kiedy pasierbica Schmidta objęła dowodzenie w firmie, wezwała kierowcę i wręczyła mu dwadzieścia tysięcy w gotówce za dobrze wykonaną robotę. Przekonała go, że jeśli będzie dobrze grał, włos mu z głowy nie spadnie.

– I uwierzył jej?

– Tak. Pieniądze przekonują takich typków. Zresztą on sam nie wiedział, co robić. Myślał, że pasierbica Schmidta jest kuta na cztery nogi i go ochroni. Poza tym, co tu ukrywać... – Szerszeń nerwowo potargał wąsa. – To ja od początku spierdoliłem to śledztwo. I przeze mnie na tak długo wszystko stanęło w miejscu.

– Daj spokój, to naprawdę nie twoja wina. Skąd miałeś wiedzieć...

– Nie musisz mnie pocieszać. Ja wiem swoje. – Szerszeń podniósł ręce, by ją uciszyć. – Wystarczająco długo siedzę w tej branży, by dostrzegać błędy. Znam się na tej robocie. I prawdę mówiąc, gdyby nie ten cholerny profil Huberta, do tej pory wierzyłbym, że zabójczynią jest Karina. Kiedy go dostałem, kląłem z wściekłości, a trzeba go było uważnie przeczytać. Cała sprawa byłaby dawno rozwiązana. Jednak mądrego dobrze czasem posłuchać.

– To w końcu kto pójdzie siedzieć za zabójstwo Schmidta? – zadała kluczowe pytanie Weronika. – Przeciwko komu powstanie akt oskarżenia? Bo od tych domniemanych zleceniodawców aż się roi.

– Jak to kto? – uśmiechnął się Szerszeń. – Rosiński, Margol, Zelwer i ten pedzio.

– Douglas?

– Cała trójka go rozpoznała. To jego forsę zabezpieczyliśmy na dworcu. Przekazał klucze i kod wejściowy. Umożliwił dokonanie zbrodni...

– A Elwira? Ona zostanie bezkarna?

– W żadnym wypadku. Współudział ma jak w banku. Ale za pomoc organom ścigania załatwiłem jej nadzwyczajne złagodzenie kary. Posiedzi najwyżej trzy lata. Potem wróci do dziecka. Póki ona będzie odsiadywać swoje, dzieckiem zajmą się dziadkowie. Już są gotowe wnioski o ustanowienie ich rodziną zastępczą. Małemu nic nie będzie. Teraz to lekarka dopiero książkę może napisać... – Szerszeń roześmiał się kwaśno. – Prawdziwy bestseller! Na faktach autentycznych!

Weronika powstrzymała się przed uwagą, że innych faktów nie ma, i zapytała:

– A Magda?

– Na razie wyłączymy ją do oddzielnego postępowania. Nie martw się, poniesie karę. I to solidną. Nie mam jednak jeszcze twardych dowodów, że dała pieniądze Rosińskiemu. Te dwadzieścia tysięcy w banderolach, które zabezpieczyliśmy w domu Rosińskiego, są trudne do identyfikacji. Na razie nie mogę udowodnić, że pochodzą od niej. Mam tylko jego zeznanie, a to za mało, by dostała dożywocie. Ona oczywiście do niczego się nie przyznaje. Przypominam ci, że Margolowi też nie zapłaciła. Poza tym chłopaki z CBŚ przy niej pracują. W tej firmie jest przekręt na przekręcie. Osobiście dopilnuję, by nie wyszła z pierdla do końca życia. Takiej kobiety nie da się resocjalizować.

– A co z kamienicą, skoro wszyscy pójdą siedzieć? – zainteresowała się Weronika.

Szerszeń spojrzał na prokuratorkę z wyrzutem, jakby mówił: „Oszalałaś, dziewczyno?".

– Nie wiem. – Wzruszył ramionami. – Bank ją zlicytuje i sprzeda. A dopóki nie znajdzie się nowy nabywca, będzie niszczała. Jak widać, nikomu szczęścia nie przyniosła. Co się przejmujesz? Zresztą wyjaśniłem już, dlaczego oni wszyscy się o nią zabijali. Może Gybis wymyślił tę plotkę, by wydać się zamożniejszym. Może ludzie to sami sobie dopowiedzieli... Nie było żadnej monety, to wiem na setkę.

– A co? – wykrztusiła.

– Obrazki – oświadczył podinspektor. – Niedokończone pośmiertne kalki, czy coś takiego. Rysunki jakiegoś bardzo znanego artysty, który zajmował się produkcją nagrobków. Keller czy Kostner się nazywał.

Weronika zamarła.

– Henry Keller. Uczyłam się o nim na studiach. To naprawdę niesamowita postać. – Werka z trudem łapała oddech. – Niemiec, żydowskiego pochodzenia. Faktycznie budował piękne nagrobki. Zanim jednak zbudował pomnik za tysiące marek, rysował twarze zmarłych. Miał taki rytuał, że ostatniej nocy przed pochówkiem spędzał kilka godzin z trupem i odtwarzał jego wyraz twarzy. A potem przekazywał to rodzinie. Wierzono, że miał moc uspokajania duchów, które dzięki niemu nie błąkały się po ziemskim padole. Ponoć te rysunki były tak sugestywne, że ludzie zamawiali u niego nagrobki, wierząc, że w ten sposób ich bliski zyska wieczny spokój. Jego ostatnich prac nigdy nie odnaleziono. Podejrzewano, że grafiki ukradli sami archiwiści albo że je zniszczył. Było więcej takich nieprawdopodobnych wersji. Ostatni nagrobek wykonał w szesnastym wieku w Monachium. Własnej zony i dziecka, którzy zginęli w niewyjaśnionych okolicznościach. Mówiono, że miał w tym udział. Nic mu jednak nie udowodniono. Pół roku później pękło mu serce. W literaturze opisywano, że zmarł w wyniku opętania. Skąd Gybis z Katowic mógł mieć grafiki Kellera? To niesamowite.

– Nie wiem, ale nie można ich zweryfikować z oryginałem. Były zamurowane w ścianie i kiedy Magda, pasierbica Schmidta, je odkryła podczas remontu, rozsypały się w proch.

– Może i lepiej – westchnęła prokuratorka. – Jak widać, te prace nie przyniosły nikomu nic dobrego.

– No, ale jedna została. – Szerszeń pokręcił głową, a Weronika zamarła w oczekiwaniu. – Była w takim skórzanym pokrowcu. Kustosz katowickiego muzeum sądzi, że przypadkowo. Po prostu nie zdążył jej dokończyć. Ale wiesz, jakby mi ktoś powiedział, że to dzieło sztuki, nie uwierzyłbym. Takie tam mazepy. Moja córka lepiej rysuje.

– Masz fotokopię? – spytała Rudy podekscytowana.

Szerszeń wyciągnął z akt fotokopię rysunku Kellera.

– Kogo ci ten gość przypomina? – zadał jej zagadkę i ucieszył się na widok lwiej zmarszczki pomiędzy brwiami, która u Werki zwiastowała intensywne myślenie.

Udało mu się ją zaskoczyć. Po chwili położył obok zdjęcie mężczyzny z przodu oraz obu boków, wykonane przez policyjnego technika dzisiejszego ranka. Na fotografii był Michał Douglas.

Weronika założyła okulary i przyglądała się wnikliwie wizerunkom obu mężczyzn – szesnastowiecznemu rysunkowi i współczesnej fotografii wykonanej techniką cyfrową. Nie mogła nie przyznać racji policyjnemu wydze.

– Gdyby nie ten żel na włosach i ten obcisły dresik, to czy nie mogliby być braćmi? – Szerszeń się uśmiechnął.

– Jak bliźniacy. To niesamowite – szepnęła.

– No i przyznał się do wszystkiego. Nie było łatwo. Hubert pomógł. Właśnie go wykańcza. Jeśli poczekasz, zawołam go, pójdziemy razem na kawę. Ucieszy się, jak cię zobaczy. Tylko mi się nie kłóćcie! Już ja was znam. Ale… – Pokiwał jej palcem przed nosem, a oczy śmiały mu się szelmowsko. – Kto się czubi, ten się lubi.

Śmiał się teraz rubasznie zadowolony z żarciku. Weronika momentalnie spoważniała. Szerszeń miał wrażenie, że się przestraszyła.

– Nie mogę. Nie mam czasu. – Zrobiła krok w tył i dodała: – Jutro wyjeżdżam. Chyba zmienię zawód. Nie będę się starała o przywrócenie do pracy. Właściwie… – zawiesiła głos – przyszłam się pożegnać.

– Co ty, Wero, z kim ja teraz będę żartował na miejscu zbrodni – zmartwił się podinspektor. – Wszyscy są tacy aseksualni. Byłaś jedynym światełkiem w tej obmierzłej pracy. – Uśmiechał się i wiedziała, że mówi szczerze.

Wzruszyła ramionami.

– Będziemy się spotykać poza komendą. Pójdziemy na piwo, pogadamy jak ludzie. Odezwę się, będę przyjeżdżać. Liverpool to przecież Europa. Niedaleko – obiecała, ale oboje wiedzieli, że prawdopodobnie nigdy się tak nie zdarzy.

– Może to i lepiej. Mówiłem, że to praca nie dla ciebie. Tyle razy – udawał, że narzeka. – Dobrze wyglądasz – dodał po chwili. – Jak kobieta. Tylko te włosy, takie za bardzo wypalone. Wyzywające. Ale nie obrazisz się?

Pogładziła się po czuprynie i pomyślała, że może Szerszeń ma rację. Może powinna wrócić do miedzi, która łagodziła jej rysy. Ten kolor przydawał jej jednak energii. Sama nie wiedziała, co strzeliło jej do głowy, by ufarbować je teraz na rubin. Ta myśl była jednak zbyt błaha. Odleciała, zanim się pojawiła. Pokręciła głową.

– Nigdy – odrzekła. Na biurku Szerszenia położyła małą paczuszkę. – To dla ciebie. Prezent. Odpakuj po moim wyjściu – zastrzegła.

– Ale to nie bomba? – zaśmiał się Szerszeń cały rozpromieniony.

– Waldek, mam jeszcze jedno pytanie – zaczęła.

– No, mów, co się boisz? – popędził ją.

– Rozmawiałeś z tym policjantem, który pracował z moim ojcem... – Przerwała gwałtownie.

– Z Zefkiem Stopką. – Szerszeń zmarszczył brwi i spojrzał czujnie na prokuratorkę.

– Może... Czy on ci nic powiedział czegoś więcej o tym napadzie na mojego ojca...? Ten nożownik... A zresztą nie... Nie chcę wiedzieć...

– Takie rzeczy mogą dręczyć człowieka do samej śmierci – wszedł jej w słowo podinspektor. – Wiem, co cię gryzie, mała. Zastanawiasz się, kto nasłał na Rudiego nożownika?

Prokuratorka podniosła głowę i wpatrywała się w niego wyczekująco.

– Muszę wiedzieć, kto to był. Nawet jeśli nie da się już tego udowodnić – zapewniła pośpiesznie.

– Nie wiem. – Szerszeń rozłożył ręce. – I ten stary pijaczyna, partner twojego ojca też tego nie wie. Uwierz mi, dziś nie ma już sensu rozgrzebywać tej sprawy. Zamknij to i zajmij się swoim życiem. Nie warto wciąż oglądać się za siebie. Patrz naprzód. Myśl o sobie. – Szerszeń lekko się uśmiechnął.

– Rozumiem – szepnęła Weronika. Podinspektor widział jednak, że jest zawiedziona. Jakbyś się dowiedział... Choćby przypadkiem jakaś poszlaka. Daj znać.

– Jasne, masz jak w banku – odparł Szerszeń i dodał konfidencjonalnym szeptem: – Ale Zefek powiedział mi, co on sam podejrzewał. Pamiętaj jednak, że to degenerat. Jego domysły mieszają mu się z wytworami wyobraźni i delirium. Nie warto mu wierzyć. Skoro jednak jesteś córką Rudiego, powiem ci...

– Więc? – Weronika nerwowo obracała w dłoni rączkę torebki.

– Chodziło o przesłuchanie tej dziewczyny. Napaść na twojego ojca miała uniemożliwić jej przesłuchanie.

– Kariny Maliszewskiej?

Szerszeń odchrząknął, zamiast odpowiedzieć.

– Nie mam dowodów, ale chyba ona była przez kogoś kryta. Nic więcej nie wiem i nie sądzę, byśmy się tego kiedyś dowiedzieli. Będę jednak czujny. Znasz mnie.

Prokuratorka pokiwała ze smutkiem głową.

– Tak podejrzewałam – mruknęła. – I jeszcze coś... Skoro już tak cię dręczę.

– Nie dręczysz mnie. Rozmowa z tobą to czysta przyjemność – rozpromienił się Szerszeń.

– Wciąż nie rozumiem, jak Schmidtowi udało się uciec do Niemiec. Może dowiedziałeś się i tego?

– Oczywiście – podinspektor opowiadał tym razem z miną triumfatora. – Jednak spotkanie z Zefkiem dało jakieś rezultaty. Tej sylwestrowej nocy z dziewięćdziesiątego na dziewięćdziesiąty pierwszy był strajk kolejarzy. Pomiędzy czwartą a szóstą rano pociągi stanęły na bocznicy i Schmidt, uciekając, wsiadł do jednego z towarowych, który zatrzymał się na wiadukcie. Zasnął i obudził się po niemieckiej stronie.

– To wszystko?

– Mało ci jeszcze? – roześmiał się Szerszeń. – Najpierw nie mogłem uwierzyć w taki zbieg okoliczności, ale sprawdziłem w archiwum. Gazety nawet pisały o tym strajku. Tak było.

– W sumie Królikowski miał w życiu naprawdę dużo szczęścia...

– Szczęście czasem ciska ludźmi jak piłką. Nie zawsze wychodzi nam to na zdrowie. Odzywaj się, mała. – Uściskał ją ostatni raz i czule ucałował w czoło, jak córkę.

Kiedy wychodziła, spojrzała jeszcze raz na drzwi pokoju, w którym – miała teraz pewność – był Hubert. Stała chwilę na środku korytarza. Wahała się, oddychała głęboko, a przeciąg podwiewał jej sukienkę tak, że musiała ją przytrzymywać, by nie odsłonił nóg aż po linię ud. Ale drzwi się nie otwierały. Wpatrywała się w nie. Nie mogła uwierzyć, że był tak blisko. Na wyciągnięcie ręki. Miała ochotę poczekać, ostatni raz go zobaczyć. Ale przypomniała sobie, co jej odpisał, kiedy z bezsilności ujawniła mu wszystko, co leżało jej na sercu. I że właśnie wtedy zrozumiała, jak bardzo to on był ważny dla niej, nie odwrotnie. I że on nigdy nie poczuje do niej nawet namiastki tego, co ona czuła do niego. Nigdy nie obdarzy jej tym, czego tak naprawdę pragnęła. Może i przestraszył się jej. Tych silnych emocji, których przed nim nie ukryła. Może przeszkodę stanowiła jego obsesja pracy i ambicja. Może...

W gruncie rzeczy wiedziała, że to wszystko było drugorzędne. To jedynie usprawiedliwienia, którymi mogła się karmić, by wyjść z tego z twarzą. Dlatego bezskutecznie wabiła go, próbowała uwieść, wręcz zmusić, by się w niej zakochał. Starała się ze wszystkich sił rozniecić ten ogień, a jednocześnie unieszczęśliwiała go, bo człowiek o takich zasadach jak Meyer musi sam zapragnąć. Nikt i nic nie jest w stanie go do tego nakłonić. Chwilowy zachwyt nic robi na nim żadnego wrażenia. A szalone emocje go odstręczają. Jakikolwiek ciepły gest w jej kierunku przypłacał zniweczeniem własnych zasad, zaprzeczeniem uczciwości wobec siebie, poczuciem winy spowodowanym niewiernością, która nie była dla niego prosta do przejścia i która go dławiła.

Nie chciał jej i miał do tego prawo. Ale ona też miała prawo do swojej fascynacji. Do poczucia jedynej w życiu wielkiej iluzji miłości, która rodzi się poza nami i której pojawienie się nie wynika z naszych pragnień, lecz atakuje znienacka, choć bronimy się przed nią z całych sił. Taka miłość mogła się z tych zmysłów narodzić, lecz nie dane jej było poczuć wzajemności, bo umarła, zanim się rozwinęła, tuż po narodzinach. Werka teraz to wiedziała. Była mądrzejsza i świadoma procesu, w jakim uczestniczy. Wiedziała, że to, co przeżyła, było jedynie elementem wielkiego planu. Co nie znaczy, że bolało ją mniej. Przeciwnie. Wybiegła z komendy, mając w głowie jego własne słowa, które swego czasu czytała w nieskończoność, aż nauczyła się ich na pamięć.

Czuję wszystko, co piszesz. Wszystko rozumiem. Pamiętaj, że największym wrogiem człowieka są jego własne emocje.

Zrelacjonowałem Ci małą część sytuacji, w której się znajduję. To tak, jakby na szali położyć szczęście, a z drugiej strony ludzkie życie. To, co się wydarzyło między nami, to chwilowa odskocznia od rzeczywistości, która pozwala spojrzeć świeżym okiem na stare sprawy. Pozostaje gdzieś w sercu na zawsze i powraca w postaci żywego wspomnienia.

Szukała w nim bezskutecznie miłości, lecz dostała o wiele więcej. Spotkanie Meyera, to, co w niej wyzwolił, okazało się dla niej przekleństwem i błogosławieństwem jednocześnie. Intensywną lekcją życia, silnym wstrząsem, a wreszcie katharsis, które pogrzebały dawną Weronikę i pozwoliły narodzić się całkiem nowej. Nikt nie wywarł na nią tak wielkiego wpływu i miała nadzieję, że więcej takiej potrzeby już nie będzie. Ten człowiek okazał się bowiem katalizatorem zmian, które wprowadziła w swoje życie i których cudotwórcze efekty poczuje za jakiś czas. Wierzyła w to.

Waldemar Szerszeń ruszył w kierunku pokoju przesłuchań. Wszedł bez pukania. Zrobił groźną minę i dał znak oczami, by Meyer wyszedł na chwilę na korytarz. Profiler bez słowa ruszył za policjantem.

– Co jest? – zapytał szeptem.

Szerszeń pociągnął go za rękaw koszuli do okna i wskazał na dziedziniec komendy. Obaj wyraźnie widzieli sylwetkę kobiety w sukience w maki. W tym momencie ściągnęła gumkę z włosów i rubinowe loki rozsypały się na jej plecach. Meyer zamarł. To była scena z jego snu – płonąca aureola z czerwonych włosów – drugiej nocy po tym, kiedy ją zobaczył. Wtedy się przeraził. Teraz tylko wypełniło się to w rzeczywistości.

– Co? – huknął podinspektor. – To ja się pytam, idioto, co ty tutaj jeszcze robisz?

Profiler nie ruszył się z miejsca. Wpatrywał się w znikającą postać. Milczał.

– No już. Goń ją, jeśli ci zależy. Baby lubią takie melodramaty – zachęcał Szerszeń po swojemu.

Meyer poczuł, że drga mu powieka. Spojrzał na swoją obrączkę. Szacował swoje szanse: jak szybko musiałby biec, żeby ją jeszcze dogonić. I skrzywił się na samą myśl, że zakrawałoby to na tani romans. Zrobił niewielki krok i zaraz się cofnął. Szerszeń złapał się za głowę.

– Głupi ty, głupi – śmiał się zrezygnowany. – Sadzaj żabę w złocie, a ona i tak woli w błocie – mruknął pod nosem, machnął ręką i udał się do swojego gabinetu.

Spojrzał na zawiniątko od Werki. Pudełko zawiązane wstążką. Nie miał cierpliwości, by zajmować się rozsupływaniem kokardki. Przeciął tasiemkę, rozdarł papier. W pudełku leżał nowiutki telefon komórkowy. Wpatrywał się chwilę w aparat, wziął go do ręki i obejrzał z każdej strony z taką precyzją, z jaką saper ogląda stary niewybuch z czasów wojny, po czym wybuchnął szczerym śmiechem.

– Ty Wenero!

Ledwie tylko Szerszeń zniknął w drzwiach swojego pokoju, Hubert ruszył. Skakał po kilka stopni, w biegu, niczym lekkoatleta przeskoczył bramkę, wprawiając w osłupienie portiera komendy, rzucił się z całym impetem na szklane drzwi, omal nie roztrzaskał sobie głowy. Kiedy znalazł się u szczytu schodów, dostrzegł ją jeszcze w oddali i ruszył w pościg. Ryzykując upadek, zbiegł po kolejnych schodach, na ostatnim stopniu omal nie skręcił kostki, ale pędził dalej, aż tracił oddech. Zawołał ją po imieniu, potem powtórzył wołanie głośniej. Ale się nie zatrzymała. Przebiegła przez jezdnię w niedozwolonym miejscu i zwiększyła dzielący ich dystans. Meyer nagle odniósł wrażenie, że słyszy go, lecz ucieka.

Wtedy się zatrzymała. On też się zatrzymał. Patrzyli na siebie. Była zbyt daleko, by mógł cokolwiek wyczytać z jej oczu. Widział jednak, że się uśmiechnęła. Poczuł ciepło w sercu i odwzajemnił uśmiech. Trwało to minutę, może dwie.

Nieoczekiwanie odwróciła się i ruszyła dalej wolnym krokiem. Tym razem nie musiała już uciekać – ani od niego, ani od samej siebie. Zrozumiał, że nie może już nic zrobić. Ona jest w innym miejscu. To nie był ten moment. To, co ich łączyło, minęło. Ona też to wiedziała. Jej twarz była wypogodzona i Werka nie potrzebowała już nikogo, by poczuć światło w sobie. Była spokojna i otwarta na nowe.

To, co było – jest, to, co jest – jest i to, co będzie – jest. Meyer wrócił do komendy i ruszył w kierunku pokoju przesłuchań. Musiał dokończyć czynności śledcze. Przeciąg w komendzie zatrzasnął za nim drzwi.

Epilog

Zurych, Szwajcaria. Pół roku później

Dzień był pochmurny i wietrzny, więc Karina w ciemnych okularach, które miała na nosie, widziała jeszcze mniej. Taksówka zatrzymała się przy Theaterstrasse 20, a pasażerka powoli wyciągnęła z torebki sto franków szwajcarskich i bez słowa podała kierowcy. Zaczął szukać w schowku drobnych, lecz pokręciła głową, że nie potrzebuje reszty. Uśmiechnął się i obserwował ją we wstecznym lusterku. Chwilę jeszcze siedziała w aucie, wpatrując się w wysoki szary budynek ze szkła i metalu z charakterystycznym logo w postaci drzewka i napisem UBS[1]. Taksówkarz zerknął we wsteczne lusterko, po czym pośpiesznie obszedł auto i otworzył jej drzwi. Wysunęła nogi w cielistych kozakach na szpilce i oparła je o kostkę brukową, potem przeniosła ciężar ciała poza auto. Zanim wysiadła, szczelnie otuliła się jasnym futrem z norek. W ręku miała małą kopertówkę, w której mieściły się jedynie telefon komórkowy, portfel, dokumenty oraz szminka. Gdyby nie kaszmirowy szal, którym owinęła głowę, podmuch wiatru zniszczyłby jej pieczołowicie wykonaną dzisiejszego ranka fryzurę – długie kasztanowe włosy zaczesano w staromodny kok, a dwa kosmyki spływały po obu stronach jej twarzy w łagodnych falach.

---

[1] UBS AG – największy bank Szwajcarii i jeden ze światowych kolosów.

Nie patrząc więcej na taksówkarza, ruszyła w kierunku siedziby banku. Minęła kolorową rzeźbę z czerwoną kulą na szczycie i weszła do budynku. Skierowała się do sali z napisem „Private clients" i przy jednym ze stanowisk dostrzegła Martina Vogela, urzędnika odpowiedzialnego za jej konto osobiste. Mężczyzna odziany w szary dwurzędowy garnitur na jej widok podniósł się z miejsca i przywitał z nią uniżenie.

– *Welcome in Zurich* – zwrócił się do niej po angielsku, siląc się na brytyjski akcent, i cmoknął ją w dłoń. Na kobiecie nie zrobiło to najmniejszego wrażenia. – Jak minęła podróż, *Mistress* Maliszewska?

– Dziękuję. Bardzo dobrze – odparła, w dalszym ciągu nie zwracając na urzędnika uwagi.

Obrzuciła za to spojrzeniem wielki open space zaprojektowany w nowoczesnym stylu – przestrzeń usianą małymi wysepkami skórzanych sof i stolików z szufladami. Wnętrze bardziej przypominało ekskluzywną hotelową kawiarnię niż bank. Doskonale jednak wiedziała, że naszpikowane jest elektroniką, a wszyscy ludzie zasiadający obecnie na popielatych fotelach i rozmawiający ze swoimi osobistymi urzędnikami, do których mogli dzwonić o każdej porze dnia i nocy, posiadali fortuny rzędu setek milionów złotych. Pomyślała z satysfakcją, że jest na właściwym miejscu. Nigdy nie wątpiła, że kiedyś będzie należała do środowiska finansowych elit.

– Przyjechałam tylko na jeden dzień, panie Vogel. Martwię się o moje aktywa – dodała z przekąsem.

– Mimo doniesień prasowych chciałbym z całego serca zapewnić, że UBS nie ma kłopotów finansowych. A zresztą ten cały kryzys subprime[1] to amerykański wynalazek. Nas to nie dotyczy – wyrecytował.

– To dlaczego w ubiegłą środę ponad tysiąc osób zebrało się na tym dziedzińcu? – Wskazała ręką ścianę ze szkła, przez którą

---

[1] Subprime – obarczony wysokim ryzykiem rodzaj kredytu, którego nadmierne udzielanie, a następnie niespłacanie przez klientów stało się powodem ogólnoświatowego kryzysu w sektorze bankowości.

doskonale widać było ulicę. Po czym wyjęła z torebki polską gazetę i położyła ją na stole. – U nas, w Polsce, także są media. Poinformowały o wszystkim. Nie jestem zadowolona z faktu, że mnie pan tak potraktował. Czy naprawdę sądził pan, że się nie dowiem?

Martin Vogel zmieszał się i nieudolnie próbował ukryć zdenerwowanie. Doskonale wiedział, że jedno słowo klientki, a nie skończy się na naganie od szefa: niewątpliwie straci pracę na tak intratnym stanowisku. Za nic w świecie nie chciałby wrócić do zwykłego banku i obcować z ciułaczami, którzy awanturują się o koszty prowadzenia rachunku.

– Z całą pewnością można to wyjaśnić. Proszę tylko dać mi szansę – pośpieszył z tłumaczeniami.

Karina podniosła gazetę i zaczęła czytać po polsku:

– „W ubiegłą środę ponad tysiąc osób zebrało się w Zurychu przed siedzibą UBS pod hasłem *United Bandits of Switzerland*. Akcjonariusze mają bankowi za złe, że przyjął od państwa sześćdziesiąt miliardów dolarów zapomogi na ratowanie kondycji banku. W ten sposób ich udziały tracą na wartości, a bankowcom wszystko uchodzi płazem".

Vogel wpatrywał się w nią i milczał. Słyszał szmer rozmów prowadzonych przy innych stolikach – ludzie usadowieni byli jednak zbyt daleko, by można było odróżnić słowa. Przy ich stanowisku na chwilę zapadła cisza. Vogel gorączkowo myślał, jak udobruchać Polkę, by nie wycofała swoich aktywów, jak wielu dotychczasowych akcjonariuszy w ostatnim tygodniu.

– Dosyć tej szopki, Mariusz. – Karina przerwała wreszcie ciszę, zwracając się do urzędnika per ty. Zbladł, lecz nie zareagował ani słowem. Czekał na dalszy ciąg jej wypowiedzi. – Przecież wiem, że zrozumiałeś. A przynajmniej większość z tego, co przeczytałam. Twoja matka była Polką – zawiesiła głos i dodała łagodniej: – Na twoje szczęście nie zamierzam na razie nic robić z aktywami. Przyjechałam w innej sprawie. Następnym jednak razem nie życzę sobie dowiadywać się o takich sytuacjach z prasy.

– Tak, oczywiście, pani Maliszewska. Zrozumiałem polecenie. – Vogel odetchnął z ulgą. – W czym wobec tego mógłbym pomóc?

Karina położyła na blacie stolika złoty kluczyk. Vogel pokiwał głową.

– Oczywiście. Proszę zaczekać.

– Nigdzie się stąd nie ruszam – powiedziała do siebie Karina i rozparła się wygodniej w fotelu.

Przymknęła oczy i starała się odprężyć. Wyjęła z miniaturowej torebki szminkę i lusterko, poprawiła makijaż. Krytycznym okiem oceniała właśnie stan swojej nowej fryzury, kiedy podszedł Vogel i dał jej znak, że mogą udać się do skarbca. Minęli open space, a potem szli długim wyludnionym korytarzem aż do bramy w podłużne esy-floresy – identyczne jak logo banku. Vogel wstukał odpowiedni kod, po chwili czujnik elektroniczny wydał jednostajny dźwięk, brama odskoczyła i kobieta wraz z urzędnikiem udała się do pomieszczenia ze skrytkami. Jednocześnie przekręcili kluczyki. Urzędnik wyjął kasetkę ze ściany i przeniósł do pokoiku obok. Położył ją na blacie niewielkiego stołu i bezszelestnie opuścił pomieszczenie.

Karina zdjęła futro i położyła je na fotelu wybijanym czerwonym aksamitem. Obciągnęła dopasowaną spódnicę. Stanęła naprzeciwko kasetki i powoli podniosła wieczko. Wewnątrz znajdowały się niewielkie torebki z miękkiej tkaniny w kolorze wina. Karina powoli wyjmowała je i opróżniała na aksamitną podkładkę, specjalnie do tego celu umieszczoną na stole. Najpierw wyjęła sznur pereł, potem starą ażurową bransoletę z rubinami. Kilka zestawów kolczyków, garść starych monet – każda w oddzielnej koszulce z folii. Następnie zawinięte w pergamin rzeźbione puzderko zawierające długie żyłki przypominające ludzkie włosy po szkłem – Karina wiedziała, że to zabytkowy relikwiarz.

Dotykała każdej z tych rzeczy z namaszczeniem i delikatnie, jakby jej opuszki mogły uszkodzić skarby. Wpatrywała się w nie jak zaczarowana, napawała wręcz tym widokiem. Po kilku minutach cała podkładka była zapełniona precjozami. Pozostało jedno wolne miejsce w środku. Widać było, że tej operacji Karina dokonuje nie pierwszy raz. I każda z czynności jest częścią swoistego rytuału. Jej ruchy były pewne, mechaniczne. Na koniec wyjęła ze skrytki skórzaną saszetkę i drżącą dłonią rozsupłała rzemyki. Potem przymknęła powieki, jakby dokonywała losowania, włożyła do jej środka dwa palce: kciuk i wskazujący. Czuła, że serce jej się zatrzymuje, a ciało oblewa fala najprawdziwszego podniecenia, kiedy wydobyła na światło dzienne złotą dwudziestodolarówkę.

– Jesteś – zwróciła się pieszczotliwie do monety, jakby była żywą osobą. – I nikt oprócz mnie o tobie nie wie. Czy to nie piękne? – Uśmiechnęła się do siebie, po czym położyła ją delikatnie na samym środku poduszeczki.

Cieszyła jakiś czas wzrok swoimi skarbami, aż wreszcie jej oczy stały się szkliste. Tak było za każdym razem, kiedy tutaj przyjeżdżała. Każdy z tych przedmiotów budził w niej po raz kolejny wielkie emocje. Nie chodziło jednak o ich wartość materialną, lecz wspomnienia z dzieciństwa i młodości, które nią znienacka zawładnęły.

Na dnie kasetki został tylko jeden przedmiot opakowany w szarą zniszczoną na rogach kopertę. Karina podniosła ją i przesunęła po niej dłonią, jakby ścierała niewidzialne drobinki kurzu. Przyjrzała się rozmazanemu tuszowi – starej pieczątce zakładu fotograficznego. Dziś bardzo trudnej do odczytania. Koperta była przedarta z boku i właśnie tędy kobieta wyciągnęła z jej środka zawartość. To było stare zdjęcie w sepii.

Na tle kamienicy z neobarokową kopułą z charakterystyczną iglicą została uwieczniona para młodych ludzi z dzieckiem. Wysoki mężczyzna z cienkim wąsikiem był wyraźnie starszy od kobiety. Jego towarzyszka miała może trzydzieści lat. Była nieprawdopodobnie piękna. Karina wpatrywała się w jej twarz i widziała samą siebie. Te same ciemne włosy układające się w naturalne fale, zebrane na wzór ówczesnej mody w duży kok, te same wydatne usta i oczy w ciemnej oprawie. Mężczyzna ze zdjęcia trzymał na rękach sześcioletnią dziewczynkę w falbaniastej sukience o włosach splecionych w warkoczyki. Dziewczynka wyglądała na szczęśliwą. Dorośli także mieli na ustach szerokie uśmiechy. Zdjęcie było wyblakłe i podniszczone, lecz sprawiało, że każdy, kto na nie patrzył, musiał wręcz odczuwać euforię tej trójki. Karina odwróciła fotografię i przeczytała: 6.5.1979 r. Katowice, Stawowa 13. Miała wtedy sześć lat i jak przez mgłę pamiętała ten dzień, bo to były jej urodziny. Momentalnie po jej twarzy zaczęły spływać łzy. Nie powstrzymywała ich, płakała bezgłośnie.

– Mogłabym teraz bardzo tanio kupić nasz dom, tato – powiedziała, nie przestając wpatrywać się w postaci uwiecznione na zdjęciu na tle katowickiego Kaiserhofu. I po chwili dodała: – Ale jeszcze się zastanowię.

Włożyła kosztowności z powrotem do kasetki. Nie wzięła ani jednej błyskotki, nawet najmniejszego pierścionka czy monety. Zatrzasnęła wieczko i nacisnęła cichy dzwonek, który miał przywołać do pokoju urzędnika. Zanim przyszedł, była już gotowa do wyjścia. Stała w futrze zapiętym pod szyję. Nie mógł się domyślić, że jeszcze przed chwilą płakała, ponieważ założyła duże przeciwsłoneczne okulary. Wyszła bez pożegnania.

Stanęła na krawężniku i zatrzymała przejeżdżającą taksówkę. Kazała się wieźć do hotelu. Wymeldowała się, zapłaciła za nocleg i zleciła najstarszej recepcjonistce, by przyniesiono jej na dół bagaże. Była już dawno spakowana. Kiedy tylko torba podróżna stanęła przed nią w holu, wydobyła z niej coś niewielkiego i pewnym krokiem ruszyła do wyjścia. W obrotowych drzwiach omal nie zderzyła się z innymi gośćmi.

Recepcjonistka przyglądała się tej eleganckiej damie. Obsługiwała ją od lat – za każdym razem, kiedy kobieta tutaj przyjeżdżała, obserwowała ją zafascynowana. Teraz jej zachowanie wydało się podejrzane – działała w zbytnim pośpiechu, nerwowo. Recepcjonistka nie mogła jednak opuścić stanowiska pracy i przyjrzeć się temu z bliska, chociaż widziała przez szybę, że Polka stoi przed hotelem, na coś czekając. W tym momencie do pulpitu recepcji wróciła jej koleżanka. Recepcjonistka rzuciła, że wychodzi zaczerpnąć powietrza, i niemal biegiem ruszyła do bocznego wyjścia z hotelu.

Karina stała przed wejściem jeszcze chwilę. Recepcjonistka widziała, że kobieta mówi coś do siebie, ale nie mogła tego usłyszeć.

– To już koniec naszej współpracy, panie Poloczek – powiedziała z uśmiechem Karina, wpatrując się w niewielki druczek. Było to pozwolenie na widzenie z Alojzym Poloczkiem, synem Leona, oraz talon na paczkę bożonarodzeniową z listą zamówionych przez zabójcę przedmiotów, które powinna mu kupić.

– Zabiłeś mi ojca, lecz człowiek nie może otrzymać niczego, co nie byłoby mu dane z nieba. Dlatego „Do Mnie należy srebro i do Mnie złoto"[1] – powiedział Pan Zastępów.

Recepcjonistka patrzyła, jak kobieta z zapamiętaniem drze coś na kawałki, a jej twarz rozjaśnia coraz szerszy uśmiech. Po chwili zaś skrawki podrzuca do góry jak konfetti.

W tym momencie zerwał się wiatr. Kołnierz chmur na chwilę się rozsunął, by przez niewielką szczelinę mógł prześlizgnąć się nieśmiały promień słońca. Podarte kawałki papieru zatańczyły na wietrze i zmieszały się z pierwszymi płatkami śniegu, które zaczęły spadać na chodnik. Niektóre wzbijały się do góry niesione podmuchem w przestrzeń, reszta przykryła cienką pierzynką perfekcyjny dziedziniec jednego z najstarszych hoteli międzynarodowej sieci Kaiserhof.

Warszawa 2009

---

[1] *Pismo Święte Starego i Nowego Testamentu (Biblia Tysiąclecia)*, Ag 8, Poznań–Warszawa 1990, Wydawnictwo Pallotinum, wyd. trzecie poprawione.

Podziękowania

Mirce Kopoczek za siatkę czasu, znienawidzone: „rysujemy, rozpisujemy". Bez jej zaangażowania ta książka by nie powstała. To naprawdę wielkie szczęście mieć u boku tak doświadczonego opiekuna artystycznego, który mobilizuje w chwilach zwątpienia.

Mojej córeczce Niusi za zrozumienie, że „mama pracuje", za cudowne „uda się" w chwilach zastoju i za te czasem „już dość", które zmuszały mnie do powrotu do rzeczywistości. Mojej cudownej Mamie i najukochańszemu Bratu oraz jego narzeczonej Oli, którzy zawsze i wszędzie stoją za mną murem, nawet jeśli nie mam racji (też Was kocham).

Janowi F. Lewandowskiemu – skarbnicy wiedzy historycznej Śląska, za wycieczkę po Katowicach. Teresie Darmoń za pomoc w okiełznaniu gwary śląskiej, Staszkowi Trzasce za kawę z kardamonem i inne niespodzianki, Andrzejowi Depko i Kasi Klimko-Damskiej za konsultacje seksuologiczne, Darkowi Molowi za spotkanie przed TVP, a zwłaszcza jedno piękne zdanie, które wypożyczyłam do tej książki. Bogdanowi Lachowi za profilowanie i *Zbrodnię niedoskonałą*, Gośce Młodzian za to, że była najlepszym „żałobnikiem" i wykupiła drugą połowę sukienek KM, ratując mnie przed bankructwem, Ani Gidyńskiej i Markowi Wieruszewskiemu za „różową landrynę", a Annie Śliwińskiej – już ona wie za co.

Dziękuję
Katarzyna Bonda

Spis treści

Książkę wydrukowano na papierze
Creamy HiBulk 2.4 53 g/m^2
dostarczonym przez ZiNG Sp. z o.o.

www.zing.com.pl

Warszawskie Wydawnictwo Literackie
MUZA SA
ul. Sienna 73, 00-833 Warszawa
tel. +4822 6211775
e-mail: info@muza.com.pl

Dział zamówień: +4822 6286360
Księgarnia internetowa: www.muza.com.pl

Skład i łamanie: MAGRAF s.c., Bydgoszcz
Druk i oprawa: Abedik S.A., Poznań